PASSÉ IMPARFAIT

Julian Fellowes

PASSÉ IMPARFAIT

Traduit de l'anglais
par Jean Szlamowicz

Directeurs de collection : Arnaud Hofmarcher et Marie Misandeau
Coordination éditoriale : Marie Misandeau

Titre original : *Past Imperfect*
Éditeur original : Weidenfeld and Nicolson

Sonatine Éditions
21, rue Weber
75116 Paris
www.sonatine-editions.fr

1

Londres est désormais pour moi une ville hantée et je suis le fantôme qui erre dans ses rues. Chaque rue, chaque place, chaque avenue semble me susurrer les souvenirs d'une autre époque de mon existence. Même un tout petit tour à Chelsea ou Kensington me ramène à des endroits où je fus jadis bienvenu et où aujourd'hui je serais un parfait étranger. Je me vois apparaître, soudain redevenu jeune, vêtu pour quelque surprise-partie depuis longtemps oubliée, accoutré de vêtements qui ressemblent au costume local d'une contrée des Balkans en pleine guerre. Ah ! ces pattes d'eph évasées, ces chemises à jabot avec col en V à lacets... Quel goût avions-nous ! Quand je contemple ce spectre, cette image de moi-même, plus jeune et plus mince, je vois les ombres des disparus, parents, tantes et grands-mères, grands-oncles et cousins, amis et petites amies, qui ont tous quitté ce monde, ou du moins ce qui me reste de ma vie. On dit que l'un des signes de la vieillesse, c'est quand le passé devient plus réel que le présent. Je sens déjà la poigne de ces décennies perdues s'abattre sur mon imagination et assombrir les souvenirs plus récents d'une lumière grisâtre et nébuleuse.

C'est pourquoi on comprendra aisément que j'aie été un tant soit peu intrigué, en même temps que décontenancé, à la découverte d'une lettre de Damian Baxter parmi les factures, mots de remerciement et invitations à participer à des œuvres caritatives qui s'empilent quotidiennement sur mon bureau. En tout cas, je n'aurais absolument pas pu prévoir une telle missive. Nous ne nous étions pas vus depuis environ quarante ans et nous n'étions pas restés en contact non plus. Cela pourra paraître étrange, je sais, mais nous avions évolué dans des univers différents et l'Angleterre a beau être, à bien des égards, un petit pays, il reste assez grand pour que nous ne nous soyons jamais croisés durant tout ce temps. Mais il y avait une autre raison pour expliquer ma surprise et elle était beaucoup plus simple.

Je détestais Damian Baxter.

Un regard m'avait pourtant suffi pour deviner de qui venait la lettre. L'écriture sur l'enveloppe m'était familière, mais elle avait quelque chose de changé, comme le visage d'un enfant bien-aimé après le cruel passage des ans. Avant ce matin-là, si j'avais pensé une seule seconde à Damian, je n'aurais jamais pu imaginer quoi que ce soit qui puisse le pousser à m'écrire et inversement. Je m'empresse d'ajouter que je ne fus pas le moins du monde contrarié par cette lettre. Il est toujours agréable d'avoir des nouvelles d'un vieil ami, mais, à mon âge, il est encore plus intéressant de recevoir des nouvelles d'un vieil ennemi. Contrairement à un ami, un ennemi sera susceptible de vous apprendre des choses que vous ne saviez pas sur votre propre passé. Et si Damian n'était pas tout à fait un ennemi, pas dans un sens véritablement nocif, il était un ancien ami, ce qui est – cela va sans dire – bien pire. Nous nous étions quittés sur une querelle, dans des circonstances où une colère violente s'était déchaînée, alimentée de manière parfaitement consciente par la chaleur enfiévrée des moments où l'on coupe tous les ponts. Nous étions partis chacun de notre côté, sans nous retourner pour corriger le mal qui avait été fait.

La lettre était des plus sincère, je dois l'admettre. Traditionnellement, les Anglais préfèrent ne pas affronter directement une situation qui pourrait se révéler délicate du fait d'événements passés. En général, ils minimisent la portée d'épisodes désagréables et se contentent d'y faire une vague allusion permettant de s'en débarrasser : « Te souviens-tu de cette affreuse soirée chez Jocelyn ? Je me demande comment nous avons survécu à tout cela. » S'il est vraiment impossible de dédramatiser l'événement et de le rendre inoffensif de cette manière, on peut toujours faire comme s'il ne s'était jamais produit. Un préambule comme : « Il y a trop longtemps que nous ne nous sommes pas vus » doit ainsi bien souvent se traduire par « Je n'ai pas envie de faire durer ce conflit davantage. C'était il y a longtemps. Acceptes-tu de passer l'éponge ? » Si le destinataire partage les mêmes sentiments, la réponse se fera dans les termes d'un déni similaire : « C'est vrai, il faut qu'on se voie. Que deviens-tu depuis que tu es parti de la banque Lazard ? » Cela suffit amplement pour signifier la fin de la brouille et la reprise de relations normales.

Mais, en l'occurrence, Damian avait renoncé à ce genre de procédé. De fait, sa sincérité se montrait pour ainsi dire méditerranéenne. Il m'écrivait, d'une main anguleuse et encore assez agressive : « J'imagine qu'après tout ce qui s'est passé entre nous tu ne t'attendais pas à avoir de mes nouvelles un jour. Je considérerais malgré tout une visite de ta part comme une grande faveur. Je ne vois pas pourquoi tu viendrais me voir étant donné ce qui s'est passé la dernière fois, mais, au risque de verser dans le mélodrame, il ne me reste plus longtemps à vivre et cela pourrait passer pour une faveur accordée à un mourant. » Au moins ne pouvais-je pas l'accuser d'employer des faux-fuyants. Pendant un moment, j'ai fait comme si je pesais ma décision, mais je savais déjà que j'accepterais, qu'il me fallait soulager ma curiosité et que je retournerais de plein gré sur les terres de ma jeunesse évanouie. En effet, comme je n'avais plus eu de contact avec Damian depuis l'été 1970, son soudain surgissement me rappela avec acuité à quel point le monde dans lequel je vivais avait changé, ce qui était bien sûr vrai pour tout un chacun.

Malgré le danger que cela représente, j'ai cessé de me battre contre le triste sentiment que le décor de mes années d'enfance était bien plus doux que celui d'aujourd'hui. Les jeunes d'aujourd'hui, selon un point de vue aussi légitime que compréhensible, défendent leur propre époque et rejettent en général nos réminiscences d'un âge d'or où le client avait toujours raison, où les membres de l'Automobile Association saluaient le macaron sur votre voiture et où les policiers portaient la main à leur casque pour vous dire bonjour. Ils remercient le ciel pour la fin de cette période où régnait la déférence. Mais la déférence est le signe d'un monde ordonné, stable et qui peut, au moins rétrospectivement, procurer une certaine chaleur, voire paraître bienveillant. J'ai l'impression que ce qui me manque par-dessus tout, c'est la bienveillance de cette Angleterre d'il y a un demi-siècle. Mais, là encore, est-ce cette bienveillance que je regrette ou ma propre jeunesse ?

– Je ne comprends pas bien qui est ce Damian Baxter. Il a tant d'importance que ça ? Tu ne m'en as jamais parlé, me demanda Bridget ce soir-là, à table, en dégustant un poisson aussi cher que mal cuit de notre traiteur italien toujours aussi obséquieux sur Old Brompton Road.

Quand Damian m'envoya sa lettre, il n'y a pas si longtemps, en fait, je vivais encore au rez-de-chaussée d'un grand appartement de Wetherby Gardens, confortable et très pratique pour différentes raisons, et parfaitement situé eu égard à la culture du plat à emporter qui s'est emparé de notre société ces dernières années. D'une certaine manière, c'était une adresse très chic, et je n'aurais certainement jamais pu me permettre d'acheter une telle résidence si je n'en avais pas hérité de mes parents des années auparavant, quand ils s'étaient finalement retirés de Londres. Mon père avait bien tenté d'émettre des objections mais ma mère avait insisté avec une certaine sécheresse, affirmant qu'il me fallait « un endroit pour commencer » et il avait cédé. J'ai donc profité de leur générosité et j'avais imaginé non seulement « commencer » à cet endroit, mais y finir. En vérité, je n'avais guère changé la décoration depuis l'époque où ma mère y habitait et l'appartement était encore rempli de ses affaires. La charmante petite table ronde dans le renfoncement de la fenêtre à laquelle nous dînions lui appartenait et l'appartement dans son ensemble pouvait dégager une atmosphère très féminine avec ses ravissants meubles Régence et le tableau d'un ancêtre au-dessus de la cheminée représentant un petit garçon avec des bouclettes – à cela près que ma virilité personnelle s'affirmait par mon absolue et incontestable absence d'intérêt pour toute cette décoration.

Au moment où est arrivée la lettre, Bridget FitzGerald était ma... – j'allais dire ma « petite amie », mais je ne suis pas certain que l'on puisse avoir une « petite amie » quand on a plus de 50 ans. D'un autre côté, si l'on est trop vieux pour une « petite amie », on ne l'est encore pas assez pour une « dame de compagnie ». Quelle peut donc bien être la terminologie correcte ? Les habitudes linguistiques modernes nous ont volé tant de mots pour les utiliser de manière inappropriée que, si l'on cherche un terme précis, on se retrouve souvent face à un placard vide. Il en va ainsi du mot « partenaire » qui, comme chacun sait, est à la fois banal et dangereux. J'ai récemment présenté le codirecteur d'une petite entreprise que je possède comme mon « partenaire » et j'ai mis quelques instants à comprendre la nature des regards que me lançaient différentes personnes qui croyaient jusqu'alors tout savoir de moi. Mais, d'un autre côté, l'expression « ma moitié » semble tout droit sortie d'une vieille sitcom ayant pour héroïne la secrétaire d'un club de golf. Quant à « ma concubine », nous n'en sommes pas encore là, même si, je dois l'avouer, nous n'en sommes pas loin. Bref, Bridget et moi étions ensemble. Notre couple n'était pas tout à fait assorti. J'appartenais à la catégorie des « romanciers peu connus » tandis qu'elle était une brillante femme d'affaires irlandaise spécialisée dans les questions immobilières, qui n'avait pas trouvé chaussure à son pied et s'était retrouvée avec moi.

Ma mère n'aurait certes pas approuvé, mais ma mère était décédée et donc, théoriquement, peu concernée par la question, même si je ne suis pas convaincu que nous puissions nous défaire du regard critique de nos parents, qu'ils soient morts ou pas. On pouvait aussi imaginer que ma mère soit devenue plus tolérante dans l'au-delà mais j'ai des doutes sur le sujet. Peut-être aurais-je dû écouter ses conseils posthumes car je ne peux pas dire que Bridget et moi ayons eu grand-chose en commun. Cela dit, elle était intelligente et attirante – je n'en méritais pas tant –, sans parler de ma solitude et de ma lassitude envers tous ces gens qui me proposaient de passer déjeuner tous les dimanches midi. En tout cas et quelle qu'en soit la raison, nous nous étions trouvés et même si nous ne vivions pas ensemble à proprement parler, puisqu'elle avait gardé son appartement, nous cheminions de concert depuis deux ans en toute sérénité. Ce n'était pas exactement de l'amour, mais c'était déjà quelque chose.

En ce qui concerne la lettre de Damian, j'avais été amusé par le ton jaloux qu'avait pris Bridget en faisant référence à un passé dont, par définition, elle ne pouvait pas savoir grand-chose. La remarque « Tu ne m'en as jamais parlé » ne peut signifier que : « Si ce type était important, tu m'en aurais parlé. » Ou, pire, tu aurais *dû* m'en parler. Cela participe de cette idée communément admise selon laquelle avoir une relation avec quelqu'un implique que vous ayez le droit de tout savoir sur cette personne, jusqu'au moindre détail, ce qui, bien sûr, ne saurait être vrai. « Nous n'avons aucun secret l'un pour l'autre », affirment avec entrain de jeunes acteurs dans les films alors que, comme nous le savons tous, nos vies sont remplies de secrets, dont un bon nombre nous restent cachés. De toute évidence, dans ce cas précis, ce qui inquiétait Bridget était l'idée que, si Damian était à ce point important pour moi et que je ne l'aie pas mentionné, combien d'autres éléments essentiels avais-je pu lui cacher ? Pour ma défense, je dois faire remarquer que son passé m'apparaissait comme un coffre scellé autant que le mien pouvait l'être à ses yeux, ou que celui de n'importe qui. Nous laissons parfois quelqu'un jeter un coup d'œil mais en général uniquement en surface. Les recoins les plus sombres de nos souvenirs sont laissés à notre seule appréciation.

– C'était un ami à moi du temps où j'étais à Cambridge. Nous nous sommes rencontrés en deuxième année, au moment où je participais à la « Saison », la période des bals et des événements mondains, à la fin des années 1960. Je lui ai présenté certaines jeunes filles. Il a été adopté par tout le monde et nous nous sommes fréquentés ainsi pendant un moment à Londres.

– Vous faisiez les délices des Débutantes... commenta-t-elle sur un ton mêlant humour et moquerie.

– Je suis heureux de voir que ma jeunesse te fait toujours autant sourire.

– Et puis après, que s'est-il passé ?

– Rien du tout. Chacun a fait sa vie de son côté après cette période et il n'y a rien à raconter. Nous avons juste suivi des directions différentes.

Bien évidemment, je proférais un mensonge.

Elle me regarda, comprenant qu'il y avait autre chose que ce que je dévoilais.

– Si tu y vas, j'imagine que tu voudras y aller seul.

– Oui, j'irai tout seul.

Je ne lui proposai pas davantage d'explication, mais, pour être juste à son égard, elle ne m'en demanda pas non plus.

Il m'est arrivé de penser que Damian Baxter était une pure création de ma part, même si cela ne fait que révéler mon inexpérience. Comme chacun sait, le plus grand magicien au monde ne peut faire sortir un lapin de son chapeau que s'il y a *déjà* un lapin dans le chapeau, même s'il est bien caché, et Damian n'aurait jamais pu connaître le succès dont je me considérais comme responsable s'il n'avait d'abord possédé ces qualités qui ont rendu son triomphe possible et, même, inévitable. Cependant, je ne crois pas qu'il aurait pu briller sous le feu des projecteurs mondains quand il était jeune, en tout cas pas à cette époque-là, sans une certaine aide. Et il se trouve que je fus celui qui lui procura cette assistance. Peut-être est-ce pour cette raison que sa trahison fut si cuisante pour moi. Je fis bonne figure, ou j'essayai en tout cas, mais cela n'enlevait rien à la douleur. Trilby avait trahi Svengali, Galatée avait détruit les rêves de Pygmalion.

La lettre précisait : « Tu peux venir à n'importe quelle heure, n'importe quel jour. Je ne sors plus et ne reçois guère, si bien que je suis à ton entière disposition. Je suis tout près de Guilford. Si tu es en voiture, cela te prendra une heure et demie, mais le trajet est plus rapide par le train. Dis-moi ce que tu préfères et je te donnerai les indications ou ferai en sorte qu'on t'attende à la gare. » En définitive, après ma fausse tergiversation, je lui répondis que le mieux serait un dîner, en lui précisant le jour choisi et le train que j'entendais prendre. Il me confirma la date ainsi que l'invitation à rester passer la nuit. En effet, je préfère « dormir où je dîne », à l'instar du personnage comique de Jorrocks[1], et j'acceptai donc cet arrangement. C'est ainsi que j'arrivai à la gare de Guilford par un agréable après-midi d'été de juin.

1. Personnage d'épicier londonien passionné par la chasse à courre, créé par le romancier Robert Smith Surtees (1805-1864), dans *Jorrocks' Jaunts and Jollities* (1838). *(Toutes les notes sont du traducteur.)*

Je cherchais vaguement du regard quelque individu originaire d'Europe de l'Est avec un panneau où mon nom mal orthographié serait écrit au feutre, mais, à la place de cela, je fus abordé par un véritable chauffeur en uniforme – ou plutôt par quelqu'un qui ressemblait à un acteur jouant le rôle du chauffeur dans un épisode d'*Hercule Poirot* – qui ne remit sa casquette qu'après s'être présenté d'une voix pondérée avec beaucoup d'humilité, puis me mena jusqu'à une Bentley toute neuve, garée illégalement sur l'espace réservé aux handicapés. Je dis « illégalement » parce que, malgré la présence du badge bien visible à travers le pare-brise, j'imagine qu'on ne distribue pas ces badges pour qu'ils servent à aller chercher des amis à la gare et leur éviter de trop se mouiller ou d'avoir à marcher avec leurs bagages. Mais bon, après tout, tout le monde a droit à de petits avantages.

Je savais que Damian avait bien réussi dans la vie, même si je ne me souvenais pas de la manière dont l'information m'était parvenue puisque nous ne partagions aucun ami commun et évoluions dans des cercles totalement différents. J'avais dû voir son nom dans une liste des personnalités du *Sunday Times* ou peut-être dans un article de la rubrique économique. Mais je ne crois pas que je me sois véritablement rendu compte de l'ampleur de sa réussite. En parcourant à vive allure les petites routes du Surrey, il devint rapidement évident, à voir les haies bien entretenues et les murets impeccables, les pelouses aussi lisses que des tables de billard et les allées au gravier d'un blanc lumineux et sans mauvaises herbes, que je pénétrais dans le royaume des riches. Ici, pas de poteaux de barrière branlants, d'écuries désaffectées ou de fuites dans le toit. Il ne s'agissait pas ici de legs du passé et de lustre d'antan. Ce que j'avais sous les yeux n'était pas les restes d'une prospérité passée, mais la présence vivante d'une fortune toute fraîche.

J'ai quelque expérience de cet univers-là. Quand on est comme moi un écrivain connaissant un relatif succès, on est amené à fréquenter « des gens de toute provenance » comme disait ma grand-mère, mais je ne pourrais prétendre qu'il s'agissait véritablement là de mon milieu. La plupart des prétendus riches que je connais sont détenteurs de vestiges de fortunes anciennes et non nouvelles. Ce sont des riches qui l'étaient autrefois bien davantage. Les maisons devant lesquelles je passais là appartenaient aux riches de maintenant, ce qui n'a rien à voir. J'avoue ressentir quelque chose de très stimulant face à l'évidence palpable de cette puissance financière. Il est très curieux de constater qu'aujourd'hui encore il existe en Grande-Bretagne une forme de snobisme envers l'argent fraîchement acquis. J'imagine que la droite traditionnelle est censée tordre le nez face à ces gens-là mais, paradoxalement, ce sont souvent les intellectuels de gauche qui montrent tout leur mépris pour ceux qui se sont faits tout seuls. Je n'oserais essayer de comprendre comment une telle attitude peut être compatible avec la croyance à l'égalité des chances. Peut-être ne tentent-ils pas de faire la synthèse des deux points de vue et se contentent-ils de vivre selon des impulsions contradictoires, mais je suppose que c'est ce que nous faisons tous, à un degré plus ou moins important. Si j'ai pu me rendre coupable d'un avis aussi stéréotypé dans mes jeunes années, cela n'est plus du tout le cas. Aujourd'hui, j'admire sans aucune vergogne les hommes et les femmes qui ont fait leur pelote, de la même manière que j'admire tous ceux qui sont capables de considérer la carte de l'avenir qui est tracée pour eux et qui n'ont pas peur de la déchirer pour en dessiner eux-mêmes une meilleure. Les *self-made-men* ont davantage de chance de trouver une vie qui leur convienne vraiment. À cet égard, je leur rends hommage, à eux et à leur monde aux multiples splendeurs. Bien sûr, à titre strictement personnel, il m'était particulièrement désagréable que Damian Baxter pût appartenir à cette catégorie de personnes.

La demeure qu'il avait choisie comme cadre de sa magnificence n'était pas le palais d'un noble déchu mais plutôt l'un de ces antres labyrinthiques, prétentieusement moralisateurs, façon Arts and Crafts, qui ressemblent à des décors de Disney et ne sont pas plus convaincants aujourd'hui comme emblèmes de la vieille Angleterre qu'ils ne l'étaient au début du XXe siècle quand Lutyens[1] les a fait construire. La demeure était entourée de jardins en terrasses, aux allées superbement soignées et aux haies parfaitement taillées, mais il ne semblait pas y avoir de terres attenantes. Damian ne paraissait pas avoir repris la vieille tradition consistant à imiter les hobereaux. Il ne s'agissait pas d'un manoir niché au sein de grandes étendues de terres agricoles. C'était simplement le symbole de la Réussite avec un « R » majuscule.

Cela étant dit, l'ensemble avait beau ne pas se situer dans une lignée aristocratique traditionnelle, il en émanait une atmosphère conforme aux années 1930, comme si la demeure avait

1. Sir Edwin Landseer Lutyens (1869-1944), architecte britannique réputé pour avoir adapté le style traditionnel à l'époque moderne. Il a conçu de nombreuses maisons de campagne anglaises et contribué à la construction de New Delhi.

été construite avec la fortune mal acquise d'un profiteur de la guerre 1914-1918. L'ambiance digne d'Agatha Christie instaurée par l'apparition du chauffeur s'était prolongée avec celle d'un maître d'hôtel qui s'inclina à mon arrivée et même d'une femme de chambre, entraperçue alors que je gravissais l'escalier en chêne clair, vêtue d'une robe noire et d'un tablier blanc à volants, encore qu'elle parût moins austère, comme si j'avais soudain été transporté dans une comédie musicale composée par Gershwin. Le caractère étrange et irréel de la situation se renforça encore quand je fus conduit jusqu'à ma chambre sans même avoir rencontré mon hôte. Un tel cérémonial vous donne toujours un peu le frisson qui va avec l'impression de jouer un rôle dans un roman policier. Voir un domestique sombrement vêtu se poster à la porte pour vous murmurer : « Si Monsieur veut bien avoir l'amabilité de descendre au salon quand il sera prêt » semble plus convenir à la lecture d'un testament qu'à une visite de courtoisie. La chambre n'était pas mal du tout. Les murs étaient tendus de damas bleu pâle, comme le grand lit à baldaquin. Le mobilier était composé de pièces reflétant l'inaltérable solidité anglaise et on remarquait même entre les fenêtres quelques charmantes chinoiseries peintes sur verre. Certes, tout cela donnait l'indéniable impression d'être dans un hôtel de luxe plutôt que dans une véritable maison de campagne, et la salle de bains impressionnante ne faisait que confirmer ce sentiment avec une douche italienne, une baignoire gigantesque, dont les robinets rutilants surmontaient des tuyaux massifs émergeant directement du sol, sans parler des immenses serviettes, toutes neuves et moelleuses. Comme on le sait, ce genre de détail n'est guère courant chez des particuliers à la campagne, même aujourd'hui. Je pris le temps de me rafraîchir avant de descendre.

Comme on pouvait s'y attendre, le salon avait l'ampleur d'une énorme caverne. Il était surmonté d'un plafond en voûte et doté de tapis trop épais changés récemment. Ce n'était pas ceux à longs poils d'un riche patron de boîte de nuit, ni ceux plats et précieux des gens distingués, mais des tapis doux, et, surtout, tout neufs. Rien dans cette pièce n'avait été acquis par les générations précédentes. Il semblait d'ailleurs que l'acheteur fût une seule et même personne. Rien à voir avec les décors hétéroclites que l'on trouve dans les maisons de campagne, où se télescopent dans une seule pièce les contenus cumulés de quarante collections réunies par des amateurs différents sur deux ou trois siècles. L'ensemble était très réussi. C'était même remarquable. Les meubles dataient principalement du début du XVIIIe siècle. Quant aux tableaux, plus tardifs, ils étaient tous de qualité, dotés de cadres d'une propreté irréprochable et en très bon état. Cela procurait le même sentiment que dans ma chambre, et je me demandais si Damian avait eu recours aux services d'un décorateur pour aménager sa vie. Dans tous les cas, on ne sentait pas une personnalité se dégager de cette pièce, ni la sienne ni celle de quelqu'un d'autre. Je fis le tour des tableaux, sans vraiment savoir si je devais rester debout ou bien m'asseoir. Malgré la splendeur ambiante, on sentait une sorte d'abandon, et les boulets de charbon dans le feu ne parvenaient pas à dissiper une atmosphère légèrement humide, comme si la pièce avait été nettoyée mais qu'on ne l'avait pas utilisée depuis longtemps. Et il n'y avait pas de fleurs, ce qui est un signe révélateur : il n'y avait rien de vivant en réalité, et la perfection de l'endroit possédait quelque chose de desséché, de stérile. Je ne pouvais imaginer qu'une femme ait pu contribuer à la vie de ce lieu et encore moins qu'un enfant y ait joué un rôle quelconque.

Il y eut un bruit à la porte, puis une voix légèrement hésitante, proche du bégaiement, que je ne connaissais que trop bien :

– Mon cher ami, j'espère que je ne t'ai pas fait attendre.

Il y a un moment dans *Orgueil et Préjugés* de Jane Austen où Elizabeth Bennet aperçoit sa sœur qui revient avec ce misérable de Wickham, sauvé de la disgrâce par les efforts de M. Darcy. « Lydia était toujours Lydia », remarque-t-elle. Eh bien, Damian Baxter était toujours Damian Baxter. Ou plutôt, le beau jeune homme bien bâti aux boucles épaisses et au sourire facile avait disparu, remplacé par une silhouette bossue ressemblant au docteur Manette de Dickens, mais je reconnus immédiatement ce bégaiement très personnel empli de timidité qui masquait un profond sentiment de supériorité et je retrouvai cette arrogance condescendante si familière dans le geste large avec lequel il me tendit sa main osseuse.

– Je suis ravi de te revoir, dis-je avec un sourire.

– Vraiment ?

Chacun scrutait le visage de l'autre, étonné par l'étendue du changement et, simultanément, par l'absence de changement que chacun y découvrait. En l'examinant davantage, je me rendis compte que la formule employée dans sa lettre mentionnant « un mourant » était on ne peut plus vraie. Il n'était pas seulement vieux avant l'heure, mais très malade et, semblait-il, au-delà du point de non-retour.

– La situation est intéressante, en tout cas, je crois.

– Oui, je crois que oui.

Il fit un signe de tête au majordome immobile près de la porte.

– Je me demandais si nous pourrions déguster un peu de ce champagne.

Je ne fus pas surpris de constater qu'il masquait toujours ses ordres avec des questions indirectes et détournées. J'étais rompu à ce procédé dont j'avais été un témoin de longue date. Comme de nombreuses personnes qui l'utilisent, Damian devait se figurer que cela lui conférait une aura d'humilité, comme si cette retenue manifestait le désir maladroit mais louable de ne pas se tromper. Sauf que je savais pertinemment qu'il n'avait pas éprouvé un tel sentiment depuis environ 1967, et encore pas souvent. L'homme à qui cette phrase s'adressait ne crut pas devoir formuler une réponse et on n'en attendait sans doute aucune de sa part. Il partit donc chercher le vin.

Le dîner eut lieu dans une salle à manger, qui tentait avec peu de bonheur de mélanger les motifs Liberty de William Morris au style des collines de Hollywood, et se déroula avec une retenue un peu rigide. Le mélange de hautes fenêtres à meneaux et d'une lourde cheminée en pierre sculptée avec ces tapis tout neufs aboutissait à un résultat assez plat et inexpressif, comme si, pour une raison mystérieuse, on avait posé une table et des chaises dans le bureau vide mais cossu d'un avocat. Le repas était en tout cas délicieux. Damian n'en profita guère, mais la bouteille de margaux qu'il avait choisie nous apporta à tous deux beaucoup de plaisir. Le maître d'hôtel silencieux, dont je savais désormais qu'il s'appelait Bassett, fut à peu près constamment avec nous et, inévitablement, la conversation qui se déroula devant lui fut éminemment anodine. Une tante m'avait autrefois raconté qu'avant la guerre la liberté des conversations lors de certains repas était stupéfiante et la présence des domestiques n'avait pas le moindre effet modérateur. Secrets politiques, confidences familiales, indiscrétions personnelles fusaient devant les valets à l'écoute avant, j'imagine, de contribuer à la bonne humeur des soirées du pub local, voire d'agrémenter les pages de leurs mémoires, comme c'est souvent le cas à notre époque vénale et graveleuse. Nous avons perdu la sublime assurance qu'avait cette génération dans son mode de vie. Que cela nous plaise ou pas – et personnellement, cela me ravit réellement –, le temps nous a fait prendre conscience de l'humanité de ceux qui nous servaient. Car quiconque est né après 1940 sait désormais très bien que tous les murs ont des oreilles.

Nous avons donc bavardé de tout et de rien. Il me demanda des nouvelles de mes parents et moi des siens. De fait, mon père l'aimait beaucoup mais ma mère, dont les instincts primitifs étaient en général beaucoup plus sûrs, avait perçu quelque chose de pas net dès le début. Mais elle était morte depuis notre dernière rencontre ainsi que ses deux parents, et nous n'avions donc pas grand-chose à raconter. À partir de là, nous avons parlé de connaissances communes d'il y a longtemps et, quand nous fûmes prêts à passer à autre chose, nous avions couvert bon nombre de déceptions professionnelles, de divorces et de morts prématurées.

Il se leva enfin et s'adressa à Bassett : « Pensez-vous que nous puissions prendre le café dans la bibliothèque ? » Là encore, il demanda cela avec douceur, comme si c'était une faveur qui pouvait lui être refusée. Que se passerait-il si, face à ce genre de question, quelqu'un le prenait au pied de la lettre ? « Désolé, sir, mais je suis un peu occupé pour l'instant. J'essaierai de vous apporter le café plus tard. » Cela me ferait plaisir d'entendre ça un jour. Mais ce maître d'hôtel-là connaissait sa place et il partit exécuter cet ordre voilé tandis que Damian m'amenait dans la plus jolie pièce que j'avais vue jusqu'alors. On aurait dit qu'un propriétaire précédent, ou peut-être Damian lui-même, avait acheté la bibliothèque complète d'une demeure beaucoup plus ancienne avec des étagères foncées au lustre profond et un magnifique paravent avec des colonnes sculptées. Il y avait une délicate cheminée de marbre rosée, et dans une coquille d'acier poli, brûlait un feu allumé en prévision de notre venue. Les flammes qui dansaient, le cuir luisant des reliures et quelques admirables tableaux – dont un grand paysage marin qui ressemblait beaucoup à un Turner et le portrait d'une jeune fille signé Lawrence – conféraient une chaleur qui manquait manifestement au reste de la maison. J'avais été injuste. De toute évidence, ce n'était pas une faute de goût mais le manque d'intérêt qui rendait les autres pièces si maussades. C'est en fait ici que Damian passait réellement son temps. Nous n'avons pas tardé à être servis en digestif et café et à nous retrouver seuls.

– Tu as bien réussi, fis-je. Félicitations.

– Cela te surprend ?

– Pas beaucoup, non.

Il accepta ma remarque avec un hochement de tête.

– Si tu veux dire que j'ai toujours été ambitieux, je ne peux pas prétendre le contraire.

– Je crois que tu n'acceptais pas qu'on te dise non.

Il fit un signe de tête négatif.

– Je ne le formulerais pas comme ça.

Je n'étais pas certain de ce qu'il voulait dire mais il reprit la parole avant que je puisse demander des précisions.

– J'ai toujours su reconnaître mes échecs, même à l'époque. Quand j'étais dans une situation où la victoire n'était pas possible, je l'acceptais et je passais à autre chose. Tu peux bien me l'accorder.

C'était absurde.

– Non, je ne crois pas que ce soit vrai. C'est peut-être une vertu que tu as acquise plus tard, je n'en sais rien. Mais, quand je t'ai connu, tu avais les yeux plus gros que le ventre et tu n'aimais pas perdre. J'en sais quelque chose.

Damian eut l'air surpris pendant un instant. Peut-être avait-il passé tellement de temps avec des gens qui, d'une façon ou d'une autre, étaient payés pour être d'accord avec lui qu'il avait oublié que cela n'était pas le cas de tout le monde. Il but une gorgée de cognac et, après une pause, opina du chef.

– Peut-être. Quoi qu'il en soit, je ne gagnerai pas cette fois-ci.

En réponse à ma question muette, il développa sa réflexion.

– J'ai un cancer du pancréas qui est inopérable. Il n'y a rien à faire. Le médecin m'a donné trois mois à vivre.

– Il y a souvent des erreurs de diagnostic.

– Cela arrive parfois. Mais pas dans mon cas. Ça peut varier de quelques semaines, c'est tout.

– Ah !

J'eus un hochement de tête. Il est difficile de savoir réagir à ce genre de déclaration parce que les gens peuvent avoir des besoins très différents. Je n'imaginais pas que Damian veuille me voir gémir et verser des larmes, ni proposer des médecines alternatives à base de régime macrobiotique, mais on ne sait jamais. J'attendais la suite.

– Je ne veux pas que tu croies que je suis en colère face à l'injustice de ma situation. Ma vie, d'une certaine manière, arrive à sa conclusion naturelle.

– C'est-à-dire ?

– Comme tu l'as fait remarquer, j'ai eu beaucoup de chance. J'ai bien vécu, j'ai voyagé. Et il n'y a plus rien dans mon travail que j'aie encore envie d'accomplir. Ce n'est déjà pas si mal. Est-ce que tu sais ce que je faisais ?

– Pas vraiment.

– J'ai créé une entreprise de logiciels informatiques. Nous étions parmi les premiers à avoir deviné le potentiel de ce secteur.

– Bien joué.

– C'est vrai. Ça n'a pas l'air très amusant, mais j'ai adoré m'occuper de ça. Au bout du compte, j'ai vendu la boîte et je n'en créerai pas d'autres.

– Tu ne peux pas savoir.

Je ne sais pas pourquoi j'ai dit ça, vu qu'il savait très bien ce que l'avenir lui réservait.

– Je ne me plains pas. Je l'ai revendue à une grosse entreprise américaine et, avec le prix de la vente, j'ai de quoi payer la dette du Malawi.

– Sauf que ça n'est pas vraiment ton projet.

– Pas vraiment, non.

Il eut une hésitation. Je suis à peu près certain que nous approchions du « nœud » de l'affaire qui m'avait amené ici, mais il avait l'air de ne pas savoir comment progresser dans la conversation. Je me suis dit que je pouvais tenter quelque chose pour nous faire avancer.

– Et ta vie personnelle ? demandai-je sur un ton léger.

Il réfléchit un instant.

– Je n'en ai pas vraiment. Rien qui mérite qu'on l'appelle comme ça. De petits arrangements de confort, mais rien d'autre depuis des années. Je ne suis pas très sociable.

– Cela n'était pas le cas quand je t'ai connu.

J'étais encore sous le choc à la pensée de ses « petits arrangements de confort » et, franchement, je préférais éviter qu'il ne m'explique ce que c'était. Mais Damian n'avait plus besoin d'encouragements. Il avait réussi à se lancer :

– Je n'aimais pas le monde où tu m'as fait entrer, comme tu le sais.

Il me regarda en attendant une réaction de ma part, mais comme je n'avais rien à ajouter, il poursuivit.

– Mais, paradoxalement, quand je l'ai quitté, je me suis rendu compte que je n'aimais pas non plus les distractions de l'univers que je connaissais. Après un moment, j'ai complètement arrêté d'aller aux soirées.

– Tu t'es marié ?

– Une fois et cela n'a pas duré.

– Désolé.

– Inutile. Je me suis marié uniquement parce qu'il est un peu étrange, à partir d'un certain âge, de ne pas l'être. J'avais 36 ou 37 ans et on commençait à me regarder bizarrement. C'était idiot de ma part, bien sûr. Si j'avais attendu cinq ans de plus, mes amis auraient commencé à divorcer et je n'aurais plus été la seule bête curieuse.

– Je la connaissais ?

– Oh ! non. Je m'étais complètement éloigné des gens que tu fréquentais et je n'avais aucun désir de retrouver cet univers, crois-moi.

– Et c'était largement réciproque.

Cela me faisait du bien de le souligner. Une pointe d'animosité mutuelle avait refait surface et j'étais plus à l'aise avec ça qu'avec la pseudo-amitié à laquelle nous avions joué toute la soirée.

– Par ailleurs, tu ne sais rien des gens que je côtoie. Tu ne sais rien de ma vie. Elle a changé ce soir-là autant que la tienne. Et, il y a quarante ans, il n'y avait pas qu'une façon de poursuivre sa vie après cette Saison londonienne.

Il accepta ma remarque sans la remettre en question.

– Tu as raison. Je m'excuse. Mais, bon, tu n'aurais pas pu connaître Suzanne. Quand je l'ai rencontrée, elle tenait un centre de fitness près de Leatherhead.

Intérieurement, j'étais d'accord : il y avait peu de chances que j'ai rencontré l'ex-Mrs. Baxter, mais je gardais cette réflexion pour moi. Il poussa un soupir.

– Elle a fait de son mieux. Je ne veux pas dire du mal d'elle mais nous n'avions rien pour souder notre couple. Toi, en définitive, tu ne t'es jamais marié ?

– Non. En définitive, non.

J'avais répondu plus sèchement que je n'en avais l'intention mais il ne parut pas s'en étonner. Le sujet était douloureux pour moi et embarrassant pour lui. En tout cas, j'espère bien qu'il était mal à l'aise. Je choisis de retourner vers une voie plus sûre.

– Qu'est devenue ta femme ?

– Oh, elle s'est remariée. Avec un type plutôt sympa. Il avait une affaire d'articles de sport, donc sans doute plus de choses en commun avec elle que moi.

– Des enfants ?

– Deux garçons et une fille. Mais je ne sais pas ce qu'ils sont devenus.

– Je voulais dire elle et toi.

– Non, pas d'enfants.

Il fit non de la tête et sombra dans un silence qui me parut vraiment profond. Il précisa enfin ce qu'il venait de dire.

– Je ne peux pas avoir d'enfants.

Malgré le caractère définitif de son affirmation, sa voix suggérait pourtant qu'elle était incomplète, avec comme une sorte de point d'interrogation à la fin de sa phrase. Il expliqua enfin sa pensée :

– En fait, quand je me suis marié, je ne pouvais déjà plus avoir d'enfants.

Il s'arrêta comme pour me laisser le temps de digérer cette révélation. Que voulait-il dire ? J'imaginais mal une castration préalable à ses fiançailles avec la patronne du centre de fitness. Comme c'était lui qui avait abordé le sujet, je n'avais aucune culpabilité à demander des précisions, mais il me les fournit avant que j'aie eu le temps de m'exprimer.

– Nous sommes allés voir divers médecins qui m'ont tous dit que ma production de spermatozoïdes était quasi nulle.

Même dans la société moderne un peu extravagante qui est la nôtre, on ne sait pas trop quoi dire face à une telle déclaration.

– Ça a dû être une déception.

– Oui. Ça a été une très grande « déception ».

Visiblement, je n'avais pas bien choisi ma formulation.

– Ils ne pouvaient rien y faire ?

– Non. Ils avaient des explications pour ce qui s'était passé mais personne ne pouvait y faire quoi que ce soit. Donc on en est resté là.

– Tu aurais pu essayer d'autres solutions. Ils ont plein de techniques maintenant.

Je n'avais pas le cœur à être plus précis.

– Je n'aurais jamais pu élever les enfants de quelqu'un d'autre. Suzanne a essayé de me convaincre mais je ne pouvais pas accepter cela. Je ne voyais pas l'intérêt. Si l'enfant n'est pas le tien, alors tout ce que tu fais, c'est de jouer à la poupée. Une poupée vivante, certes. Mais une poupée quand même.

– Tout le monde n'est pas d'accord avec ce point de vue.

Il opina.

– Je sais. Suzanne, notamment. Elle ne voyait pas pourquoi elle devait rester sans enfant alors qu'elle n'y était pour rien, ce qui est compréhensible. Je crois que nous avons su que nous allions nous séparer dès que nous sommes sortis de la consultation.

Il se leva et alla se chercher à boire. Il ne l'avait pas volé.

– Je comprends, fis-je pour remplir le silence, un peu effrayé par ce qui allait suivre.

Et de fait, quand il reprit la parole, c'était d'une voix plus déterminée que jamais.

– Selon deux spécialistes, c'était la conséquence des oreillons contractés à l'âge adulte.

– Je croyais que c'était un mythe destiné à faire peur aux jeunes hommes angoissés.

– C'est très rare mais cela peut arriver. On appelle cette inflammation une orchite, ça atteint les testicules. En général, ça disparaît sans laisser de séquelles, mais pas toujours. Je n'avais pas eu les oreillons enfant et je n'ai jamais eu l'impression de les avoir attrapés mais, en y réfléchissant, je me suis rappelé un mal de gorge à mon retour du Portugal en juillet 1970. Je suis resté au lit deux semaines avec des ganglions. Peut-être avaient-ils raison.

Je commençais à être mal à l'aise. Je bus une nouvelle gorgée. Ma présence commençait à avoir un sens, même si c'était assez déplaisant. C'était moi qui avais invité Damian à venir au Portugal avec un groupe d'amis. Dieu sait que c'était plus compliqué que ça, mais, en gros, le prétexte était qu'il n'y avait pas assez d'hommes et notre hôtesse m'avait demandé de l'inviter. Avec les conséquences désastreuses qui ont suivi. Est-ce qu'il essayait de me rendre responsable de sa stérilité ? Est-ce qu'il m'avait invité pour que je reconnaisse ma faute ? Que je me rende compte que, quel que soit le mal qu'il m'avait fait durant ce séjour, je lui en avais infligé autant ?

– Je ne me rappelle pas qu'il y ait eu quelqu'un de malade, remarquai-je.

Lui, oui, apparemment.

– La petite amie du type à qui appartenait la villa. L'Américaine hystérique, avec les cheveux clairs. Comment s'appelait-elle ? Alice ? Alix ? Elle s'est plainte d'avoir mal à la gorge pendant tout le séjour.

– Tu possèdes une mémoire remarquable.

– J'ai eu le temps d'y réfléchir.

Je revis soudain l'image de cette villa d'Estoril blanchie par le soleil que j'avais bannie de mon esprit depuis quarante ans. La plage blonde et chaude que surplombait notre terrasse, les dîners alcoolisés, saturés de tension sexuelle, la visite au château hanté de Sintra sur la colline, les eaux bleues et murmurantes où nous nous étions baignés, l'attente sur la grande place de la cathédrale de Lisbonne pour passer devant le corps de Salazar... Tout cet été surgit soudain avec vigueur en Technicolor. C'était de ces vacances qui constituent un point de passage entre l'adolescence et l'âge adulte, avec tous les dangers que comporte un tel voyage car, au retour, plus rien n'est pareil. De fait, ces vacances avaient changé ma vie.

– En effet, tu as eu le temps.

– Bien sûr, si cette explication est la bonne, cela signifie que j'aurais pu avoir un enfant avant cette maladie.

Je n'arrivais pas à prendre les choses avec autant de gravité que lui.

– Même ainsi, tu n'aurais pas eu beaucoup de temps. Nous n'avions que 21 ans. Aujourd'hui, les gamines des cités sont enceintes à 13 ans, mais c'était différent à l'époque.

Je fis un sourire bienveillant, mais il ne me regardait même pas. Il était occupé à ouvrir un tiroir dans un beau bureau plat qui se trouvait sous le tableau de Lawrence. Il en sortit une enveloppe et me la tendit. Elle n'était pas neuve. Je discernais à peine le cachet. Cela ressemblait à « Chelsea 23 décembre 1990 ».

– Lis-la, veux-tu.

Je dépliai le papier avec précaution. La lettre était entièrement tapée à la machine, sans formule de politesse ni signature manuscrite. Les premiers mots étaient les suivants : « Pauvre merde ». Charmant. Je levai les yeux d'un air interrogateur.

– Continue.

Pauvre merde,

C'est bientôt Noël. Il est tard, je suis ivre et j'ai enfin trouvé le courage de te dire que tu as transformé ma vie en mensonge depuis dix-neuf ans. J'ai mon mensonge sous les yeux chaque jour et c'est de ta faute. Personne ne connaîtra jamais la vérité et je préférerais brûler cette lettre plutôt que l'envoyer, mais il faut que tu saches les conséquences de ta fourberie et de ma faiblesse. Je ne te maudis pas, je n'y arrive pas, mais je ne te pardonne pas non plus le cours que ma vie a pris à cause de toi. Je ne méritais pas cela.

À la fin, sous le texte, l'auteur de la lettre avait signé : « Le dindon de la farce ».

Je continuais à regarder la lettre avant de commenter :

– Finalement, elle l'a envoyée. Je me demande si elle l'a fait exprès.

– Peut-être que quelqu'un l'a vue traîner sur une table et l'a envoyée sans qu'elle le sache.

Cela me semblait très probable.

– Ça lui ferait un choc si elle savait.

– Tu es sûr que c'est une femme ? demanda Damian.

– Tu ne trouves pas ? « Tu as transformé ma vie en mensonge », « ta fourberie et ma faiblesse »... Ça ne m'a pas l'air très viril, comme style. Et puis j'aime bien la signature, « le dindon de la farce ». On dirait les paroles de chansons de notre jeune âge. En tout cas, j'imagine que la vile fourberie en question est du domaine sentimental : le ton n'est pas vraiment celui d'un actionnaire déçu. Donc, cela signifie que l'auteur est une femme, non ? À moins que ta vie n'ait pris des détours que je ne te connaissais pas.

– Non, ça serait bien une femme.

– Eh bien, voilà. J'aime beaucoup sa façon de ne pas te maudire. On dirait du John Keats, un vers d'*Isabella et le Pot de basilic* : « Elle pleure solitaire sur ses plaisirs perdus. »

– Et qu'est-ce que cela signifie, à ton avis ?

Il me semblait que c'était assez transparent.

– Cela n'a pas l'air très mystérieux, répondis-je.

Mais il avait l'air d'attendre une réponse de ma part, alors je suis allé au bout de ma pensée.

– On dirait que tu as mis quelqu'un enceinte...

– En effet.

– Je suppose que la fourberie à laquelle elle fait référence, ça doit être tes serments d'amour éternel, proférés de manière à ce qu'elle enlève ses vêtements.

– Tu es très dur.

– Vraiment ? Ce n'est pas voulu. Comme tous les garçons de notre époque, j'ai utilisé ce stratagème assez souvent. Sa « faiblesse » implique que, dans ce cas précis, tu as su te montrer convaincant.

Mais, en réfléchissant à la question de Damian sur le sens de la lettre, je me suis demandé s'il n'imaginait pas quelque chose de plus compliqué.

– Pourquoi ? Tu as une autre interprétation ? Que la vie d'une femme t'ayant aimé et ayant épousé quelqu'un d'autre soit devenue un mensonge ? C'est ce que tu imagines ?

– Non. Pas vraiment. Si c'est ce qu'elle veut dire, pourquoi me l'écrire vingt ans après ?

– Certaines personnes mettent plus longtemps que d'autres à se remettre.

– « J'ai mon mensonge sous les yeux chaque jour », « Personne ne connaîtra jamais la vérité »... Quelle vérité ?

Il posait les questions comme s'il connaissait la réponse. J'étais d'accord avec la conclusion.

– Donc, tu l'as mise enceinte...

Il parut presque rassuré qu'il n'y ait pas d'autre interprétation possible, comme s'il m'avait fait passer un test.

Il opina.

– Et elle a eu son bébé.

– On dirait. Ce qui en soi paraît un peu vieillot. Pourquoi ne s'en est-elle pas débarrassée ?

Là, Damian prit son expression où se mêlent regard hautain et grognement dédaigneux. Je me rappelais très bien cette attitude.

– Je suppose que l'avortement était contre ses principes. Cela arrive que les gens aient des principes.

Là, ce fut à mon tour de pousser un petit grognement.

– Je ne crois pas être prêt à recevoir de leçon de ta part sur ce chapitre.

Il laissa passer ma remarque, heureusement. Tout cela commençait à m'irriter un peu. Pourquoi donc en faire toute une histoire ?

– Bon, très bien. Elle a gardé le bébé. Personne ne sait que tu es le père. Fin de l'histoire.

Je regardai l'enveloppe, qu'il avait conservée avec tant de soin.

– Enfin, c'est la fin de l'histoire ou bien il y a une suite ?

Il acquiesça.

– À ce moment-là, j'ai pensé exactement comme toi. Je me suis dit que c'était le début d'une... je ne sais pas, d'une tentative d'extorsion.

– D'extorsion ?

– Ce sont les termes de mon avocat. Je suis allé le voir. Il a gardé une copie et m'a dit d'attendre la prochaine lettre. Selon lui, cela allait mener à une demande d'argent. Elle devait avoir une stratégie. On voyait mon nom dans les journaux à l'époque et je n'avais pas été malheureux en affaires. Elle avait dû se rendre compte que le papa du bébé était riche et qu'elle pouvait gagner le pactole. Ma présumée progéniture aurait eu 20 ans...

– 19, précisai-je, « tu as transformé ma vie en mensonge depuis dix-neuf ans ».

Il eut un instant l'air surpris puis poursuivit.

– 19 ans, oui. Il démarre dans la vie, un peu d'argent ne ferait pas de mal...

Il me lança un regard mais je n'avais rien à ajouter puisque, comme son avocat, je trouvais que c'était parfaitement logique.

Il reprit, sur la défensive.

– Je lui aurais donné quelque chose. J'étais tout à fait prêt à le faire.

– Mais elle n'a plus écrit.

– Non.

– Peut-être est-elle morte ?

– Peut-être. Mais cela fait un peu mélodramatique. Sans doute la lettre a-t-elle été postée par accident comme tu l'as suggéré. Bref, nous n'avons plus entendu parler d'elle et ça s'est tassé.

– Pourquoi en parlons-nous aujourd'hui alors ?

Il ne me répondit pas immédiatement. À la place, il se leva pour aller jusqu'à la cheminée. Une bûche avait roulé sur le devant de l'âtre. Il prit les ustensiles pour la remettre. Ses gestes étaient d'une intensité extrême. Il reprit la parole en paraissant s'adresser aux flammes plutôt qu'à moi.

– Ce qu'il y a, c'est que je veux retrouver l'enfant.

Je ne voyais pas du tout la logique. S'il avait voulu « faire ce qu'il fallait », pourquoi pas dix-huit ans auparavant quand cela aurait pu servir à quelque chose ?

– Ce n'est pas un peu tard ? Ce n'était déjà pas facile de jouer les papas quand elle a écrit la lettre mais aujourd'hui « l'enfant » est presque quarantenaire. Il ou elle a fait sa vie, c'est beaucoup trop tard pour aider à son éducation.

Cela ne parut pas avoir le moindre impact sur lui. Je ne crois même pas qu'il m'ait entendu.

– Je veux les retrouver. Je veux que *tu* les retrouves.

Je ne vais pas faire comme si je n'avais pas deviné où il voulait en venir. Mais ce n'est pas pour autant que j'appréciais une mission pareille. Et je n'étais pas sûr du tout de l'accepter.

– Pourquoi moi ?

– Quand je t'ai rencontré, je n'avais couché qu'avec quatre filles.

Il s'interrompit. J'eus un petit haussement de sourcils. Tout homme de ma génération comprendra que c'était déjà un chiffre impressionnant. À 19 ans, l'âge où nous nous sommes rencontrés, je ne crois pas que j'étais allé plus loin qu'un baiser sur une piste de danse. Il continua à m'expliquer.

– Je suis resté en contact avec ces quatre personnes jusqu'au début des années 1970, et cela ne pouvait pas être l'une d'elles. Ensuite, toi et moi, nous avons passé du temps ensemble et je n'ai pas été inactif. Au bout de deux ans, à peu près, à la fin de cette période, nous sommes allés au Portugal. Et après, je me suis retrouvé stérile. Et puis, si tu regardes l'écriture, le papier, les formulations, on voit que c'est une femme éduquée.

– Et qui en faisait des tonnes. Et qui était ivre.

– Ce qui ne l'empêche pas d'être de la haute.

– Certes.

Je réfléchis à sa théorie.

– Et pendant les années entre la fin de la Saison et le Portugal ?

Il eut une moue de dénégation.

– Il y en a eu quelques-unes, des traînées surtout, et puis deux ou trois autres qui restaient du temps où nous nous fréquentions. Aucune qui ait eu un enfant avant cet été-là.

Il eut un profond soupir.

– De toute manière, quelqu'un dont la vie est un mensonge a forcément quelque chose à perdre. Quelque chose d'important et que la vérité peut bouleverser. Elle m'a écrit en 1990, à une époque où seules la haute bourgeoisie et la classe moyenne la plus aisée gardaient le bastion des naissances légitimes. Des gens normaux auraient craché le morceau depuis longtemps.

Cette longue réplique et l'effort d'avoir remis la bûche semblaient l'avoir vidé de tout ce qui lui restait d'énergie et il retourna s'affaisser dans son fauteuil avec un gémissement.

Je n'éprouvais aucune pitié. Au contraire. Le caractère aberrant de sa requête me frappa soudain.

– Mais je ne fais pas partie de ta vie. Je n'ai rien à voir avec toi. Nous sommes complètement différents.

Je ne voulais pas l'insulter, je ne voyais tout simplement pas comment je pouvais avoir la moindre part de responsabilité là-dedans.

– Nous nous sommes fréquentés à une époque, mais plus maintenant. Nous sommes allés à des bals il y a quarante ans. Et puis nous nous sommes disputés. Tu dois bien connaître des gens qui sont plus proches de toi que je ne l'ai jamais été. Il n'est pas possible que je sois le seul à pouvoir m'occuper de ça.

– Mais si. Ces femmes faisaient partie de ton cercle, pas du mien. Je n'ai aucun ami qui puisse les connaître, ni même en avoir entendu parler. Et même, puisque tu abordes le sujet, je n'ai pas d'autre ami du tout.

Il allait trop loin dans l'auto-apitoiement.

– Eh bien, dans ce cas, tu n'as pas d'ami du tout parce que je ne suis certainement pas un ami.

Évidemment, je regrettai mes paroles aussitôt. Il était mourant et je ne voyais pas l'intérêt de le punir maintenant pour ce qui ne pouvait être réparé, que lui ou moi le veuille ou non. Mais il se contenta de sourire.

– Tu as raison. Je n'ai aucun ami. Comme tu le sais mieux que quiconque, l'amitié est une relation que je n'ai jamais su comprendre ou préserver. Si tu refuses, je n'ai personne d'autre qui puisse m'aider. Je ne peux même pas engager un détective. L'information que je recherche ne peut être obtenue que par quelqu'un appartenant à ce milieu.

J'allais suggérer qu'il fasse ses recherches lui-même, mais en voyant sa carcasse tremblotante et son visage émacié, les paroles moururent sur mes lèvres.

– Est-ce que tu veux bien ? demanda-t-il après une courte pause.

J'étais à peu près sûr de refuser. Pas seulement parce que la mission était épineuse, embarrassante et chronophage, mais parce que, plus j'y pensais, plus je savais que plonger le nez dans mon propre passé, et donc dans le sien, ne m'enthousiasmait guère. La période dont il parlait n'existait plus. Ni pour lui, ni pour moi. Je ne connaissais plus personne de cette époque, notamment pour des raisons dont il était responsable, et il le savait très bien. Et qu'avais-je à gagner en fouinant là-dedans ? Je décidai de faire une dernière fois appel à ses bons sentiments. Même quelqu'un comme Damian Baxter devait bien en avoir.

– Damian, réfléchis. Est-ce que tu veux vraiment bouleverser la vie de cette personne ? C'est quelqu'un qui sait qui il est, qui vit sa vie de son mieux. En quoi cela pourrait-il l'aider de découvrir qu'il était quelqu'un d'autre ? Provoquer une dispute ou une rupture avec ses parents ? Tu voudrais avoir ça sur la conscience ?

Il me regarda sans ciller.

– Ma fortune, déduction faite des frais de succession, dépassera les 500 millions de livres sterling. J'ai l'intention de les léguer intégralement à mon seul héritier. Tu prendrais la responsabilité de ne pas lui apporter cet héritage ? Tu voudrais avoir ça sur *ta* conscience ?

Naturellement, cela faisait une grande différence – et je ne pouvais pas avoir la naïveté de refuser de le voir.

– Et comment dois-je m'y prendre ?

Il se décontracta soudain.

– Je vais te donner une liste des filles avec lesquelles j'ai couché durant cette période et qui ont eu un enfant avant avril 1971.

C'était, là encore, impressionnant. La liste des filles avec lesquelles j'avais couché à cette période, avec ou sans enfants, tiendrait sur le verso d'une carte de visite. Cela avait aussi un côté très rigoureux et très professionnel qui était singulier. J'avais cru que nous étions au cœur d'une sorte d'échange philosophique, mais là, nous abordions ce qu'on appelait autrefois « les choses sérieuses ». Il s'aperçut de ma surprise, évidemment.

– Mon secrétaire a commencé les recherches. Ce n'était pas la peine de venir te chercher si aucune d'elles n'avait eu d'enfants.

Il n'avait pas tort.

– Je crois que la liste est complète.

– Et pour les filles avec qui tu as couché mais qui n'ont pas eu d'enfants à l'époque ?

– Ne nous en occupons pas. Pas la peine de se donner du travail inutile.

Il eut un sourire.

– Nous avons déjà fait un bon écrémage. Il y avait deux autres filles avec lesquelles j'ai couché et qui ont eu un enfant, mais, pour reprendre le mot qu'a eu la mère de l'impératrice Eugénie quand on a remis en cause la paternité de son impératrice de fille, *« les dates ne correspondent pas**[1] ».

Il se mit à rire, décontracté par la certitude que son projet aboutirait.

– Je veux que tu saches que je prends tout cela très au sérieux et il est vraiment très probable que la solution est dans cette liste de noms.

---

1. Les italiques suivis d'un astérisque signalent une expression en français dans le texte.

– Comment dois-je procéder ?

– Contacte-les. Les adresses en ma possession sont encore valables, sauf une.

– Pourquoi ne pas leur demander de faire un test ADN ?

– Ce genre de femme n'accepterait jamais.

– Tu les détestes tant que tu les idéalises... Je pense qu'elles diraient oui. Sans parler de leur progéniture si on leur explique la raison de tout ça...

– Non.

Il se raidit d'un coup. Ma remarque ne lui avait pas plu.

– Je ne veux pas que cela devienne une histoire pour la presse. Seul le véritable enfant doit savoir que je le cherche. Il ou elle fera ce qu'il veut quand il aura l'argent et révélera ou pas comment il l'a obtenu. D'ici là, le but est ma satisfaction personnelle, pas celle du public de la presse à scandale. Peut-être en définitive devrons-nous faire un test, mais uniquement quand tu auras déterminé celui qui est sans doute ma progéniture.

– Et si l'une de ces femmes a eu un enfant sans que personne le sache et l'a fait adopter ?

– Impossible. En tout cas, pas de la part de la mère de mon enfant.

– Comment le sais-tu ?

– Sinon, elle n'aurait pas eu son mensonge sous les yeux chaque jour.

Je n'avais rien à ajouter, ou alors il fallait que je réfléchisse encore un peu. Damian avait l'air de le comprendre et n'essayait pas de me bousculer. Il se leva, les jambes un peu flageolantes.

– Je vais me coucher. Je ne me suis pas couché aussi tard depuis des mois. Tu trouveras la liste dans une enveloppe dans ta chambre. Si tu veux, nous pourrons en discuter encore demain matin, avant ton départ. Au risque de paraître vulgaire – pour parler comme toi –, tu trouveras aussi une carte de crédit qui couvrira tous les frais que tu jugeras nécessaires pendant ton enquête. Je ne discuterai pas l'usage que tu en fais.

Cette dernière précision m'agaça particulièrement car il avait choisi une formulation qui le faisait passer pour quelqu'un de généreux. Mais il n'y avait rien de généreux dans cette mission. C'était une intrusion intolérable dans ma vie.

– Je n'ai pas encore dit oui, précisai-je.

– J'espère que ce sera le cas.

Il était à la porte quand il s'arrêta et se retourna.

– Est-ce que tu la vois encore ? demanda-t-il, certain que je n'aurais aucun besoin de précision pour connaître l'objet de sa question, ce en quoi il avait raison.

– Non, pas vraiment.

J'eus un instant de réflexion douloureux.

– Je ne la vois que rarement, lors d'une soirée ou d'un mariage ou d'une cérémonie, c'est tout.

– Pas d'hostilité entre vous ?

– Oh ! non. Nous nous faisons des sourires, nous bavardons. Nous ne sommes pas hostiles. Nous ne sommes rien du tout.

Il hésita, comme s'il se demandait s'il fallait parler de ça.

– Tu sais que j'ai fait n'importe quoi ce fameux soir.

– Oui, je sais.

– Je veux que tu comprennes que j'en suis conscient. J'ai complètement craqué ce soir-là.

Il s'interrompit comme s'il attendait que je réagisse différemment, mais je n'avais pas d'autre réaction à offrir.

– Est-ce que ça aiderait si je te disais que je suis désolé ?

– Pas beaucoup, non.

Il hocha la tête, avec l'air d'assimiler l'information. Nous savions tous les deux qu'il n'y avait rien d'autre à ajouter.

– Reste ici tant que tu veux. Sers-toi en whisky, prends des bouquins. Certains t'intéresseront sûrement.

Mais je n'avais pas complètement fini.

– Pourquoi as-tu mis ça de côté jusqu'à aujourd'hui ? Pourquoi n'as-tu pas enquêté quand tu as reçu la lettre ?

Il eut besoin de réfléchir. Avec la porte désormais ouverte, la lumière du couloir éclairait son visage décharné et en faisait ressortir ses rides. Il devait se poser la même question cent fois par jour.

– Je ne sais pas. Pas vraiment. Peut-être que je ne supportais pas l'idée que quelqu'un ait un motif de reproche envers moi. Je n'aurais pas pu les rechercher et les identifier sans leur donner ainsi une forme d'emprise. Et puis je n'ai jamais vraiment voulu d'enfant. C'est pour cela que je refusais d'écouter les supplications de ma femme. Cela ne faisait pas partie de mes ambitions. Je crois que je n'ai jamais eu l'instinct paternel.

– Et pourtant, tu es maintenant prêt à donner à un étranger assez d'argent pour construire une ville. Pourquoi ? Qu'est-ce qui a changé ?

Damian médita un instant, un minuscule soupir suffit à agiter ses maigres épaules. La veste, qui avait dû autrefois tomber parfaitement, pendillait sur son corps efflanqué.

– Je suis en train de mourir et je ne crois à rien, fit-il simplement, c'est ma seule chance d'atteindre l'immortalité.

Là-dessus, il sortit et je me retrouvai seul dans sa bibliothèque.

2

Je n'ai jamais été doué pour juger les gens. Mes premières impressions sont presque invariablement fausses. La nature humaine étant ce qu'elle est, il m'a fallu de nombreuses années avant de l'admettre. Quand j'étais jeune, je croyais posséder un instinct infaillible pour différencier le bon du mauvais, le raffiné du négligé, le sacré du profane. Damian Baxter, au contraire, était un expert en matière de jugement humain. Il avait immédiatement compris que j'étais un véritable pigeon.

Il se trouve que nous étions tous les deux allés à l'université de Cambridge à la rentrée de septembre 1967, mais nous étions dans des collèges différents et ne fréquentions pas les mêmes personnes. Ce n'est donc que lors du dernier trimestre de 1968, début mai, je crois, que nos chemins se sont enfin croisés, lors d'un cocktail dans la cour des *Fellows* de mon collège[1] où je devais sans nul doute être occupé à me pavaner. J'avais 19 ans et j'étais dans l'état d'esprit exaltant – pour quelqu'un comme moi ou, du moins, quelqu'un comme j'étais à l'époque – où l'on ressent une griserie permanente en se rendant compte que le monde est plus compliqué qu'on ne l'avait cru. Il s'offre à nous

1. L'université de Cambridge comprend 31 collèges. Les enseignants titulaires portent le titre de *Fellow*.

un assortiment de personnes et de possibilités et que l'on ne sera pas obligé de toujours continuer à suivre le chemin tout tracé de l'internat et de la haute bourgeoisie, car c'était tout ce que mon éducation dite privilégiée m'avait laissé entrevoir jusqu'ici. Je n'irais pas jusqu'à dire que j'étais asocial mais je n'avais jamais été très brillant en société jusqu'alors. J'étais resté dans l'ombre de cousins aux physiques engageants et doués pour la conversation, et comme je ne possédais ni une tournure particulièrement gracieuse ni le moindre charisme pour compenser cela, il n'y avait pas grand-chose que je puisse faire pour que l'on me remarque.

Ma très chère mère était parfaitement consciente de ma situation et elle en fut le témoin peiné et silencieux pendant des années sans pouvoir y remédier en aucune manière. Du moins jusqu'à ce que la confiance naissante que m'avait procurée mon admission à l'université ne le décide à en profiter pour développer cette audace nouvelle en me présentant à des amis londoniens pourvus de filles du même âge que moi. Cela pourra paraître surprenant, mais j'avais suivi le mouvement qu'elle imprimait et je m'étais construit un nouveau groupe de fréquentations au sein duquel je n'aurais pas à rougir de comparaisons déprimantes et qui me permettrait, dans une certaine mesure du moins, de me réinventer.

Un tel guidage parental pourra sembler étonnant aux jeunes d'aujourd'hui, mais tout était différent il y a quarante ans. Déjà, les gens n'avaient pas peur de vieillir. Cette insolite culture de la complaisance où d'hypocrites animateurs télé d'âge mûr font semblant de partager les mêmes goûts et opinions que leur public adolescent afin de les séduire ne s'était pas encore imposée. Pour faire court, dans ce domaine comme dans beaucoup d'autres, nous n'avions pas les mêmes façons de penser que les gens d'aujourd'hui. Bien sûr, nous avions des divergences sociales, politiques et, dans une moindre mesure qu'aujourd'hui, des différences religieuses, mais le véritable écart, rétrospectivement, ne se situe pas dans un clivage entre gauche et droite ou entre l'aristocratie et les gens ordinaires, mais entre la génération de 1968 et celle qui est arrivée quarante ans plus tard.

Dans le monde qui était le mien, les parents du début des années 1960 organisaient la vie de leurs enfants à un degré considérable et choisissaient entre eux la date et le lieu des soirées organisées durant les vacances scolaires, leurs études, leur carrière après l'université et, surtout, les amis qu'ils devaient fréquenter. Cela n'avait généralement rien de particulièrement tyrannique, mais nous ne nous opposions pas au *veto* parental quand il était exprimé. Je me souviens de l'héritier d'un baronet, souvent ivre et constamment grossier, et qui pour ces motifs mêmes était aussi remarquablement fascinant pour ma sœur et moi qu'il était détestable pour mes parents. Mon père lui avait interdit le séjour chez nous, « hormis dans les occasions où son absence serait remarquée ». Rendez-vous compte qu'une telle phrase a été prononcée il y a moins d'un siècle ! En tout cas, nous nous amusions déjà de cette règle, même à l'époque. Mais nous ne l'avons jamais enfreinte. Bref, il serait inimaginable aujourd'hui d'être à ce point influencé par son milieu. On parle parfois de l'effondrement de l'autorité parentale. Y a-t-il eu une intention délibérée d'en finir, comme l'imagine la presse de droite ? Ou bien le temps était-il tout simplement venu, comme pour l'invention du moteur à combustion interne ou de la pénicilline ? Dans tous les cas, cette autorité a disparu de vastes pans de notre société, et on ne la reverra pas plus que l'on ne reverra les neiges d'antan.

Toujours est-il que, ce printemps-là, il y avait un cocktail dans la cour des *Fellows* auquel j'avais été invité pour une raison que je ne me rappelle plus. Je ne sais plus s'il s'agissait d'une réception officielle ou privée, mais nous étions tous là, fiers de la réputation plutôt chic du collège, avec le sentiment de faire partie d'une élite. Avec la perspective et la lassitude de l'âge mûr, ces petites vanités paraissent bien mesquines, mais je ne crois pas que nous ayons été très malveillants. Nous étions persuadés d'être des adultes, ce qui n'était pas le cas ; d'être des sommets de distinction, ce que nous étions loin d'atteindre, et que nous faisions envie à tout le monde. Cela n'empêche qu'après mon adolescence douloureuse j'avais conservé un mélange, que j'aurais préféré ne pas connaître, d'orgueil et d'angoisse, si caractéristique des jeunes gens de 19 ans, à la fois enclins à un snobisme arrogant et une sorte de paranoïa en société. C'est sans doute cet amalgame de sentiments contradictoires qui me rendait si vulnérable.

Étrangement, je me souviens très précisément du moment où Damian a fait irruption dans ma vie. La coïncidence a voulu que je sois en train de parler à Serena quand il a fait son apparition, et nous l'avons donc rencontré en même temps, de manière totalement et immédiatement simultanée, ce qui semble bien plus singulier aujourd'hui qu'au moment où j'ai vécu cette rencontre. Je ne sais plus pourquoi elle était là. Elle n'a jamais fait partie des groupies du collège. Peut-être était-elle hébergée par quelqu'un qui l'avait amenée. Ce n'est pas aujourd'hui que je trouverai la réponse à cette question. Je ne connaissais pas bien Serena à ce moment-là, pas comme j'allais la connaître, mais nous nous étions déjà rencontrés. Voilà une autre nuance que le monde moderne semble avoir perdue car, quand on a serré la main à quelqu'un ou qu'on lui a adressé un signe de tête, on se permet aujourd'hui de dire qu'« on se connaît ». Certains vont même plus loin et n'hésitent pas à présenter la personne qu'ils n'ont fait que saluer comme « un ami ». Si cela convient à cette personne, elle abondera dans le sens de cette amitié imaginaire et, par cet accord tacite même, transformera presque cette relation fictive en réalité – alors qu'elle n'a rien de réel. Il y a quarante ans, je crois que nous étions davantage conscients des degrés qui existent dans les relations entre les gens. Et cela n'était pas plus mal s'agissant d'une personne aussi inaccessible pour moi que Serena.

Lady Serena Gresham, car tel était son titre depuis la naissance, ne paraissait en rien souffrir des affres du manque d'assurance qui nous affligeaient tous, et cela la faisait d'emblée ressortir du lot. Je pourrais la décrire comme étant d'une « assurance hors du commun », mais cela donnerait l'impression de quelque bêcheuse fanfaronne férue d'autopromotion, et elle était tout sauf cela. Il ne lui était tout simplement jamais venu à l'esprit de se soucier de ce qu'elle était. Elle ne se demandait jamais si on allait l'apprécier et ne s'en émouvait guère quand c'était le cas. Aujourd'hui, on dirait qu'elle était en paix avec elle-même. Et quand on a 20 ans – aujourd'hui comme alors –, cela vous donne un statut à part. Elle possédait une sorte de distance gracieuse, comme une silhouette insaisissable ondoyant sous la surface de l'eau, et j'en fus énamouré dès notre première rencontre. Il fallut bien des années pour qu'elle cesse de surgir dans mon esprit sans défense à chaque heure de mon existence. Je sais maintenant que sa distance s'expliquait par le fait que je ne l'intéressais pas, ni moi ni la plupart des autres d'ailleurs, mais, sur le coup, cela avait un effet magique. C'est en fait cette distance rêveuse, plus que sa beauté ou les privilèges attachés à sa naissance – qui étaient pourtant considérables –, qui lui octroyait une position aussi spéciale. Et je sais que je ne suis pas le seul à me représenter l'année 1968 comme « l'année où j'ai rencontré Serena ». Dès ce printemps, je me sentais privilégié de simplement pouvoir lui parler.

Comme je l'ai dit, elle était particulièrement privilégiée en tant que membre d'une caste très restreinte, rare résidu qui subsistait de l'Ancien Monde. À cette époque, les fortunes *self-made* n'étaient pas ce qu'elles allaient devenir quelques décennies plus tard et les véritables riches, ou en tout cas ceux qui menaient ce genre de train de vie, appartenaient à des familles qui avaient été encore bien plus riches trente ans auparavant. C'était une période bien singulière pour ces pauvres diables. Beaucoup de grandes familles s'étaient cassé la figure après la guerre. Les amis avec qui ils soupaient, allaient au bal ou à la chasse avant 1939 avaient mordu la poussière, succombant au naufrage de leur caste. Ces aristocrates déchus n'allaient plus tarder à rejoindre les rangs de la haute bourgeoisie pour perdre à jamais le statut qui avait été le leur. Même parmi ceux qui avaient gardé la foi, qui conservaient leurs demeures familiales, qui continuaient à tirer le faisan sur leurs terres, ils étaient nombreux ceux qui succombaient à une attitude défaitiste de type « *après moi le déluge** », et il n'était pas rare de voir des camions de déménagement franchir les grilles des manoirs pour se diriger vers les salles des ventes londoniennes, remplis des trésors que ces familles avaient mis des siècles à assembler, afin que le clan puisse rester au chaud et se vêtir un hiver de plus.

Serena n'avait pas à souffrir de telles menaces. Les Gresham appartenaient au cénacle des très rares familles qui continuaient à vivre, à peu de chose près, comme ils avaient toujours vécu. Peut-être ne restait-il que deux valets quand il y en avait eu six. Peut-être le cuisinier était-il contraint de se débrouiller sans l'aide de marmitons, et je ne crois pas que Serena ou ses sœurs aient bénéficié de l'assistance d'une servante personnelle. Mais, à part cela, rien n'avait changé depuis le début des années 1880, hormis la longueur des jupes et le fait qu'il leur soit désormais permis de dîner au restaurant.

Son père était le neuvième *Earl of* Claremont[1], titre nobiliaire suggérant une bienveillance chaleureuse, et lorsque je le connus plus tard, je dois dire qu'il se montra lui-même chaleureux et bienveillant, sans jamais un mouvement d'humeur, car personne ne l'avait jamais contrarié, et il était par conséquent d'un commerce très agréable, tout comme sa fille. Il vivait également dans cette brume débonnaire, même si, contrairement à Serena, il n'avait rien de la créature légendaire, de la charmante naïade échappant aux poursuites de son soupirant. Ce qu'il avait de lunaire évoquait plutôt le personnage attachant et fantasque de Mr Pastry[2]. Dans tous les cas, il n'avait guère conscience du monde réel. En fait, on aurait même dit parfois que le titre réconfortant dont bénéficiait la famille avait produit un sentiment d'appartenance dynastique serein et naturel qui, je m'en rends compte avec le recul, était une qualité enviable. Je n'avais pas l'impression que l'amour ait été pour eux quelque chose de spontané, en tout cas certainement pas

1. *Earl* est un titre nobiliaire équivalent à celui de comte en français.
2. Personnage comique, à moustache et chapeau melon, créé par l'acteur et acrobate Richard Hearne (1908-1979).

le fait « d'être amoureux » avec ce que cela implique de perturbations, d'affreuses et gluantes menaces de troubles gastriques et d'insomnies, mais ils ne connaissaient pas non plus ni haine ni querelles.

Il est vrai que le sentiment d'appartenance ne devait pas être difficile à accepter. Grâce à des investissements judicieux et des mariages clairvoyants, la famille avait plus que survécu aux tempêtes du XXe siècle et pouvait s'enorgueillir de posséder de grands domaines dans le Yorkshire, un château quelque part en Irlande, que je n'ai jamais vu, une demeure dans Millionaires' Row, la rue privée parallèle à Kensington Palace, ce qui alors n'était pas rien. Aujourd'hui, des potentats orientaux et des propriétaires de clubs de football semblent s'être emparés de ces vastes édifices, privatisant à nouveau ces bâtiments qui, pour la plupart, étaient devenus l'un après l'autre des ambassades, les grandes familles ayant presque toutes disparu. Il restait bien sûr les Claremont, qui occupaient le numéro 37, une charmante demeure des années 1830 qui ressemblait à un gâteau de mariage et se situait un rien trop près de Notting Hill.

Comme si cela ne suffisait pas, Serena était aussi très belle. Dotée d'une épaisse chevelure auburn, elle possédait un teint qu'on aurait cru sorti d'une peinture préraphaélite. Ses traits venaient compléter sa sérénité naturelle, sa véritable grâce, terme rarement attribué à une jeune fille de 18 ans, mais en l'occurrence parfaitement justifié. Je ne sais pas exactement de quoi nous avons parlé, que ce soit à cette réception à Cambridge ou lors des nombreux cocktails et des réceptions où nous devions nous retrouver durant les deux années suivantes – d'art je crois, ou d'histoire peut-être. Elle n'était pas du genre à cancaner sur les autres. Cela souligne moins sa gentillesse que son manque d'intérêt pour la vie des autres. Nous n'aurions guère pu parler de ce que nous ferions plus tard mais ce n'est pas de sa faute. Dans ce cercle, même à la fin des années 1960, une ambition professionnelle véritable l'aurait singularisée de manière gênante. Et, malgré tout, je ne me suis jamais ennuyé en sa compagnie, sans doute parce que je devais être amoureux d'elle, dès cette rencontre et longtemps avant que je le reconnaisse, car être amoureux d'une étoile aussi étincelante est implicitement voué à la désespérance, et cela serait apparu de manière trop violente à mon inconscient, alors composé d'un enchevêtrement d'incertitudes craintives. Je m'étais donc prudemment éloigné de cette perspective d'échec, ce que n'importe qui aurait fait dans mon cas.

– Je peux vous parler ? demanda une voix grave et agréable au moment où j'arrivais à la chute d'une histoire.

Nous nous sommes aperçus que Damian Baxter venait de nous rejoindre. Et ce qui me paraît aujourd'hui le plus étonnant, c'est que cela nous faisait plaisir.

– Je ne connais personne ici, ajouta-t-il avec un sourire qui aurait fait fondre le Groenland.

L'image que j'ai de Damian a tellement été modifiée par la suite des événements qu'il m'est difficile de retrouver mon sentiment premier à son égard, mais il était indiscutablement très séduisant à l'époque, que ce soit aux yeux des hommes, des femmes ou des enfants. Il était terriblement beau, dans un style tonique qui évoquait l'air pur. Il avait des yeux d'un bleu presque irréel, des cheveux foncés qui ondulaient, longs comme on les portait à l'époque. Et il était en belle forme physique, musclé mais sans vigueur immodérée et sans l'exubérance excessive d'un sportif. Il émanait de lui intelligence et santé, mélange que j'ai assez rarement rencontré, et il donnait l'impression de ne jamais boire d'alcool et de faire des nuits de dix heures – ce que les faits allaient se charger de démentir.

– Eh bien, maintenant, tu nous connais nous, fit Serena en lui tendant la main.

Inutile de préciser qu'il savait en réalité pertinemment qui nous étions. Ou plutôt qui *elle* était. Il s'est trahi plus tard dans la soirée, quand nous nous sommes retrouvés tout serrés autour d'une petite table dans un restaurant douteux et bondé près de Magdalene Street. À la fin du cocktail, nous sommes partis avec quelques étudiants mais sans Serena. Ce n'était pas du tout dans ses habitudes de nous suivre car elle cédait rarement à ce genre de propositions impromptues. Elle avait toujours une vague mais bonne raison pour ne pas nous suivre.

Le serveur nous apporta les assiettes de l'inévitable *bœuf bourguignon**, nageant dans sa sauce luisante et gluante, que nous avions l'impression de manger tous les jours. Je ne veux pas critiquer la nourriture du bistro en question, mais simplement expliquer comment nous mangions à l'époque, et je ne veux pas me montrer ingrat. Ces plâtrées de bœuf nappé de sauce, accompagnées de vin rouge râpeux, constituaient déjà une nette amélioration par rapport à ce qu'on mangeait dix ans plus tôt. On peut et on doit réfléchir sérieusement aux changements qui ont touché notre société ces quarante dernières années, mais il y a un certain consensus sur les progrès qu'a faits la cuisine britannique, au moins jusqu'à l'arrivée du poisson cru et du manque de cuisson imposés par les chefs-vedettes au début de ce nouveau millénaire. Personne ne conteste que, quand j'étais enfant, ce qu'on mangeait en Grande-Bretagne était horrible et consistait essentiellement en repas de cantine sans aucun goût, avec des légumes qu'on semblait avoir mis à bouillir depuis la guerre. On trouvait parfois des choses meilleures chez certains particuliers, mais même les restaurants chics vous servaient des plats compliqués et prétendument raffinés, décorés entre autres de mayonnaise verte présentée sous forme de fleur, et qui ne valaient pas vraiment qu'on se donne la peine de les ingurgiter. Quand les bistros ont commencé à envahir le paysage, avec leurs nappes à carreaux et les bougies dégoulinant sur le col des bouteilles de vin où on les avait enfoncées, ce fut un soulagement. Dix ans plus tard, ces bistros étaient devenus ridicules, mais, sur le coup, ils faisaient figure de miracles.

– Vous êtes déjà allés chez Serena dans le Yorkshire ? demanda Damian.

Les deux autres étudiants étaient un peu surpris, à juste titre puisque personne n'avait parlé du Yorkshire ou de la dynastie des Claremont à aucun moment de la conversation. Cela aurait dû déclencher une multitude de sirènes d'alarme mais, avec la stupidité qui me caractérisait alors, je n'ai pas réagi. Je me suis contenté de répondre à sa question.

– Une fois, c'était pour un événement caritatif, il y a deux ans.

– C'est comment là-bas ?

J'ai dû réfléchir un instant car je n'avais pas conservé de souvenir précis de l'endroit.

– C'est une grande maison georgienne. Très majestueuse. Mais jolie.

– Grande ?

– Oh, oui. C'est pas Blenheim mais c'est très grand.

– J'imagine que vous vous connaissez depuis toujours ?

Là encore, cette question était un indice que j'aurais dû détecter ainsi que je m'en rendis compte plus tard. Depuis bien longtemps avant cette soirée, Damian avait une vision violemment romantique du groupe forcément merveilleux dont il se sentait exclu mais au sein duquel il était déterminé à se faire accepter. Avec le recul, c'était pourtant là une ambition un peu étrange, même en 1968, surtout pour quelqu'un comme Damian Baxter. Certes, beaucoup de monde partageait cette ambition (et c'est encore le cas aujourd'hui), mais Damian était quelqu'un de moderne, de décidé et d'ambitieux, doté d'une véritable énergie – et croyez bien que je ne le dirais pas si cela n'était pas vrai. Il était de toute manière certain de trouver sa place dans le nouvel ordre social. Pourquoi donc voulait-il s'embêter avec la gloire fanée de ces vieilles familles nobles qui ressemblaient à des livres d'histoire ambulants dont les feuilles jaunissaient à vue d'œil ? Personnellement, j'imagine qu'il avait dû se faire humilier en public quand il était très jeune, peut-être devant une fille dont il s'était entiché. Il avait dû être méprisé, rabaissé, insulté par un snobinard pris de boisson et il avait fini par faire sien le cliché, tellement banal mais tellement sincère : « Je vous montrerai à tous ! Vous verrez ! » Un tel sentiment a attisé bien des grandes carrières depuis l'invasion normande. Si tel était le cas, je n'ai jamais su quel incident avait pu allumer une pareille flamme. Mais je me rends compte qu'il s'était mis en tête toute une mythologie personnelle concernant l'aristocratie britannique. Il s'imaginait que ses membres étaient solidaires depuis la naissance, que c'était un minuscule club très fermé et hostile aux nouveaux venus, d'une loyauté allant jusqu'à la mauvaise foi absolue quand il s'agissait de défendre les siens. Il y avait une certaine vérité, bien sûr, une bonne part de vérité même s'agissant des apparences, mais nous n'étions plus sous un régime oligarchique whig[1] uniquement dirigé par quelques milliers de familles. Dans les années 1960, la bonne société londonienne recrutait bien plus largement qu'il ne le pensait et la variété de personnages qu'on y trouvait était bien plus grande. Enfin... les gens sont les gens, quels qu'ils soient, et le monde n'est jamais aussi ordonné qu'on le voudrait.

– Non, je ne la connais pas depuis si longtemps, et seulement superficiellement. J'ai dû la rencontrer deux ou trois fois, à différentes occasions, mais nous ne nous sommes vraiment parlé qu'à une *tea party* à Eaton Square il y a un mois ou deux.

Cela eut l'air de l'amuser.

– Une *tea party* ?

C'est vrai que le terme paraissait vieillot.

Ce goûter avait été organisé par une jeune fille du nom de Miranda Houghton, dans l'appartement de ses parents, situé au beau milieu de la zone chic d'Eaton Square. Miranda était la filleule de ma tante ou d'une amie de ma mère, j'ai oublié. Comme Serena, je la voyais de temps en temps, mais sans que nous ayons fait forte impression l'un sur l'autre. Cela ne m'empêcha pas d'être sur la liste de ses invités pour le lancement de toutes ces réceptions. Ces raouts faisaient partie des premiers rites de la Saison. Je dis cela tout en ayant l'impression d'être un obscur archiviste préservant pour la postérité les traditions perdues des Inuits. On encourageait les jeunes filles à inviter

1. Le parti Whig, opposé au catholique Jacques II et partisan de la dynastie de Hanovre qui vit le roi George arriver au pouvoir en 1714, est l'une des forces politiques majeures du Royaume-Uni entre la fin du XVIIe siècle et le milieu du XIXe siècle où il devient le Liberal Party. Fondé sur l'aristocratie terrienne et la grande bourgeoisie, il est antiabsolutiste et défend les droits du Parlement.

d'autres Débutantes en devenir pour le thé, en général dans la résidence londonienne de leurs parents, afin de forger amitiés et contacts utiles pour les réjouissances à venir. Pour obtenir la liste des autres participants, leurs mères s'adressaient à l'organisateur officieux mais largement incontesté, Peter Townend, fournissant de bonne grâce et bénévolement cette liste à celles qu'il estimait dignes, car il se livrait à un vaillant combat, chevaleresque mais désespéré, pour tenter de repousser les assauts du monde moderne le plus longtemps possible. Un peu plus tard, ces mères de famille lui demandaient d'autres listes, celles des hommes susceptibles d'être de bons partis. Il les fournissait également, même si elles servaient davantage pour les cocktails et les bals que les *tea parties* où l'on trouvait peu d'hommes, ces derniers connaissant en général l'hôtesse, comme c'était le cas pour Miranda et moi. On ne servait guère de thé lors de ces *tea parties*, et il émanait de ces réunions une atmosphère que je trouvais toujours un peu étrange où chaque nouvel arrivant traversait la salle avec hésitation. Mais nous y allions tous, y compris moi, et j'imagine que nous savions assez tôt ce qui nous attendait, quoi que nous ayons prétendu par la suite.

J'étais assis dans un coin et je parlais chasse à une jeune fille assez terne, avec des taches de rousseur, quand Serena Gresham fit son entrée et je sus immédiatement, en remarquant l'imperceptible *frisson** qui parcourut l'assemblée, qu'elle avait déjà acquis une réputation singulière. C'était d'autant plus paradoxal qu'elle n'avait pas la moindre arrogance et qu'elle était d'une discrétion sans pareille. À mon grand bonheur, j'étais à côté de la dernière chaise de libre. Je lui fis signe et, après une seconde qui lui permit de se rappeler qui j'étais, elle traversa la pièce pour me rejoindre. Rétrospectivement, je remarque que Serena obéissait à tout ce décorum. Mais en fait, vingt ans plus tard, une fois la Saison devenue une réserve d'exhibitionnistes pour filles de *parvenus** en quête de célébrité, elle n'aurait pour rien au monde participé à tous ces rites. Cela signifie sans doute qu'à cette triste époque même une personnalité aussi libre que Serena faisait comme on lui disait de faire.

– Comment connais-tu Miranda ? lui demandai-je.

– En réalité, je ne la connais pas. Nous nous sommes rencontrées chez des cousins dans le Rutland.

Serena possédait le don de répondre à toutes les questions rapidement et avec aisance, sans donner la moindre impression de mystère mais sans jamais vraiment donner la moindre information.

– Alors, comme ça, tu vas faire la Saison des Débutantes ?

Sans vouloir m'attribuer plus d'importance que je n'en ai, je ne suis pas convaincu qu'avant ma question Serena ait vraiment saisi tout ce qui découlait de cette aventure. Elle eut un moment de réflexion, les sourcils froncés. On aurait dit qu'elle scrutait une boule de cristal invisible flottant devant ses yeux.

– Je ne sais pas. On verra.

Sa réponse renforça à mes yeux son appartenance distanciée à la race humaine qui faisait tout son charme. C'était comme si elle avait créé une position émotionnelle privée qui lui permettait de se retirer à tout instant de ce qui se passait. Elle me fascinait.

Pendant le repas, j'ai parlé un petit peu à Damian de ce que Serena m'avait dit. Il était captivé par le moindre détail, comme un anthropologue ayant longtemps soutenu une théorie et la voyant enfin confirmée par des preuves tangibles. J'imagine que Serena était la première aristocrate absolument authentique qu'il ait rencontrée et, sans doute à son grand soulagement, il n'était pas du tout déçu par sa découverte. De fait, elle correspondait exactement à ce que les gens qui achètent des romans historiques dans les halls de gare avant un long et ennuyeux voyage imaginent en pensant aux héroïnes aristocratiques qui sont forcément d'une beauté sereine et d'un détachement tranquille avoisinant la froideur. Contrairement à ce qu'ils aiment imaginer, rares sont les aristocrates qui répondent vraiment à ce stéréotype et Damian avait la chance, ou la malchance, de s'introduire dans le beau monde avec quelqu'un qui y correspondait parfaitement. Très clairement, cette rencontre lui faisait éprouver une satisfaction intense. Bien entendu, s'il avait été moins heureux lors de son premier contact avec ce monde, il aurait pu s'en trouver moins malheureux par la suite.

– Comment fait-on pour être sur les listes de ces *tea parties* ? me demanda-t-il.

Le problème, c'est que je l'aimais bien. Cela me paraît étrange d'écrire une chose pareille, et il s'est trouvé des occasions où j'avais complètement oublié ce sentiment, mais telle est la vérité. Il était amusant, distrayant, il avait belle allure – ce dernier critère m'est personnellement cher – et il possédait ce qu'en terme *new age* on appellerait une forme d'« énergie positive », terme qui décrit simplement quelqu'un de systématiquement agréable. Des années plus tard, un ami m'a parlé de l'entourage de Serena comme étant peuplé de radiateurs et d'aspirateurs. Damian était le roi des radiateurs : il réchauffait le cœur de ceux qui l'entouraient. Il faisait en sorte qu'on ait envie de lui porter assistance, procédé alchimique qu'il porta à des sommets grâce à ma personne.

En l'occurrence, je ne pouvais guère l'aider car il avait déjà manqué les précédentes *tea parties*. Ces rassemblements informels constituaient quasiment un échantillonnage préliminaire, un vivier dans lequel les jeunes filles sélectionnaient leurs amis pour l'année, et lors de notre repas à Cambridge, les groupes s'étaient déjà formés et les premiers cocktails avaient déjà eu lieu, même si, ainsi que je lui confiai, le premier auquel je devais assister n'était pas véritablement une soirée de Débutantes mais l'une des réceptions organisées par Peter Townend, le maître de cérémonie de la Saison, à son appartement londonien. Il peut sembler étrange à quelqu'un qui étudie ces rites que, pendant les trente ou quarante dernières années où ils ont existé, leur organisation ait été l'apanage d'un inconnu venu du nord de l'Angleterre, sans naissance ni fortune, mais c'est bel et bien le cas. Naturellement, Damian connaissait déjà ce nom et, avec l'instinct du chien de chasse face à sa proie, il me demanda s'il pouvait s'incruster, ce que j'acceptai. C'était éminemment risqué de ma part car Peter Townend était jaloux de ses prérogatives et s'inviter avec un intrus faisait courir le risque d'être contre-productif car il y avait peu de chance qu'il le prenne bien. C'est cependant ce à quoi j'avais consenti, et environ une semaine plus tard, quand je garai ma vieille Mini verte sans aucune difficulté sur Chelsea Manor Street, Damian Baxter occupait la place du passager.

J'ai dit que Peter Townend était attaché à son rôle. De fait, il avait bien le droit de l'être. Issu d'un milieu modeste, dont il n'avait pas honte, il avait fait carrière dans le journalisme et l'édition, avec pour spécialité la généalogie. Il s'était un jour découvert la vocation de veiller à la continuité de cette institution festive qu'était la Saison, alors même que la décision de Sa Majesté en 1958 de mettre fin à la présentation officielle des jeunes filles avait semblé devoir y porter un coup fatal. Nous savons aujourd'hui que tout cela était en fait promis à une mort lente là où une décapitation pure et simple aurait peut-être été préférable mais, après tout, personne ne peut prévoir l'avenir, et il semblait à l'époque que Peter Townend, à lui tout seul, avait réussi à obtenir un sursis perpétuel. Le souverain ne participait plus, bien sûr, ce qui pour beaucoup ôtait tout intérêt à la chose et lui retirait tout son cachet, mais la Saison avait toujours pour fonction de rassembler les progénitures de parents partageant certaines positions et telle est la responsabilité qu'il avait choisi d'endosser. Il n'espérait aucune récompense. Il le faisait pour l'honneur et, selon mon point de vue, cela mérite une certaine estime, quel que soit le résultat final. Chaque année, il passait au peigne fin les registres généalogiques de la pairie et de la *gentry*, écrivait aux mères et aux jeunes filles, s'entretenait avec les fils, tout ça pour prolonger de quelques mois cette institution. On pourra se demander, ébahi : « C'était vraiment il y a seulement quarante ans ? » Et la réponse est oui.

Les soirées de Peter Townend n'avaient pas pour but de sélectionner ou de motiver les jeunes filles car cela avait été fait bien en amont. Il s'agissait surtout d'auditionner les jeunes garçons qu'il avait remarqués comme de possibles chevaliers servants et partenaires de danse pour les bals à venir. Après enquête, leurs noms étaient soulignés ou biffés sur les listes qui étaient distribuées aux mères fébriles qui s'en remettaient à ces inventaires, assurées que les mufles et les séducteurs, les alcooliques et les joueurs ainsi que ceux considérés comme DET (Dangereux En Taxis) en avaient été expurgés. C'était d'ordinaire le cas, mais tout n'était pas si simple, comme l'illustraient les deux premiers jeunes hommes qui nous accueillirent à l'entrée du vestibule étroit d'un appartement trop petit et mal meublé au sommet d'un immeuble construit dans la pire des traditions architecturales de la fin des années 1950. Il s'agissait des deux plus jeunes fils du duc de Trent, lord Richard et lord George Tremayne, qui étaient déjà ivres tous les deux. On pourrait penser que ni l'un ni l'autre n'étant le moins du monde ni séduisants ni amusants, Peter Townend aurait dû estimer qu'ils n'étaient pas des choix judicieux pour figurer parmi les prétendants de l'année. Mais cela serait pécher par ignorance de la nature humaine car certaines personnes ne pouvaient tout simplement pas être exclues des listes, et cela n'était pas la faute de Peter Townend. De fait, les frères Tremayne allaient connaître une certaine popularité, passant même pour des personnalités frondeuses, ce qu'ils n'étaient absolument pas. Mais leur père était duc et même si, dans la vraie vie, cet homme aurait été incapable d'occuper les fonctions de gardien de parking, son statut suffisait à leur garantir d'être invités.

Nous avons gagné la pièce principale bondée – dont les fonctions hétérogènes empêchaient de parler véritablement de salon – où se trouvait Peter Townend, avec sa chevelure désordonnée qui retombait sur un visage dont les plis évoquaient un chien ridé. Il pointa le doigt vers Damian.

– C'est qui, lui ? fit-il d'une voix forte et ouvertement hostile.

– Puis-je vous présenter Damian Baxter ? répondis-je.

– Je ne l'ai pas invité, que fait-il ici ? dit Peter Townend avec obstination.

Comme je l'ai indiqué, Peter Townend avait fait le choix de ne pas tenter de passer pour un membre à part entière du système qu'il admirait et ce genre d'épisode me fit comprendre pourquoi. Ne s'étant jamais posé comme un gentleman distingué, il ne se sentait en rien tenu à la politesse quand il n'avait pas envie. Bref, il ne cachait pas ses émotions et j'appris par la suite à apprécier et à admirer chez lui ce trait de caractère. Bien sûr, on pouvait croire qu'il était en colère après l'importun mais, en réalité, cela s'adressait à moi. C'était moi qui avais brisé les règles. Je dois avouer que, face à ces reproches, je me suis un peu effondré. Cela paraîtra étrange, notamment pour l'homme que je suis aujourd'hui, mais, sur le coup, j'étais soudain paniqué à l'idée de tous les plaisirs de la Saison que j'avais prévus et qui, dépendant du bon vouloir de cet homme, se dérobaient soudain à moi. Cela n'aurait peut-être pas été plus mal si cela s'était produit.

– Ne lui en voulez pas, fit Damian, qui avait compris le problème et qui se précipita pour se mettre entre nous. Tout est de ma faute. Je désirais beaucoup vous rencontrer, monsieur Townend, et quand j'ai su qu'il venait, je l'ai forcé à m'emmener. Tout est de ma faute.

Peter Townend le regarda fixement.

– J'imagine que c'est le moment où je vous dis que vous pouvez rester.

Il avait pris un ton glacial, mais Damian resta imperturbable, comme toujours.

– C'est le moment où vous pouvez me dire de partir si vous le désirez. Je m'exécuterai, bien sûr.

Il s'interrompit et une légère inquiétude traversa son visage aux traits réguliers.

– Bien joué, fit Peter d'une manière curieuse, à la fois ambiguë et abrupte. Prenez un verre si vous voulez, ajouta-t-il en désignant un domestique espagnol désorienté qui portait un plateau.

Je ne crois pas du tout qu'il ait été conquis par le charme de Damian, ni à ce moment-là ni ultérieurement. Je pense plutôt qu'il avait reconnu en lui quelqu'un qui allait sans doute jouer dans la même division que lui et il n'avait pas forcément envie de s'en faire un ennemi dès leur première rencontre. Damian s'éloigna et Peter Townend se retourna vers moi.

– Qui est-ce et où vous a-t-il trouvé ?

Voilà qui était curieusement formulé.

– À Cambridge. Je l'ai rencontré à une soirée de mon collège.

J'eus une hésitation avant de poursuivre :

– Quant à savoir qui il est, franchement, je ne le connais pas bien.

– Évidemment.

Je me sentais sur la défensive.

– C'est quelqu'un de charmant et j'imaginais que vous seriez du même avis.

Je ne savais pas trop comment je m'étais retrouvé en position de devoir le défendre, mais c'était bel et bien le cas.

Peter Townend suivit Damian du regard. Il prenait un verre et commençait à flirter avec une pauvre fille dotée d'un embonpoint et de joues trop creusées, et qui se tenait nerveusement à l'écart de la fête.

– C'est un magouilleur, fit Peter Townend avant de s'en aller accueillir de nouveaux arrivants.

Peut-être mais, en tout cas, il était efficace dans son genre. Plus tard, à force de fréquenter Damian, je ne m'en serais pas étonné car il n'était pas du genre à laisser filer une occasion. Damian a toujours été très pro. Même son pire ennemi le reconnaîtrait. D'ailleurs, c'est ce que je viens de faire. Après tout, Damian venait d'accéder au temple gardé par Peter Townend sans aucune garantie de pouvoir y pénétrer de nouveau. Il n'y avait donc pas de temps à perdre.

La jeune fille mal à l'aise aux joues creuses, que je reconnaissais maintenant et qui levait les yeux vers Damian, lequel déversait sur elle tout le charme dont il était capable, s'appelait Georgina Waddilove. C'était la fille d'un banquier de la City et d'une riche héritière américaine. Je ne sais pas vraiment comment Damian l'avait repérée pour lancer son offensive inaugurale. C'était peut-être l'instinct du guerrier qui comprenait sur-le-champ à quel endroit le rempart était le plus fragile et laquelle des jeunes filles était la plus vulnérable. Georgina était d'un naturel mélancolique. Pour ceux que cela intéresse – et ils n'étaient pas nombreux –, il faut savoir que cela n'était pas étranger à sa mère qui, dotée d'une connaissance imprécise des usages anglais et ayant conquis son époux durant le temps où ce dernier était en poste à New York après la guerre, était persuadée au moment de son mariage qu'elle s'introduisait ainsi dans une caste bien plus élevée qu'elle ne l'était en réalité. Quand le couple était retourné en Angleterre, fin 1950, avec deux petits garçons et une petite fille, elle avait mis le pied dans son pays d'adoption en croyant fermement qu'elle chasserait le cerf au palais de Balmoral ou qu'on l'inviterait à des dîners intimes au château de Stratfield Saye ou chez le duc de Devonshire à Chatsworth. Elle devait cependant découvrir que les amis et la famille de son mari faisaient partie du même milieu fortuné des spécialistes de la finance avec lesquels elle jouait au tennis dans les Hamptons depuis son enfance. Son époux, Norman (dont le nom aurait dû être un indice), n'avait pas vraiment fait exprès de la berner, mais comme beaucoup d'Anglais dans son genre, surtout quand ils sont à l'étranger, il avait pris l'habitude de laisser penser que ses origines étaient plus éminentes qu'elles n'étaient en réalité. Et loin de chez soi, à New York, cela n'avait rien d'un exploit. Au bout de neuf ans sur place, il arrivait presque à croire à sa propre fiction. Il parlait avec tellement de familiarité de la princesse Margaret ou du duc de Westminster ou de lady Pamela Berry qu'il aurait probablement été aussi surpris que ses convives de découvrir que tout ce qu'il connaissait d'eux provenait des pages du *Daily Express*.

Sa déception n'aboutit cependant pas à un divorce. Anne Waddilove devait penser à ses enfants et, dans les années 1950, le divorce avait encore un coût social élevé. Norman avait gagné beaucoup d'argent et elle résolut donc de l'utiliser pour corriger au travers de sa progéniture les défauts et déconvenues de sa propre existence. Pour les garçons, cela prit la forme des meilleures écoles, l'apprentissage de la chasse et les plus grandes universités. Concernant sa fille, elle avait très tôt décidé de la présenter à une Saison époustouflante qui ne pouvait se terminer que par un mariage sensationnel. Il ne manquerait pas de s'ensuivre des petits-enfants qui chasseraient le cerf avec la famille royale à sa place. C'est ainsi que Mrs. Waddilove avait décidé de l'avenir de la pauvre Georgina, condamnée à vivre la vie de sa mère et non la sienne propre depuis le moment où elle avait su marcher, à peu de chose près. Cela peut expliquer l'aveuglement de ses parents face à une vérité simple, et évidente pour le reste du monde, à savoir que Georgina n'était pas du tout taillée pour le rôle qu'on lui avait imposé. Anne Waddilove, jolie et déterminée, n'avait pas du tout prévu que la nature lui jouerait un tour pendable en lui apportant une fille pourvue d'une indécrottable maladresse et en plus dotée de la circonférence d'un tonneau – qualités qui se remarquaient comme le nez au milieu de la figure. Qui plus est, la nervosité et la timidité de Georgina donnaient une première impression (par ailleurs erronée) de stupidité et elle n'était pas d'un naturel sociable. Comme elle n'avait pas la perspective d'un héritage de grande ampleur – l'existence de deux garçons dans une fratrie anéantit en général ce genre d'espoirs –, il semble que, après les premières semaines en tant que débutante de Georgina, le mariage rêvé par Mrs. Waddilove ne pouvait plus être décrit que comme hautement improbable.

J'ai appris à apprécier Georgina Waddilove et même si je ne peux prétendre avoir eu le moindre intérêt romantique pour sa personne, j'ai toujours apprécié de me retrouver à ses côtés lors des dîners. Elle était très cinéphile, comme moi, et nous avions toujours beaucoup à nous dire. Reste qu'elle ne paraissait en rien destinée à la réussite dans l'arène cruelle et ultra-compétitive où sa mère l'avait lancée. Il y avait quelque chose de presque grotesque à voir sa silhouette replète errer de bal en bal, triste et solitaire, affublée des atours de fillettes appréciés à l'époque, les cheveux parsemés de fleurs, portant des robes en dentelle alors qu'elle ressemblait plutôt au singe qui parle dans la pub pour le thé. Je suis désolé de devoir reconnaître qu'elle était devenue objet de risée parmi nous et, maintenant que je suis plus mûr et moins insensible à la souffrance des autres, je le regrette amèrement. Elle a dû beaucoup en souffrir tout en le dissimulant, chose qui ne pouvait qu'accentuer cette douleur.

Damian avait-il instinctivement compris tout cela quand il se dirigea droit vers elle, alors que le salon de Peter Townend était rempli de déesses au pedigree aristocratique qui se divertissaient joyeusement en buvant délicatement un verre ? Était-ce le renard en lui, sentant l'oiseau blessé, qui lui avait fait repérer la fille la plus laide et la plus gauche pour fendre la foule comme une torpille et se jeter sur elle ? Si c'était le cas, sa tactique fut payante puisque, quelques jours plus tard, il passait dans ma chambre pour me montrer ce qu'il avait reçu au courrier, son tout premier carton, un bristol bien raide, épais et tout blanc, affichant fièrement le nom gaufré de « Mrs. Norman Waddilove, chez elle », l'invitant à prendre part à un cocktail « en l'honneur de Georgina », le 7 juin, sur la piste des autos-tamponneuses de Battersea Park.

– Comment peut-on être « chez soi » quand on organise une réception dans une fête foraine ? demanda-t-il.

Le parc de Battersea n'est plus le même depuis la guerre. Il est toujours à la même place, bien sûr, mais ce n'est plus du tout le même endroit que celui qui a nourri les souvenirs d'enfance d'il y a cinquante ans. Construit durant l'ère victorienne comme lieu de promenade pour les bons bourgeois du coin, il disposait de rochers sculptés, de fontaines et de charmants sentiers longeant des lacs où musardaient des cygnes. Mais le parc s'était joyeusement dégradé et, dans les années 1950, il était devenu un lieu notable pour toute une génération de gamins car c'était là que se tenait la seule fête foraine permanente de Londres. Icône de l'innocence perdue, l'exposition nationale du Festival britannique de 1951 avait vu l'installation d'attractions qui avaient connu leur heure de gloire dans les *sixties* avant que de nouvelles formes de divertissement ne mettent au placard ce genre d'amusements. Un tragique accident sur le manège du Big Dipper en 1972 précipita l'inévitable et la fermeture intervint deux ans plus tard. La bonne vieille fête foraine, toute poussiéreuse et décolorée qu'elle était, et même franchement dangereuse, fut démolie sans laisser la moindre trace, comme les jardins suspendus de Ninive.

Le parc est bien plus beau aujourd'hui, où mares, cascades et clairières ont été restaurées, que la première fois où j'y étais allé, tenant la main à une tante ou une nounou et réclamant un dernier tour de manège, mais il n'est pas mieux pour autant en ce qui me concerne. Et je ne suis pas le seul à partager ce sentimentalisme à l'eau de rose. Dès 1968, une certaine nostalgie commençait déjà à s'emparer de l'endroit, car la génération de ceux qui s'étaient rendus malades à coups de barbe à papa durant les heures de gloire du parc avait bientôt 20 ans, et c'est cela même qui en faisait un choix fort judicieux de la part de Mrs. Waddilove pour y tenir sa réception. Georgina n'avait pas une grosse cote d'amour et elle aurait fort bien pu devoir souffrir l'humiliation d'une fête ratée où presque personne ne serait venu si la fête avait eu lieu dans l'un des salons des hôtels de Park Lane ou du club de son père. Une bonne moitié de la liste des invités aurait parfaitement pu se dérober. La légèreté avec laquelle les jeunes négligent leurs engagements sociaux dès qu'ils sont attirés par quelque chose qui leur plaît davantage faisait horreur aux adultes. Aujourd'hui, les parents se contentent de lever les yeux au ciel et de hausser les épaules en constatant le manque de fiabilité de leurs enfants, mais ils ne prennent pas cela très au sérieux. Je ne veux pas dire qu'il y ait quoi que ce soit de nouveau dans le fait de sécher, de resquiller et autres pratiques douteuses, mais, en 1968, cela n'avait rien de drôle. En tout cas, pour cette réception, la fête foraine de Battersea avait convaincu tout le monde de venir.

Je suis arrivé assez tard, et c'est l'agitation des bavardages qui m'a guidé parmi les attractions pour passer derrière les stands et trouver une petite barrière temporaire, peinte en blanc, où deux personnes filtraient les entrées. Il y avait une pancarte posée sur un chevalet qui annonçait : « Les autos-tamponneuses sont fermées pour cause de fête privée. » Ceux qui voulaient les utiliser lançaient des regards noirs, auxquels les invités de Georgina ne prêtaient aucune attention, mais les râleurs ne furent pas un problème. Même s'ils disent le contraire, les membres des classes privilégiées ne détestent pas lire l'envie dans le regard de leurs contemporains de temps en temps.

Certaines filles étaient déjà dans les voitures. Elles poussaient des cris, rigolaient et renversaient leur verre de vin, accompagnées par leurs chevaliers servants de la soirée qui posaient et faisaient les beaux, tout en percutant les bagnoles des autres. Aujourd'hui, il y aurait des écriteaux pour interdire les verres sur la piste et puis, de toute manière, seuls des gobelets en plastique auraient été utilisés, mais je ne me rappelle pas que quiconque se soit inquiété d'éventuelles surfaces glissantes ou du verre brisé – et ça ne devait pas manquer. Un barnum ouvert sur un côté avait été installé pour accueillir ceux qui n'étaient pas sur la piste et qui étaient déjà bien éméchés. J'ai cherché des yeux Georgina et j'espérais la trouver au centre d'un groupe nombreux et reconnaissant, mais elle était seule et silencieuse près de la table où l'on servait le champagne. Je me suis dirigé vers elle, afin de saluer mon hôtesse tout en me versant à boire.

– Salut ! Tout a l'air de rouler comme il faut...

Elle eut un petit sourire triste.

– Tu vas faire un tour de piste ?

– Sans doute, fis-je avec un sourire vaillant, et toi ?

Elle n'eut pas l'air d'entendre ma question. Elle avait le regard fixé sur la piste et je distinguais maintenant une voiture où se découpait la silhouette reconnaissable de Damian penché sur le volant. Vue de loin, sa copilote n'avait pas l'air à sa place. Son visage était caché par un rideau de boucles auburn mais on voyait qu'elle était d'un grand calme et d'un grand détachement.

Elle ne hurlait pas comme les autres, elle restait tranquille, comme une princesse hiératique forcée de supporter l'indignité d'un ferry rempli de paysans afin d'effectuer une traversée.

Georgina se tourna vers moi.

– C'est pour quelle œuvre ton dîner ?

Je ne comprenais rien.

– Quel dîner ?

– Celui de ce soir. Damian m'a dit qu'il ne pouvait pas venir au Ritz avec nous parce qu'il s'était déjà engagé à t'accompagner.

J'ai tout de suite compris ce que cela signifiait. La pauvre Georgina avait rempli sa fonction dans la trajectoire de Damian en lui offrant une entrée en matière officielle. Il pouvait donc désormais s'en débarrasser. Cette fille avait été une cible ; elle avait cédé à sa flatterie et à son charme amical, et lui avait ouvert la porte pour qu'il entre dans cet univers. Maintenant qu'il était entré, il n'avait aucun scrupule à la laisser de côté. Au dîner triste et collet monté organisé par sa mère pour quelques invités triés sur le volet, Georgina aurait dû avoir à côté d'elle un nouveau venu flamboyant. Le rêve de Georgina s'effondrait. Concernant le bobard qui lui avait permis de s'y soustraire, j'ai bien honte d'avouer que je ne l'ai pas dénoncé. Pour ma défense, je précise que c'était moins par choix que par réflexe conditionné. Quand une femme mentionne une excuse inventée par un homme à un autre homme, ce dernier est en quelque sorte obligé d'étayer le prétexte imaginaire, selon une sorte de loyauté entre mâles. Une phrase comme « Robert m'a dit que vous déjeuniez ensemble la semaine prochaine » oblige l'homme à répondre « Oui, ça fait longtemps qu'on doit se voir », même si c'est la première fois qu'il entend parler de ce rendez-vous. On fait ensuite souvent des remontrances à l'ami ou la connaissance responsable de tout cela (« Comment oses-tu me mettre dans une situation pareille ! »). Dans tous les cas, dire la vérité va contre la nature masculine profonde. L'alternative serait de répondre : « Première nouvelle ! Si tu veux mon avis, Robert doit avoir une maîtresse. » Mais aucun homme ne peut prononcer pareilles paroles, même s'il est de tout cœur avec la femme trompée. Je fis donc un sourire à Georgina avant de lui répondre :

– Oh, c'est juste un petit dîner, avec quelques amis. Rien de bien important si tu as besoin de lui.

– Non, non, je ne veux pas changer vos plans. De toute façon, ça ennuyait déjà papa quand je lui ai demandé. C'est pour ça que je ne t'ai pas invité, ajouta-t-elle piteusement, il trouvait qu'on était déjà trop nombreux.

Trop de bras cassés surtout, et pas assez de vraies potentialités. Mais Damian n'avait pas sa place non plus. Mrs. Waddilove n'allait pas laisser entrer un aventurier dans son poulailler.

– Qui vient ?

– J'aurais aimé que tu viennes, murmura-t-elle complaisamment, mais comme je te le disais, ça n'est pas une grande réception.

Ayant dit cela pour la forme, elle me donna une liste d'une douzaine de personnes.

– Il y aura la princesse Dagmar, les frères Tremayne, mais je crois qu'ils ont un problème...

Ça, ça ne faisait aucun doute, me dis-je intérieurement.

– ... Andrew Summersby et sa sœur...

Elle faisait des petites croix mentalement sur chaque nom mais la liste était clairement signée de la main de sa mère et non de la sienne.

Je jetai un œil vers le vicomte Summersby, rougeaud et grassouillet, le verre à la main et affichant un air sombre. Il avait apparemment abandonné tout effort pour faire la conversation avec ceux qui l'entouraient. Ces derniers ne savaient pas à quoi ils échappaient. Devant lui, sa sœur Annabella poussait force cris aigus en fonçant sur la piste avec un compagnon maigre et pâlichon qui tremblait à ses côtés. Elle tournait le volant dans tous les sens et sa robe serrée, volée à la garde-robe d'après guerre de sa mère, semblait prête à éclater. Comme son frère, Annabella Warren n'avait rien d'une beauté mais, entre deux maux, c'est elle que j'aurais préférée. Je n'aurais choisi aucun des deux pour passer la soirée mais au moins avait-elle une certaine énergie. Georgina suivit mon regard, comme si elle était d'accord avec ce que je ne disais pas à voix haute.

– Bon bah, bon courage pour ta soirée, fis-je en m'éclipsant.

Les autos-tamponneuses s'étaient arrêtées ; conducteurs et passagers sortaient des véhicules pour laisser la place à la foule impatiente des invités qui encerclait la piste en attendant son tour. Elles avaient une allure particulière, ces filles d'il y a longtemps... Elles traversaient en courant la piste en métal pour grimper et s'entasser dans des voitures toutes sales et cabossées, quelque part entre le style Dior des années 1950 et le style Carnaby Street des *sixties*. On sentait qu'elles reconnaissaient l'existence du monde moderne mais qu'elles n'y succombaient pas entièrement. Durant les quarante années suivantes, cette décennie a été réécrite par les avocats de la tyrannie progressiste. Ils adoptent la version Woodstock de la période – selon le célèbre slogan à l'autosatisfaction condescendante : « Si vous vous souvenez des années 1960, c'est que vous n'y étiez pas » –, mais ceux qui n'ont aucun scrupule à faire comme si les valeurs de la révolution pop résumaient toute cette époque sont soit manipulés soit des manipulateurs. Ce qui était vraiment extraordinaire pour nous autres, ce n'était pas que quelques guitaristes fument de la drogue, se mettent des chapeaux à plumes ridicules et portent des gilets en cuir avec de la fourrure de mouton. Ce qui est différent de toutes les autres périodes que j'ai vécues, c'est surtout que, comme Janus, nous regardions des deux côtés à la fois.

Une partie de la société s'intéressait en effet à la pop music, à la drogue, aux *happenings*, à Marianne Faithfull, aux barres Mars et à l'amour libre, mais l'autre partie de la société, et elle était quand même plutôt largement majoritaire, avait toujours les années 1950 comme point d'ancrage, la société anglaise traditionnelle, où les comportements étaient réglés sur des pratiques sinon multiséculaires, du moins qui duraient depuis le siècle précédent où tout était très rigide, depuis les vêtements que l'on portait jusqu'à la sexualité que l'on pratiquait – et si nous ne respections pas toujours les règles, au moins les connaissions-nous. Ce code de conduite était encore solidement dominant dix ans auparavant. Les filles n'embrassaient pas à un premier rendez-vous, les garçons portaient toujours une cravate, les mères de famille ne quittaient pas la maison sans un chapeau et des gants, les pères de famille portaient un chapeau melon pour aller travailler en ville. C'était cela, les années 1960, autant que la facette constamment remâchée par les rétrospectives télévisuelles. La différence, c'est que ces coutumes vivaient leurs dernières heures tandis que la nouvelle culture déstructurée s'installait. C'est cette dernière qui allait s'imposer, bien sûr, et comme toujours, c'est le vainqueur qui écrit l'histoire.

La grande mode à cette époque, c'était d'ajouter des extensions aux cheveux, des anglaises en cascades, pour rendre sa coiffure plus spectaculaire. Il fallait que ces ajouts aient l'air vrai mais seulement comme un costume de théâtre, car on pouvait s'en débarrasser le lendemain sans la moindre honte. Une jeune fille pouvait ainsi se montrer à une soirée le lundi avec des boucles jusqu'aux épaules et aller déjeuner le mardi coiffée comme Joséphine Baker. L'idée était de changer de coiffure comme de chapeau. À cet égard, et contrairement à leurs autres habitudes vestimentaires et aussi aux porteurs de perruques d'aujourd'hui, il n'y avait aucune volonté de dissimulation. Cette vogue alla même jusqu'à ce qu'on prenne l'habitude de déposer ses « cheveux » chez le coiffeur un ou deux jours à l'avance pour qu'on leur ajoute des boucles et qu'on en prenne soin, voire qu'on les agrémente de fleurs ou de perles, avant de les épingler sur le crâne de leur propriétaire au moment de la soirée. Ce style avait atteint son apogée au moment où nos bals commençaient, mais même au début, lors des premiers cocktails, cela semblait un symbole du monde irréel où nous nagions car les Débutantes changeaient d'apparence presque complètement deux ou trois fois par semaine. À une fête, on voyait une inconnue s'approcher avant de découvrir soudain que c'était le visage d'une vieille amie. C'est ainsi que, ce soir-là, je reconnus soudain l'altesse paisible qui était véhiculée dans le siège à côté de Damian et qui n'était autre que Serena Gresham. Elle réussit à s'extraire de la voiture avec un calme olympien et se dirigea dans ma direction.

– Salut.

– Salut. Alors tu t'en sors ?

– Je suis toute secouée. J'ai l'impression d'être passée dans un shaker à cocktails.

– J'allais te demander si tu voulais refaire un tour, avec moi.

– Pas vraiment. Ce que je veux, c'est plutôt reprendre un verre.

Elle regarda autour d'elle et se retrouva avec une coupe de champagne à la main avant que je puisse seulement lui en proposer.

Je l'abandonnai à la foule de galants qui l'entouraient pour aller du côté de la piste où les voitures étaient déjà toutes occupées. J'entendis qu'on m'appelait et je vis Lucy Dalton qui me faisait signe. Je la rejoignis.

– Qu'est-ce qu'il y a ?

– Dépêche-toi de grimper, bon sang, fit-elle en tapotant le siège en cuir défoncé à côté d'elle. Philip Rawnsley-Price vient vers nous et je vais déjà me faire suffisamment de bleus aux fesses dans ce tape-cul sans son aide.

On annonçait déjà qu'il fallait libérer la piste.

– Allez ! siffla-t-elle.

Alors je suis monté. Mais cela n'a été qu'un maigre sursis pour Lucy. Avant que nous puissions démarrer, Philip, se moquant éperdument des avertissements du responsable de l'attraction, s'était déjà aventuré parmi les voitures en mouvement (on n'avait pas encore inventé des formules du genre « pour des raisons de sécurité, il est interdit de... »).

– Si tu cherches à m'éviter, tu peux laisser tomber, dit-il à Lucy avec un sourire qu'il croyait sans doute torride, nous sommes promis l'un à l'autre.

Elle n'eut pas le temps de trouver une repartie adaptée, une secousse violente et soudaine l'en empêchant. Nous venions d'être percutés sur le côté par l'un des frères Tremayne, accompagné par une jeune fille en train de piailler. Le dos disloqué, nous avons alors été emportés dans ce maelström frénétique. Philip se mit à rire et retourna sans se presser sur le côté.

On retrouvera beaucoup Lucy Dalton dans les pages qui suivent et elle mérite d'être présentée bien qu'elle n'ait jamais été quelqu'un de compliqué. Comme Serena, elle avait reçu toutes les faveurs possibles, mais à un degré (très) légèrement moindre, et elle avait donc été moins coupée de l'existence ordinaire des gens. Il est toujours difficile pour ceux qui ne font pas partie de ce monde de percevoir les différences de statut et de fortune au sein d'un groupe aussi jalousé que privilégié, mais de telles distinctions existent, quelle que soit la tour d'ivoire. Les champions de football ont beau être tous riches comme Crésus, ils n'en savent pas moins qui, dans leur univers, suscite l'admiration et les apitoiements. Les vedettes de cinéma distinguent parfaitement ceux parmi eux dont la carrière est au point mort et ceux qui ont encore des années devant eux. Bien évidemment, pour la majorité des gens, l'idée qu'un milliardaire soit moins enviable qu'un autre paraît d'une prétention égocentrique, mais ces nuances sont importantes aux yeux des membres de telles castes, et si on veut essayer de comprendre ce qui fait la logique d'un tel univers, il faut les prendre en compte. Il en était ainsi pour nous. Dans les années 1960, le concept même de la Saison avait beau déjà être sur la pente descendante, il concernait un groupe plus restreint que cela ne serait le cas aujourd'hui si jamais on avait la bêtise de vouloir le rétablir. Avec le recul, on peut dire que nous étions quelque part entre la sphère extrêmement fermée de l'avant-guerre et le monde totalement béant des années 1980 et après. On trouvait des jeunes filles qui, de toute évidence, n'auraient jamais passé la barre au temps de la présentation à la reine et on leur faisait encore sentir car le recrutement se faisait encore essentiellement dans le vivier traditionnel. Au cœur de ce monde, les différents niveaux d'éminence étaient donc clairement délimités et identifiables.

Lucy Dalton était la plus jeune fille d'un baronet, sir Marmaduke Dalton, dont les ancêtres avaient reçu le titre nobiliaire au début du XIXe siècle, en récompense d'un assez modeste service rendu à la Couronne. La famille possédait encore pas mal de terres dans le Suffolk mais le manoir lui-même avait été mis en location dans les années 1930 et était devenu une école privée pour filles depuis la guerre. Les Dalton me semblaient parfaitement heureux dans la résidence douairière[1] qui leur permettait, s'ils regardaient par-dessus les frondaisons, d'apercevoir le siège de leur ancienne gloire, même s'il était désormais entouré de salles de classe en préfabriqué et de terrains de hockey sur gazon. En d'autres termes, leur situation aurait pu être meilleure.

Le citoyen du monde moderne d'âge mûr que je suis maintenant se rend bien compte que l'éducation de Lucy fut privilégiée au plus haut point. Mais les êtres humains ne se comparent qu'avec ceux qui leur ressemblent, et je demande la clémence du lecteur si je me permets de remarquer que, à l'époque et de notre point de vue, elle nous paraissait d'une extraction sans éclat particulier. Sa famille, dotée d'un titre modeste, dans leur maison douairière, vivait plutôt comme nous, avec nos presbytères, nos petits manoirs et nos fermes, et la distinction importante que nous faisions était plutôt entre ceux qui vivaient normalement et ceux qui vivaient comme nos familles avaient vécu avant la guerre. Ces survivants d'une autre ère étaient nos

1. La *dower house* est la demeure, de moindre ampleur que le manoir, laissée en usufruit à la veuve d'un noble tandis que le manoir lui-même est occupé par les héritiers. On parle de *dowager* (« douairière », du latin *dotarium*) pour la veuve héritant du titre.

porte-étendards, les emblèmes de notre âge d'or, et les champions de notre condition sociale. Leurs valets et leurs salons majestueux formaient un contraste envoûtant avec nos petites familles normales dont le père travaillait et dont la mère avait appris à cuisiner (un peu). C'est nous qui étions normaux et eux qui étaient riches. Il m'a fallu des années avant de remettre cette vision du monde en question. Pour ma défense, il est rare que quiconque se rende compte du caractère somptueux ou sybaritique de sa propre vie. On réserve toujours ces adjectifs à ceux qui sont plus riches que nous, et je pense que Lucy ne s'est jamais considérée comme autrement que relativement bien lotie.

En tout cas, elle était pour moi une personne radieuse, jolie sans être belle, drôle sans être fascinante. Nous nous étions rencontrés lors d'une réception pour un bal de charité l'année d'avant et, quand la Saison avait débuté et que nous avions découvert que nous y prendrions part tous les deux, nous nous sommes naturellement dirigés l'un vers l'autre, comme il est naturel quand on rencontre un visage amical et familier dans un environnement nouveau et dans lequel il est difficile de faire sa place. Pour être franc, je crois qu'elle ne m'aurait pas déplu si j'avais fait plus attention à elle au départ, mais comme nous sommes devenus amis, j'ai manqué ma chance – si elle a jamais existé – car l'amitié est l'antidote presque certain à tout développement sentimental.

– Qui est cet individu que tu nous infliges ? demanda-t-elle en faisant un large détour pour éviter que lord Richard ne nous rentre encore joyeusement dedans.

– Je ne crois pas l'avoir infligé à qui que ce soit.

– Oh, mais si. J'ai vu quatre filles noter son adresse alors qu'il n'était pas là depuis vingt minutes. J'imagine qu'il n'est pas recommandé par Mr Townend ?

– Pas vraiment. Je l'ai emmené à une de ses réceptions la semaine dernière et j'ai cru qu'on allait tous les deux se faire virer sur-le-champ.

– Pourquoi l'as-tu « emmené » avec toi ? Tu es son manager maintenant ?

– Je ne crois pas que ce soit le cas.

Elle me lança un regard avec un sourire un peu moqueur.

C'est sans doute poussé par un désir à moitié inconscient de corriger mon mensonge envers Georgina que je me suis arrangé pour organiser un dîner avec un petit groupe à la fin de la soirée, au moment où tout le monde se dispersait. Si bien que nous étions une bonne demi-douzaine à descendre les marches traîtresses menant à la cave de Haddy's, qui était une boîte assez courue au coin de Old Brompton Road, où l'on pouvait manger sommairement et danser pendant toute la nuit, et tout ça pour 30 shillings par tête[1]. Nous y passions souvent la soirée entière, à manger, bavarder, danser, bien qu'il soit aujourd'hui difficile d'imaginer un endroit équivalent où l'on puisse faire ces trois choses simultanément étant donné le volume sonore d'une violence barbare qui sévit dans les lieux où l'on est censé danser. J'imagine que le son a augmenté dans les discothèques à l'époque où j'ai cessé d'y aller, mais je n'en avais pas vraiment conscience jusqu'à ce que des gens parfaitement normaux de 40 ou 50 ans ne se mettent à organiser des soirées qui doivent compter parmi les pires de l'histoire. J'entends souvent dire que l'idée d'un night-club où l'on pouvait bavarder tranquillement tout en écoutant

1. Avant que le Royaume-Uni n'adopte en 1971 la livre sterling divisée en 100 pence, la livre était divisée en 20 shillings (chaque shilling valant 12 pence). Cela correspond donc à une toute petite somme, en gros 15 francs de l'époque soit environ 2 euros.

de la musique appartient à la génération antérieure à la mienne, celle des convives en tenue de soirée attablés au Mirabelle, le restaurant du grand hôtel de Mayfair dans les années 1930 ou 1940, et écoutant Snakehips Johnson et son orchestre en sirotant des White Ladies. Mais, comme bien des vérités admises, c'est parfaitement faux. À notre époque aussi nous pouvions manger, bavarder et danser, et nous ne nous en privions pas.

Haddy's n'était pas vraiment une boîte de nuit. C'était plus un endroit pour ceux qui n'avaient pas les moyens d'aller dans de vraies boîtes de nuit. Haddy's, Angelique's, le Garrison... ces noms oubliés désignent des endroits qui étaient remplis tous les soirs. C'étaient des endroits simples mais, comme toutes les vraies innovations, ils répondaient à un besoin réel. Le menu était dans le style de la cuisine *paysanne**, alors quasiment inédite, mais cette modeste pitance était augmentée d'une invention assez récente, à savoir le fait de danser en public non pas sur de la musique jouée par un groupe mais enregistrée sur des disques, choisis par une sorte de disc-jockey, appellation qui n'en était alors qu'à ses balbutiements. Le vin dépassait rarement le niveau de la piquette, en tout cas quand c'étaient les jeunes qui payaient, mais l'avantage, c'est que les proprios ne s'attendaient pas à servir les tables plus d'une fois par soirée. Et chaque soir, quand nous avions mangé, nous restions à picoler et à papoter, passant en revue les sujets qui préoccupaient nos esprits adolescents tourmentés jusqu'au petit matin, sans jamais avoir de problème avec les patrons. J'ai bien peur qu'ils n'aient pas été très forts en affaires. Pas étonnant que leurs établissements n'aient pas survécu au passage du temps.

Ce soir-là, étrangement, Serena s'était jointe à nous. Elle avait suivi le mouvement quand j'avais dit où nous allions. J'étais surpris parce qu'en général elle écoutait poliment les propositions pour la soirée, faisait une petite *moue** de regret et disait qu'elle était désolée de ne pas pouvoir venir. Mais, cette fois-ci, elle avait réfléchi un instant avant de dire : « D'accord, pourquoi pas ? » Cela ne paraît guère enthousiaste comme réaction, mais ces paroles déclenchèrent tout de même des papillons dans mon cœur. Lucy était là, essayant vainement d'échapper à Philip, sa bête noire, qui avait proposé de venir après le départ de la voiture de Lucy. Damian est venu bien sûr, ainsi qu'une nouvelle jeune fille, que je n'avais pas rencontrée avant ce soir-là, une ravissante blonde hollywoodienne qui ne parlait pas beaucoup d'elle, Joanna Langley. Je dis que je ne la connais pas, mais je savais qu'elle était très riche, que c'était l'une des jeunes filles les plus riches de cette Saison, même s'il s'agissait d'une cuvée postérieure à la présentation devant la reine. Son père avait créé un catalogue de vente par correspondance pour des vêtements de tous les jours, et si la fortune familiale empêchait qu'on manque de politesse devant elle, ça se passait différemment derrière son dos. Personnellement, elle m'a séduit dès le début. Elle était à côté de moi.

– Ça te plaît ? me demanda-t-elle pendant que je remplissais son verre de vin à ras bord.

Je ne savais pas si elle parlait de la soirée ou de la Saison, mais il m'a semblé que c'était de l'ensemble.

– Oui, je n'ai pas encore fait grand-chose, mais j'aime bien les gens que je rencontre.

– Et toi, ça te plaît ? demanda Damian pourtant assis plus loin à la table.

Je constatais qu'il était déjà en train de s'entraîner à lancer son regard brûlant de séducteur sur Joanna. Comme moi, il savait clairement qui elle était.

Elle fut un peu surprise mais elle lui répondit.

– Oui, jusqu'ici. Et toi ?

Damian se mit à rire.

– Oh, moi, je ne suis pas dans le coup. Faut lui demander à lui...

Il venait de me désigner d'un geste rigolard du menton.

– Pourtant tu es bel et bien là, non ? fis-je d'un ton assez cassant, on n'a rien de plus que toi sur notre CV.

Ce n'était pas tout à fait honnête mais cela ne m'inquiétait pas, sachant qu'il n'était pas du genre à se laisser refroidir. Damian ramena son regard vers Joanna.

– Ne va pas croire ce qu'il raconte, je suis un garçon parfaitement ordinaire, venu d'un milieu parfaitement ordinaire. Ça m'amuse de voir comment ça se passe mais je n'ai rien à voir avec ce monde-là.

C'était parfaitement calculé, comme tout ce qu'il disait, et je comprends maintenant pourquoi il procédait ainsi. Cela lui valait un regard protecteur de la part de toutes les jeunes filles, et personne ne pourrait jamais l'accuser d'avoir prétendu être ce qu'il n'était pas. Son apparente humilité allait lui permettre de recevoir beaucoup sans jamais se sentir redevable envers un univers dont il avait déclaré d'emblée qu'il n'était pas le sien et qu'il ne lui devait rien. Et puis surtout, c'était un moyen de vaincre leurs défenses. À partir de ce moment-là, ces jeunes filles ne pouvaient plus avoir peur d'être manipulées par cet homme. N'avait-il pas avoué son manque d'ambition ? Nous n'avions pas encore passé la commande qu'il était déjà en train de noter les adresses de Joanna et de deux autres jeunes filles.

J'ai dit que Damian était « bien sûr » venu avec nous. Pourquoi donc était-ce si évident ? Si tôt dans sa carrière londonienne ? Peut-être parce que j'avais commencé à me rendre compte de ses aptitudes. En le voyant encadré par Serena et Lucy, suspendues à ses lèvres et riant à ses remarques – il se partageait avec un parfait équilibre entre les deux –, je compris qu'il était de ces individus capables de se fondre dans un groupe jusqu'à ce qu'ils paraissent, assez rapidement, en avoir toujours fait partie, depuis le tout début. Il plaisantait, lançait de petites taquineries, mais il savait aussi prendre un visage grave de temps en temps. Il montrait qu'il les prenait au sérieux et faisait des moues d'assentiment d'un air réfléchi, comme quelqu'un qui connaît son interlocuteur sans être totalement intime. Tout le temps où je l'ai vu à l'œuvre, il ne s'est jamais rendu coupable de cette erreur classique des *parvenus** qui se laissent aller à une trop grande familiarité. Récemment, je bavardais avant une partie de chasse avec un individu que je venais de rencontrer et nous nous étions bien entendus au dîner de la veille. Il imaginait sans doute que nous étions devenus copains comme cochons et il se permit de me chatouiller le ventre en faisant des blagues sur mon embonpoint. C'était dit avec le sourire et cela ne s'adressait pas à la cantonade, mais il n'a pas dû lire dans mes yeux le moindre encouragement à continuer et j'ai décidé illico de ne plus revoir cet homme. Damian n'a jamais fait cette erreur. Il avait un style détendu et spontané mais sans jamais se rendre odieux ou verser dans l'impertinence. Bref, tout cela était très étudié et réalisé avec aplomb. Cette soirée fut l'une des premières occasions où je pus admirer son adresse à ferrer un poisson.

Le dîner était terminé, on avait remporté les assiettes de ragoût que les filles n'avaient pas touchées, l'éclairage avait été tamisé et certains couples commençaient à s'approprier la piste. Personne dans notre groupe ne s'y était encore aventuré mais nous n'allions pas tarder. Lors d'un léger creux dans la conversation, Damian se tourna vers Serena et je l'entendis lui dire : « Tu veux danser ? » sur le ton d'un secret partagé, presque comme une plaisanterie qu'eux seuls étaient en mesure de comprendre. C'était remarquablement fait. Ils passaient un disque que nous adorions – peut-être *Flowers in the Rain*, je ne me souviens plus. En tout cas, après une pause infinitésimale, elle fit signe qu'elle voulait bien et ils se levèrent. Mais la vraie surprise était à venir. En passant devant ma table, j'ai entendu Damian lui parler d'un ton tout à fait dégagé :

– Je me sens vraiment bête, je sais que tu t'appelles Serena et je me souviens où nous nous sommes rencontrés, mais je ne connais pas ton nom de famille. Si je ne te le demande pas maintenant, ça sera trop tard après...

Comme un arnaqueur ou un courtisan, il attendit, le temps d'une seconde, pour savoir si son stratagème allait marcher. Poussa-t-il un grand soupir intérieur quand il fut évident qu'elle n'avait pas compris son jeu ?

Elle se contenta de sourire.

– Gresham, murmura-t-elle délicatement.

Puis, ils allèrent sur la piste. J'assistais à tout cela ébahi, et c'était bien normal. Non seulement Damian connaissait parfaitement son nom avant la soirée, mais aussi où résidait sa famille et sans doute le nombre d'hectares de leurs propriétés. J'étais sûr qu'il pouvait même donner la liste de tous les comtes de Claremont depuis la création du titre et probablement le nom de jeune fille de chaque comtesse. Je croisai son regard à l'autre bout de la pièce. Il savait que j'avais entendu la conversation et je savais qu'il connaissait le nom de Serena. Il ne fit pourtant pas mine de se soucier de moi alors que j'aurais pu le balancer et tout dévoiler. Ce genre de stratégie à haut risque en matière d'escalade sociale ne peut manquer de susciter l'admiration.

Lucy me regardait pendant que je le fixais avec un fin sourire.

– Qu'est-ce qu'il y a de drôle ? lui demandai-je.

– J'ai l'impression que, jusqu'à aujourd'hui, tu te croyais le protecteur de Damian et nous sommes en train de nous rendre compte que tu auras de la chance si tu es seulement son mémorialiste d'ici la fin de la Saison.

Elle se tourna vers le couple sur la piste et se fit plus sérieuse.

– Si tu as un territoire à défendre, je te conseille de ne pas trop attendre.

– Damian n'est pas son type. Moi non plus, d'ailleurs. Mais lui pas plus que moi.

– Tu dis cela parce que tu idolâtres Serena et que tu le considères lui comme inférieur sur tous les plans. Mais c'est un point de vue de soupirant, ce n'est pas le sien.

Je me mis à les observer. La musique était maintenant lente et propice aux roulages de pelle. Ils tanguaient sans vraiment faire de pas de danse, comme nous le faisions tous. Je fis non de la tête.

– Non, tu te trompes, il n'a rien à lui offrir.

– Au contraire, il a exactement tout ce qu'elle veut. Elle ne court pas après l'argent ou la naissance – elle en est déjà gavée. Je ne crois pas qu'elle soit trop sensible à la beauté en soi. Mais Damian...

Tout en parlant, elle fixa son regard sur sa chevelure noire, sa tête dépassant celles des autres hommes qui dansaient dans son périmètre.

– Il a une qualité qui manque à Serena. Qui nous manque à tous, d'ailleurs.

– C'est-à-dire ?

– Il est résolument contemporain. Il connaîtra les règles du jeu dans l'avenir. Pas les règles du jeu de l'ancienne époque, d'avant la guerre. Et cela peut être très rassurant pour elle.

À ce moment-là, Philip s'approcha d'elle pour tenter sa chance mais Lucy le congédia en me montrant du menton.

– Il m'a déjà demandé et j'ai dit oui.

Elle se leva et je l'escortai docilement jusqu'à la piste.

Lucy

3

Quand je suis monté me coucher, la liste était sur mon oreiller. Elle n'était pas longue mais elle comportait quand même quelques surprises. Il y avait cinq noms, cinq personnes qui toutes avaient semble-t-il couché avec Damian avant qu'il ne soit rendu stérile par ses vacances sous le chaud soleil portugais. Elles avaient également toutes donné naissance à un enfant durant le laps de temps rendant possible une paternité de Damian. Lucy Dalton y était, ce qui m'attrista un peu. J'attendais mieux de sa part parce qu'elle avait fait partie des premières à percer à jour les manigances de Damian. La présence de Joanna Langley me surprit moins. J'avais été au courant d'une histoire entre eux et ils étaient bien assortis. Je m'étais même étonné que cela n'ait pas été plus loin. J'allais sans doute comprendre pourquoi. Je ne pensais pas trouver une encoche sur sa tête de lit au nom de Son Altesse royale la princesse Dagmar de Moravie, ni Candida Finch, la mangeuse d'hommes exubérante et rougeaude que je ne croyais pas du tout être son type. Eh ben... il n'avait pas chômé. Pas de surprise en revanche du côté de Terry Vitkov qui était une entrée obligatoire sur les listings des conquêtes de l'année, y compris la mienne. C'était une aventurière américaine du Middle West, moins riche qu'elle n'aimait à le faire croire, et elle n'était venue à Londres qu'après avoir épuisé les possibilités mondaines de Cincinnati. Ses mœurs sexuelles, qui préfiguraient la décennie à venir, au contraire des autres jeunes filles, plutôt enclines à se comporter comme au temps jadis, constituaient son sésame pour être bien accueillie. Au moins par les garçons.

La liste était rédigée avec précision et comportait le nom de mariage actuel et, quand une clarification était nécessaire, du patronyme du mari. Venaient ensuite le prénom, le sexe et la date de naissance de l'enfant en question avec une brève note sur les autres enfants de la famille. Il y avait enfin une colonne avec les adresses, parfois deux ou trois par personne, avec le téléphone et l'e-mail, même si je m'imaginais mal arriver à quelque chose par Internet. En haut de la feuille, une mention apportait une réserve : « Voici les éléments qui ont pu être réunis. » Cela voulait dire que je ne pouvais pas être totalement certain de la qualité des renseignements et certaines colonnes étaient de fait plus remplies que d'autres. Tout cela me paraissait cependant assez exact. Je ne fréquentais plus ces personnes mais ce que j'en savais se recoupait avec le contenu de cette page. Derrière la feuille, attachée avec un trombone, se trouvait une enveloppe. Elle contenait comme convenu une carte de crédit couleur platine à mon nom.

Je pris le petit-déjeuner seul. Au bout de la table était soigneusement présenté ce qui me sembla être la totalité de la presse internationale. Le majordome me demanda s'il pouvait charger la voiture ou s'il y avait une raison pour retarder mon départ. Il n'y en avait pas. Il s'inclina, tout excité de pouvoir m'obéir, mais, avant de quitter la pièce, il précisa une dernière chose.

– Mr. Baxter se demande si vous aurez le temps de venir le voir avant de partir pour la gare.

Je sais reconnaître un ordre quand on m'en donne un.

La chambre de Damian était dans une autre partie de la maison que la mienne. En haut de l'escalier, une vaste galerie menait à une porte à double battant qui était à moitié ouverte. J'allais frapper quand j'entendis appeler mon nom. Je me retrouvai dans une grande chambre aérée, décorée de panneaux couleur *gris Trianon**. Je m'étais peut-être attendu à une grotte de magicien obscure, mais il s'agissait visiblement de l'autre pièce, avec la bibliothèque, que Damian occupait vraiment. Il y avait des tapisseries aux murs, un grand lit à baldaquin en acajou de l'époque georgienne et, au-dessus d'une cheminée rococo sculptée, un des nombreux portraits de la charmante lady Hamilton peint par George Romney. Trois grandes fenêtres donnaient sur le jardin, qui était en fait un petit parc, agrémenté d'un agencement impressionnant de beaux arbres, sûrement des espèces rares. Chaises marquetées et petites tables où s'empilaient livres et bibelots de prix étaient disséminées dans la pièce. Il y avait une banquette, de celle qu'on appelle *duchesse brisée** avec un plaid plié au bout, pour le confort du maître de maison. Cette décoration charmante et délicate donnait un caractère curieusement féminin à la pièce et témoignait d'une finesse d'esprit que je n'aurais pas attribuée à Damian.

Il était dans le lit. Je ne le vis pas immédiatement car il était masqué par l'ombre du baldaquin. Il était tout tordu et racorni, appuyé sur ses oreillers, entouré de lettres et d'un nouvel amoncellement de journaux. Décidément, il y avait fort à parier pour que le jour où Damian casserait sa pipe, le marchand de journaux du coin soit parmi les plus affectés.

– Tu as trouvé la liste.

– En effet.

– Surpris ?

– Je savais pour Joanna. Enfin, je m'en doutais.

– Notre liaison était finie depuis longtemps. Mais j'ai couché avec elle une dernière fois la nuit où elle est rentrée de Lisbonne. Elle est venue à mon appartement. J'imagine qu'elle voulait savoir si j'allais bien.

– Cela ne me surprend pas.

– Et une chose menant à une autre...

– Mais tu avais déjà les oreillons, non ?

– Le mal de gorge est venu quelques jours après. Et puis, apparemment, on stocke toujours une certaine quantité de ce que tu sais qui n'est pas touché.

– Merci pour les détails physiologiques...

– Comme tu le devines, je suis devenu un grand expert sur le sujet.

Il poussa un petit gloussement ironique. Malgré les circonstances, il restait remarquablement inébranlable.

– Et les autres ?

– Eh bien, même moi, j'ai couché avec Terry et je ne suis pas non plus vraiment étonné par Candida, même si je croyais qu'elle n'était pas ton type. Les deux autres m'ont surpris.

– Tu es déçu par ta vieille copine Lucy, j'imagine.

– Seulement dans la mesure où je croyais qu'elle te détestait autant que moi.

Cela le fit rire, pour la première fois de la matinée. Mais ce fut un effort physique douloureux et il fallut attendre qu'il s'en remette.

– Elle n'était attirée que par les gens qu'elle détestait. Les autres devenaient des amis. Comme toi, par exemple.

C'était assez vrai et je ne ressentis pas le besoin de le contredire.

– Tu les vois encore ?

C'était étrange de l'entendre parler avec autant de détachement vu comment tout cela avait fini.

– Pas vraiment. On se croise parfois, tu sais ce que c'est. Elles sont toutes mariées, alors ?

Tout d'un coup, cela me parut bizarre de ne pas savoir cela.

– Oui, pour le meilleur ou, dans certains cas, pour le pire. Candida est veuve. Son mari a été tué lors du 11-Septembre. Mais je crois qu'ils étaient heureux ensemble.

La mise en rapport violente de vieux amis avec le monde contemporain est parfois un peu rude.

– C'est triste. Il était américain ?

– Anglais, mais il travaillait pour une banque qui avait ses bureaux dans l'un des derniers étages des Twin Towers. Manque de chance, il avait dû assister à une réunion ce jour-là.

– Mon Dieu, quelle horreur. Ils avaient des enfants ?

– Elle en a eu deux avec lui, mais il ne pouvait pas être le père de l'enfant qui m'intéresse – qui avait 8 ans quand ils se sont mariés.

– Oui, je me rappelle qu'elle était mère célibataire. C'était très courageux de sa part.

– Pour la nièce d'un pair de la Couronne en 1971 ? Un peu, oui ! C'était quelqu'un de courageux. Elle était un peu brute de décoffrage mais elle avait de l'énergie. C'est pour ça que je l'aimais bien.

Il eut un petit sourire avant de poursuivre.

– Est-ce qu'il manque des noms que tu t'attendais à trouver ?

Nous nous sommes regardés dans les yeux.

– Non, puisque de toute manière la liste n'est pas exhaustive.

– Comment cela ?

– Il n'y a que les noms de celles qui ont eu un enfant dans le laps de temps que tu cherches.

– Oui, c'est vrai. Dans ce sens-là, la liste n'est pas complète.

Il n'alla pas plus loin dans les détails, fort heureusement.

– Tu as eu la carte ?

– Oui, mais je ne crois pas que j'en aurais besoin.

Il poussa un soupir.

– Ne fais pas ton Anglais. C'est ridicule. Tu n'as pas d'argent et moi, j'en ai tellement que si je dépensais un million par jour jusqu'à la fin de ma vie, ça n'écornerait même pas ma fortune. Sers-toi de la carte. Amuse-toi. Fais ce que tu veux avec. Dis-toi que c'est ton salaire, ou une marque de remerciement. Ou même une façon de m'excuser, si tu préfères. Mais sers-t'en.

– Je n'ai pas autant d'argent que toi mais je ne suis pas démuni.

Il ne prit pas la peine de confirmer ce constat et je n'avais plus de protestation à émettre, ce qui semblait signifier que j'étais d'accord.

– Tu veux que je commence par quelqu'un en particulier ?

– Non. Commence par qui tu veux.

Il s'interrompit pour reprendre son souffle.

– Mais, s'il te plaît, ne tarde pas trop.

Sa voix était plus éraillée que la veille. Est-ce que c'était comme ça le matin ou est-ce qu'il déclinait chaque jour un peu plus ?

– Bien sûr, je ne veux pas te presser, ajouta-t-il.

Il y avait quelque chose de poignant, même à mes yeux, dans sa façon d'essayer de conserver une forme de légèreté courtoise. On se serait cru dans une comédie de Terence Rattigan. Il s'exprimait sur le même ton que pour proposer une partie de tennis ou de ramener quelqu'un à Londres en voiture. Il y avait là un certain courage, je ne peux le nier.

– Je suppose que cela prendra un peu de temps.

– Bien sûr. Mais pas plus que nécessaire, s'il te plaît.

– Et si je ne parviens pas à réunir de preuves formelles ?

– Éliminons déjà celles que nous pouvons. On verra pour celles qui restent.

C'était assez logique et j'étais d'accord.

– Je ne sais toujours pas pourquoi j'ai accepté.

– Parce que, si tu refuses, tu te sentiras coupable à ma mort.

– Coupable vis-à-vis de l'enfant en question. Pas vis-à-vis de toi.

Je ne me décrirais pas comme quelqu'un de cruel normalement et je n'ai pas compris pourquoi je me suis montré si dur avec lui ce matin-là. Les crimes dont je lui gardais rancune étaient vieux et oubliés, ou du moins sans plus de conséquences, même en ce qui me concerne. Cela dit, il avait l'air de comprendre ma position.

Mes paroles étaient retombées dans le silence qui pesait entre nous. Il planta son regard dans le mien.

– Je n'ai jamais eu de toute ma vie un ami auquel je tienne autant qu'à toi.

– Alors pourquoi as-tu fait ça ?

Il se trompait s'il pensait que ses émotions larmoyantes allaient annuler le souvenir que j'avais de son comportement lors d'une soirée comme je n'en souhaite à personne, la pire soirée de ma vie.

– Je ne sais pas trop.

Il se perdit dans ses pensées un moment, le regard dirigé vers le paysage du jardin. Il eut un petit sourire.

– Je crois que j'ai souffert depuis l'enfance d'une sorte de claustrophobie émotionnelle. La vérité, c'est que je n'ai jamais été très à l'aise avec les sentiments, quels qu'ils soient. Surtout quand je recevais de l'affection.

Et nous nous sommes arrêtés là.

On pourrait croire que j'étais resté obsédé par toutes ces personnes et notamment Damian depuis que j'avais quitté ma dernière salle de bal il y a quarante ans, mais cela n'était pas le cas. Comme tout le monde, j'avais été occupé à gérer la déroutante absurdité de ma vie et il y a bien des années que je n'avais pas pris le temps de songer à celui que j'étais alors, à moi et aux autres. Le monde dans lequel nous avions vécu était comme une autre planète, avec des espoirs et des exigences différents et, comme il est naturel pour une planète, cet univers s'était éloigné en suivant sa propre orbite. Je voyais parfois les jeunes filles de jadis, aujourd'hui femmes mûres et grisonnantes, lors d'un mariage ou d'un événement caritatif. Nous nous faisions des sourires, parlions de leurs enfants et « Pourquoi vous avez déménagé de Fulham ? » et « Est-ce que c'était bien le Somerset ? », mais nous n'allions pas nous acharner à analyser les changements du monde qui nous entourait. C'était un univers que j'avais quitté immédiatement après l'épisode portugais et, alors que tout avait été oublié, je n'y étais jamais vraiment retourné. Je me rends compte maintenant que certaines personnes de l'époque m'avaient manqué. Comme Lucy Dalton, qui avait été une grande alliée. En fait, c'est elle qui m'avait permis d'entrer de plain-pied dans la Saison. Je n'aimais pas son mari, c'est vrai, et je suppose que c'est pour ça que nous nous sommes éloignés, mais, *a posteriori*, cela semble une bien mauvaise raison pour perdre une amie, et je pris la résolution de commencer par elle.

Les informations que j'avais la situaient dans le Kent, non loin de Tunbridge Wells, et il ne serait pas difficile de l'appeler et de m'inviter pour le déjeuner, sous un prétexte du type : « Je passais dans le coin. »

Si je dis que Lucy m'avait permis de m'engager dans la Saison, c'est que je suis allé au bal de la reine Charlotte, qui constituait le véritable lancement des réceptions et la festivité centrale de la Saison, sur son invitation. Ne pas y participer signifiait qu'on n'était pas vraiment admis, et je n'avais rien fait pour pouvoir m'y rendre parce que je n'avais pas vraiment l'intention de participer à cette aventure. Le bal approchait quand j'eus la surprise de recevoir un carton de la part de lady Dalton m'invitant à rejoindre leur groupe. J'avais appelé sa fille avant de donner ma réponse.

– Nous devions emmener mon cousin Hugo Grex, mais il s'est désisté, m'expliqua Lucy sans ambages. C'est pas grave si tu ne peux pas venir, mais dis-le-nous tout de suite pour qu'on cherche quelqu'un d'autre. Tous ceux qui veulent y aller sont déjà invités.

On a déjà vu des invitations plus flatteuses mais j'étais très curieux, et il me semblait que, concernant la Saison, si je devais y participer, il fallait y aller à fond.

– Non, je vais venir. Merci.

– Écris à ma mère, sinon elle va te trouver bizarre. Elle te dira où et quand. Tu sais que c'est en queue-de-pie.

– Je sais.

– Bon, à bientôt alors, ou au bal.

Elle avait déjà raccroché.

C'est peut-être parce que je n'avais pas eu de projet concernant ce bal que je reçus comme une révélation la nouvelle que Damian était déjà parmi les invités. À l'époque, les étudiants de Magdalene College, comme sans doute dans de nombreux autres collèges de Cambridge, n'avaient pas une simple chambre d'étudiant. Chacun disposait en plus d'un petit salon, ce qui obligeait les résidences étudiantes à être disséminées. Cette année-là, mes appartements se trouvaient dans un vieux cottage réaménagé, autour duquel on avait construit une grande cour dans les années 1950, et qui se situait de l'autre côté de Magdalene Street, en face du collège lui-même. C'était un endroit charmant et j'en ai un souvenir attendri. Comme les deux pièces n'étaient pas contiguës, je me souviens de ma surprise quand j'étais revenu de ma chambre où j'étais allé chercher un livre pour trouver Damian près de la cheminée de mon salon, en train de se réchauffer les jambes devant le feu alimenté au gaz qui faisait un bruit de succion.

– Il paraît que tu vas au bal de la reine Charlotte avec la famille Dalton, me dit-il. Tu ne pourrais pas me loger à Londres par hasard ? J'ai pas trop envie de devoir me débrouiller pour retourner à Cambridge après le bal.

– Comment tu sais ça ?

– Lucy m'en a parlé. Je lui ai répondu que j'y allais avec les Waddilove alors elle m'a dit qu'elle allait t'appeler. Je suis un peu jaloux...

Il me donnait là beaucoup d'informations. Peut-être plus qu'il ne le voulait. Sauf si c'était prémédité. Il avait clairement décidé de tout faire pour aller au bal et, bien conscient du béguin que Georgina éprouvait pour lui, il avait dû nourrir ses espérances afin de se ménager une entrée. Il me révélait aussi que c'était lui le premier choix de Lucy comme remplacement de son cousin. Moi, je n'étais que la deuxième solution. Et il faisait en sorte que je le sache.

– Tu ne m'avais pas dit que tu y allais.

– Tu ne m'as pas demandé.

Il fit une grimace.

– Georgina Waddilove... beurk.

Nous avons échangé un sourire, ce qui n'était ni très loyal ni très glorieux de ma part.

– Où comptes-tu louer ta queue-de-pie ? demanda-t-il.

– J'ai la mienne. Je la tiens d'un cousin. Elle doit encore m'aller. En tout cas, ça allait l'an dernier, je l'ai utilisée pour un bal organisé par un club de chasse à courre à Noël.

Il acquiesça d'un air un peu acerbe :

– Bien sûr, tu as la tienne. Où avais-je la tête.

L'atmosphère s'était alourdie. Il sirotait le vin blanc amer que je venais de lui servir.

– Je ne sais pas pourquoi j'y vais, en fait.

– C'est vrai, ça, pourquoi est-ce que tu y vas ? demandai-je avec une réelle curiosité.

Il réfléchit un temps avant de répondre.

– Parce que j'en ai la possibilité.

L'histoire des vêtements est de toute évidence un sujet fascinant en soi, et je trouve intéressant de voir sans doute bientôt disparaître une tenue – au moins – qui n'était pas sans importance à son pic de gloire, à savoir le frac. Grâce à Mr. Brummell, depuis le début du XIXe siècle jusqu'au milieu du XXe, c'était la tenue masculine de rigueur pour toutes les soirées de la bonne société, l'étendard de l'aristocratie britannique. Quand, à la fin des années 1920, le duc de Rutland se vit demander par son beau-frère s'il lui arrivait jamais de porter un simple smoking, il lui répondit : « Quand je dîne seul avec la duchesse dans sa chambre. »

Certains, qui pensaient que la guerre aurait eu raison de la queue-de-pie, furent surpris de constater que cette tenue avait survécu à six années de smoking et d'uniformes. En remettant au goût du jour un style quasiment edwardien, avec des crinolines et des corsets, épaulettes et doublures, Christian Dior avait lancé une mode mettant à l'honneur de superbes tenues de soirée qui rendaient les vestes de smoking courtes assez tristes et inadaptées à un tel voisinage. Et lorsque, durant l'été 1950, la comtesse de Leicester donna un bal pour sa fille, lady Anne Coke, au château de Holkham, auquel assistèrent le roi et la reine, on fit deux découvertes le lendemain. La première, c'est qu'un domestique était tombé dans la fontaine et s'y était noyé. La seconde, c'était que la queue-de-pie avait fait son retour. Certes, Dior, comme beaucoup d'autres, ne s'était pas rendu compte que la queue-de-pie n'était pas qu'une tenue mais représentait tout un mode de vie. Et ce mode de vie était déjà mort. La queue-de-pie faisait partie de ce marché passé entre les aristocrates et les gens moins fortunés selon lequel ils acceptaient de passer la majeure partie de leurs journées dans l'inconfort vestimentaire afin de garantir une image du pouvoir convaincante et rassurante. Après tout, la splendeur et le prestige étaient inextricablement liés au pouvoir depuis des siècles jusqu'à l'arrivée relativement récente de la Grisaille. Avant la Première Guerre, il n'était pas rare que, parmi les classes dominantes, on se change cinq ou six fois par jour, selon qu'on se promenait, qu'on allait chasser, déjeuner ou petit-déjeuner, qu'on prenait le thé ou le dîner. C'était même *de rigueur** dès qu'on avait des invités chez soi et même à Londres, on se changeait au moins trois fois par jour. Ces gens-là obéissaient à ces rituels vestimentaires pénibles pour une simple raison : ils savaient parfaitement que le jour où ils cesseraient de ressembler à une élite, ils cesseraient d'être une élite. Nos hommes politiques viennent tout juste d'apprendre ce que nos aristos savaient depuis des millénaires – tout est dans l'apparence.

Pourquoi cela a-t-il donc fini si brusquement ? Parce qu'ils ont cessé de croire en eux-mêmes. Ce n'est pas seulement le fait de ne plus avoir un valet de chambre qui fut fatal au costume de la noblesse, c'est la perte de toute pugnacité qui gagna l'Establishment en 1945 et qui continua de miner son aplomb jusqu'à ce qu'à la fin des années 1970 ils finissent, à quelques rares exceptions près, par disparaître de la vie de la nation, emportant avec eux la queue-de-pie. Quand j'avais 18 ans, tous les *Hunt Balls*, organisés par les clubs de chasse à courre, les *May Balls*[1] de Cambridge et les *Commem Balls*[2] d'Oxford se tenaient en queue-de-pie. Certaines fêtes de la Saison tentaient encore de l'imposer, ainsi au bal de la reine Charlotte où elle était absolument obligatoire. Elle a aujourd'hui quasiment disparu, hormis pour quelque banquet d'État à Buckingham Palace ou Windsor, ou peut-être quelque événement dans les instituts juridiques des *Inns of Court*, et il est étrange de se rappeler qu'il y a quarante ans

1. Les *May Balls*, au ticket d'entrée fort coûteux, célèbrent la fin de l'année universitaire. Ils durent toute une nuit et rivalisent d'originalité, allant jusqu'à emmener les participants prendre le petit-déjeuner à Paris, faire du ballon dirigeable ou, plus simplement, aller en *punt* sur la rivière jusqu'à Grantchester. Magdalene et Peterhouse sont les deux seuls collèges où la queue-de-pie est encore obligatoire, le smoking étant devenu la norme.

2. Les *Commemoration Balls* d'Oxford n'ont lieu dans les collèges que tous les trois ans.

on se servait encore suffisamment de l'habit pour être propriétaire d'une tenue.

Le bal de la reine Charlotte n'était pas une fête privée. C'était un événement caritatif prestigieux qui ne suivait donc pas les règles habituelles. Déjà, il s'agissait d'un bal avec dîner, ce qui signifiait que l'on devait s'y rendre plus tôt qu'à l'accoutumée. Les bals-dîner, à cette époque qui ne connaissait pas les éthylotests, étaient considérés comme un peu communs, je ne me souviens pas pourquoi, peut-être parce qu'ils ressemblaient à une quelconque soirée au club dans un avant-poste colonial de l'Empire, mais, ce soir-là, il s'agissait d'une réception qui paraissait assez importante pour justifier un dîner. Nous devions commencer par nous retrouver chez les Dalton, à leur appartement londonien de Queensgate, afin de s'assurer que tout le monde était là et en tenue correcte, avant de partir presque immédiatement pour Grosvenor House.

Je sonnai à la porte des Dalton et je fus admis grâce à l'interphone (car cela existait déjà). Je savais qu'il n'y avait pas d'étages à grimper car ils occupaient le rez-de-chaussée. La porte d'entrée avait dû autrefois donner sur la salle à manger, à l'époque où une riche famille de la période victorienne avait fait construire la maison. Mais, dans les années 1960, cette salle à manger avait été découpée pour former un vestibule et un salon de réception de moyenne importance. Comme il allait de soi pour ce genre de famille, il restait quelques éléments fastueux pour décorer l'appartement au cas où l'on puisse douter de leur rang, et un portrait de la grand-mère de Lucy, peint quand elle avait 19 ans par László, nous regardait d'un air glacé depuis le dessus de la cheminée qui, du fait de la séparation de la pièce, se retrouvait étrangement décentrée. La bizarrerie de des proportions était soulignée par cette mode de l'époque consistant à fermer les cheminées avec des panneaux en Isorel et souvent, comme c'était le cas ici, en installant un feu électrique devant. Je ne vois pas de pire moyen pour tuer l'atmosphère d'une pièce que cette mode consistant à boucher l'âtre mais c'était ce qui se faisait à l'époque. C'est comme cette manie d'obstruer les barreaux des rampes d'escalier – on trouvait cela dans presque toutes les maisons converties en appartements –, c'était censé rendre la maison moderne et sophistiquée. Eh bien, cela n'avait pas l'effet escompté.

– Te voilà !... Ça ne t'impressionne pas trop ? me demanda Lucy en m'embrassant rapidement.

Il y avait quatre autres jeunes filles dans la pièce et, avec Lucy, elles étaient toutes les cinq habillées en blanc, survivance de la coutume voulant que ce soit la couleur des jeunes filles pour la présentation à la Cour avant la guerre. Cette tradition n'avait bien sûr pas été reconduite lors de la dernière période de la présentation royale qui avait en général pris la forme de *garden parties* où les demoiselles portaient de jolies robes d'été et des chapeaux à large bord. Mais, avec l'instauration du bal de la reine Charlotte comme ouverture officielle de la Saison, l'usage du blanc avait connu une nouvelle jeunesse. Elles portaient aussi de longs gants blancs, mais au lieu de ces tiares ressemblant à la couronne emplumée qui est le symbole du prince de Galles et que l'on voit ornant la tête des mères et des filles sur toutes ces photographies d'avant guerre de chez Lenare ou Van Dyck, cette année, elles portaient des fleurs blanches dans les cheveux, les tiares étant considérées comme impropres pour des jeunes femmes non mariées. Lady Dalton, j'étais ravi de le constater, portait un diadème de qualité qui lança ses feux dans toute la pièce quand elle se dirigea vers moi avec un sourire avenant.

– C'est gentil à vous d'être venu, dit-elle en me tendant sa main gantée.

– C'est gentil à vous de m'avoir invité.

– Dieu sait ce que nous aurions fait sans vous, ajouta un homme un peu balourd, qui ressemblait à un militaire et que j'identifiai, correctement, comme étant sir Marmaduke. On aurait arrêté un bus et pris le premier venu, j'imagine ! ajouta-t-il.

On se doute toujours un peu qu'une invitation tardive implique qu'on n'est pas le premier choix, mais cela reste un peu déprimant quand on vous le dit franchement.

– Ne faites pas attention, intervint son épouse fermement en m'emmenant vers le groupe des jeunes.

Tous les âges étaient représentés, contrairement à d'habitude, car la plupart des parents des jeunes filles, voire des garçons, devaient rester avec nous pour la soirée. Je fis donc la connaissance de deux banquiers assez agréables et de leurs épouses, ainsi que d'une Italienne assez jolie, Mrs. Wakefield, qui était mariée au cousin de lady Dalton, et qui venait du Shropshire pour « lancer » sa plus jeune fille, Carla. Nous sommes ensuite passés aux jeunes filles elles-mêmes. On trouvait notamment Candida Finch, une fille au visage assez ordinaire et mat que j'avais déjà rencontrée. Pour être franc, je la trouvais un peu revêche, mais, à cette époque, nous étions programmés pour faire la conversation dès que nous nous retrouvions en présence de quelqu'un, et j'ai donc obéi aux règles du bavardage social sans trop de problème en parlant de connaissances communes, en lui rappelant que nous étions allés tous les deux à tel ou tel cocktail, bien que nous n'ayons jamais échangé plus de quelques mots auparavant. Elle acquiesçait et répondait avec la politesse requise, mais toujours avec un certain excès sonore, un peu trop d'agressivité et, de temps en temps, un énorme rire de stentor qui vous faisait sauter au plafond. Bien sûr, je comprends aujourd'hui qu'elle nourrissait une certaine colère envers ce qui lui était arrivé dans la vie, mais on est parfois très aveugle et insensible quand on est jeune. Je lançai un regard vers les adultes de l'autre côté de la pièce qui sirotaient leurs cocktails.

– Ta mère est là ?

Elle fit non de la tête.

– Non. Ma mère est morte. Quand j'étais enfant.

Je n'en avais pas demandé autant, et, comme d'habitude, sa voix était assez sèche. J'ai dû marmonner quelques condoléances et dire que j'avais dû confondre avec quelqu'un d'autre aperçu dans un magazine avec sa mère. Elle s'exprima alors avec beaucoup d'autorité :

– Tu veux dire ma *belle*-mère. Elle n'est pas là, non. Dieu merci !

Le ton employé ne laissait guère de place aux erreurs d'interprétation et l'exclamation finale avait pour objectif de me faire savoir, ainsi qu'à tous ceux qui étaient à portée de voix, quel était l'état de leurs relations. Je me demande parfois pourquoi les gens sont si désireux de dévoiler les afflictions de leur vie personnelle à des inconnus. J'imagine qu'il s'agit de la seule circonstance où l'on est en mesure de dire ce que l'on pense vraiment et qu'il y a là une certaine satisfaction. En tout cas, j'avais compris la situation. Et elle n'était, après tout, pas si originale que ça.

J'ai appris plus tard que la vie de Candida n'avait pas été drôle. Sa mère était la sœur de la mère de Serena, lady Claremont, ce qui faisait des deux jeunes filles des cousines au premier degré. Mais Mrs. Finch était morte alors qu'elle n'avait qu'une trentaine d'années, je n'ai jamais su vraiment de quoi d'ailleurs, et son mari veuf, qui n'était déjà pas très bien considéré par la famille, s'était engagé, après avoir séché ses larmes, dans ce que l'on appelle une « mésalliance » avec une femme de Godalming ayant exercé la profession d'agent immobilier, imposant ainsi à Candida une belle-mère inutile qu'elle détestait de surcroît et à la famille Claremont une quasi-belle-sœur venue des bas-fonds. Histoire d'empirer les choses, le père, Mr Finch était décédé d'une crise cardiaque et avait ainsi laissé Candida dans les seules griffes de la veuve, laquelle avait hérité de l'intégralité de sa fortune, ainsi que de la garde de sa fille. À ce moment-là, lady Claremont avait tenté de s'interposer et de prendre les choses en main. Mais la Mrs. Finch venue de Godalming n'était pas du genre à se laisser faire. Elle restait sourde aux conseils en matière d'éducation et il avait fallu faire face aux plus grandes difficultés pour obtenir son autorisation afin que Candida puisse prendre part à la Saison, participation qui se faisait, de l'avis général, aux frais de la princesse, enfin, aux dépens du porte-monnaie de lady Claremont. Tout cela plaçait évidemment la jeune Candida dans une position fort inconfortable qui aurait dû attirer davantage de sympathie si son comportement n'avait été aussi abrupt et désagréable. Elle n'était pas non plus aidée par son physique, ses cheveux noirs, frisottants et échevelés mettant en valeur son teint de terrassier. Elle avait aussi des taches de rousseur et un nez qui rappelait Pinocchio. Bref, Candida Finch aurait pu avoir de meilleures cartes en main.

– Bon, c'est l'heure d'y aller !

Lady Dalton venait de frapper dans ses mains avec autorité.

– Comment s'arrange-t-on ? On a combien de voitures ?

Certains pères de famille finirent leur double Martini et levèrent la main.

Une caractéristique de cet univers où j'ai autrefois évolué et qu'on souligne rarement alors que cela affectait chaque minute de notre quotidien, c'est la circulation routière. En fait, il n'y en avait pas. En tout cas, par rapport à aujourd'hui, ce n'était rien du tout. Le trafic londonien d'un milieu de matinée normale de milieu de semaine normale n'aurait été pensable aujourd'hui qu'un vendredi soir à la fin du mois de décembre quand les gens partaient pour les vacances de Noël. Les difficultés à se garer n'existaient même pas. Le temps qu'on prévoyait pour aller d'un point à un autre était exactement le temps qu'il fallait. Londres, en tout cas, celui que la plupart d'entre nous connaissions, était une petite ville et il était très rare de partir de chez soi plus de dix minutes avant un rendez-vous. Le stress de la vie, au quotidien, n'avait rien à voir.

Autre contraste avec aujourd'hui : nos quartiers de résidence ont changé. Pour commencer, la bourgeoisie et la haute société n'avaient pas encore déserté leur territoire traditionnel, Belgravia, Mayfair, Kensington – ou Chelsea pour les plus aventureux. Je me rappelle une fois où ma mère m'emmenait en voiture. Nous sommes passés devant une enfilade de maisons de ville georgiennes fort gracieuses sur Fulham Road avant le terrain de football. J'exprimais mon admiration et elle eut cette remarque : « C'est tout à fait charmant, quel dommage que ce soit dans un quartier invivable. » Et si Fulham était *inconcevable*, Clapham ou, pire, Wandsworth étaient carrément hors du domaine du pensable sauf peut-être comme le lieu où résidaient leur bonniche, le vitrier, le tapissier qui entretenait leurs tapis ou pour organiser à peu de frais une vente aux enchères. Les changements n'allaient pas tarder à se faire sentir, à mesure que ma génération s'établirait et que la rive sud de Londres subirait une *gentrification*. Mais, à la fin des *sixties*, ce phénomène n'avait pas encore eu lieu. Je me souviens très bien d'être allé avec mes parents en voiture pour dîner chez des amis à eux, plus dépourvus, qui, *faute de mieux**, avaient acheté une maison à Battersea, au tout début de cette nouvelle ère. Ma mère avait déchiffré les indications gribouillées et guidait mon père qui conduisait et, quand elle comprit finalement où nous allions, elle leva le nez de son papier et s'exclama : « Mais ils sont devenus fous ! »

Il faut se rappeler que, au moins jusqu'au milieu des années 1960, on trouvait à se loger pour pas cher à peu près partout à Londres et il n'y avait aucun besoin de déménager. On n'habitait pas forcément un palace mais on ne trouvait pas cela nécessairement invivable. Nous avons vécu à une époque à l'angle de Hereford Square et derrière, du côté ouest, se trouvait, aussi incroyable que cela puisse paraître aujourd'hui, un champ avec un poney. Au coin, il y avait un cottage, qui devait faire partie d'anciennes écuries et, quand j'étais enfant au milieu des années 1950, il était occupé par un acteur à la carrière assez modeste et son épouse qui faisait de la poterie. Ils étaient adorables et nous allions souvent les voir mais ils devaient vraiment être pauvres comme Job. Et pourtant, ils habitaient dans un cottage près d'une des adresses les plus chics de Londres. Je ne suis retourné dans cette maison que trente ans plus tard. Elle était louée à une star de Hollywood qui faisait un tournage à Pinewood. Le prix de vente était de 7 millions de livres. Le résultat du boom immobilier a été de chasser les gens de leurs quartiers d'origine, mais aussi de mettre fin au mélange de la population londonienne. Les peintres sans le sou et les écrivains ayant du mal à joindre les deux bouts n'habitent plus dans ces anciennes écuries devenues maisonnettes de Knightsbridge ou qui donnent sur Wilton Crescent, où ils auraient autrefois côtoyé comtesses et millionnaires à la poste ou dans les boutiques du quartier. Les enseignants et les poètes, les professeurs et les explorateurs, les couturières et les révolutionnaires ont tous été dispersés. On les a remplacés par des banquiers. Ce qui n'est en rien une richesse.

Le grand salon de Grosvenor House était un décor parfaitement approprié pour lancer le marathon de la Saison. Resplendissant, il représentait ce style grandiloquent, très années 1960, à la séduction très « post-Art déco », superbement baptisé « Euro Splendour » par le dramaturge Stephen Poliakoff. On traversait le hall de l'hôtel pour atteindre une sorte de galerie où un grand escalier à la balustrade en aluminium surplombait une piste de danse étincelante. En voyant cela, je fus soudain heureux d'être venu. On était début juin, il faisait chaud cette nuit-là, trop pour les garçons car les queues-de-pie à l'époque étaient en flanelle, mais il y a quelque chose de très excitant quand on participe à une soirée par une belle nuit d'été. Les promesses ne sont d'ailleurs pas toujours suivies d'effets.

Quelques années plus tard, avant la fin de tout cet univers, la Saison allait devoir se caler sur le calendrier des examens et prendre en compte l'avenir des jeunes filles préparant leur baccalauréat ou autre diplôme, mais cela n'était pas encore le cas. Prêter attention à des choses pareilles en 1968 vous aurait fait passer pour quelqu'un de très bizarre, d'excentrique et de petit-bourgeois. Avec le recul, je me rends compte que fort peu des parents de la soirée pouvaient imaginer que l'avenir de leur fille serait autre chose que la répétition, à une ou deux variantes près, de leur propre vie. Comment pouvaient-ils être aussi sûrs de leurs pronostics ? Ne voyaient-ils donc pas les changements qui allaient arriver ? Après tout, leur propre génération avait connu des bouleversements capables de mettre le monde à l'envers.

Je suis resté un moment à la balustrade. C'était un spectacle enchanteur que de regarder en surplomb une salle de danse où semblaient foisonner des cygnes parés de fleurs. Quels que soient les torts ou les qualités de ce rituel, j'étais tout simplement heureux d'y participer, je l'avoue, de descendre l'escalier avec Lucy en faisant les sourires et les hochements de tête convenus. De l'autre côté de la salle, Serena me fit un petit signe, ce qui était flatteur.

– Elle est à quelle table ? demandai-je.

Lucy suivit mon regard. Elle n'avait pas besoin de demander de qui nous parlions.

– À la table de sa mère. C'est celle en bleu. Le couple qui est en train de parler, je pense que ce sont les Marlborough, et il me semble bien que la grosse près de lord Claremont est une princesse du Danemark. Je crois que c'est une marraine de Serena.

Je décidai de ne pas me risquer là-bas.

– Et voici ton copain, qui décidément ne perd pas une occasion.

À quelques mètres de nous, Damian échangeait des plaisanteries avec Joanna Langley. Je n'avais pas envie de laisser passer sa remarque.

– Je croyais que c'était aussi ton ami, non ? dis-je d'un ton sec, ce qui me valut un regard rempli d'excuses.

Une personne était occupée à regarder d'un air amer ce couple en train de badiner : Georgina Waddilove, la pauvre, la tragique

Georgina. Le style vestimentaire qui allait si bien à la plupart des débutantes ne la mettait pas à son avantage et la faisait plutôt ressembler à un énorme fromage blanc. Les fleurs accrochées à une montagne de bouclettes artificielles fixées sur son crâne faisaient songer à des bouts de papier déchirés emportés par le vent dans les branches d'un arbre. Je suis allé à la rencontre de Damian.

– Tu as amené tes affaires ici ?

– Oui, je les ai laissées au vestiaire.

Il fit un sourire à Joanna en expliquant :

– Il m'héberge pour la nuit.

– Tes parents n'ont pas d'appartement à Londres ?

De temps en temps, Joanna révélait sa personnalité par de telles questions. En tout cas, cela laissait paraître le fait qu'elle n'était pas née dans cet univers. Je suis certain, même si longtemps après, qu'il n'y avait aucune malice chez elle, loin de là, mais elle n'avait pas encore appris à ménager un interlocuteur en évitant un sujet sensible. C'était en partie dû au fait que, malgré ses ambitions, elle ne s'intéressait pas vraiment à l'argent. Si les parents de Damian n'avaient pas d'appartement à Londres parce qu'ils ne pouvaient pas se le permettre, elle ne les aurait pas méprisés pour autant. Elle était donc dotée d'une générosité d'esprit bien plus grande que la plupart d'entre nous. Damian, comme à son habitude, ne fut pas gêné du tout.

– Non, ils n'ont pas d'appartement à Londres.

Il ne développa pas sa réponse. Je n'avais pas encore remarqué qu'il ne donnait en fait jamais d'information sur lui-même sauf si on lui posait directement une question. Et même dans ce cas, les renseignements étaient rationnés.

– Je crois qu'on ferait mieux de s'asseoir.

Georgina en avait visiblement un peu ras le bol de voir Damian coincé par miss Langley.

Je fis un sourire à l'objet de son irritation.

– Tu es avec ce groupe ?

– Alors que ma mère est dans le coin ? Bien sûr que non. Tu crois qu'elle aurait manqué une occasion d'avoir sa propre table pour le dîner ?

Joanna se mit à rire. Je regardai le mouvement de ses lèvres. Pour moi, sa beauté avait une perfection hypnotique, c'était comme d'être à côté d'une icône du cinéma que l'on projetait sur un écran invisible. Elle fit un geste de la tête pour indiquer l'endroit de la pièce où elle se trouvait. En regardant dans sa direction, je vis une petite femme tout agitée, qui portait une abondance de bijoux et qui regardait vers nous avec inquiétude.

– Bon, il faut que j'y aille, fit Joanna qui partit d'un air guilleret.

– J'imagine qu'on y va aussi, fit Damian, pense à moi...

Il avait ajouté cette remarque en murmurant à moitié, juste assez fort pour que Georgina l'entende, même si je ne suis pas sûr qu'elle l'ait vraiment entendu.

– Après tout, tu n'étais pas obligé de venir avec elle. Tu aurais pu avoir ma place si tu n'avais pas pris la première offre qui s'est présentée.

Je n'avais fait aucun effort pour empêcher ces paroles d'atteindre les oreilles de Lucy. Damian put donc lui adresser directement sa réponse.

– Pour citer Mme Greffulhe, *si seulement je l'avais su**...

Lucy éclata de rire.

Les gens commençaient à s'asseoir, nous nous sommes donc dirigés vers la table de sa mère.

– C'est qui, Mme Grey-truc ? demandai-je.

– Marcel Proust allait à ses réceptions mondaines quand il était jeune. Des années après, quand on a demandé à Mme Greffulhe comment c'était de recevoir pareil génie dans son salon, elle répliqua...

– ... *si seulement je l'avais su* !*

– Exactement.

J'en restai coi : comment Damian pouvait-il connaître des choses pareilles. Comment savait-il que Lucy comprendrait ? J'appris par la suite que cela faisait partie de ses trucs. Comme un écureuil, il recherchait tous les petits renseignements, même les plus invraisemblables – en l'occurrence le fait que Lucy Dalton était une lectrice de Proust –, et les stockait afin de les sortir de son chapeau et créer un lien magique et instantané avec une personne afin d'exclure toutes les autres, aménageant un espace d'intimité avec sa cible où plus rien n'existait qu'eux deux. J'avais déjà vu ce stratagème utilisé par d'autres mais rarement avec autant de panache. Son timing était toujours impeccable. Lucy eut un sourire.

– Ne me dis pas que tu es surpris.

– Un petit peu.

Je lançai un regard sur la foule occupée à bavarder, à rire et à prendre place aux tables parées de somptueuses nappes blanches.

– Je n'ai pas l'impression qu'il y ait beaucoup de lecteurs de Proust...

– Si c'était le cas, ils ne le diraient pas. Les hommes exagèrent ce qu'ils savent et les femmes le cachent.

J'espère que cette remarque serait fausse aujourd'hui mais j'ai bien peur qu'elle n'ait été vraie à l'époque. Lucy s'amusait de mon silence désemparé puis je repris la parole :

– Je croyais que tu ne l'aimais pas.

Cela n'appelait guère de réponse mais j'en reçus une malgré tout.

– Pas vraiment, dit-elle en haussant les épaules, mais qui t'a dit que je l'avais invité en premier ?

– Lui-même. Pourquoi ? C'était censé être un secret ?

Elle me fixa.

– Non. Je suis désolée. J'aurais dû t'inviter avant lui. J'ai dû croire que tu étais déjà pris.

J'acquiesçai gaiement.

– Ça va, ne t'excuse pas. Pourquoi ne pas l'inviter, lui en premier ? Il est quand même plus beau garçon que moi...

La remarque l'agaça, ce qui était le but, mais il était trop tard pour obtenir un démenti car nous étions arrivés à la table et lady Dalton nous montrait nos places. J'étais entre Carla Wakefield et Candida.

Pendant que nous mangions le premier plat, je parlai avec Carla, discutant des gens que nous connaissions, des endroits où nous avions fait nos études, de nos projets pour l'été et des sports que nous aimions. Cela dura jusqu'à ce que le saumon à moitié grignoté soit remporté en cuisine et qu'arrive l'inévitable poulet. Je me suis alors tourné vers mon autre voisine et je me suis rendu compte immédiatement qu'il ne serait pas possible de me contenter de la même conversation.

– Tu sais y faire, dis donc, affirma-t-elle, et même si le ton n'était pas franchement hostile, il n'avait rien non plus de très amical.

– Merci, fis-je.

Il ne s'agissait bien sûr pas d'un compliment mais, en faisant comme si c'était quand même le cas, je ne lui laissais pas de marge de manœuvre. Elle fusilla du regard son assiette. J'essayai alors une approche un peu plus sincère.

– Si tu n'aimes pas ça, pourquoi participes-tu ?

Elle me lança un regard franc.

– Parce que ma tante a tout arrangé, sans que j'aie mon mot à dire. Et qu'elle est le seul membre de ma famille qui en ait quelque chose à foutre de moi. Et puis je n'ai rien d'autre à faire non plus.

Comme toujours quand elle parlait de questions familiales, elle donnait l'impression d'une colère à peine refoulée.

– Ma belle-mère s'occupe de moi depuis que j'ai 14 ans et son étrange conception de l'éducation pour les filles fait que je suis totalement inculte, sans aucune formation et sans aucune compétence pour travailler à quoi que ce soit. Ma cousine Serena me dit que ça irait mieux si je rencontrais plus de gens à Londres. C'est sans doute vrai mais ce ne sont pas les gens que j'ai envie de connaître.

Elle souligna sa remarque d'un geste dédaigneux du menton pour désigner le reste des convives.

C'était dur d'avoir perdu ses deux parents avant même d'avoir 18 ans, même si Oscar Wilde se serait contenté de trouver cela négligent.

– Tu as fait quelle école ?

– Cullingford Grange.

J'en avais vaguement entendu parler.

– C'est dans le Hertfordshire, non ?

– Oui. C'est le genre d'endroit où ils s'inquiètent si on lit trop de livres au lieu de prendre de bons bols d'air bien frais.

Elle leva les yeux au ciel pour appuyer l'excentricité des choix éducatifs de sa belle-mère.

– Je sais réciter les règles du hockey par cœur. Malheureusement, on ne m'a rien appris en littérature, mathématiques, histoire, arts plastiques, politique et rien non plus sur la vie.

Je la crus sur parole ; ce n'était pas la première fois que j'entendais ce genre de récit.

J'espère appartenir à la dernière génération où les classes privilégiées se sont désintéressées de l'éducation de leurs filles. Même en 1968, il y avait des collèges de filles à Cambridge et Oxford, mais ils n'étaient remplis que par les filles de l'intelligentsia *bourgeoise**. Les aristocrates étaient une curiosité et l'une des seules de ma promotion que je puisse me rappeler est partie au bout d'un trimestre pour épouser le propriétaire d'un château dans le Kent. Il y avait des exceptions, mais elles venaient en général de familles connues pour cultiver cette excentrique tradition consistant à apporter une véritable éducation à leurs filles, et non pas de lignées qui suivaient benoîtement la routine nobiliaire. En revanche, les parents raclaient tous les fonds de tiroir pour pouvoir envoyer leurs fils à Eton, Winchester ou Harrow, tandis que leurs sœurs se retrouvaient sous la tutelle d'une comtesse belge alcoolique qui enseignait essentiellement l'art de ne pas enquiquiner ses parents.

Ensuite, une jeune fille était censée passer une année dans une école de bonnes manières, une *Finishing School*, où elle apprenait des langues étrangères et la pratique du ski avant de passer une année à faire ses débuts dans le monde. Ensuite, elle trouvait un emploi où elle mettait des fleurs dans la grande salle de réunion, ou préparait des déjeuners pour les P-DG, ou travaillait dans l'entreprise de papa jusqu'à ce qu'elle tombe sur l'homme de ses rêves, qui avec un peu de chance se trouvait être l'héritier du lord de ses rêves. Et puis cela n'allait pas plus loin. On pouvait espérer que l'honorable homme de ses rêves conviendrait à papa et maman puisqu'ils étaient censés, comme leurs parents avant eux, donner leur approbation. On n'avait certes pas forcé la main à nos mères pour choisir un époux dans les années 1930 ou 1940, mais on n'avait pas non plus permis des mariages disconvenant à la famille. Nous avions tous des histoires de tantes ou de grands-tantes envoyées à Florence pour étudier la peinture, pour vivre avec leur grand-mère en Écosse ou pour apprendre le français dans un château reculé des Alpes suisses dans le but de les sevrer d'une histoire d'amour inconvenante et, malgré les convictions de quelques fans sentimentaux de Barbara Cartland, en général, c'était assez efficace.

Je ne veux pas dire que toutes celles qui suivaient cette voie étaient malheureuses. Beaucoup étaient même comme des coqs en pâte. Elles passaient les premières années de leur mariage dans un endroit que leur mère trouvait étrange, puis, si elles avaient bien choisi leur époux, elles étaient susceptibles d'avoir droit à la grande demeure sur les terres de beau-papa (« On ne faisait plus rien de particulier, Fizzy et moi, et nous nous sommes dit que c'était bien le tour des enfants d'occuper les lieux »). Parfois, le père était têtu et refusait de déménager et, pour la plupart, il n'y avait pas de grande demeure dont elles pouvaient hériter. Le jeune couple achetait donc un cottage ou une ferme ou, si tout allait vraiment bien à la City, un manoir de l'époque victorienne dans le Gloucestershire, l'Oxfordshire ou le Suffolk. Ensuite, le mari allait à la chasse et se plaignait des hommes politiques, puis le couple faisait du ski, s'inquiétait de l'avenir des enfants et madame l'épouse recevait, travaillait pour des œuvres caritatives. Et si tout n'allait pas si bien que ça à la City, elle vendait de la bijouterie de pacotille aux amies qui constituaient une clientèle captive. Ensuite les enfants devenaient adultes, alors on réduisait le train de vie et puis on mourait. N'oublions pas, avant de nous apitoyer sur leur sort, que tout cela était quand même plus agréable que d'essayer de survivre sur les terres arides des plaines d'Ouzbékistan.

Mais, dans cet ordre des choses, quel pouvait être le destin d'une fille comme Candida Finch ? De toute évidence, elle était intelligente, mais son physique et sa façon d'être n'allaient pas compenser le manque de qualifications, pour parler par euphémisme. Je ne voyais pas vraiment un mari arriver par le prochain train. Et il ne devait pas y avoir des masses d'argent dans la famille. Qu'est-ce qu'il lui restait comme options ?

– Est-ce que tu sais ce que tu voudrais faire ?

Elle leva de nouveau les yeux au ciel, exaspérée.

– Qu'est-ce que je *peux* faire surtout ?

– Je t'ai demandé ce que tu *voudrais* faire.

Cela suffit à l'apaiser un petit peu. Après tout, je m'intéressais sincèrement à elle.

– Je crois que j'aurais voulu travailler dans l'édition, mais je n'ai aucun diplôme. Et avant que tu me dises qu'il n'est pas trop tard, tu sais très bien que c'est pas près d'arriver. J'ai loupé le coche et c'est trop tard. Je pensais demander à un parrain ou une marraine de me filer quelques ronds afin de monter ma propre maison d'édition pour me faire plaisir. Il faudrait qu'ils acceptent l'idée de perdre leur investissement, tout ça juste pour que je puisse parler livres aux dîners mondains. Je ne pense pas pouvoir faire mieux.

– Fais attention à ne pas rechercher l'échec juste pour enquiquiner ta belle-mère. De toute façon, j'ai l'impression qu'elle s'en fiche.

J'avais failli me retenir de dire tout ça, après tout, nous ne nous connaissions pas depuis assez longtemps, mais cela la fit rire.

– Ça, au moins, c'est pas faux ! Et franchement, tu sais vraiment y faire !

Sa voix était devenue plus chaleureuse qu'auparavant.

À la fin du repas, suite à un signal préalablement décidé, les débutantes en blanc se retirèrent et il ne resta plus à la table que les parents, les jeunes hommes et les rares jeunes filles non débutantes, en tenue colorée et affichant une moue dépitée. Il était temps que la cérémonie pour laquelle nous étions venus commence, et même si je ne ressentais pas l'extase impatiente qui s'était emparée de toutes les mères présentes dans la pièce, j'étais comme les autres assez curieux. Tout d'abord, on apporta sur des roulettes un énorme gâteau, qui faisait quasiment deux mètres de haut, pour le poser au centre de la piste. Ensuite, la dame patronnesse du bal se leva avec une sobriété majestueuse et traversa la piste pour prendre place à côté du gâteau. Je crois me souvenir que c'était toujours lady Howard de Walden qui officiait mais je peux me tromper, cela alternait peut-être avec la duchesse de Quelque Part. Dans tous les cas, c'était forcément un poids lourd de l'aristocratie. Je ne pense pas que cette cérémonie aurait pu fonctionner si cela n'avait pas été le cas. En l'occurrence, de par sa posture droite, raide, il émanait de cette femme une assurance souveraine – attitude que ces mères semblaient posséder naturellement, contrairement à la plupart de leurs filles –, et conférait à ce cérémonial une certaine crédibilité avant même qu'il ne débute. Les musiciens se mirent à jouer et nous avons tous levé les yeux vers le haut des marches où les jeunes filles de l'année étaient alignées deux par deux, immobiles, attendant le signal. Et puis, lentement, elles commencèrent à descendre les marches d'un pas régulier, aussi solennellement que s'il s'agissait de l'enterrement du pape.

Elles descendaient et les lumières caressaient les fleurs blanches dans leurs boucles brillantes, leurs longs gants blancs, la dentelle et la soie blanches de leurs robes, leurs visages rayonnants, orgueilleux et remplis d'espoir. Une fois en bas, elles avançaient deux par deux jusqu'à la dame patronnesse, faisaient une profonde révérence et continuaient d'avancer. Toutes n'étaient pas forcément à leur avantage. Dans ses efforts pour gagner la terre ferme, Georgina avait autant de grâce que Godzilla enveloppé dans un linceul. Mais, à quelques exceptions près, l'uniformité éthérée des jeunes filles produisait un effet aérien. On aurait dit une soixantaine d'Anges de Mons venus apaiser les souffrances des mortels.

C'est peut-être l'effet d'une sagesse rétrospective, mais je suis presque certain d'avoir eu le sentiment à ce moment précis que ce spectacle vivait ses dernières années. Qu'ils ne seraient plus très nombreux ceux qui pourraient participer à ce cérémonial ou à quoi que ce soit qui y ressemble. Que le rêve de nos parents, consistant à sauvegarder ce qu'ils pouvaient du vieux monde d'avant guerre afin de le léguer à leurs enfants, n'était qu'une chimère. Bref, ce dont j'étais le témoin, c'était le début de la fin. Bizarrement, et vous ne me croirez peut-être pas, c'était un spectacle impressionnant. Comme tous les mouvements collectifs synchronisés et disciplinés, cette procession était saisissante, chaque couple de jeunes filles succédant à l'autre pour effleurer les marches, faire une large révérence et continuer son chemin en flottant sur la piste. Tout cela devant un gâteau géant – et ce n'était en rien ridicule. La description que j'en fais est sans doute ridicule, absurde et même risible. Je peux simplement dire que j'y étais et que ce spectacle n'était rien de tout cela.

La présentation venait d'avoir lieu. Les jeunes filles avaient été initiées, voyant ainsi leur statut de Débutantes confirmé, et le bal pouvait commencer. Pour contraster avec l'ambiance solennelle, le groupe se mit à jouer un air qui était au sommet du hit-parade de l'époque, « Simple Simon Says », un de ces morceaux épuisants avec des instructions dont personne n'avait besoin, comme « Mettez vos mains sur la tête, agitez les mains », etc. C'était très niais mais il n'y avait pas mieux pour briser la glace. Comme Lucy était déjà en train de danser avec un des garçons de notre groupe, j'ai proposé à Candida d'y aller et nous nous sommes dirigés vers la piste.

– C'était qui le type avec qui tu parlais avant le repas ? me demanda-t-elle.

Je n'avais pas besoin de suivre son regard pour savoir de qui elle parlait.

– Damian Baxter. Il est à Cambridge avec moi.

– Il faudra que tu me le présentes.

C'est à ce moment-là que j'ai découvert un élément particulièrement effrayant du répertoire d'attitudes de Candida. Dès qu'elle repérait quelqu'un qu'elle trouvait séduisant, elle se lançait dans une sorte de rite un peu hystérique, mais qu'elle devait trouver sexy, et qui ressemblait à une danse de bienvenue maorie : elle se mettait à rouler des yeux tout en ricanant et en se balançant. Son rire ressemblait alors davantage à celui d'un ouvrier en bâtiment en mal de bière qu'à celui d'une pure jeune fille faisant sa présentation officielle. J'imagine que ce procédé devait lui valoir un bon taux de réussite car elle ne cachait pas ce qu'elle avait à offrir et, à l'époque, nous n'avions pas un choix énorme. En revanche, je ne crois pas que cette technique ait vraiment été susceptible de mener à des engagements très profonds et, de fait, avant la fin de la Saison, Candida avait acquis la réputation d'être la bicyclette de service, c'est-à-dire celle que tout le monde avait le droit d'enfourcher. Ce rituel ne m'a jamais été destiné car elle ne s'intéressait pas à moi dans ces termes, mais même comme spectateur, c'était assez ahurissant.

Je suivis son regard gourmand qui menait à Damian, entouré d'un petit cercle d'admiratrices. Serena Gresham en faisait partie et riait, ainsi que Carla Wakefield et deux autres filles que je ne reconnaissais pas. Georgina se tenait à une certaine distance, comme toujours témoin acrimonieux du plaisir des autres. Je me rendis compte qu'Andrew Summersby faisait partie du groupe et que Mrs. Waddilove tentait désespérément et sans trop de succès de l'inciter à faire la conversation. Plus exactement, elle essayait de le forcer à parler à sa fille. Aucun des deux ne jouait le jeu, du fait sans doute d'un total désintérêt mutuel. J'ai un ami d'Atlanta qui appelle ce genre d'échange de sociabilité voué à l'échec « pomper de la boue ». Ils étaient sous le regard d'une femme plus âgée, sans doute une autre des invitées de Mrs. Waddilove, mais que je ne connaissais pas. Elle paraissait assez insolite, même dans ce contexte. Elle avait la physionomie hautaine d'une poupée en bois comme celles qu'on trouve en Hollande, une chevelure étrangement noire, évoquant plus le sud de l'Espagne que la bonne vieille Angleterre, et des yeux d'un bleu clair perçant, parcourus par des traits de vert et d'ambre qui lui donnaient un air un peu dérangé, quelque part entre le furet et la tueuse en série. Elle écoutait la conversation qui s'enlisait sans bouger d'un cil. Mais son immobilité avait quelque chose de menaçant, comme un rapace prêt à fondre sur sa proie.

– Qui est donc la personne qui est en face de Mrs. Waddilove et Andrew Summersby ?

Candida était occupée à manger Damian des yeux mais elle arracha son regard de l'objet de sa convoitise pour se tourner du côté que j'indiquais.

– Lady Belton, la mère d'Andrew.

J'aurais dû le deviner puisque je me rendais compte à présent que sa sœur, Annabella Warren, faisait partie des jeunes filles du groupe des Waddilove. *Madame mère** scrutait les troupes. J'avais entendu parler de lady Belton mais je ne l'avais jamais vue avant cette soirée. Un regard suffisait à comprendre que sa réputation était méritée.

Il n'y avait pas grand monde qui aimait la comtesse de Belton, sans doute parce qu'elle n'avait rien d'aimable du tout. Elle était stupide, d'un snobisme poussé aux limites de la démence et inexplicablement arrogante. Elle n'était certes ni prétentieuse ni dépensière, mais même ces qualités étaient portées à un tel degré qu'elles en devenaient des défauts. Ce soir-là, sa tenue avait à peu près autant de classe que la vitrine d'un magasin Sue Ryder de West Hartlepool. J'allais apprendre à la connaître et à la détester, mais malgré tout cela – et je ne parviens pas à expliquer cette bizarrerie si longtemps après –, elle dégageait quelque chose d'assez fort. Peut-être son refus catégorique de se plier à son époque lui conférait-il une sorte de conviction morale. En tout cas, parmi les autres mères de Débutantes de cette année-là, elle possède une place particulière dans mes souvenirs. Et encore, je n'avais pas rencontré son mari, continuellement sur la défensive, et qui semblait toujours trouver un moyen de ne pas être là, et je n'avais échangé que quelques mots avec l'héritier terne et balourd, lord Summersby fils. Mais même sans bien les connaître, je me rendis compte que la mère de Georgina laissait trop voir ses ambitions qui n'étaient d'ailleurs pas réalistes. Candida la regardait distribuer les sourires à tout-va afin de cimenter les intérêts de sa fille. Elle exprima exactement ce que je pensais :

– Dans tes rêves, Mrs. Waddilove...

Elle avait raison. C'était une vaine illusion. Il était clair, même pour un spectateur peu averti, que lady Belton, pétrie de préjugés comme elle l'était, ne serait jamais en faveur d'une alliance avec des gens comme les Waddilove, même si, pour l'heure, elle était ravie de dîner à leurs frais. Même si leur fille avait été jolie, il n'en aurait pas été question. Ou alors il aurait fallu une fortune équivalente à la dette du continent africain. Quant à l'héritier, je subodorais qu'il était incapable d'une opinion personnelle, et l'avenir allait montrer que j'avais raison. En tout cas, la triste vérité est que Georgina n'était pas du genre à inspirer un amour fou.

Nous avons continué de danser. En bon garçon aux bonnes manières que j'étais, j'ai invité mon hôtesse, lady Dalton, ce qui était une coutume universellement acceptée à cette époque mais qui a à peu près disparu aujourd'hui. J'ai toujours trouvé cela vaguement comique de se retrouver à enlacer ces femmes d'âge mûr sur la piste. Elles auraient voulu que ce soit un fox-trot et on aurait voulu que ce soit déjà fini. On avait la main sur les baleines des corsets tout raides qu'on arrivait en général à détecter sous le tissu de la robe de soirée. Mais, même si je trouvais cela drôle, je ne suis pas plus heureux que ça de la disparition de cette tradition où l'on dansait avec les parents de ses amis. C'était comme un pont entre les générations dans une société de plus en plus fragmentée et il me semble que tous les ponts ont leur utilité.

– Savez-vous ce que vous ferez après l'université ? me demanda-t-elle d'un ton léger tandis que nous chavirions de concert d'un pas arythmique.

– Pas vraiment. Pas encore.

– On ne vous a pas donné de route à suivre ?

Je répondis de nouveau par la négative.

– Non, pas de terres ni d'entreprise familiale pour décider de mon destin.

– Que fait votre père ?

À cette époque, la fin des années 1960, une telle question était à la limite de l'impolitesse, car les Anglais de la haute société n'avaient pas encore abandonné leur façon de considérer l'activité professionnelle comme ayant un intérêt négligeable ou comme étant une affaire strictement personnelle. Sauf que lady Dalton était en train de se documenter.

– Il est diplomate. Mais j'ai bien peur que le ministère des Affaires étrangères ne recherche plus des gens comme moi, même si je voulais suivre la même carrière.

C'était assez vrai. Si j'avais été un candidat exceptionnellement doué, cela aurait pu être différent, mais le Foreign Office, qui a toujours été un royaume au sein du royaume en Grande-Bretagne, avait décidé quelque part au milieu des années 1960 que l'époque du gentleman diplomate était terminée et que, dorénavant, ce statut devait être rétrogradé socialement afin, j'imagine, d'être davantage pris au sérieux par l'intelligentsia d'après guerre. Soit cela, soit c'était une manière de proclamer de nouvelles allégeances politiques. Quarante ans plus tard, le résultat de cette stratégie est mitigé, notamment parce qu'elle n'a pas été adoptée par le reste de l'Europe. L'ambassadeur britannique est donc en général considéré comme un marginal dans les capitales européennes, à la fois par les représentants internationaux et par la bonne société locale, quel que soit l'endroit en question. On aurait pu deviner que cela affaiblirait notre influence dans les coulisses du pouvoir. Mais peut-être était-ce bien là le but initial.

Lady Dalton acquiesça et conclut :

– Ce sera très intéressant de voir dans quelle direction vous allez tous vous orienter.

La musique prit fin à ce moment-là et je raccompagnai lady Dalton à sa table. C'était une femme sympathique et nous sommes toujours restés en bons termes tant que nous avons été en contact, mais à compter de ce moment-là, elle avait perdu tout intérêt véritable pour ma personne.

Vers une heure du matin, le chef d'orchestre s'approcha du micro et nous avertit qu'il était temps de se préparer avec nos partenaires pour le galop, signe de la fin de la soirée. Une fois encore, il semble parfaitement incroyable, quand on considère la génération actuelle, de constater que notre génération – celle des fameuses *sixties* ! – avait encore l'habitude de terminer les soirées par ce pas de danse antique et échevelé. Contrairement aux gigues écossaises, qui figuraient aussi dans la plupart des soirées, le galop n'était dansé qu'à la toute fin des bals et ne servait vraiment qu'à montrer à quel point on était saouls. Il s'agissait d'attraper une malheureuse fille pour se lancer dans une cavalcade frénétique où on se bousculait en suivant vaguement la cadence lourdingue d'une musique assourdissante : on finissait par tomber par terre en braillant, histoire de montrer qu'on était quelqu'un de convivial.

Inutile de préciser qu'il y avait quelque chose de désespéré dans cet effort chorégraphique, et même une sorte de solitude mélancolique quand on regardait ces jeunes filles venues de leurs terres provinciales qui piaillaient, leurs bouclettes en pagaille, la robe souvent déchirée, le maquillage en train de fondre sur des joues luisantes, rougies par la transpiration. Toujours est-il que, pour le meilleur et pour le pire, nous autres, joyeux drilles de 1968, avons connu cette danse et c'est bien ainsi que s'était conclu le bal de la reine Charlotte, en attendant celui de l'année suivante.

L'appartement de mes parents se trouvait au rez-de-chaussée d'une grande demeure de Wetherby Gardens, une rue qui sépare South Kensington et Earls Court. À l'époque, ces deux rues étaient comme le paradis et l'enfer, et ma mère n'était pas peu fière que notre adresse soit très nettement du côté de South Kensington. Aujourd'hui bien sûr, quel que soit le côté de la rue, un appartement vaut autant que les joyaux de la Couronne. Là encore, comme dans la demeure londonienne des Dalton, la salle à manger de la famille victorienne qui avait fait construire la maison avait été divisée pour créer un salon, un vestibule et, dans notre cas, une cuisine. L'endroit qui avait dû être une bibliothèque était devenu une sorte de réduit minuscule et sombre où l'on prenait ses repas. Et ce qui avait dû être un petit salon ensoleillé donnant sur le jardin et attenant à l'appartement et sur le grand jardin collectif partagé par les habitants du pâté de maisons avait laissé place à deux chambres à coucher – en bidouillant la cloison pour que chacune puisse bénéficier d'un seul battant d'une porte qui en avait deux et d'un petit peu de luminosité. Comme beaucoup de gens de leur génération, mes parents n'étaient pas exigeants concernant leur habitation. Plus tard, dans les années 1970 et 1980, quand nous avons tous commencé à abattre les cloisons, à changer les salles de bains de place et à aménager les combles, nos parents avaient assisté à ce spectacle avec un mélange de stupéfaction et d'horreur. Mon père, notamment, trouvait que si Dieu avait fait en sorte que telle étagère soit à tel endroit, c'était pour une bonne raison et comment aurait-il pu, lui, se mêler des affaires de la Providence divine ? C'est assez singulier car cela ne dérangeait absolument pas leurs ancêtres du XVIIIe et du XIXe siècle de démolir entièrement de très anciennes demeures familiales pour les remplacer par des constructions plus à la mode. C'est peut-être à cause du rationnement et des privations pendant la guerre ?

J'étais déjà au lit et endormi quand je fus ramené au réel par l'insistance de la sonnette d'entrée. Bizarrement, je restai un moment persuadé qu'il s'agissait des cloches de l'église agitées par le Premier Ministre de Victoria, William Ewart Gladstone, avant de me réveiller complètement et de constater que la sonnerie continuait.

Damian s'excusa abondamment.

– Je suis désolé, j'aurais dû te demander une clé. Mais, bon, je pensais que tu resterais avec nous.

– Vous étiez où ?

Il prit un air nonchalant.

– Oh, à droite, à gauche. On est allé chez Garrison boire un verre et après on a pris un sandwich avec un café à l'espèce de baraque de l'autre côté de Chelsea Bridge.

Il se trouve que nous allions souvent procéder ainsi durant cette année-là et nous retrouver, garçons et filles en tenue de soirée, à faire la queue à l'aube avec des *bikers* pour un sandwich au bacon à la petite baraque en bois au pied de la grande centrale électrique. Ils étaient gentils, ces motards, et très amicaux en général, plutôt amusés qu'offusqués par notre mise soignée. Je les salue bien bas.

– Et c'est tout ?

Sourire de Damian.

– Pas tout à fait, on a fini chez les Claremont.

– Dans Millionaires' Row ?

– À côté de Kensington Palace.

– C'est ça.

Il était impeccable et serein. On aurait dit qu'il était sur le point de sortir et non de retour après ce que l'on ne pouvait que décrire comme une très longue nuit.

– Tu n'as pas chômé. Comment tu t'es débrouillé ?

– C'est Serena qui a proposé et je ne voyais pas de raison de refuser, dit-il en haussant les épaules.

– Vous avez réveillé ses parents ?

– Pas sa mère. Son père est descendu et nous a demandé de ne pas faire trop de bruit.

Il lança un regard distrait dans le salon.

– Tu veux un verre ?

– Juste un, peut-être. Si tu m'accompagnes.

Je nous ai servi deux verres de whisky avec de l'eau.

– Tu veux des glaçons ?

– Non, pas pour moi.

Il apprenait vite.

– Et Georgina ? Elle était avec vous ?

Il réprima à peine un éclat de rire.

– Oh ! non, Dieu merci. On n'a même pas eu à monter un bobard. Ils déposaient lady Belton et Andrew à leur appartement et Mrs. Waddilove n'a pas voulu laisser Georgina s'échapper.

C'était quand même un peu injuste.

– Pauvre Georgina. Je crois qu'elle a un petit béguin pour toi.

Cette fois-ci, il ne se gêna pas pour rire franchement :

– Que veux-tu, elle n'est pas la seule à devoir porter cette croix...

À ce moment-là, je me suis dit qu'avoir autant de confiance en soi à notre âge devait procurer un sentiment paradisiaque.

Il interpréta la jalousie de mon regard comme de la désapprobation et se dépêcha de me rassurer.

– Allez, j'ai été sympa avec elle pendant le bal. Je promets de toujours faire un effort avec Georgina. Mais, bon, tu ne peux pas me demander de l'épouser juste parce que je lui dois ma première invitation...

Évidemment, je n'allais pas lui demander ça.

– Sois gentil avec elle, c'est tout.

Je l'ai accompagné dans le couloir qui menait à ce qui d'ordinaire était ma petite chambre. Comme mes parents étaient à la campagne, j'avais préféré dormir dans la leur. Au moment de fermer nos portes respectives, je ne pus résister à une question :

– Est-ce que c'était comme tu l'imaginais ? Ou est-ce que ça t'a déplu ?

– Je ne sais pas ce que j'imaginais. Et je ne suis pas en position de réprouver quoi que ce soit, dit-il après un instant de réflexion. Il y a une chose que j'ai remarquée, et peut-être que j'en suis un peu jaloux...

Il fit attendre sa réponse.

– ... c'est votre sentiment d'appartenance. Même si c'est difficile de dire vraiment à quoi. Contrairement à la légende, vous ne vous connaissez pas forcément tous et vous ne vous appréciez pas tous. Mais il y a une sorte d'identité de groupe. Et moi, je n'ai pas ça.

– Ça viendra peut-être.

– Non. Mais je ne crois pas que ça soit ça que je veuille. Pas sur le long terme. J'ai l'impression qu'avant longtemps j'aurai trouvé ma place. Et ça ne sera pas la vôtre.

Et, bien sûr, c'est exactement comme cela que tout s'est déroulé.

4

Je ne saurais dire avec précision si j'ai pleuré ou éclaté de rire quand j'ai appris, vers la fin de l'année 1970, que Lucy Dalton allait épouser Philip Rawnsley-Price. Je me souviens que la nouvelle m'avait procuré un léger choc. Ce n'est pas seulement parce qu'il faisait la cour – à Lucy mais aussi à toutes celles qui passaient – avec un manque de subtilité embarrassant qu'il passait pour un personnage médiocre. Il était né médiocre. Il avait un visage tout plat, comme un masque de carnaval qui se serait fait écraser par un poids lourd. Il avait le teint cireux qui tirait sur l'olivâtre, mais ça ne lui donnait pas pour autant un côté exotique : il avait l'air d'un groom grec avec de grands yeux humides – deux œufs sur le plat baignant dans le gras. Après ce qui parut être de courtes fiançailles, je fus invité au mariage. L'événement fut très dépouillé et assez déroutant. Lady Dalton, qui nous fit la bise en accueillant le défilé des invités, n'était pas aussi joviale que d'habitude. Le protocole d'usage avait été respecté et nous avons eu droit à la vieille église de village, à la réception dans leur jardin sous un chapiteau, au buffet de petites choses sans intérêt et à un champagne pas mauvais, mais l'ensemble manquait d'entrain. Même les discours furent très ordinaires, et le seul moment intéressant eut lieu quand un oncle de Lucy un peu âgé s'adressa au public en nous appelant

« chers adhérents » et nous laissa dans l'expectative quant à l'objet de notre adhésion.

Tout fut soudain plus clair quand Lucy donna naissance à une petite fille très tôt dans l'année. Nous avons continué de nous voir avec le couple pendant un moment, lors de petits soupers informels avec des jeunes personnes qui nous ressemblaient. C'était avant qu'on nous désigne comme étant des *Sloane Rangers*, l'élite bon chic bon genre, infligeant à notre tribu un nom et une identité. À mon époque, on parlait de jeunes filles à collier de perles et de grands dadais de la haute. Philip ne m'a jamais beaucoup impressionné, même après, quand nous avons été plus mûrs et que nous avions arrêté d'aller danser dans les bals prestigieux. Il arrivait à cumuler une propension au ratage avec une incroyable arrogance et, en définitive, la vie nous a doucement éloignés : le cours des choses s'est chargé de nous séparer naturellement. De plus, ils avaient adopté avec enthousiasme les *sixties* – qui eurent lieu, comme nous le savons, durant les *seventies* – et comme beaucoup d'autres, quand il est devenu évident que l'avènement de l'ère du Verseau n'était pas pour tout de suite, il a fallu faire face aux déceptions. Ils quittèrent Londres et Philip s'essaya à diverses professions – des « carrières », selon lui –, et je venais d'apprendre que la dernière en date était une boutique de produits de la ferme que Lucy et lui avaient ouverte dans le Kent. C'était une nouvelle étape après des commerces de traiteur, de prêt-à-porter et je crois divers projets de maison d'hôtes et de promoteur immobilier. Vu leur variété, on pouvait difficilement être optimiste quant à la viabilité de ces entreprises. Je me demandais même si le numéro sur la liste serait encore valable. C'était je crois la première fois que j'appelais Lucy en trente ans. Mais c'est bien Lucy qui répondit, et après les exclamations d'enthousiasme, je lui expliquai que je devais passer près de chez elle la semaine suivante et que ça serait sympa si je pouvais m'y arrêter, histoire de se revoir. Il y eut un petit silence à la fin de ma proposition. Mais elle se reprit assez vite.

– Bien sûr, ça serait très chouette. Quel jour ?

– C'est toi qui vois, je m'arrangerai pour caler le reste en fonction de toi.

C'était un peu déloyal, mais j'avais l'intuition que, si j'avais donné un jour précis, elle n'aurait justement pas été libre. Là, elle n'avait pas d'autre alternative que de céder et d'être bonne joueuse.

– Ne t'attends pas à un super repas. Je ne suis pas meilleure cuisinière que la dernière fois qu'on s'est vus.

– Je veux juste te voir chez toi.

– J'en suis flattée.

Ça n'est pas l'impression que ça donnait, mais le jeudi suivant je pris la direction de Peckham Bush et fonçai sur les routes de campagne du Kent.

J'ai suivi les indications, traversé le village avant de longer la grande haie et de tourner pour rejoindre un sentier cahoteux qui menait à une ancienne cour de ferme. De grands panneaux indiquaient une boutique largement éclairée avec un parking attenant disposant de nombreuses places libres. Mais la vieille ferme aux tuiles rouges était un peu après cette supérette, et c'est là que je me suis arrêté. Je n'étais pas sorti de la voiture que Lucy était déjà devant moi.

– Salut ! lança-t-elle.

Nous ne nous étions pas vus depuis très longtemps et ce sont de tels intervalles qui permettent de constater la cruauté du temps qui passe. Sans parler, dans le cas présent, de la déception.

Et elle avait connu des jours glorieux. À cette époque que je considère rétrospectivement comme fort sage et où nous étions jeunes, elle avait même été la chérie des médias, une *it-girl* très en vogue, annonciatrice de la culture *people* qui devait nous envahir. En fait, contrairement à de nombreuses jeunes filles de la période, elle s'était ralliée à l'euphorie des *sixties* avec entrain, sans aller pourtant jusqu'à effrayer les parents. Elle portait des minijupes un peu plus courtes que les autres, du mascara un peu plus noir et elle fournissait des bons mots aux journalistes. Elle s'extasiait sur « ces adorables voyous détrousseurs de trains » ou trouvait que Che Guevara était le martyr politique le plus sexy de la planète. Quand on lui avait demandé de citer un grand moment de bonheur, elle avait répondu que c'était le jour où le chanteur P. J. Proby avait craqué son jean – cela avait fait la une de l'*Evening Standard*. C'était une rébellion soft, une subversion de salon, mais qui exprimait avec une audace souriante son adhésion aux valeurs du temps qui étaient appelées à détruire sa caste. Cela passait bien et elle avait connu son heure de gloire. Pendant la Saison, elle avait posé comme mannequin et on retrouvait des photos d'elle dans des magazines *people* comme *Tatler*, notamment dans des articles qui paraissent aujourd'hui dater de plusieurs siècles : « Les Débutantes de l'année », « Suivez la mode », « Les jouvenceaux tendance », etc. Elle avait même été prise comme modèle par le photographe lord Lichfield, et je me rappelle une personnalité de la télévision aujourd'hui oubliée, évidemment (le concept même de personnalité télé était tellement neuf qu'il n'avait pas encore eu le temps de sécher), qui l'avait invitée dans son émission. Elle avait décliné, bien sûr, sur l'insistance de sa mère, mais l'invitation lui avait malgré tout conféré une aura particulière.

Des paillettes et de l'exaltation, il ne restait rien sur le visage triste et usé que je voyais devant moi. Elle portait toujours ses cheveux détachés jusqu'aux épaules, mais ils avaient perdu toute vivacité et ils retombaient mollement, tout fins et grisonnants. Elle qui s'était autrefois habillée avec audace ne portait plus que des vêtements fatigués : un vieux jean, une vieille chemise, de vieilles chaussures défraîchies. C'était le genre de tenue qui servait juste à cacher la nudité. Même son maquillage se limitait à indiquer assez mécaniquement qu'elle était de sexe féminin. Elle me fit signe d'entrer dans la maison.

– Allez, entre.

Après cette première impression, ce fut presque un soulagement de constater qu'elle n'avait pas changé au point de se mettre aux tâches ménagères. En fait, on aurait cru qu'un attentat terroriste avait eu lieu dans l'entrée et que le souffle de l'explosion avait redisposé tous les objets de la maison dans les endroits les plus illogiques possible. Le désordre de certaines maisonnées ne s'explique pas toujours par la paresse de ses occupants. Il y a parfois une sorte de colère, de protestation contre les valeurs du monde qui s'exprime dans ce genre de chaos, et je crois faire un compliment à Lucy en pensant que c'était le cas. L'endroit semblait avoir été décoré au pire moment des années 1970, avec des motifs criards et déprimants dans les marrons et oranges, avec des affiches de films un peu trop connus et beaucoup d'objets en osier ou en tissage indien. Inévitablement, la cuisine était en pin, avec des tomettes en terre cuite, et des surfaces carrelées dont les joints étaient noircis par la crasse. Les murs étaient encombrés d'étagères où s'accumulait un fatras de tasses dépareillées, de photos des enfants, de bibelots gagnés dans d'antiques fêtes foraines, de pages arrachées à des magazines pour une raison qu'on avait oubliée. Sans parler de la saleté. Lucy vit soudain tout cela d'un œil neuf, comme toujours quand un invité arrive.

– Mon Dieu, j'ai bien peur que ce soit le bazar. Laisse-moi te servir à boire et puis on ira ailleurs.

Elle fourgonna dans le grand frigidaire et en retira une énorme bouteille de pinot grigio à moitié vide et attrapa sous l'évier deux verres opaques aux parois cotonneuses, avant de me conduire dans ce qui était sans doute autrefois la pièce pour recevoir de l'épouse du fermier qui avait jadis vécu ici, dans un cadre si propret, du temps où le monde était en ordre.

Le fouillis déliquescent et décoloré y était encore plus déprimant, si cela était possible, que dans les autres pièces que je venais de traverser. De vieux coussins de chaises et des plaids au crochet recouvraient les fauteuils et les sofas, massifs et dépareillés. Il y avait une bibliothèque faite de planches de bois et de briques. Un très beau portrait d'une jeune femme des années 1890 était accroché tout de guingois au-dessus de la cheminée, étrange affirmation de statut social appartenant à un autre temps et à un autre endroit. On avait même coincé deux cartons d'invitation et une facture dans le cadre abîmé. Lucy avait suivi mon regard.

– C'est ma mère qui m'a donné ça. Elle pensait que la pièce aurait meilleure allure avec ça.

Elle se pencha et remit le cadre droit.

– C'est qui ?

– Mon arrière-grand-mère, je crois. Je ne suis pas sûre.

Je me suis imaginé un instant cette ancienne lady Dalton revenant de sa randonnée à cheval, s'habillant pour le déjeuner, coupant les roses fanées. Comment tiendrait-elle son rôle dans une pareille poubelle ?

– Philip n'est pas là ?

– Il est à la boutique, malheureusement. Il est obligé d'y rester. Je vais préparer le déjeuner et puis on ira là-bas.

Elle prit une gorgée de vin.

– Comment ça va, à la boutique ? demandai-je avec un grand sourire.

Je m'entendais essayer de parler sur un ton joyeux. Peut-être pour essayer de rasséréner Lucy – ou moi-même, je ne suis pas sûr.

– Oh, ça va, ça va. Enfin, je crois, fit-elle avec un sourire forcé.

De toute évidence, la dernière entreprise de Philip était sur le point d'aller dans le mur.

– Une boutique, c'est prenant. Au début, je croyais que les amis viendraient tous le temps nous voir pour bavarder, prendre le thé et faire des gâteaux, mais en fait, non. On reste là des heures et des heures à parler à des inconnus qui ne savent pas ce qu'ils veulent. Et puis quand on a fini de tout payer, tu sais, avec le stock, le personnel, etc., il te reste à peine trois francs six sous.

« Trois francs six sous », c'était charmant. Un instant, je ressentis une petite vague de nostalgie.

– Vous allez faire quoi si vous mettez la clé sous la porte ?

Elle eut un haussement d'épaules.

– Je sais pas. Philip a pensé à une boîte de location de tableaux.

– Quels tableaux ? C'est pour quel genre de clientèle ?

– Je sais, reconnut-elle sans montrer beaucoup de loyauté envers son mari, je comprends pas non plus où il veut en venir. Il pense qu'il y a pas mal d'argent à se faire, mais moi, je vois pas comment. Ça te va, des pâtes ?

Je l'ai suivie dans sa cuisine décorée avec des bactéries et je l'ai regardée sortir du frigo des petits bols remplis de restes brunâtres à moitié mangés. Elle mit les assiettes sur la table et commença à sortir les casseroles pour préparer notre pitance.

– Comment va ta mère, au fait ?

Lucy fit de petits signes de tête méditatifs, comme si la question avait déjà été mûrement pesée.

– Bien, elle va bien. Tu sais qu'ils ont vendu Hurstwood ?

– Non, je ne savais pas. C'est moche.

Elle fit non de la tête fermement, refusant de voir les choses ainsi.

– Non, c'est rien. C'est ce qui pouvait arriver de mieux.

Une fois proféré son « je ne regrette rien » avec l'autorité d'une oukase de tsar, elle se décontracta et me donna des détails.

– C'était il y a environ quatre ans et bien sûr, au début, tout le monde était très secoué, mais papa a fait les comptes, et il n'y avait pas d'autre solution finalement. L'avantage, c'est qu'ils sont complètement libres maintenant, pour la première fois de leur vie. Et puis, Johnny n'avait jamais vraiment eu envie de reprendre le manoir. Donc, en fait, au final...

Elle chercha un mot qu'elle n'avait pas déjà employé pour renforcer son argument mais elle ne trouva pas.

– Bref, ça va.

Souvent, les grands perdants d'une révolution essaient de montrer leur soutien aux changements qui ont causé leur ruine, qu'ils les encouragent, même. C'est un phénomène qui me fascine toujours, sans doute une variante du syndrome de Stockholm où les victimes d'un kidnapping se mettent à défendre leurs ravisseurs. C'est un refrain qu'on a beaucoup entendu ces dernières décennies, en particulier chez ces aristos soucieux de ne pas se montrer dépassés. « Il ne faut pas s'accrocher au passé, disent-ils joyeusement, il faut être de son temps. » Tout ça pour se retrouver, une fois leurs valeurs discréditées et détruites, sur le pavé.

– Ils habitent où maintenant ?

– Tout près de Cheyne Walk. Ils ont un appartement dans l'un des immeubles.

– Et Johnny et Diana ? Qu'est-ce qu'ils sont devenus ?

J'avais un peu connu son frère et sa sœur durant la Saison, pas très bien mais assez pour se dire bonjour et se faire la bise.

– Johnny a un restaurant à Fulham. Enfin, il avait un restau à Fulham. La dernière fois que je lui ai parlé, j'ai eu l'impression que ça partait un peu en vrille. Mais il s'en tirera, il a toujours eu plein d'idées.

– Il est marié ?

– Divorcé. Deux garçons, mais ils vivent avec son ex, tout près de Colchester, c'est un peu usant. Maman a fait beaucoup d'efforts au début, mais tu sais ce que c'est, c'était des heures de train pour les gamins, et le temps qu'ils arrivent, ils n'avaient qu'une envie, c'était de repartir chez eux. Donc, elle a un peu laissé tomber en ce moment. Elle pense que ça ira mieux quand ils seront plus grands.

Lucy apporta les assiettes peu appétissantes remplies de pâtes couleur jaune moisi et nappées d'une sauce qui ressemblait à l'appareil digestif d'un lapin écrasé. Elle posa dignement ma ration devant moi. La vieille bouteille fatiguée de pinot grigio était de retour. Je pris ma fourchette sans grand enthousiasme.

– Comment était sa femme ?

– Gerda ? Un peu banale, pour parler franchement, mais pas affreuse non plus, ni rien. Tu ne peux pas la connaître. Elle est suédoise. Ils se sont rencontrés au festival de Glastonbury. Je l'aimais bien et la séparation s'est faite de manière très correcte. C'est juste qu'ils n'avaient rien en commun. Elle est mariée à un neurochirurgien maintenant, ils sont beaucoup mieux assortis.

– Et Diana ?

J'avais toujours trouvé sa sœur aînée plus jolie. On aurait dit Deborah Kerr jeune, et contrairement au côté fougueux de son frère et de sa sœur, elle avait une sorte de sérénité inhabituelle pour quelqu'un de son âge. Tout le monde trouvait que c'était un bon parti et sa mère n'avait pas caché sa joie quand Diana s'était mise à fréquenter d'une manière assidue l'héritier d'un comté aux limites de l'Écosse. J'avais appris que, finalement, ça n'avait pas marché entre eux. Je me rendis compte que ma question avait légèrement transpercé l'armure de Lucy et je compris avant même qu'elle ne fasse son récit que tout ne s'était pas bien passé de ce côté-là non plus. Le temps qui s'écoule n'avait pas été clément avec la famille Dalton.

– J'ai peur que ça n'aille pas trop bien pour Diana. Elle est divorcée mais, de son côté, ça a été horrible.

– Elle n'avait pas épousé Peter Berwick, je crois ?

– Non. Dommage, d'ailleurs – je n'aurais jamais cru que je penserais ça un jour. Il était tellement snob et ennuyeux quand ils sortaient ensemble, sauf qu'aujourd'hui il ferait songer au paradis perdu avec le recul. Le mari de Diana est américain.

Tu ne le connais pas. Je ne l'aurais jamais rencontré non plus s'il n'était pas devenu mon beau-frère. Ils se sont connus à Los Angeles et il n'arrête pas de dire qu'il va y retourner. Vivement qu'il le fasse.

Je me suis soudain souvenu très nettement de Diana Dalton éclatant de rire à une plaisanterie que je venais de faire. Nous étions côte à côte dans la salle à manger de Hurstwood avant d'aller à un bal du coin, et comme elle était en train de boire, tout lui était sorti par le nez et elle avait copieusement aspergé le pauvre lord lieutenant qui était tranquillement assis à côté d'elle.

– Elle avait des enfants ?

– Deux. Ils sont grands maintenant, bien sûr. L'un est en Australie et l'autre travaille dans un kibboutz, près de Tel-Aviv. Ce qui est embêtant, c'est que depuis que Diana a été internée au Priory[1], c'est à maman et à moi de nous occuper de tout.

À chaque phrase, c'était pire. Une de plus et je me mettais à pleurer. Pauvre lady Dalton. Pauvre sir Marmaduke. Qu'avaient-ils fait pour mériter l'acharnement des Furies ? La dernière fois que je les avais vus, ils étaient les représentants emblématiques de cette classe de gens qui avaient gouverné l'Empire. Ils géraient leurs terres, jouaient leur rôle de notables locaux, inspiraient la crainte à tout le village, bref, ils faisaient leur devoir de nobles. Et je savais très bien que l'avenir qu'ils avaient envisagé pour leurs enfants consistait, *grosso modo*, en la même chose. Leurs aspirations avaient peu à voir avec ce qui s'était réellement produit. J'ai repensé à lady Dalton lors du bal de la

1. Clinique londonienne traitant les addictions et désordres psychologiques d'une clientèle de stars.

reine Charlotte qui m'avait gentiment passé sur le gril pour connaître mes perspectives d'avenir. Et dire qu'elle avait prévu de splendides mariages pour ses filles, jolies, amusantes et bien nées... Est-ce que l'univers en aurait vraiment été bouleversé si au moins un seul de ses vœux avait été exaucé ? Au lieu de ça, après quarante ans, c'est tout l'édifice de la famille Dalton, lequel avait mis des siècles à se constituer, qui s'était effondré. Ils n'avaient plus d'argent et le peu qui restait allait être englouti par l'indigence du fils et la négligence du beau-fils. Enfin, s'ils ne se faisaient pas ratisser avant par les frais de séjour du Priory. Et quels crimes méritaient pareille punition ? Le simple fait pour les parents de n'avoir pas su négocier la transition avec une nouvelle ère et pour les trois enfants d'avoir cru au chant des sirènes des *sixties* et tout investi dans le meilleur des mondes qu'on leur avait promis de manière si perfide...

Il y eut un bruit à la porte.

– M'man, tu l'as ramené ?

Je vis une jeune femme d'environ 20 ans. Elle était grande et aurait été très jolie si elle n'avait pas dégagé un nuage de colère, d'irritation et d'impatience, comme si nous faisions exprès de la faire attendre. Ce n'était pas la première fois que j'étais frappé par ce phénomène, autre produit de la révolution sociale des quatre dernières décennies, qui voyait les parents appartenir à une classe sociale entièrement différente de leurs enfants. C'était de toute évidence la fille de Lucy, mais sa façon de parler évoquait le sud de Londres désagréable et agressif, et à la regarder avec ses tresses et ses vêtements bruts de décoffrage, on aurait cru qu'elle avait grandi dans la pauvreté des cités, et non qu'elle avait passé des week-ends avec son grand-père le baronet. J'avais connu Lucy quand elle avait à peu près le même âge et on aurait dit qu'elles venaient de deux planètes différentes. Ça ne leur fait rien aux parents ? Ou ils ne s'en rendent pas compte, peut-être ? Il me semblait qu'élever ses petits dans les traditions de sa tribu était l'une des données fondamentales du royaume animal. Et cela touche toutes les classes sociales. Partout en Grande-Bretagne, les parents enfantent des cinglés, des aliens venus d'ailleurs.

La nouvelle venue ne fit même pas attention à moi. Seule lui importait la réponse à sa question.

– Tu l'as acheté, m'man ?

La question avait été prononcée comme une menace.

– Oui, je l'ai pris, mais ils ne l'avaient qu'en bleu.

– Oh, non ! C'est le rose que je voulais ! Je te l'avais dit que je voulais le rose !

En réalité, j'écris normalement, mais cela ressemblait plus à : « Oh, naaaan, cé lroz kjvoulé, jtlavédi kjvoulélroz. » On aurait dit Eliza Doolittle dans *My Fair Lady*, mais avant que le professeur Higgins ne lui apprenne à parler. Lucy parvint à conserver son ton patient et égal durant tout l'échange.

– Ils n'en avaient plus en rose, je me suis dit que bleu, c'était mieux que rien.

– Eh ben, t'avais qu'à pas te dire ça.

La jeune fille retourna à l'étage, furibarde, en soupirant et en tapant des pieds. Lucy me regarda et me demanda :

– Tu as des enfants ?

– Je ne me suis jamais marié.

Elle se mit à rire.

– Ce n'est pas la même chose de nos jours !...

– Dans tous les cas, je n'en ai pas.

– Ils vous rendent dingues. Et pourtant on ne peut pas s'en passer...

Personnellement, je me serais assez facilement passé du numéro que je venais de voir.

– Tu en as combien ?

– Trois. Margaret est l'aînée, elle a 37 ans, elle a épousé un agriculteur. Après, il y a Richard, qui a 30 ans et qui essaie d'entrer dans le monde de la musique. Et puis Kitty, la surprise de dernière minute.

Évidemment, c'était l'aînée qui m'intéressait plus particulièrement.

– Et ça se passe bien son couple, à Margaret ?

– Je crois. Son mari n'est pas quelqu'un de passionnant, pour être franche mais, bon, personne n'est parfait, et puis il est très, euh, très stable. Je crois que c'est ce qu'elle recherche.

Je ne pus m'empêcher de penser qu'il fallait bien se contenter de peu...

– Ils ont quatre enfants et elle dirige sa propre boîte. Je ne sais pas comment elle fait mais elle a cent fois plus d'énergie que nous tous réunis.

L'image de Damian surgit soudain dans mon esprit.

– Ils sont très espacés, tes enfants...

– Oui, c'est dingue, non. Juste quand tu crois que tu en as fini avec les biberons, avec le couffin que tu te trimballes partout où tu vas... ça recommence. Pendant vingt ans, à chaque fois qu'on chargeait la voiture pour partir en week-end, on aurait dit des réfugiés en train de se barrer de Prague avant l'arrivée des Russes.

Elle s'interrompit pour éclater de rire à l'évocation de ce souvenir.

– Évidemment, je n'imaginais pas vraiment m'y mettre si jeune, mais quand Margaret...

Elle s'est arrêtée, laissant la phrase se finir dans un petit gloussement nerveux.

– Quand Margaret quoi ?

Lucy me lança un regard timide.

– Aujourd'hui, les gens s'en fichent, mais quand nous nous sommes mariés, elle était déjà en route.

– Désolé si je te choque, mais on avait déjà deviné : c'est rare les bébés qui arrivent à cinq mois en parfaite santé.

Elle fit signe qu'elle comprenait.

– Bien sûr, c'est juste qu'à l'époque ça ne se faisait pas d'en parler. Et puis, on n'y faisait plus attention après, on oubliait.

Elle s'interrompit puis leva les yeux pour me regarder.

– Tu vois encore des gens qu'on fréquentait ? Je veux dire, pourquoi ton intérêt soudain ?

Je me suis débrouillé pour hausser les épaules avec le plus de nonchalance possible.

– Je ne sais pas, j'ai regardé la carte et j'ai vu que j'allais passer devant chez toi.

– Mais avec qui es-tu encore en contact ?

– Plus personne. J'évolue dans d'autres milieux maintenant. Je suis écrivain. On m'invite à des cocktails chez des éditeurs, aux soirées du PEN Club et au trophée de la pire scène de sexe dans une œuvre de fiction... L'époque où je faisais la conversation avec la comtesse du Cumberland est finie.

– C'est le cas pour tout le monde, non ?

– Ça m'arrive encore d'aller chasser de temps en temps. Quand on m'invite. C'est là où je tombe sur un major de l'armée au ton rougeaud qui s'approche de moi en titubant et qui me dit :

« On n'était pas à l'école ensemble ? » ou « Vous n'étiez pas au bal de ma sœur ? » Ça me fout en l'air à chaque fois. Ça me laisse sans voix, l'idée que je puisse être de la même génération qu'un vieil emmerdeur imbibé d'alcool.

Elle ne répondit pas, elle avait dû comprendre que j'esquivais sa question.

– Cela m'arrive de rencontrer d'anciens amis de l'époque. J'ai vu Serena à un événement caritatif, il n'y a pas longtemps.

Cela parut lui confirmer qu'il y avait anguille sous roche.

– J'imagine bien que tu es resté en contact avec Serena.

– Pas du tout. Pas à proprement parler.

Elle leva un sourcil interrogateur, alors je me suis décidé à faire avancer les choses en allant plus loin.

– En fait, j'ai revu Damian Baxter récemment. Tu te souviens de lui ?

Ma question était superflue : Lucy venait carrément de changer de couleur.

– Bien sûr que je m'en souviens. J'étais là, si tu te rappelles.

– C'est vrai, bien sûr.

– Et puis, même sans ça, qui aurait pu oublier le bourreau des cœurs de l'année ?

Cette fois-ci, son rire avait une légère touche d'amertume.

– Je crois qu'il doit être terriblement riche maintenant.

– Terriblement riche et terriblement malade.

Cela la calma instantanément.

– J'en suis désolée. Il va s'en sortir ?

– Je crois bien que non.

– Ah.

Cette précision sembla faire taire son amertume pour de bon et elle devint plus philosophe.

– Ça me faisait rire quand je voyais les mères tout faire pour que nous l'évitions. Si elles avaient su à l'époque que c'était à peu près le seul parmi tous nos danseurs qui aurait eu les moyens de faire perdurer tout cet univers. Il est marié ?

– Il l'a été, pas longtemps et pas avec quelqu'un que tu connais.

Elle fit comme si elle mémorisait l'information.

– J'avais eu un gros coup de foudre pour lui.

Je fus passablement irrité de ma propre ignorance.

– On n'aurait pas dit pourtant.

– C'est parce que tu commençais à le détester. Je n'aurais jamais osé te le confier. Je te déçois ?

– Un peu. Tu as toujours prétendu le détester autant que moi. Et même avant moi. Même quand j'étais encore ami avec lui.

Elle ne releva pas les contradictions et poursuivit, d'une voix qui était passée du ton philosophe à la réminiscence nostalgique.

– Ah, c'était il y a longtemps...

Et puis soudain, comme si elle avait honte de son manque de conviction, elle se reprit énergiquement.

– Je l'aurais épousé s'il me l'avait demandé.

– Et comment aurait réagi ta mère ?

– Ça n'aurait pas eu d'importance. En fait, à un moment, j'ai cru que j'allais devoir le forcer, dit-elle en poussant un soupir.

J'attendais son explication, qui vint avec un sourire sardonique.

– Quand j'ai été enceinte de Margaret, je n'étais pas complètement sûre de qui elle était.

Naturellement, j'ai failli pousser une exclamation face à cette révélation. Avais-je pu atteindre ma cible dès le premier coup ? J'eus beaucoup de mal à rester calme et à la laisser terminer son histoire.

– Je ne sortais pas vraiment avec Damian à ce moment-là, mais il y a eu un moment, un après-midi, à Estoril...

Elle eut un petit rire gêné.

– ... vous étiez tous sur la terrasse et je me suis éclipsée, et puis...

J'ai dû avoir un air désapprobateur parce qu'elle a poussé un petit grognement comique.

– Enfin, quoi ! C'était les *sixties* ! On parlait d'« enfant terrible » ou ça a été inventé après, cette expression ? En tout cas, moi, j'étais une enfant terrible ! Et c'est marrant parce que Margaret est largement la plus normale de mes enfants. La seule, en fait.

On m'avait déjà raconté ce genre de situation.

– Nos parents parlaient souvent de l'« enfant à problème » qu'il y a dans toutes les familles. Maintenant, on dirait que la norme, c'est d'en avoir un qui soit normal et les autres qui aient des problèmes. Et encore seulement si t'as de la chance.

Cela la fit rire.

– Eh oui, chez nous, c'est Margaret la normale. C'est marrant parce qu'en plus elle nous a fait très peur quand elle était petite.

– Comment ça ?

– Un problème au cœur. C'est terrible pour un enfant, non ? Elle a eu ce qu'on appelle une hypercholestérolémie familiale.

– Eh ben.

– J'ai mis un mois à apprendre à le prononcer.

– Tu y arrives bien maintenant.

– Tu sais ce que c'est. Au début, tu n'arrives pas à prononcer le nom de la maladie et, après, tu pourrais ouvrir ta propre clinique.

Elle parut vivre de nouveau ce terrible épisode qui ne serait jamais totalement effacé de sa vie.

– C'est drôle : j'arrive presque à en rire maintenant, mais sur le coup, c'était affreux. Tu fabriques trop de cholestérol, ce qui déclenche une crise cardiaque et tu meurs. Aujourd'hui, on parle cholestérol à tout-va, mais à l'époque, c'était très exotique et ça faisait peur. C'est une maladie qui était à peu près mortelle à cent pour cent. Le premier médecin qui l'a diagnostiquée chez Margaret, dans un hôpital à Stoke, était persuadé que c'était irrémédiable. Tu imagines ce qu'on a enduré.

– Vous faisiez quoi à Stoke ?

– Je ne me souviens pas. Ah, si, Philip voulait remettre sur pied une usine de porcelaine. Ça n'a pas duré.

Comme ça, au moins, ça me permettait de mieux me rendre compte de l'odyssée tortueuse que constituait la non-carrière de Philip.

– En tout cas, ma mère est venue, elle nous a emmenés voir un spécialiste de Harley Street et on a eu un son de cloche plus favorable.

– C'était devenu guérissable à ce moment-là ?

Elle revivait l'annonce de la bonne nouvelle.

– Complètement, Dieu merci. Mais c'était juste. Tout avait changé à peine quatre ans plus tôt. On a mis un temps fou à s'en remettre. On est restés terrorisés pendant des mois. Je me souviens de m'être levée une nuit et d'avoir trouvé Philip en pleurs devant le lit de Margaret. Nous n'en parlons plus aujourd'hui, mais à chaque fois que je me mets en colère après lui, je pense à ce moment et je lui pardonne tout...

Elle hésita puis, visitée par l'ange de la sincérité, ajouta une précision :

– ... enfin, j'essaie.

Je comprenais très bien. Le Philip en pleurs dans l'obscurité d'une chambre d'enfant face au lit de sa fille innocente me semblait non seulement beaucoup plus sympathique mais aussi mille fois plus intéressant que le frimeur sur pistes de bal que j'avais connu. Lucy poursuivit son récit.

– Ce qu'on ne comprenait pas, c'est que tout le monde nous disait que c'était entièrement héréditaire, mais nous n'avions aucun cas dans aucune des deux familles. Nous avons demandé à nos parents, mais pas le moindre indice. Bon, au final, maman nous a trouvé ce médecin formidable, et une fois qu'on a bien identifié le problème, tout s'est arrangé.

Elle se tut un instant. J'imagine qu'elle ne devait pas souvent s'aventurer sur ce terrain-là.

– Je me dis souvent que si Margaret recherche à tout prix une existence normale et ordinaire, c'est peut-être parce qu'elle a failli perdre la vie quand elle était toute petite. Tu ne crois pas ?

Toute cette conversation concernait directement ce qui m'avait amené jusque dans le Kent, mais avant que je puisse ajouter un mot, je sentis une présence à la porte.

– Salut, mon vieux.

La silhouette en perdition et gonflée comme une outre de l'homme qui se tenait là n'avait que peu à voir avec le garçon que j'avais connu sous le nom de Philip Rawnsley-Price. En notre jeune temps, Philip ressemblait à un acteur, bien plus beau, qui s'appelait Barry Evans, un type toujours très culotté et chaleureux, alors célèbre pour avoir joué dans le film *Here We Go Round the Mulberry Bush* où il représentait tous ceux d'entre nous qui auraient voulu être cool et qui ne savaient pas vraiment comment s'y prendre – ce qui a toujours concerné un nombre de personnes considérable –, et qui lui avait valu sa popularité. Malheureusement, sa célébrité ne dura pas et l'ancien acteur fut retrouvé mort en compagnie d'une bouteille de whisky vide à l'âge de 52 ans, après avoir passé les trois années précédentes comme chauffeur de taxi à Leicester. Je crois me rappeler qu'on avait demandé à la police d'enquêter sur les circonstances de sa mort, assez étranges, puisqu'on avait notamment coupé sa ligne téléphonique, ce qui n'a pas manqué d'alerter ses proches. Mais la police n'avait pas fait beaucoup d'efforts, ce qui aurait sans doute été différent si le malheureux Mr Evans était mort au sommet de sa gloire.

À voir Philip dans l'entrée, il était difficile de ne pas penser que le destin qui s'était abattu sur lui était presque aussi cruel. Il portait un pantalon en velours antique et taché, des mocassins usés, et une chemise à carreaux ouverte dont le col était tout élimé. Les vieux vêtements devaient constituer l'uniforme familial. Comme moi, il avait pris du poids et ses cheveux se clairsemaient. Mais, contrairement à moi, il avait désormais le visage rouge et marbré des alcooliques. Ce qui le trahissait plus que tout, c'était son regard fatigué et tombant, avec des poches sous les yeux, si caractéristique des fils de bonne famille qui n'ont pas su profiter de leurs privilèges. Il me tendit la main avec un sourire qu'il devait se figurer un peu canaille.

– C'est sympa de te voir, mon vieux. Quel bon vent t'amène dans notre contrée ?

Il s'empara de ma main pour lui infliger le terrible malaxage de phalanges que des hommes comme lui pratiquent dans l'espoir futile de vous faire croire qu'ils sont encore maîtres de leur destin. Lucy, qui s'était répandue en lyrisme à son propos, semblait un peu dérangée d'avoir été interrompue :

– Qu'est-ce que tu fais ici ? Nous allions venir dès la fin du repas. Qui s'occupe de la boutique ?

– Gwen.

– Toute seule ? !

On sentait la réprimande dans son ton cassant. Et c'était pour que je l'entende. Il s'agissait manifestement de me montrer que son mari était un imbécile incompétent. Une minute auparavant, nous étions tout bouleversés par le tragique papa en larmes mais là, apparemment, Lucy se devait de me prouver que si les choses avaient mal tourné dans leur vie, ce n'était pas à cause d'elle. À première vue, un tel comportement est bien sûr assez irrationnel et même contradictoire, mais, chez ces gens-là, il est assez courant. Leur couple en était visiblement au point où elle pouvait se permettre – et sans doute lui aussi d'ailleurs – de parler de l'autre en termes généreux et chevaleresques en son absence mais où la présence physique effective du conjoint lui mettait les nerfs en pelote. Cette énigme émotionnelle se manifeste souvent dans une culture où le divorce est encore considéré comme un échec. Même aujourd'hui, dans la haute société et les classes moyennes aisées, le manque de félicité conjugale ou, en tout cas, le fait de l'admettre explicitement, est toujours considéré comme pénible et vaguement mal élevé. Par conséquent, ils se comportent toujours en public, ou même devant des amis, comme si tout allait pour le mieux dans leur couple. La plupart choisissent avant tout de préserver les apparences, mais ce spectacle bien huilé ne fonctionne que s'il n'y a pas le conjoint pour tout flanquer par terre. Ces personnes acceptent cette façade en trompe l'œil jusqu'au moment où tout explose. Dans ce genre de groupe social, où de nombreux couples ont l'air de bien s'entendre, on est parfois surpris quand on reçoit un coup de fil impromptu ou bien un petit mot griffonné sur une carte de Noël qui annonce soudain un divorce.

Philip réagit calmement à la question péremptoire :

– Elle peut se débrouiller. Il n'y a personne depuis une heure.

On aurait dit que ce simple constat commercial était empli d'un désespoir résigné. Dans le domaine professionnel, Philip n'avait plus l'énergie nécessaire pour faire semblant. Il arrivait encore à se tenir derrière le comptoir mais il ne parvenait plus à se donner la peine de se prendre pour un businessman. Il prit une cuillère qui traînait et commença à se servir directement dans le plat de pâtes.

– Lucy m'a dit que tu écrivais ? Qu'est-ce que j'aurais pu lire de toi ?

C'était évidemment une tentative de me dénigrer à travers mon activité professionnelle mais je ne crois pas que cela ait été très méchant. Il imaginait, à raison d'ailleurs, que je le jugeais et il me montrait donc qu'il se réservait le droit de me juger en retour. Les gens de ma génération qui ont choisi de gagner leur vie dans les domaines artistiques sont habitués à ce traitement. Dans notre jeunesse, ce genre de carrière était considéré comme complètement farfelu par nos parents et nos amis. En revanche, si nous avions du mal à joindre les deux bouts, notre cercle sympathisait et avait volontiers tendance à nous soutenir et nous prendre en pitié, voire à nous nourrir. Le problème, c'est quand les saltimbanques parvenaient à percer. L'idée que nous puissions gagner plus d'argent que les adultes raisonnables frôlait l'impertinence. Ils avaient choisi la sécurité d'une trajectoire ennuyeuse : arriver à cette sécurité en s'étant amusé en cours de route constituait un comportement irresponsable qui méritait d'être puni.

Je me contentai d'un sourire.

– Rien, je suppose. Si cela avait été le cas, je suis sûr que tu aurais fait le rapprochement.

Il leva les sourcils d'un air comique à l'intention de Lucy, sans doute pour signifier que j'étais un artiste susceptible qu'il ne fallait pas froisser.

– Lucy a lu des trucs de toi. Je crois qu'elle en a une très haute opinion.

Je ne fis pas remarquer que sa question précédente devenait, pour le coup, complètement idiote.

– Ça me fait plaisir.

Mes paroles furent suivies d'un grand silence. Nous sommes restés sans rien dire un moment, conscients de l'ambiance pesante qui régnait dans la pièce. Cela arrive souvent quand de vieux amis se retrouvent après de nombreuses années et s'imaginent des retrouvailles explosives et réjouissantes. Sauf que cela consiste en général en une réunion de cinquantenaires tristounets qui n'ont plus rien en commun. Les Rawnsley-Price avaient fait leur chemin, j'avais fait le mien et, quel que soit le résultat, nous n'étions plus maintenant que trois étrangers dans une cuisine très sale. En plus, j'avais besoin de compléments d'informations pour que ma quête soit terminée et cela n'était pas près d'arriver avec Philip dans les parages. Il était temps de donner une autre tournure à notre réunion :

– Je pourrais voir la boutique ? demandai-je.

Cela causa une hésitation saturée de non-dits. J'imagine que si Philip avait le besoin viril de présenter une réussite professionnelle égale à la mienne, pourtant bien modeste, cela deviendrait plus difficile une fois que j'aurais vu le théâtre de ses exploits. À moins que ce ne soit Lucy qui, pour les mêmes raisons, devinait que je n'allais pas repartir de chez eux avec une image de bonheur sans nuage. Nous possédons tous l'ambition secrète que nos relations nous voient sous les dehors de la réussite mais, pour Lucy, ce simple désir était sur le point de ne pas se réaliser.

– Bien sûr, fit Philip après un long silence.

Comme prévu, la boutique de la ferme était lamentable. Il était normal, j'imagine, qu'elle soit située dans une ancienne étable, mais elle avait été aménagée à la va-vite et sans trop de moyens. L'optimisme de rigueur s'exprimait dans l'inévitable mobilier en pin. Au-dessus des étagères, des panneaux géants en fausse écriture manuelle rouge haranguaient la foule pour décrire l'incroyable offre de produits artisanaux : « Légumes *frais* ! », « Confitures et gelées *maison* ! » proclamaient-ils. Mais dans cet endroit aussi mortellement dénué de visiteurs, cela avait un air lugubre et pitoyable, comme un type mangeant tout seul avec un petit chapeau en papier sur la tête. Le plancher était de mauvaise qualité et le plafond n'avait pas été terminé dans les règles. Comme je l'avais imaginé, la pièce était remplie de marchandises que jamais une personne saine d'esprit n'aurait la moindre envie d'acheter. Il y avait des conserves de pâté de sanglier sauvage ou de manchons d'oie, mais aussi des gadgets pour empêcher le vin de perdre sa saveur dans le frigo ou des trucs en laine pour mettre dans ses bottes quand on va à la pêche. Le genre de bricoles qu'on met dans les bas de Noël, destinées aux gens qui ne savent pas faire de cadeaux. Le rayon viande était particulièrement repoussant, même pour un carnivore comme moi, et ôtait toute envie de savoir ce qu'il proposait exactement. Il y avait un seul client, en train de payer un chou-fleur. Autrement, personne. Nous avons silencieusement jeté un œil.

– L'problème, mon brave monsieur, c'est tous ces centres commerciaux... dit Philip en essayant laborieusement d'en faire une plaisanterie. Ils en construisent partout. Impossible de s'aligner sur leurs prix sans courir à la ruine.

Je me suis retenu de signaler qu'ils avaient l'air d'y courir tout seuls de toute manière.

– Et pourtant, il paraît que tout le monde se soucie d'écologie aujourd'hui, que tout le monde veut de la nourriture qui vienne de quelque part...

Il poussa un soupir et le haussement d'épaules ironique qu'il avait prévu se transforma en un affaissement plein de lassitude. Je n'ai aucun mal à avouer qu'à cet instant précis j'ai ressenti beaucoup de compassion à son égard. Que je l'ai apprécié ou pas dans le passé, je le connaissais depuis longtemps et je ne lui voulais aucun mal.

Les périodes de brusques mutations historiques n'affectent pas vraiment les marchés novateurs, l'ambition des nouveaux dirigeants de l'industrie et des mécènes pionniers, les grands développements artistiques ou les grandes victoires remportées dans les salons des décideurs politiques. Cette avant-garde-là existe forcément. C'est ce qui se passe derrière la façade grandiose et implacable qui est différent. Pendant les périodes calmes – et ma jeunesse s'est déroulée dans une relative sérénité –, les gens médiocres peuvent évoluer dans tous les domaines de la société, à tous les niveaux. On leur trouve toujours un job. Une maison. Il y a toujours un oncle pour s'en occuper. Ou la mère de quelqu'un qu'on connaît glisse un mot à quelqu'un d'autre. Mais, quand ça se gâte, comme aujourd'hui, les récompenses sont peut-être plus importantes pour certains, mais pour les autres, ça devient très dur. Ceux qui sont fragiles se font marcher dessus, on les dégage du chemin jusqu'à ce qu'ils passent par-dessus bord. Travailleurs non qualifiés ou propriétaires terriens stupides, ils se font écraser par un système qu'ils ne comprennent pas et se retrouvent sur le bord de la route. Des gens exactement comme Philip Rawnsley-Price. Inconsciemment, il devait penser que sa personnalité de hâbleur suffirait pour passer le cap, qu'il avait le bagou et le bras suffisamment long pour que tout se passe bien, quel que soit son choix de vie. Malheureusement, il avait le bras plus court qu'il ne croyait, son bagou était inexistant et il se retrouvait à bientôt 60 ans sans personne pour verser une larme sur son sort, qu'il marche ou qu'il crève.

Je n'avais jamais particulièrement aimé Philip quand nous étions jeunes mais, maintenant, il me faisait pitié. Il avait été vaincu par cette « époque si passionnante » dont on nous rebattait les oreilles et il n'y aurait pas de deuxième round pour lui. Ce qui l'attendait, c'était une existence précaire. Il hériterait d'une maison d'un cousin et essaierait de la louer, il garderait l'espoir que la dernière vieille tante ne l'ait pas oublié dans le testament quand elle casserait sa pipe, que ses enfants auraient assez de fonds pour lui filer quelque chose régulièrement. C'était ça, l'avenir pour lui et il n'était pas sûr que Lucy reste avec lui pour le partager. Cela dépendait un peu des alternatives qui se présenteraient. Un peu gênés, car il était difficile de ne pas être conscient de tout ça, nous nous sommes salués dehors.

– Reviens nous voir un de ces quatre, dit-il, tout en sachant très bien que je ne reviendrai jamais.

– Bien sûr, répondis-je en mentant.

– Attends pas quarante ans le prochain coup.

Et il disparut, retournant tenir sa caisse vide au comptoir où il n'avait personne à servir.

Lucy me raccompagna à la voiture. Je m'arrêtai pour lui poser une question.

– Et finalement, vous avez trouvé les raisons de la maladie de Margaret ?

Elle me regarda, un peu étonnée.

– Tu disais que c'était héréditaire mais que personne n'en avait souffert dans vos familles.

– Oui, c'était le problème. J'avais des doutes terribles et je m'étais même dit que je devrais plutôt regarder dans les antécédents familiaux de Damian.

– Mais, finalement, non...

– Non. J'étais sur le point de tout avouer et de suggérer d'aller voir de ce côté-là, la mort dans l'âme, tu imagines, quand nous avons découvert que la tante de Philip, la sœur aînée de sa mère, était morte de cette maladie, quand elle était gamine. Et sa mère n'en avait jamais rien su. Ni ses frères et sœurs. Tu penses bien qu'on ne parlait pas de tout ça.

Elle fit une petite grimace.

– Ce qu'on disait, c'est que le bon Dieu avait emmené ta sœur parce qu'Il l'aimait beaucoup et puis *basta*.

– Comment avez-vous découvert ça ?

– Par hasard. Ma belle-mère parlait à sa mère, qui devait déjà avoir 150 ans à l'époque, et, je ne sais pas pourquoi, mais elle lui a parlé de la maladie de Margaret. Nous n'avions jamais expliqué à mamie ce qui n'allait pas parce qu'on ne voulait pas lui causer de souci. Mais là, elle a appris la vérité et, immédiatement, elle s'est mise à pleurer comme une madeleine et elle nous a tout déballé.

– Pauvre femme.

– Oh, oui, pauvre femme. Évidemment, elle se sentait coupable et ça l'a achevée. Nous lui avons dit que c'était pas de sa faute, que ça n'était plus une maladie mortelle, mais ça n'a fait aucune différence.

Elle sourit faiblement.

– Le mystère était résolu. Ce qui est tragique, c'est que la tante aurait pu être sauvée avec les bons médicaments mais, pour elle, ça se passait dans les années 1920, et les remèdes, c'était des boissons chaudes, des compresses froides et l'ablation des amygdales sur la table de la cuisine... Enfin, du côté de Margaret, tout va bien depuis.

– Tu étais déçue ?

Là, elle était vraiment perplexe.

– Déçue de quoi ?

– Qu'elle soit de Philip et non de Damian.

Ce n'était pas très gentil de ma part vu que ça n'allait pas l'aider à sortir du cercle de l'enfer où elle était prisonnière pour atteindre un très hypothétique paradis.

Mais Lucy se contenta de sourire d'une manière qui effaça un instant les rides pour laisser place à la toute jeune fille un peu coquine qu'elle avait été.

– Je ne sais pas. Sur le coup, non, parce que toute cette tragédie venait de trouver une explication et c'était un vrai soulagement. Mais, après, peut-être un peu... Tu ne dis rien surtout.

Nous nous sommes fait la bise et j'étais dans la voiture quand elle a frappé au carreau.

– Si jamais tu le vois...

– Oui ?

– Dis-lui que je me souviens de lui. Souhaite-lui bonne chance pour l'avenir.

– C'est le problème. Je ne crois pas qu'il ait d'avenir devant lui. Ou pas pour très longtemps.

Elle s'est tue et j'ai cru un instant, un peu effaré, qu'elle allait se mettre à pleurer. Puis elle a repris la parole, avec une voix plus douce et plus tendre que celle qu'elle avait eue toute la journée – ou toute sa vie même :

– Raison de plus. Transmets-lui mes amitiés les plus vives. Dis-lui que je lui souhaite le meilleur. Vraiment. Du fond du cœur.

Elle s'écarta de la voiture et je lui fis un signe de tête pour lui indiquer que je transmettrai la commission. Sa petite oraison était plus révélatrice du comportement de Damian envers elle que je ne l'aurais imaginé.

C'était la fin de la discussion. Je mis le pied sur l'accélérateur et pris la route de Londres.

Dagmar

5

Son Altesse royale la princesse Dagmar de Moravie, malgré son nom, était une petite personne toute timide. Elle donnait l'impression poignante de vouloir toujours s'excuser, comme si elle avait conscience de décevoir les gens, et je suis désolé de le dire, c'était généralement le cas bien que nous ayons tous voulu être plus proches d'elle. Vous ne me croirez peut-être pas, ou mettrez ça sur le compte d'un snobisme excessif de ma part, mais cette minuscule princesse et sa gigantesque mère, la grande-duchesse, étaient excessivement impressionnantes pour nous à cette époque désormais reculée et obscure. J'ai beau être un des plus chauds partisans de la monarchie constitutionnelle, des années de constante exhibition médiatique ont inévitablement dévalué l'idée même de royauté, les gens s'étant rendu compte que, en règle générale, ce sont des hommes et des femmes qui, tout en étant agréables, parfois intelligents et même séduisants, ne sont pas plus remarquables que leur voisin dans la file d'attente à la banque ou chez l'épicier. Seule Sa Majesté, en refusant les interviews, en ne révélant jamais la moindre opinion personnelle, a su conserver un véritable mystère. Cela n'empêche pas les gens de se demander ce qu'elle pense et d'imaginer ses réactions : « Elle doit détester ça », « Ça, ça va lui faire plaisir », etc. Mais en réalité nous n'en savons rien et c'est notre propre ignorance qui nous fascine.

Si vous pouvez vous représenter une chose pareille, il y a quarante ans, nous éprouvions une réelle fascination pour tous ceux qui avaient même une once d'authentique sang royal dans les veines. Et je ne parle pas que des snobs. C'était la même chose pour tout le monde. Comme nous ne savions rien, nous étions capables de nous émerveiller de tout et le prestige que des membres de la royauté apportaient à une soirée était sans pareil. Aucune star au sommet de sa gloire ne peut procurer la même excitation que celle produite par la princesse Margaret dans un bal au cours des années 1950 ou 1960. Quand à un cocktail vous aperceviez un duc cousin de la reine en train de bavarder dans un coin, vous saviez que vous assistiez bel et bien à une soirée à ne pas rater. Quand j'étais jeune, en 1961 pour être précis, mon école avait décidé de louer trente instruments de musique et des bus pour transporter tous les garçons dans un trajet compliqué d'une heure à travers le Yorkshire afin que nous puissions solennellement nous tenir sur les bas-côtés de la route et saluer les voitures constituant le cortège du mariage de duc de Kent qui allait de York Minster à la demeure de sa promise à Hovingham. Six cents garçons, je ne sais pas combien de bus, une fanfare qui avait répété spécialement pour l'événement, tout ça pour regarder passer des voitures qui ne se sont pas arrêtées et qui, si mes souvenirs sont bons, n'ont même pas ralenti. À part peut-être les mariés car j'ai bon souvenir de la jeune duchesse, mais pas des autres. La fanfare a joué, nous avons fait des signes, et fiévreusement crié hip-hip-hip-hourra, le cortège est passé, vêtu de ses atours de chez Molyneux ou Hartnell, et a disparu aussi vite. Du début à la fin, cela n'avait pas pris cinq minutes.

Ensuite, nous sommes remontés dans les bus pour rejoindre notre l'école.

C'est ainsi que le moindre membre d'une famille royale, fût-elle celle de monarques mineurs ayant été détrônés il y a longtemps, semblait conférer un honneur insigne à chaque invitation qu'il acceptait et Dagmar n'y faisait pas exception. Sa dynastie, la maison ducale de Moravie, n'était pas très ancienne. C'était une de ces familles inventées, installées sur le trône de différents États des Balkans par les grandes puissances lors de la désintégration de l'Empire ottoman à partir de la fin du XIXe siècle. À cette époque, on a mis en place des princes allemands ou danois, parfois aussi des autochtones, en Roumanie, en Bulgarie, au Monténégro et en Serbie, en Albanie et en Grèce. C'était aussi le cas du modeste État de Moravie qui était frontalier avec à peu près tous ceux que je viens de citer. Le gouverneur turc s'étant finalement retiré en 1882, un principicule de la maison de Ludinghausen-Anhalt-Zerbst fut choisi, avant tout parce qu'il était le neveu du prince de Galles. Je ne saurais dire si le choix de ce prince-là dépendait de l'amitié particulière qu'éprouvait le prince britannique pour la mère de ce garçon au moment de sa naissance, mais Marloborough House, c'est-à-dire la reine, demanda à lord Salisbury comme faveur personnelle de suggérer le prince Ernst pour ce poste, signalant ainsi l'approbation de notre gouvernement. Le territoire en question n'était pas beaucoup plus grand qu'un duché anglais et nettement moins lucratif. On a donc considéré qu'une couronne royale serait inappropriée, et lors du traité de Klasko en avril 1883, ce territoire fut solennellement proclamé grand-duché.

Il faut préciser que l'épouse du tout nouveau grand-duc n'était guère enthousiaste. Elle s'était jusque-là bien amusée, voyageant entre leur résidence de Vienne et les terres de chasse qu'ils possédaient en Forêt-Noire, et deux ans après ce bouleversement, elle écrivait encore à un ami qu'il lui manquait une qualité importante pour ce statut de souveraine, à savoir la moindre envie de rester en Moravie. Mais le couple persévéra avec un certain succès. La chance voulut que le nouveau pays se situe au carrefour stratégique de nombreuses trajectoires commerciales. Il n'était donc pas de banquet royal dans le monde où on ne les invite, sans parler des demandes en mariage enthousiastes pour leurs filles. Avant longtemps, celles qui avaient grandi dans les chambres d'enfants étouffantes et minuscules de l'affreux palais de la capitale, Olomouc, étaient devenues qui une grande-duchesse russe, qui une archiduchesse autrichienne, voire une princesse de Bourbon-Anjou. Le palais était d'un inconfort incroyable et n'était pas plus grand que la résidence du doyen de la cathédrale de Salisbury, et beaucoup moins commode à gérer.

Bizarrement, peut-être, la Moravie, sous forme de grand-duché, arriva à tenir jusqu'aux Années folles, mais les forces staliniennes jointes à une résistance grandissante envers le système politique monarchiste mirent fin à l'existence de cette dynastie. En 1947, tout était terminé et l'ex-famille régnante de Moravie avait trouvé résidence dans une demeure de cinq étages dans Trevor Square, lieu sympathique et fort pratique pour aller faire ses courses chez Harrods.

Mais, malgré ces possibilités de shopping agréables, rien ne put raviver la flamme du grand-duc vaincu qui abandonna ce combat inégal après quelques mois. C'est à ce moment-là que son fils, ayant pris le titre de grand-duc de Moravie – il serait le dernier de la famille à le faire – et peut-être libéré par le décès de son auguste papa, prit une énergique décision qui allait considérablement diminuer ses chances de regagner le trône de ses ancêtres et énormément augmenter ses chances de vivre plaisamment. Avec l'assentiment – peiné, mais digne – de madame veuve sa mère, princesse de la branche cadette des Hohenzollern, il résolut d'épouser la fille unique d'un homme d'affaires de Leeds, un certain Harold Swindley, qui avait fait fortune dans le séjour de vacances tout compris. Au bout de trois ans, deux enfants étaient nés pour bénir cette union des plus intelligentes, « le prince héritier » Feodor et sa sœur, la princesse Dagmar.

Mais pour nous, et plus encore pour nos parents, la chute de la maison ducale de Moravie était encore très récente et même l'élévation sociale soudaine de miss Marion Swindley ne parvenait pas à diminuer le lustre d'une authentique couronne de souverain. Cela faisait seulement vingt ans qu'ils avaient été déposés quand Dagmar a fait son apparition à nos réceptions. De plus, le régime communiste qui les avait remplacés n'était pas très apprécié, la famille était toujours sur les listes des invités à Buckingham Palace, et puis on commençait à parler d'une Restauration en Espagne. Bref, il y a quarante ans, la cause royaliste n'avait rien de ridicule.

La nouvelle grande-duchesse n'avait pas déçu. L'argent n'a peut-être pas d'odeur, mais celui des Swindley, au moins pendant les premières années, s'était montré abondant. Et puis, elle avait bien appris son rôle et même, avec la ferveur des convertis, elle avait fini *plus catholique que le pape**. Tout le monde reconnaissait qu'elle n'avait rien d'une beauté mais, comme avait remarqué la grande-duchesse douairière dans un soupir, un jour où elle regardait sa belle-fille traverser le grand salon avec la grâce d'un marine à l'entraînement : « On ne peut pas *tout* avoir. » Et puis, au moins, elle faisait impression. Rien que par sa taille, déjà. Mais elle n'était pas bête car elle avait sans doute hérité de son père (dont la discrétion frisait l'invisibilité) beaucoup de bon sens terrien, peut-être même plus qu'elle ne l'aurait reconnu.

Malgré les révérences et les « Votre Altesse » qui avaient cours à l'époque, la grande-duchesse avait bien compris que sa timide fille ne récolterait aucun trône dans le monde de l'après-guerre. Elle s'était également rendu compte d'un imprévu, c'est-à-dire l'amputation permanente de son capital du fait d'un époux qui entendait bien vivre *en prince** mais qui n'avait pas l'intention de travailler un seul jour dans sa vie ni de gagner le moindre penny. C'était une fille du Nord avec la tête sur les épaules et elle avait bien conscience qu'aucune fortune ne peut espérer survivre à partir du moment où les dépenses sont sans limites et les revenus équivalents à zéro. Elle avait donc hâte de caser sa fille dans les meilleures conditions, avant que tout cela ne tourne au vinaigre. Même si, à cette époque, les princesses britanniques n'étaient normalement pas l'objet d'une « présentation » et se contentaient d'apparaître très occasionnellement aux réceptions de certaines amies, elle avait donc décidé que Dagmar participerait de plein droit à cette longue année de réceptions. Elle pourrait ainsi se creuser une place dans la bonne société britannique et, avec un peu de chance, décrocher la timbale. Contrairement à bien des membres de familles royales, si ce n'est la plupart, la grande-duchesse avait également accepté l'idée qu'il faudrait mettre la main à la poche si elle voulait y arriver. En 1968, alors que monsieur le grand-duc dépensait comme un marin en bordée depuis un quart de siècle, cela n'avait pas dû être aussi facile qu'autrefois, mais elle s'était dit que, tant qu'à brûler la chandelle, autant que ce soit par les deux bouts. Je suis assez heureux de dire que je faisais partie de la liste de ses invités.

Le modèle pour le bal était celui de la duchesse de Richmond, célèbre réception de 1815 donnée à Bruxelles, la veille même de la bataille de Waterloo. L'événement eut lieu au Dorchester Hotel, sur Park Lane. On se représente aujourd'hui les grands hôtels peuplés de stars du cinéma et d'hommes d'affaires orientaux, mais, à l'époque, ces lieux jouaient encore un rôle important dans ce qu'on appelait « la bonne société ». Ce soir-là, nous sommes arrivés, je crois, par le côté de la salle de bal, qui donnait sur Park Lane même. Dès que nous avons mis le pied dans cette longue salle, de plafond plutôt bas, le thème de la soirée fut on ne peut plus évident. Des laquais en livrée étaient au garde-à-vous et tous les signes révélateurs de l'époque contemporaine, comme les panneaux « Sortie », avaient été masqués par des plantes. Il y avait des bougies partout. Ces détails seraient interdits aujourd'hui, mais à l'époque tout le monde s'en fichait. La réception semblait avoir envahi tout le rez-de-chaussée de l'hôtel. J'imagine que c'est impossible mais c'est l'impression que cela donnait. Comme nous avions dîné ailleurs, nous ne sommes pas arrivés avant onze heures, et la coupe de champagne qui nous fut servie par des larbins en perruque blanche était loin d'être le premier verre de la soirée. Il faut se souvenir qu'à la fin des années 1960, même si personne ne vous aurait conseillé de conduire bourré, de telles considérations étaient encore loin d'influencer notre vie sociale. Accueillir pour dîner un couple en lui demandant : « Lequel de vous deux boit ce soir ? » aurait été assez saugrenu étant donné que la réponse ne pouvait être que : « Les deux. » Et pour cette raison, les hôtesses des bals n'avaient aucun scrupule à demander à divers amis d'organiser des repas pour les invités avant le bal.

Plus tard dans la Saison, au moment où il y avait plus de bals à la campagne, il fallait donc héberger les invités, c'est-à-dire donner une soirée pour des inconnus qui allaient battre la campagne avec un coup dans le nez pendant toute la nuit. À Londres, c'était plus simple. Il arrivait qu'on soit flatté de recevoir une invitation à dîner de la part des parents de la débutante du jour, mais cela n'arrivait pas souvent (pas à moi, du moins). En général, une gentille petite carte vous attendait dans votre boîte aux lettres précisant que, puisque vous alliez au bal donné par Untel et Unetelle, « cela nous ferait terriblement plaisir si vous pouviez venir dîner chez nous avant ». À la fin de ce dîner, on était déjà bien poivrés, ou en tout cas très joyeux, et nous prenions gaiement les voitures pour nous rendre à la vraie soirée. Ce système possédait bien des avantages. Pour les jeunes, l'intérêt était que nous dansions jusqu'à pas d'heure puisque rien ne commençait avant onze heures. Pour les adultes, le bénéfice était strictement économique. Les parents devaient louer un lieu, au moins à Londres, mais même à la campagne, il fallait monter un barnum à moins que la maison ne soit vraiment grande. Et puis, il fallait prendre en compte la musique, et un solide petit-déjeuner pour la fin de la soirée, mais avec ce système, les hôtes s'épargnaient le fardeau du dîner et du vin pour trois ou quatre cents jeunes gens affamés. Rien d'étonnant donc à ce que cette coutume ait énormément réjoui les parents.

Après avoir observé la précision de l'organisation, je me suis dirigé vers la salle de bal : l'illusion était remarquable. À l'époque, il était normal qu'un nombre limité de gens plus âgés soient invités à ces réceptions. Ils étaient sélectionnés parmi les parrains et marraines de la débutante, ainsi que chez les proches amis des parents. L'usage voulait qu'ils se tiennent en marge de l'événement, passant la soirée à bavarder dans un autre salon, à regarder les enfants danser, et à se permettre d'aller sur la piste pour montrer comment danser un *fox-trot* ou un *quickstep* ou un *charleston* modernisé avant de se retirer assez tôt dans la soirée. Ils n'étaient pas censés participer comme de véritables invités car, nous en avons tous l'expérience, la seule vue de parents en train de danser est une véritable torture pour les jeunes, aujourd'hui comme hier. C'était encore plus vrai dans le cas de soirées costumées, assez ennuyeuses pour quiconque a plus de 30 ans, et les adultes venaient plutôt en tenue de soirée, parfois avec un petit élément pour égayer leur coiffure ou une broche pour leur revers. Ce ne fut pas le cas ce soir-là. Je ne sais pas si c'était par respect pour la grande-duchesse ou parce qu'elle inspirait la crainte (c'était sans doute la dernière solution), mais chaque invité, jeune ou vieux, était costumé. Peut-être y avait-il eu des instructions venues d'en haut, mais on remarquait un détail particulièrement subtil : plusieurs parents avaient délibérément choisi des tenues d'une époque légèrement antérieure à celle de leurs enfants. Les hommes en perruque et en jabot, les femmes avec des coiffures poudrées montant très haut et des mouches façon 1780-1790 donnaient l'impression que nous étions de retour à la période de la Régence et qu'il s'agissait vraiment de l'ancienne génération montrant sa désapprobation vis-à-vis de la jeunesse de l'époque. Je trouve toujours amusant que cette période, qui évoque Versailles et la reine Marie-Antoinette, soit un thème de soirée costumée si prisé par les aristocrates. On dirait qu'ils en ont oublié la fin de l'histoire, pas vraiment tendre pour les classes privilégiées, et dont bon nombre y laissèrent la tête, perruque comprise, dans le panier de la guillotine.

– Tu es venu déguisé en quoi ? me demanda Lucy.

Elle était en Jane Austen, robe blanche virginale à taille haute, avec un ruban autour du cou et de minuscules roses en soie attachées à ses boucles artificielles. Elle avait plus l'air étudié qu'innocent mais elle n'en était pas moins charmante.

– Je suis un hussard, c'est évident, non ? répliquai-je avec une pointe d'indignation.

– Le pantalon ne va pas.

– Merci.

C'est vrai, le pantalon n'allait pas, mais le reste du costume était parfait, d'un violet éclatant, avec des brandebourgs partout et la pelisse bordée de fourrure négligemment jetée sur l'épaule. J'étais magnifique.

– Il ne convient pas pour 1815, mais pour 1850, c'est la bonne couleur. De toute manière, je n'ai pas pu faire mieux. C'était trop tard pour trouver quoi que ce soit à Londres, il a fallu que je dévalise la boutique de costumes du théâtre de Windsor.

– Ça se voit.

Elle s'interrompit pour jeter un œil dans la salle qui commençait à se remplir.

– Tu as dîné où ?

– À Chester Row, chez les Harrington-Stanley.

– C'était bon ?

– Ça ressemblait à un repas de chasse qui aurait été apporté à Londres dans des boîtes en fer-blanc rouillées. Sinon, c'était très sympa. Et toi ?

Elle fit une grimace.

– À ce nouveau restau français, Mrs. Vitkov avait organisé un dîner avec un groupe qui venait pour Terry. C'était sur Lower Sloane Street.

– Le Gavroche ?

– C'est ça.

– T'as de la chance.

Elle me jeta un regard extrêmement ironique.

– Tu connais Terry Vitkov ?

– Pas encore.

– Eh ben, te donne pas cette peine.

– Ils sont d'où ? Des Balkans ?

– Cincinnati. Et Terry, franchement, c'est un sacré numéro.

Elle s'interrompit et fit un signe du menton.

– Attention, c'est justement elle qui arrive, fit Lucy avec un sourire crispé.

Je me suis retourné. Il n'y avait pas de danger que Terry puisse mal prendre le fait qu'on soit en train de parler d'elle. Elle en aurait même été ravie. Elle avait l'air d'être parfaitement habituée à se trouver au centre de l'attention. Elle était jolie. Elle aurait même été très belle, avec un nez et un menton moins prononcés lui donnant un profil parfois étrange qui, ajouté à l'intensité de son regard perçant et à un maquillage un peu lourd, la faisait ressembler à un prisonnier évadé cherchant d'un œil frénétique ses ennemis ou un endroit par où s'échapper. Ce soir-là, contrairement aux autres femmes, elle s'était davantage vêtue en femme légère de la période Régence[1] que comme une

1. Pour le Royaume-Uni, le terme de Régence se distingue, au sein de la période georgienne, comme la période des guerres contre Napoléon Ier. Le roi George III était dans l'impossibilité de régner entre 1811 et 1820, et son fils

véritable « grande dame des temps d'autrefois ». De fait, c'était sans doute la seule personne de la soirée qui n'aurait jamais été invitée par la vraie duchesse de Richmond. Elle est venue vers nous et nous avons été présentés.

– Lucy m'a expliqué tous les trucs à faire et à ne pas faire si on veut arriver à quelque chose à Londres.

Elle s'exprimait avec une certaine urgence dans la voix, avec une respiration appuyée, comme si elle faisait en sorte que chaque échange verbal soit marquant. Terry Vitkov pensait sans doute que ses sourires permanents, qui montraient des dents merveilleusement blanches même si elles étaient un peu grandes, lui donnaient un air juvénile et coquin. Mais, malgré cela, je me rendis immédiatement compte qu'elle se prenait très au sérieux.

– Je n'ai pas dû tout te dire, fit Lucy laconiquement.

Notre camarade scrutait déjà l'assemblée de son regard attentif.

– C'est lequel, le vicomte Summersby ?

Lucy chercha dans la salle.

– Là-bas, avec la blonde en vert, près du grand miroir.

Terry le considéra et eut soudain l'air déçu.

– Mais pourquoi faut-il qu'ils aient toujours la tronche d'un employé des services de dératisation ? soupira-t-elle. Et celui-là ?

Un grand et beau garçon passa en lui faisant un grand sourire. Lucy, qui connaissait bien les priorités de son amie, apporta un commentaire immédiat :

---

le prince de Galles était le prince régent. Il succédera à son père en 1820 et deviendra George IV.

– Te casse pas la tête. Pas d'argent. Pas d'avenir. Il est intelligent bien sûr et il devrait travailler à la City. Il pourra peut-être devenir quelqu'un.

Mais Terry n'était pas convaincue.

– Ça prend vingt ans et le temps qu'ils aient vraiment réussi, ils sont prêts à te larguer pour une fille plus jeune. Non, j'en veux un qui soit déjà riche.

– Mais pas lord Summersby ? fis-je sobrement.

– Pas si je peux avoir mieux que ça, dit-elle en souriant.

Ce qui était amusant, c'est qu'elle était tout à fait sérieuse.

Nous suivions une file qui avançait lentement afin de nous présenter à nos hôtes et nous y étions presque. Ils se tenaient tous les quatre devant une sorte de lourde tenture qui faisait office de toile de fond. Le grand-duc donnait l'impression d'un personnage mélancolique. Il était frêle et tout pâle, surtout par contraste avec son imposante épouse, et je ne crois pas à la vérité l'avoir jamais entendu prononcer une phrase intéressante. Il portait un costume sophistiqué, celui du duc de Richmond, sans doute, avec un air surpris, comme si on avait dû le droguer pour le forcer à rentrer dedans. C'était peut-être le cas, après tout. Son fils, habillé en officier de la garde, regardait droit devant lui d'un air raide. On aurait dit qu'il posait pour un daguerréotype, quand il fallait rester immobile pendant quatre ou cinq minutes pour prendre le cliché. Son visage fade et tavelé laissait paraître une expression d'ennui et de vague affabilité.

Quant à la fille, Dagmar, qui, techniquement du moins, était la vedette de la soirée, elle paraissait effrayée et plutôt éteinte. Elle était minuscule, à peine un mètre cinquante, et même si on nous raconte toujours que la reine Victoria a gouverné un empire avec un mètre quarante, cela reste très petit et signifie que vous passez votre vie à regarder vers le haut. Posée ainsi dans l'ombre de sa mère, elle aurait pu lui servir de tabouret. Je crois que c'est un trait d'esprit de Noel Coward. Dagmar n'était pas laide, mais son visage miniature un peu cireux était difficile à définir ou à catégoriser. Elle n'était pas jolie non plus, mais elle possédait de grands yeux séduisants ainsi qu'une petite bouche humide et douce, tremblotante, en général entrouverte, et dont les tressaillements laissaient penser qu'elle allait se mettre à pleurer, ce qui, d'une certaine façon, pouvait être très émouvant. Mais, par ailleurs, elle semblait ne pas savoir quoi faire de sa personne. Ses cheveux, par exemple, étaient foncés et lisses et, avec un peu d'imagination, elle aurait pu les coiffer et faire de l'effet. Mais ils pendaient comme s'ils avaient été lavés à la hâte et laissés tel quel. Je me disais qu'elle aurait pu vraiment ressembler à quelque chose pour ce bal mais, comme d'habitude, personne n'avait pris la peine de l'aider. Sa robe était de la bonne période, mais fade et à peine relevée par un petit ruban bleu qui passait sous sa modeste poitrine. Pour parler franchement, on aurait dit qu'elle avait mis cinq minutes à se préparer, comme pour aller jouer au tennis. Et elle donnait une telle impression de fragilité... une bonne rafale de vent aurait suffi à lui faire traverser la fenêtre et l'emporter d'un seul coup dans Park Lane.

Sa mère était tout l'opposé. Je ne saurais dire, même aujourd'hui, si la grande-duchesse avait l'intention de prendre l'apparence de la duchesse de Richmond. Cela aurait été logique, étant donné la formulation de l'invitation, mais le costume qu'elle avait choisi aurait davantage convenu à une grande impératrice, Catherine II de Russie ou Marie-Thérèse d'Autriche, ou toute autre grande souveraine absolue. Des mètres de mousseline de soie flottaient de tous côtés, tandis qu'une rivière, que dis-je, un torrent de velours mauve, souligné d'épaisses broderies en or, dévalait de ses larges épaules jusqu'au sol où de gigantesques dunes et monticules bordés par un revers d'hermine formaient comme un socle sur lequel trônait cette majestueuse silhouette. Sa poitrine, comme un banc de sable immergé, était illuminée de diamants. Son front, légèrement embrumé de transpiration, portait une tiare scintillante qui ressemblait à une couronne. Je suppose que c'était tout ce qui restait des joyaux de la Couronne de Moravie – à moins qu'on ne les ait loués auprès du cirque Barnum pour la soirée. Une femme pareille tirait toute la couverture à elle et personne ne regardait les autres membres de la famille, et surtout pas la pauvre petite Dagmar qui, connaissant sa mère, avait dû s'attendre à un spectacle de la sorte. En tout cas, le tourbillon de la foule qui se pressait autour de sa mère ne semblait pas la déranger, contrairement au grand-duc et au prince héritier qui donnaient l'impression douloureuse de vouloir rentrer chez eux. On nous annonça enfin.

– Bonsoir, madame.

Je m'inclinai et elle accepta mes hommages avec grâce. Je passai à son époux :

– Votre Altesse royale.

Nouveau salut. Il fit un vague signe de tête, tête qui devait être ailleurs, quelque part à Olomouc, au temps lointain d'une soirée à la sombre et poussiéreuse cour de Moravie. Je l'ai laissé à ses rêveries pour me rendre dans la salle proprement dite. Je crois que c'est ce soir-là que j'ai compris ce que je constate maintenant autour de moi, à savoir que, dans le monde des aristocrates, et même les familles royales, la plupart de ceux qui en font partie (c'est-à-dire ceux qui ne sont pas complètement sortis du jeu) se divisent en différents groupes qui peuvent paraître similaires mais qui sont en réalité très distincts. Les premiers, que des centaines de caricatures ont rendu célèbres, sont parfaitement conscients que le monde de leur jeunesse et de leurs ancêtres a changé et qu'il ne reviendra plus jamais, mais ils continuent d'en porter le deuil. Les cuisiniers et les bonnes, les valets de chambre et valets de pied, qui rendaient la vie si agréable, ne pousseront plus jamais les portes tendues de vert. Les palefreniers aimables qui amenaient les chevaux devant le porche à dix heures précises, les chauffeurs qui briquaient les limousines resplendissantes, tous pleins de déférence quand on passait dans la cour des écuries, les jardiniers qui disparaissaient soudainement dès qu'ils entendaient arriver les invités... Toute cette armée de serviteurs des plaisirs aristocrates a disparu du paysage. Ces gens savent également en général, même si c'est souvent assez subconscient, que la déférence dont on fait preuve à leur égard dans leur cercle social est assez fragile et même un peu fausse comparée au réel respect qu'on accordait à leurs parents et leurs grands-parents, à l'époque où le rang dû à la naissance avait encore une valeur bien tangible. Ils connaissent cette situation, mais ne savent pas quoi y faire, hormis se lamenter et essayer de vivre avec autant de confort possible.

On pouvait sans hésitation mettre le dernier grand-duc de Moravie dans cette catégorie. On percevait dans sa grâce un peu dépressive et stérile qu'il avait conscience de la vérité. On aurait dit qu'il s'excusait devant tout le monde : « Ne m'en veuillez pas, je comprends bien que toute cette comédie est absurde. Je sais qu'il n'y a aucune raison que vous vous aplatissiez devant moi, je sais que c'est foutu, je sais que la messe est dite, qu'on est en train de mettre les chaises sur les tables, mais il faut bien que je fasse ce que je suis censé faire, non ?

Il faut que je fasse comme si je prenais ça au sérieux, sinon les autres vont être déçus. » C'était comme un sous-titre qu'on avait imprimé à ses pieds. Bien sûr, il y a une version plus agressive de ce type d'aristocrate. On lit dans leur regard sans pitié un autre texte : « OK, la danse est finie, mais pas pour moi ! » Ils prennent leur air hautain, exploitent les riches parvenus dont ils font leurs complices et vendent les derniers bijoux de leur mère pour que la rigolade continue encore au moins quelques années.

Mais il y a aussi une autre catégorie dans ce groupe dont l'existence n'est en général pas perçue par le public. Ce sont des hommes et des femmes disposant du statut provenant de l'ancien système et qu'ils apprécient beaucoup. Ils aiment l'histoire qui leur donne un rang. Ils sont très satisfaits de faire partie du premier cercle de l'aristocratie britannique. Ils font en sorte qu'il y ait toujours au moins un membre de la famille royale dès qu'ils organisent une grande bringue. Ils s'habillent, en tout cas les hommes, pour faire plaisir aux plus conservateurs. Ils vont à la chasse, pêchent, connaissent les dates de l'histoire qu'il faut retenir et la généalogie des autres aristocrates. Mais, en réalité, ils font semblant. Loin d'être déboussolés par les rouages d'un siècle cruel, ils en comprennent très précisément les mécanismes. Ils connaissent le prix de leurs propriétés et la permanence de cette valeur. Ils comprennent très bien les complexités des marchés, ce qu'il faut acheter et vendre, et à quel prix, comment obtenir les autorisations de construire, comment manipuler les subventions agricoles européennes, bref, comment tirer un maximum de leurs domaines et de leur position sociale.

Ils ont décidé il y a déjà longtemps qu'il était hors de question de se contenter d'être dans un club en cours de désagrégation, à jamais nostalgiques d'une époque qui avait disparu pour de bon. Ils voulaient retrouver une position d'influence et de pouvoir, et s'il était devenu impossible après les années 1960 que leur pouvoir soit de nature ostensiblement politique, ils étaient décidés à trouver d'autres détours. En fait, ce sont des mystificateurs. Malgré leur lignée, leurs demeures et leurs bijoux, leur garde-robe et leurs meutes, et bien qu'ils expriment les opinions traditionnelles de leur classe sociale, ils ne pensent plus en réalité comme la plupart des gens de leur caste. Ils appartiennent au monde d'aujourd'hui et de demain, beaucoup plus qu'à l'ancien monde. Leur jugeote et leur sagacité implacables n'ont rien à envier à celles du P-DG d'un fonds d'investissement. Mais ils vous diront, n'est-ce pas, que le devoir d'un aristocrate est d'être au sommet et qu'ils ne font que perpétuer cette tradition de leur race, beaucoup plus que les défaitistes. Bourbon ou Bonaparte, roi ou président, le véritable aristocrate comprend qui détient le pouvoir et devant qui il faudra ensuite s'incliner.

Bien sûr, il y a quarante ans, nous ne pouvions pas avoir conscience de tout cela. Le vieux monde avait subi un traumatisme pendant et après la guerre dont on voyait mal comment il pourrait se relever. Tous se lamentaient à l'unisson et nous commencions à nous rendre compte que nous n'étions pas tous dans le même bateau et que certaines familles s'étaient débrouillées pour ne pas connaître la même déroute, quoi qu'ils aient pu prétendre à l'époque. Dans bien des cas, ce sont les gens de ma génération, celle de ces Débutantes dont les frères allaient à l'université ou commençaient à travailler à la City, qui ont justement refusé de sombrer avec le navire et qui se sont inquiétés de trouver un moyen de regagner la terre ferme. Ceux-là voulaient faire partie des survivants. Avant même que ce groupe n'existe réellement, c'est dans cette direction que se dirigeait la grande-duchesse de Moravie, à l'inverse de son époux fataliste. Elle entendait créer une tête de pont avec le nouveau monde pour relancer la famille. Je l'appréciais beaucoup pour cette attitude.

La musique se fit entendre. Un groupe avait pris place sur la petite scène et faisait des reprises de tubes de l'époque. Ce n'était pas un groupe très connu, mais ils étaient déjà passés à la télévision, ce qui était beaucoup plus excitant pour nous que cela pourrait l'être aujourd'hui. À l'extrémité de cette salle tout en longueur, les couples commençaient à se diriger vers la piste. À ce stade de la soirée, les antiques parents en costume, qui occupaient des sofas disposés le long du mur, ne servaient pas à grand-chose et certains d'entre eux, qui l'avaient bien compris, se levèrent pour rejoindre les salons et le bar. Lucy et moi avons continué d'avancer dans la salle. Nous avons alors entendu un murmure d'admiration agité et avons vu Joanna Langley entourée de son cercle d'admirateurs habituels. Elle était magnifiquement costumée, sur le modèle de la princesse Pauline Borghese, la sœur de Napoléon. Contrairement à mon costume ou celui de beaucoup d'autres, sa tenue était toute neuve, sans doute réalisée pour l'occasion et reproduite d'après un portrait de David. Bien sûr, la princesse aurait difficilement été l'invitée d'un bal donné par le plus grand ennemi de son frère et, de toute manière, la beauté cinématographique de Joanna était tellement moderne qu'elle ne pouvait être convaincante, quelle que soit l'époque représentée, mais c'était un vrai régal pour les yeux de toute manière.

Le groupe se déplaça et je fus surpris d'apercevoir Damian Baxter à côté d'elle. Je le regardai se pencher vers elle pour lui murmurer quelque chose à l'oreille. Elle se mit à rire, me fit un petit salut et, ce faisant, attira l'attention de Damian dans ma direction. Je le rejoignis alors.

– Tu ne m'avais pas dit que tu venais, remarquai-je.

– Je n'étais pas sûr jusqu'à cet après-midi et puis je me suis dit, allez, après tout, j'ai pris le train et me voici !

– Tu ne m'avais pas dit que tu avais été invité.

Il me regarda et je remarquai un petit frémissement au coin de ses lèvres.

– Je n'ai pas été invité.

J'ouvris de grands yeux, sans doute figé par la même terreur que celle que connut le baron de Frankenstein face aux premiers mouvements autonomes du monstre qu'il avait créé.

– Tu veux dire que tu t'es introduit sans invitation ?

Il se contenta d'un sourire discret.

Lucy avait écouté notre échange.

– Comment as-tu réussi à te trouver un costume si rapidement ?

Et quel costume... Comparé au mien qui n'avait pas le bon pantalon et dont les manches étaient légèrement usées, on aurait dit que Damian avait bénéficié d'un travail sur mesure exécuté par un tailleur d'exception. Il n'était pas en tenue d'officier, comme beaucoup de jeunes gens de la soirée, mais en dandy, avec Beau Brummell, Byron ou une autre personnalité de ce genre comme modèle. Sa queue-de-pie près du corps moulait son torse et il portait des hauts-de-chausses beiges, de longues bottes bien cirées qui mettaient ses jambes à leur avantage. Un superbe foulard noué façon Ascot en soie blanche lui entourait tout le tour de cou et venait plonger dans un gilet à brocart. Lucy me montra d'un signe de tête :

– Lui, il a dû aller au magasin du théâtre de Windsor et regarde ce qu'il a rapporté...

Damian me regarda.

– Mon pauvre. C'est pas grave, va.

Si j'avais pu croire que j'avais belle allure, cette illusion mourut alors de sa belle mort. Damian continuait à bavarder avec sa légèreté indifférente.

– J'ai une amie qui travaille à l'Arts Theatre. Elle a pu me bricoler quelque chose dans les temps, alors c'est ce qui m'a décidé.

J'imaginais tout à fait. Une pauvre fille penchée sur sa lessive jusqu'à minuit, qui s'était meurtri les doigts avec son aiguille et brûlé les mains avec son fer. Aucun doute. Et sa récompense ? Sûrement pas l'amour de Damian, ça, c'était certain.

Aujourd'hui, organiser pareille réception serait beaucoup plus difficile qu'il y a quarante ans. L'obsession sécuritaire de la présente génération, pour ne rien dire de la vanité ambiante, garantit que des vigiles et des listes, des petites croix et des « Munissez-vous de votre invitation » soient devenus la norme pour tout événement dépassant en importance les soldes du supermarché du coin. Mais il n'en allait pas ainsi auparavant. On imaginait naturellement que les gens qui n'étaient pas invités à un événement ne tenteraient pas d'y assister. En d'autres termes, tout ce dont les resquilleurs d'antan avaient besoin, ce sur quoi ils comptaient, c'était uniquement le culot. Et évidemment, le culot, Damian en avait une pleine valise. Ce n'était pas mon cas et je n'avais pas envie d'être vu en compagnie de quelqu'un qui risquait de se faire virer à tout moment. Je me méprise quand j'y repense mais j'ai pris le bras de Lucy et je l'ai emmenée sur la piste.

– Décidément, on n'arrête pas les braves, fit-elle gaiement.

Personnellement, j'avais du mal à voir le côté comique de la situation. Nageant dans l'égocentrisme de la jeunesse, je ne pensais qu'aux conséquences de la présence de Damian pour moi-même.

Lui, de son côté, s'amusait énormément, cela va sans dire. Je voyais bien que, comme un gamin qui va jusqu'au bout avant de se prendre une gifle ou un joueur qui persévère jusqu'à ce qu'il perde, Damian faisait connaître son absence d'invitation – jusqu'à ce que les forces de l'ordre finissent par le repérer. Comme pour annoncer publiquement son arrivée, il dansa tout d'abord avec Joanna. Il était le plus beau garçon de la salle et elle était la plus jolie fille d'Europe, il était donc difficile de ne pas remarquer un tel couple. Les autres danseurs se retournaient sur leur passage pour les admirer et les parents, après un regard curieux, se renseignaient pour savoir qui était ce duo de choc. Un peu plus tard, quand le bal battait son plein, le groupe annonça un *reel* pour huit. Le lecteur moderne sera peut-être surpris que nous ayons dansé un *reel* écossais lors d'un bal tout à fait normal et non lors d'un festival calédonien ou d'une soirée à Kirkcaldy en hommage au poète Robert Burns, mais c'est la pure vérité. En fait, c'est arrivé très souvent pendant les bals de cette année. Et comme ce sont des pas nécessitant que la piste soit davantage dégagée et que moins de monde participe, c'était une bonne occasion pour se faire remarquer. Il n'était donc pas surprenant de voir Damian s'avancer pour prendre sa place parmi les couples avec Terry Vitkov à son bras. Elle était rayonnante, un grand sourire aux lèvres pour chaque personne qu'elle croisait, visiblement ravie de son tout nouveau statut de frondeuse fièrement appuyée sur le bras d'un rebelle. Je me suis demandé plus tard si ce n'est pas lors de cette soirée que la position de Damian est passée d'observateur ethnologique (ou de pur arriviste, selon la générosité de votre point de vue) à celle d'agent subversif, de spectateur admiratif à celle de militant contestataire. Ou peut-être vais-je trop vite en besogne ? Peut-être était-il encore ce soir-là en équilibre entre les deux extrêmes ? À moins qu'il n'ait déjà décidé qu'il nous détestait tous.

En les regardant se mettre en place, dans l'attente de la première note qui donnerait le signal du départ, je me suis rendu compte que Terry et lui formaient un bon couple. Chacun à leur manière, ils étaient tous deux extérieurs au système et avaient tout à gagner dans l'avenir et aucun héritage passéiste à perdre. J'avais supposé qu'elle avait de l'argent, et c'était le cas, même si elle n'en avait pas autant que je le pensais à l'époque. De la même manière, je partais du principe que Damian deviendrait riche. Là encore, j'avais raison. C'est ce qui s'est passé et à une échelle que je ne soupçonnais pas. N'était-il pas envisageable qu'ils unissent leurs forces pour conquérir le monde ? C'étaient tous les deux des aventuriers. Pourquoi pas une association entre eux ?

J'avais pour partenaire une jeune fille assez insipide qui venait de la région de Newbury. Nous avons démarré, faisant la ronde en nous tenant la main. En jetant un œil vers Damian, je fus immédiatement impressionné par sa maîtrise dans un domaine qui était encore il y a peu territoire inconnu pour lui. Il connaissait les pas et les exécutait correctement. Il prit sa place au centre du cercle sans la moindre timidité, il se tenait bien droit et exécutait les différentes étapes de la danse avec une grâce et une dignité dont je n'aurais pu me vanter. Il bavardait avec les filles qui l'entouraient et avec les autres garçons : il faisait partie de leur monde, de leur cercle, après seulement quelques cocktails et quelques bals. Nous avions presque oublié que nous ne le connaissions pas.

Ensuite, le groupe de pop reprit mais Damian ne montra aucun signe de fatigue. Il dansa avec beaucoup d'autres jeunes filles, dont Lucy Dalton et la tapageuse Candida Finch aux joues rouges. Il était sur le point d'inviter Georgina Waddilove, qui aurait été capable de haute trahison pour le faire rester avec elle, mais au moment où la musique démarra, il lui fit signe qu'il avait un point de côté et lui proposa plutôt d'aller boire un verre. Je l'ai perdu de vue quand ils se sont éclipsés dans la pièce qui servait de bar. J'ai du mal à savoir aujourd'hui quels pouvaient être mes sentiments à son égard à cet instant. C'était moi qui avais fait entrer le renard dans le poulailler. Comme je l'ai dit, j'avais commencé à penser que ses projets pouvaient être plus compliqués que je ne l'avais cru au départ mais j'admirais son culot, sa *chutzpah*, comme on dit en yiddish, et encore plus quand il est revenu dans la salle de bal. Pendant son absence temporaire, les circonstances étaient devenues favorables à son projet de la soirée : provoquant dans le même temps l'admiration de tous ceux qui savaient sa présence illégitime et ma propre stupéfaction, il fit son apparition dans l'encadrement de la porte au bras de notre hôtesse, ou du moins de la jeune fille qui, sans la formidable présence de sa mère, aurait dû être au centre de l'attention ce soir-là, la princesse Dagmar en personne qu'il dirigeait vers la piste. C'était un morceau lent. On baissa l'éclairage, le groupe se mit à jouer doucement et, face à tous ses invités, Dagmar passa ses bras autour de l'intrus et posa son petit visage sur sa poitrine. Damian caressait délicatement la chevelure terne et raide tout en la serrant contre lui. En même temps, Damian vit que je l'observais de l'autre côté de la piste. Il accrocha mon regard et me fit un clin d'œil.

Les ennuis – et nous savions tous qu'ils étaient finalement inévitables – commencèrent au moment du petit-déjeuner, un miracle ayant voulu qu'ils soient repoussés aussi tardivement. Lors de ces bals, la coutume voulait que l'on offre le petit-déjeuner vers la fin de la soirée, en général à partir d'une heure et demie. Ces collations étaient de qualité variable et, parfois, ne valaient pas vraiment la peine que l'on attende, mais la grande-duchesse était visiblement partie du principe selon lequel « Quand il faut y aller, faut y aller » et avait fait en sorte que l'hôtel fournisse ce qu'ils avaient de mieux, et ça n'était pas rien. Sans vraiment faire la queue, nous attendions pour nous servir les œufs, saucisses, bacon et champignons qu'on avait préparés pour nous dans des poêlons en argent tout chauds.

Devant moi, Damian semblait avoir délaissé Dagmar, que je ne voyais nulle part, pour briguer un prix autant sinon plus convoité encore, Serena, que je voyais plus animée que jamais, occupée à rire et papoter, et à pencher la tête vers Damian. Je me souviens d'avoir été étonné de les trouver si proches l'un de l'autre. Elle s'était costumée en lady Caroline Lamb, la maîtresse de Byron, telle qu'on la voit sur le portrait de Thomas Phillips où elle est habillée comme un page. La coupe délicate de son pardessus en velours mettait en valeur ses merveilleuses jambes vêtues de bas et de haut-de-chausses ; les autres jeunes filles avaient l'air disgracieux et guindé en comparaison. À ses côtés, Damian était un Byron tout à fait convaincant et c'était peut-être même ce qui lui avait fait choisir son costume. En fait, ils allaient tellement bien ensemble qu'on aurait pu croire qu'ils avaient tout prémédité. Serena n'était pas aussi belle que Joanna Langley – personne ne la dépassait – mais c'était compensé par la finesse de ses traits. Bref, ils étaient magnifiquement assortis et de nouveau tous les regards étaient fixés sur Damian.

– Excusez-moi, monsieur, mais avez-vous une invitation ?

Une voix forte avec un accent des Midlands avait retenti et s'était imposée par-dessus les conversations. La question jeta un froid considérable.

L'intervention avait été si inattendue que cela fit taire tout le monde. Je vis une fille complètement immobilisée dans son geste, et son œuf au plat tomba lentement de sa cuillère dans l'assiette. Un homme en complet, sans doute un responsable, se tenait près de Damian, très près, d'une manière ouvertement impertinente. Si près que cela lui tenait lieu de discours : lui avait sa place dans cette salle et dans cet hôtel alors que Damian Baxter, non, selon lui. Bien sûr, la vérité était plus compliquée. La plupart d'entre nous savions que Damian n'avait pas d'invitation, mais il était au bal depuis le début et, à ce stade, il semblait à tous que c'était un point de détail sans grande importance. Il n'avait causé aucun désordre, n'avait pas bu comme un ivrogne et ne s'était pas montré grossier : bref, aucune des horreurs que l'on redoute des resquilleurs ne s'était produite. De plus, il connaissait les autres invités. Il était venu en ami et son costume ne dépareillait pas. Il avait dansé et bavardé comme tout le monde et avait même été le partenaire de la jeune hôtesse de la soirée. Que voulait-on de plus, bon sang ! Eh bien, ce qu'on voulait, c'était la preuve d'un carton d'invitation. Damian se mit à rougir – je ne crois pas l'avoir jamais revu rougir par la suite.

– Écoutez, fit-il calmement en posant la main doucement sur la manche en flanelle grise de cet homme pour l'apaiser.

– Non, monsieur, c'est vous qui écoutez.

L'homme avait haussé le ton et tout le monde était maintenant au courant de ce qui se passait. Les couples arrivaient de la piste de danse dans la salle où l'on servait le déjeuner pour assister au spectacle.

– Si vous n'avez pas d'invitation, je dois vous demander de partir.

Après s'être débarrassé de la main de Damian, il eut le malheur d'essayer de se saisir de son coude pour l'emmener, mais Damian se libéra d'une simple rotation, on aurait dit un pas de danse. À ce moment-là, seule parmi l'assistance, Serena décida d'intervenir. Dans la lâcheté de mon silence, je ne pouvais m'empêcher d'admirer son audace.

– Je serais parfaitement ravie de me porter garante pour Mr. Baxter si cela peut vous satisfaire.

L'expression de l'individu n'augurait pas d'une telle satisfaction. Elle poursuivit :

– Je suis lady Serena Gresham et vous trouverez mon nom sur la liste.

Il était particulièrement intéressant que Serena mentionne au passage son titre, ce qu'elle n'aurait jamais fait autrement que sous la torture. C'est peut-être difficile à comprendre pour ceux qui n'étaient pas nés à cette époque, mais les années 1960 furent une période de transition fort curieuse en ce qui concerne les titres. Je parle bien sûr des véritables titres de noblesse héréditaires. En fait, à ce moment-là, personne ne savait vraiment ce qu'ils allaient devenir. Par une sorte d'accord implicite entre les parties obtenue vers 1963, il semblait avoir été décidé de ne plus en créer et l'on pouvait croire, en tout cas en dehors des cercles aristocratiques, que le monde changeait et que, parmi ces changements imminents, le pair du royaume surpasserait les titres hérités. L'idée était que le prestige des grandes familles se verrait affaibli en faveur d'une nouvelle caste en pleine ascension. Mais, parallèlement à cette doctrine officielle (soutenue par les médias de l'époque et encore aujourd'hui, ce qui est touchant, par certains hommes politiques, notamment les dirigeants les plus optimistes de la gauche), on soupçonnait aussi discrètement que, malgré les prophéties convaincues de ceux qui faisaient autorité sur le sujet, il y avait des chances que cela ne se passe pas ainsi et qu'un nom chargé d'histoire continuerait à avoir du poids, même dans la Grande-Bretagne moderne. Cela ressemblait un peu à la façon dont Mr. Blair avait voulu rebaptiser le pays en lui donnant le nom de Cool Britannia. Pendant un temps, on a cru à cette idée. Ensuite, les médias ont tout fait pour nous montrer que cela fonctionnait alors que l'ensemble de la population était conscient du contraire. Et enfin, de la droite à la gauche, les politiques ont universellement reconnu l'échec monumental et ridicule de cette proposition.

Mais, à l'époque, le sentiment contradictoire envers les titres de noblesse héréditaires en faisait des armes à double tranchant pour faire valoir son autorité, et leur utilisation en public pouvait se retourner contre soi. C'est un peu comme ceux qui, dans un hôtel ou un aéroport, se mettent à crier à un employé : « Savez-vous à qui vous avez affaire ?! » Ils perdent en général tout le crédit que leur position aurait pu leur apporter.

Quarante ans après, tout cela a changé. Un demi-siècle d'histoire a montré que le titre de pair du royaume, tout en étant parfaitement respectable, n'a de sens que dans un contexte politique. Dans la haute société, ce titre n'a guère réussi à prendre une aura ou obtenir une considération qui dépasse celle d'un chevalier. Mrs. Thatcher a bien tenté de le reconnaître en créant quelques titres héréditaires au début des années 1980, mais elle n'a guère reçu de soutien, et la noblesse s'est alors refermée et a continué à dominer la pyramide sociale sans être remise en question. C'en est au point où quand des nobles de naissance reçoivent le titre de pairs du royaume, ils ont tendance à en diminuer l'importance, comme s'ils ne prenaient pas ce nouveau statut au sérieux. « Nous ne sommes que la toquade du jour », m'a récemment dit l'un d'entre eux. De toute évidence, il faudrait soit rouvrir soit abolir l'ancien système : la présente situation devrait être considérée comme intenable dans une société démocratique mais il existe peu de signes encourageants d'une réforme. Au contraire, partout dans le pays, les heureux descendants d'un maire ou d'un banquier des années 1920 règnent sur nous tandis que les gens véritablement importants d'aujourd'hui, dont les réussites dépassent largement celles des ancêtres de ces sommités, sont relégués à tout jamais à un tabouret en bout de table.

Le fait est qu'aujourd'hui Serena n'aurait aucun doute quant à l'avantage de sa position sociale et utiliser son titre dans ce genre de contexte ne pourrait qu'être efficace. Mais, il y a quarante ans, c'était un véritable acte de bravoure de sa part de se mettre à découvert de cette manière et de risquer d'être une cible facile. Elle avait raison de se montrer circonspecte car, visiblement, son intervention risquait de ne pas suffire. L'individu la considéra d'un air sentencieux :

– Je suis désolé, madame, mais j'ai bien peur...

– C'est absolument ridicule ! s'écria Dagmar d'une voix suraiguë depuis l'autre côté de la pièce.

Ce qu'il y avait d'étonnant et de poignant chez elle, c'est qu'on remarquait immédiatement le caractère profondément britannique de sa voix, ce qui rendait son patronyme étranger et son titre encore plus étrange. En plus de cette « britannicité » qui était évidente, elle se signalait comme l'écho d'une Angleterre datant de soixante ans auparavant, celle d'une duchesse miniature inaugurant un gala de charité en 1910. Elle bouscula tout le monde sur son passage pour gagner la table du buffet, comme un petit général munchkin dans *Le Magicien d'Oz* :

– Damian n'a pas à partir du tout !

Une telle complication déconcerta profondément le responsable.

– Mais Son Altesse royale a bien insisté...

– Cela ne concerne en rien Son Altesse royale !

– Oh, mais je crois bien que si !

L'imposante présence de la grande-duchesse venait de pimenter la querelle. Elle traversa la salle d'un pas majestueux et les invités s'écartèrent pour lui laisser place – on aurait dit le général Sherman traversant la Géorgie en ne laissant derrière lui que des terres brûlées. Curieusement, Andrew Summersby l'accompagnait et restait dans son ombre comme un affreux petit remorqueur derrière un gigantesque paquebot.

– Je suis désolée, Mr. Baxter, je suis certaine que vous ne pensiez pas à mal...

Elle s'interrompit un instant pour respirer et je vis que Damian voulait prendre la parole afin sans doute de faire valoir son point de vue, mais la grande-duchesse n'était pas venue pour dialoguer, uniquement pour rappeler une position de principes :

– ... il existe cependant des règles et on doit les respecter.

Elle esquissa un petit sourire pour faire passer la pilule.

– Nous ne pouvons pas risquer que la bonne société s'effondre sous nos yeux. J'ose espérer que vous ne m'en voudrez pas.

– Bien sûr que non, fit Damian sur un ton léger, en espérant encore retrouver une position moins précaire.

– Mais Damian était invité ! s'écria Dagmar, affreusement embarrassée.

Naturellement, cela constituait un apport intéressant à la discussion. L'assistance tourna son regard vers elle, comme le public qui regarde le match de tennis dans *L'Inconnu du Nord-Express* de Hitchcock.

– C'est moi qui l'ai invité !

J'imagine que toutes les personnes présentes à ce moment-là savaient bien que c'était un mensonge, mais il y avait là une bravoure et une générosité qui firent remonter Dagmar dans l'estime des invités qui, avant cette soirée, ne la portaient pas forcément dans leur cœur, bien qu'ils aient été tout à fait d'accord pour profiter de son hospitalité. Je précise cela afin de bien montrer que son intervention avait quelque chose de positif. En tant qu'argument contre la décision de sa mère, en revanche, cela n'eut pas le moindre effet.

– Désolée, ma chère, mais Mr. Baxter n'était pas invité. Pas par toi, et ce qui compte davantage, certainement pas par moi.

Le ton employé par la grande-duchesse ne tolérait aucune contradiction. Elle n'avait d'ailleurs pas terminé :

– Il l'a lui-même suffisamment souligné en présence de lord Summersby, qui a eu la bonté de me le rapporter. En fait, pour être exacte, j'irais jusqu'à dire que Mr. Baxter se *vantait* de ne pas avoir d'invitation.

Le visage de la grande-duchesse ne cessait de s'assombrir et on ne peut pas dire que cela lui allait bien. Avec son costume tout en couleurs primaires, elle ressemblait à une effigie du Père Noël en train de flotter dans le ciel de Regent Street un 25 décembre. Mais, comme toujours avec elle, cela n'allait pas sans une certaine hauteur. J'ai particulièrement apprécié la petite note d'Europe de l'Est que l'on remarquait dans son intonation à mesure que sa colère montait en puissance, comme si son devoir envers son peuple – sujets d'un pays où, ne l'oublions pas, elle n'avait jamais mis les pieds – lui avait conféré une nouvelle origine, effaçant ses jeunes et fringantes années dans le Yorkshire pour en faire une souveraine morave malgré elle.

Ses paroles révélèrent bien sûr à chacun celui qui était à la source de l'incident, que j'aimerais décrire comme « fâcheux » mais qui, en réalité, avait fait tout le sel de cette soirée pour l'assistance. Le fourbe qui en était responsable n'était autre qu'Andrew Summersby. Je devine que cette révélation ne faisait pas partie de son plan initial et il eut soudain l'air gêné sous le regard de toute l'assemblée. Il hésita un instant avant de décider – et on ne peut lui en vouloir dans ces circonstances – que, tout ayant été révélé, il valait mieux y aller carrément.

Jusqu'alors, il était resté en retrait mais, là, il avança franchement.

– Allez, fit-il en prenant Damian par le bras pour tenter de le faire sortir, comme un policier procédant à une arrestation, ce qui était le cas d'une certaine manière.

Sous nos yeux ébahis, d'un seul geste, Damian se libéra avec une fureur bien plus grande que celle de tout à l'heure face à l'employé de l'hôtel qui avait tenté un geste identique. Il aboya :

– Tu me lâches immédiatement ! Espèce de pauvre abruti, de grotesque pantin !

Naturellement, Andrew ne s'était attendu à rien de tel quand il avait décidé de trahir le convive sans invitation, et certainement pas de la part de quelqu'un qu'il estimait lui être très largement inférieur dans l'ordre divin des choses. Andrew était indubitablement un pantin, et un abruti aussi, mais peu de gens auraient osé le lui dire en face et il n'était pas du tout préparé à cela. Sincèrement, je crois qu'il aurait simplement voulu flirter un peu avec Serena ou l'une des filles qui n'avaient cessé de tourner autour de Damian. Il était juste jaloux et était le premier à être désolé que toute la soirée parte dans un grand dérapage.

Comme d'autres ce soir-là, il était costumé en hussard de la mort, avec un pantalon serré, ce qui, dans son cas personnel, était fort peu seyant, et une pelisse jetée sur le dos, ce qui gênait dangereusement ses mouvements, mais il ne pouvait plus reculer maintenant. Il se lança en avant pour tenter une nouvelle fois d'attraper le bras du criminel. Mais Damian fut plus prompt : il recula en exécutant une sorte de demi-pirouette, comme Errol Flynn dans un film romantique de chez Warner Bros., et avant que quiconque ne puisse l'arrêter, il avait mis toute la force de son bras droit dans un coup de poing qui rencontra le nez d'Andrew en faisant un bruit de craquement très sonore et très écœurant. Plusieurs jeunes filles poussèrent un hurlement, notamment la plus proche de l'action, une certaine Lydia Maybury, dont la robe blanche d'organdi, avec une charmante coupe en biais et agrémentée de muguet, reçut un copieux mélange de sang et de morve en provenance de l'appendice nasal d'Andrew qui venait de se faire démolir. Lui-même était tellement ébahi, tellement stupéfait par le développement de la situation, comme si un ouragan avait déferlé par les fenêtres de la salle de bal, qu'il resta un instant pétrifié, le regard vide et figé, totalement paralysé, avec le sang qui lui jaillissait des narines, avant de tituber en arrière. Nous-mêmes rendus inertes sous le coup d'une sorte d'horreur extatique, nous n'avons pas eu le réflexe de l'attraper au vol et il s'effondra donc de tout son long sur la table du buffet, la renversa et projeta sur les spectateurs et lui-même les assiettes toutes chaudes, les saucisses et les carafes de jus d'orange, le bacon, les toasts et les grille-pain, la moutarde et les couverts. Ce fut un cataclysme digne de la chute de Troie, dont l'écho retentit dans les couloirs de l'hôtel, effraya les chevaux et réveilla les morts. Ensuite, il y eut un silence total et absolu. Nous sommes restés immobiles comme des lapins aveuglés par des phares, interloqués, sidérés, hypnotisés, avec devant nous le corps ensanglanté du vicomte redécoré avec des lanières de bacon. Même Dagmar est restée figée, aussi muette qu'une statue.

Damian eut alors un geste qui m'inclina à une mansuétude durable que je devais regretter. Alors que la grande-duchesse contemplait les ruines d'une soirée qui venait de lui coûter une large part de son revenu annuel, Damian lui prit sa pauvre main qui pendait mollement.

– Madame, veuillez m'excuser d'avoir causé tout ce gâchis...

Il porta la main de la duchesse à ses lèvres, la tint pendant une seconde avec une élégance irrésistible, et elle se laissa faire.

– ... et je vous remercie pour cette soirée qui avait été jusqu'à présent un pur délice.

Il relâcha la main, inclina le cou avec raideur comme un courtisan expérimenté et sortit dignement de la pièce.

Inutile de préciser que cet épisode fit le tour de Londres. À l'exception du bal donné par lady Belton pour la sœur d'Andrew,

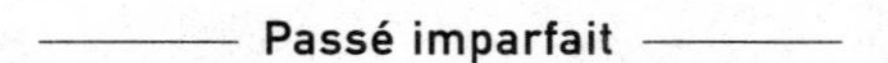

Annabella, Damian ne tarda pas à recevoir des invitations pour tous les grands bals de la Saison. Ce n'est pas que les mères des jeunes filles aient trouvé particulièrement désirable de l'inviter – elles étaient toutes plus terrifiées que jamais à l'idée que Damian Baxter puisse conquérir leurs saintes progénitures. Non, ces invitations étaient dues à la ténacité inébranlable des jeunes filles elles-mêmes.

6

La grande-duchesse avait eu raison d'investir dans cette soirée, même si elle ne s'était pas tout à fait déroulée comme prévu. En 1968, sa famille avait juste assez d'argent et de prestige pour que Dagmar puisse ferrer un gros poisson, ou du moins un poisson de taille appréciable. J'avais initialement attribué l'échec de cette stratégie au fait qu'elle avait visé trop haut, ratant ainsi l'opportunité de saisir un parti convenable. Je devais me rendre compte plus tard que je n'avais pas complètement raison, mais je soupçonne malgré tout que, comme beaucoup de personnes bien nées, Dagmar avait été élevée avec des espérances irréalistes. Déjà, elle ne se rendait pas compte à quel point elle paraissait terne. Elle pouvait toujours réunir des invités qui lui masquaient sa propre timidité (à l'époque du moins), mais elle ne semblait pas s'apercevoir qu'il faudrait qu'elle en tire davantage profit si elle voulait que ça fonctionne. La grande-duchesse était consciente de tout cela et, avec le maximum de diplomatie possible, elle encourageait sa fille à marquer des points avant qu'on ne siffle la fin du match. Mais, comme beaucoup de jeunes femmes, Dagmar n'écoutait pas ce que sa mère avait à lui dire quand ça ne lui plaisait pas.

Une partie du problème résidait dans sa curieuse incapacité à flirter. Face à un homme, Dagmar se mettait à ricaner nerveusement ou bien se taisait complètement, fixant ses grands yeux écarquillés au bord des larmes sur son interlocuteur qui se débattait pour trouver un sujet susceptible de lui arracher ne serait-ce qu'une timide réaction verbale. Mais cela n'arrivait jamais. À force d'être témoin de son impuissance, j'avais fini par ressentir une sorte d'instinct protecteur et, si je n'ai jamais eu véritablement de sentiments pour Dagmar, je ne supportais pas qu'on se moque d'elle ou, comme j'en fus témoin un jour, qu'on imite son petit rire triste. Il est même arrivé une fois que je la raccompagne lors d'une soirée chez Annabelle où l'homme qui devait être son chevalier servant s'était excusé pour aller aux toilettes et, apparemment, avait pris ses jambes à son cou et sauté dans un taxi. Dagmar pleura pendant tout le trajet et, forcément, je l'avais trouvée touchante.

Je dois faire remarquer, afin de corriger une croyance courante, qu'à mon époque la Saison londonienne n'avait plus grand-chose à voir avec une foire au mariage. Il s'agissait plutôt de faire connaître ses enfants dans le genre de milieu où ils ne manqueraient pas ensuite d'évoluer, de trouver des amis et, après quelques années, un mari ou une épouse. Peu de parents voulaient vraiment d'un mariage avant que leurs enfants n'atteignent leurs 25 ans, au plus tôt. Mais, comme le savait pertinemment la grande-duchesse, le cas de Dagmar était différent. Le produit qu'elle avait en stock risquait de mal se vendre sur un marché en perte de vitesse et il fallait agir rapidement. Nous avons tous pensé à un moment qu'elle avait sa chance avec Robert Strickland, l'héritier putatif d'un titre de baron datant de 1910 et accordé à son grand-père, gynécologue de Sa Majesté après une naissance difficile mais réussie. Robert n'avait pas une fortune énorme et ne disposait ni de terre ni d'une demeure familiale, mais il avait quelque chose et, s'il ne brillait pas par sa présence dans les soirées mondaines, il était plutôt sympathique. Il travaillait dans une banque d'affaires et possédait la qualité inestimable, en tout cas concernant ses rapports avec la grande-duchesse, d'être légèrement sourd. Malheureusement, juste quand il avait commencé à être à point, Dagmar avait manqué le coche. Robert interpréta son gloussement nerveux comme un manque d'intérêt pour sa subtile proposition de fiançailles et il n'y eut pas de match retour. L'été suivant, il était fiancé à son grand bonheur à la fille d'un colonel des Irish Guards. Aucune autre opportunité de ce niveau ne devait se présenter.

Même dans ces circonstances, tout le monde fut surpris de lire dans les colonnes des potins à la fin de l'automne 1970 que Dagmar était fiancée à William Holman, fils unique d'un parvenu fort combatif de Virginia Water dans le Surrey. Quand je l'ai connu, William était présenté comme un « jeune espoir » de la City, formule vague qu'affectionnaient nos chères génitrices. Il avait été présent à certains des bals de la Saison, passant pour un raseur aux propos et aux vêtements aussi déplacés que catastrophiques selon les critères snobs et superficiels de nos jeunes années. En tout cas, personne ne le prenait au sérieux. J'imagine, avec le recul, qu'il était en fait tout à fait intelligent et peut-être était-il réellement un « espoir ». C'est juste qu'on le considérait plutôt comme un cas désespéré. Je n'ai pas assisté à leur mariage, je devais déjà être retenu pour un week-end à Toulouse. Apparemment, tout se passa très bien, même si cela se déroula un peu dans la précipitation. Ils se marièrent dans une église orthodoxe de Bayswater et la réception eut lieu au Hyde Park Hotel. Les parents du marié étaient aux anges et ceux de la mariée résignés. Au bout du compte, la princesse Dagmar était mariée, et qui plus est à un homme capable de payer l'addition et d'offrir autre chose qu'un appartement en sous-sol. Comme la grande-duchesse ne devait pas manquer de le penser, au moins dans l'intimité de sa salle de bains, c'était mieux que rien. Elle était sans doute également consciente d'autres facteurs qui rendaient la cérémonie souhaitable. Six mois plus tard, la princesse donna naissance à un fils, un garçon en bonne santé qui, cliniquement, n'avait rien d'un prématuré.

Pour des raisons évidentes, je ne revis plus guère Dagmar une fois nos vacances portugaises passées, et après que j'eus manqué son mariage, nous nous sommes perdus de vue. Je n'aimais pas William et il ne voyait pas d'intérêt à me fréquenter, on aurait donc eu du mal à établir les bases d'une relation suivie. Pour être juste, il s'est effectivement bien débrouillé, mieux que je ne l'aurais prévu, et il a même fini P-DG d'une société d'investissement, récompensé par une fortune en millions de livres et un anoblissement par John Major. Quand je lisais son nom dans les journaux ou quand je l'apercevais lors d'une réception, je remarquais avec amusement qu'il était devenu une version assez convaincante de ce qu'il avait convoité il y a bien des années. Il était vêtu de costumes de bons faiseurs tenant boutique du côté de Burlington Arcade et il proférait à voix très haute les opinions qui allaient avec. On m'a dit qu'il s'adonnait désormais à la chasse et qu'il était même un bon fusil, ce qui me rendit quelque peu jaloux. Je ne cesse d'être stupéfait en constatant à quel point ceux qui ont beaucoup d'argent continuent d'imiter les coutumes et les passe-temps de la vieille classe dominante alors qu'ils pourraient se permettre une nouvelle donne. Ce n'était pas le cas dans les années 1970, mais une fois Mrs. Thatcher sur le trône, de secrètes envies de noblesse resurgirent dans bien des cœurs. Il ne fallut pas longtemps avant que le moindre *trader* de la City ne troque ses bretelles rouges pour un imperméable Barbour et ne se mette à chasser, tirer au fusil, pêcher comme les nobles d'Europe continentale tandis que les clubs du quartier de St James, naguère désespérément en manque de membres, n'aient de nouveau le plaisir d'établir des listes d'attente et de durcir les conditions d'entrée.

Les sociologues semblent ne pas avoir remarqué une des manifestations de ce changement : à partir des années 1980, les classes supérieures se sont remises à arborer au quotidien des vêtements différents de ceux qui leur étaient inférieurs dans l'échelle sociale, ce qui a constitué un retour à un ordre plus ancien. Phénomène unique, durant les années 1960, nous avions tous adopté la mode extravagante de l'époque, indépendamment de notre position sociale. C'était sans doute la première fois ces mille dernières années que la jeunesse de la nation portait le même costume, même s'il est dommage que nous ayons choisi comme symbole de notre unité l'affreuse mode des *hipsters*, avec cravates larges, costards en velours, blousons bombers et autres horreurs. Malgré cette laideur, personne ne fut épargné. Les jupes de la reine remontèrent au-dessus du genou, et lors de l'intronisation du prince de Galles à Caernarfon Castle, lord Snowdon s'était affiché avec ce qui ressemblait férocement au costume d'un steward d'une compagnie polonaise. Mais, à partir des années 1980, les aristos se fatiguèrent de déguisements aussi intenables. Ils voulaient reprendre l'apparence qui était la leur, et Hackett puis Oliver Brown et tous ceux qui ont su reconnaître cette aspiration secrète firent leur apparition dans les rues commerçantes. Soudain, les costumes des gens chics étaient de nouveau confectionnées avec une étoffe et une coupe différentes, tandis que les vêtements de campagne, ces tweeds et ces pantalons en velours côtelé, ressortaient des garde-robes poussiéreuses où on les avait remisés depuis les années 1950. Les aristos recouvraient leur distinction visuelle, redevenaient une tribu reconnaissable à ses atours et redécouvraient leur joie de vivre.

Cela dit, pour ceux qui ont connu cette période qui semblait signifier la fin d'un monde, il avait d'abord fallu négocier les années 1970 avant de connaître une amélioration. Beaucoup de choses au bord du gouffre finirent par s'effondrer corps et biens et la mauvaise passe allait se révéler difficile à surmonter. Il est curieux d'écrire cela aujourd'hui, maintenant que tout a changé, mais, à l'époque, le communisme nous semblait une donnée permanente. Nous étions même pour la plupart persuadés, en secret, que le communisme mondial finirait par devenir l'ordre nouveau et nous nous étions lancés dans nos divertissements en imaginant que nous n'en avions pas pour très longtemps et en suivant le rythme fourni par l'orchestre du *Titanic* sur une piste de danse de plus en plus verticale. Les *sixties* n'ont pas laissé un héritage fait d'amour libre, de fleurs dans les cheveux et de boutons de rose, mais de bouleversements sociaux, et de nombreuses personnes qui ont dégringolé l'échelle sociale n'ont jamais pu la remonter.

Je n'ai donc pas été complètement surpris quand j'ai appelé chez Dagmar et que, ayant demandé « la princesse », on m'a répondu que « lady Holman » était au salon. J'avais imaginé comme prétexte un bal de charité que je devais prétendument organiser pour les réfugiés d'Europe de l'Est. Quelques années auparavant, j'avais écrit un roman qui se passait dans la Roumanie de l'après-guerre, ce qui m'avait fatalement instruit sur la question et je m'étais beaucoup intéressé à ce qui s'était passé dans cette contrée tumultueuse. Une voix se fit enfin entendre au bout du fil :

– Allô ? C'est vraiment toi ?

C'était bien Dagmar, toujours méfiante, mais peut-être encore plus douce. Je fournis mes explications pour cette cause :

– Je dois apporter des idées au comité d'organisation et j'ai immédiatement pensé à toi.

– Pourquoi ?

– Une princesse des Balkans me semble tout indiquée, non ? Pour l'instant, je n'ai à ma disposition que deux acteurs de série télé, un cuisinier médiatique inconnu et quelques douairières qui habitent Onslow Gardens.

Elle hésita :

– Je n'utilise plus trop ce nom maintenant.

Il y avait une trace de chagrin dans sa voix, mais je ne savais pas, bien sûr, s'il s'agissait d'une crise de nostalgie ou d'un dénigrement plus général de sa vie actuelle.

– Même sous le nom de lady Holman, tout le monde saura qui tu es.

C'est le genre de chose que l'on dit pour faire plaisir mais, comme bien souvent, je ne le pensais pas vraiment.

– Eh bien... euh...

J'aurais imaginé que la réussite financière de William aurait pu lui faire gagner en assurance mais on aurait dit que c'était l'inverse qui s'était produit.

– Est-ce qu'on peut en parler de vive voix ? Je ne serai pas loin de chez toi la semaine prochaine, est-ce que je peux passer te voir ?

– Quand ça ?

Comme avec Lucy Dalton, je devinais un animal pris au piège qui cherchait désespérément une solution, scrutant les mailles du filet pour trouver une issue de secours que je lui refusai avec ma botte secrète :

– C'est comme tu veux. J'ai des choses à faire à Winchester mais je peux arranger ça pour que ça corresponde à ton emploi du temps. Quel jour t'arrangerait ? Ça va vraiment être très sympathique de se revoir après toutes ces années.

Elle savait se montrer fair-play quand elle comprenait que la partie était perdue.

– Oui, ça sera sympathique. Bien sûr. Vendredi prochain pour le déjeuner, ça te va ?

– Parfait. William sera des nôtres ?

– Oui, il n'aime pas que je reçoive du monde s'il n'est pas là.

Cette phrase lui avait échappé avant qu'elle ne se rende compte du portrait d'horrible tyran domestique qu'elle venait de brosser. Nous avions l'impression que ses paroles résonnaient sur toute la ligne téléphonique. Après une pause silencieuse, elle tenta d'arrondir les angles, du moins autant qu'elle le pouvait :

– Ça ne lui plaît pas de se rendre compte qu'il a loupé des gens qu'il aime bien. Il adorerait te revoir.

– Moi aussi, fis-je parce que j'étais obligé.

Je ne voyais pas trop comment j'allais m'acquitter de ma mission avec William pour surveiller nos faits et gestes mais je n'y pouvais rien.

– À vendredi, alors. Un peu avant une heure.

Bellingham Court était une vraie demeure. C'était à dix kilomètres de Winchester et sans doute pas assez loin de l'autoroute mais c'était un vrai castel élisabéthain, avec fenêtres à meneaux, plafonds à encorbellement et de grandes pièces dotées de boiseries murales, d'une galerie des secrets. Le genre de cabane qui permet de se faire plaisir narcissiquement. En pénétrant par les grilles impeccables et en parcourant la très longue allée, entretenue à la perfection, on voyait que la propriété avait fait l'objet d'un programme de restauration récent et considérable. Je me suis garé dans la très vaste avant-cour bordée de deux grands plans d'eau peu profonds qui affleuraient dans des bacs de pierre sculptée, précieux et tout neufs. Avant que je puisse sonner, la porte fut ouverte par une femme d'âge mûr avec de grosses chaussures que j'imaginais à raison être la gouvernante. Elle me conduisit à l'intérieur.

La fortune que l'on devinait ici n'était pas comparable au butin façon Crésus amassé par Damian. Les Holman étaient très riches, c'est tout, pas incroyablement-super-méga-riches-façon-Bill-Gates. Juste riches. Mais, bon, c'était déjà pas mal! Le vaste hall en blanc cassé était pavé de pierre, avec un paravent sculpté plus foncé d'un côté, et de merveilleux meubles. On les avait sélectionnés dans le style de la maison et je me rendis compte plus tard que les autres pièces du bas étaient aménagées différemment, le décorateur ayant décidé qu'on pouvait admirer le mobilier Tudor mais difficilement vivre avec. On avait donc réservé ce style au hall, avec quelques meubles dans la bibliothèque. On sentait une sorte de préméditation, comme un modèle très étudié qui, comme dans le cas du palais de Damian dans le Surrey, était un peu déstabilisant par rapport à l'idée qu'on pouvait se faire de la vie à la campagne. Les véritables maisons de campagne possèdent une dimension imprévue, on y mêle les objets et les meubles d'autres demeures qui se retrouvent dans un méli-mélo qui a le chic de ce qui a été assemblé au petit bonheur la chance. Beaucoup de décorateurs en sont fort conscients et, si on leur donne le temps et l'argent, sont fort capables de vous arranger une maison pour qu'elle ait l'air d'appartenir à la famille depuis 1650 même si vous n'avez emménagé que l'été dernier. Mais là, à Bellingham, on n'était pas arrivé à produire cette élégance *cosy* et décontractée. En fait, il y avait quelque chose de déconcertant dans cette demeure que j'ai du mal à décrire, comme si elle avait été préparée pour l'arrivée d'un groupe de personnes importantes qui n'étaient jamais venues. Je n'aurais pas été surpris si on m'avait dit que tout avait été apprêté pour une séance photos et qu'il ne fallait toucher à rien. Les tableaux étaient presque tous d'impressionnants portraits en demi-grandeur, un peu trop propres et un peu trop brillants. Ils avaient quelque chose d'étranger, ce qui me fut confirmé par les noms imposants sur les plaques que je déchiffrai en m'approchant : « Frédéric François Ier, grand-duc de Mecklembourg-Schwerin, 1756-1837 » et un autre annonçait le « comte Felix Beningbauer *gennant* Lupitz, 1812-1871 et son fils Maximilien ».

– Nous sommes très pro-européens.

La voix qui venait de se faire entendre me fit sursauter et j'aperçus une minuscule silhouette à l'autre bout de la pièce qui ressemblait davantage à un boy-scout faisant du porte-à-porte qu'à une princesse d'âge mûr. Bien sûr, je savais que c'était Dagmar, parce qu'une personne de cette taille, c'était forcément elle, mais j'avais du mal à retrouver le visage que je connaissais. Ses cheveux, certes aussi plats et raides qu'avant, étaient tout gris et je parvins à reconnaître le tremblotement ému et nerveux de ses lèvres, mais il ne restait pas grand-chose d'autre de son apparence de jeunesse. Elle avait toujours des yeux écarquillés, mais le regard était plus triste et, malgré le luxe ambiant, je sentis que la vie n'avait pas été tendre avec elle. Nous nous sommes fait la bise, avec une certaine maladresse, comme deux inconnus qui se frôlent les joues pour la première fois puis elle me conduisit dans le grand salon, une jolie pièce lumineuse mais une nouvelle fois avec quelque chose d'artificiel. C'était un beau mélange de chintz de chez Colefax et d'antiquités, georgiennes, cette fois-ci, extrêmement bien choisies individuellement mais sans cohérence d'ensemble. La parade des portraits européens continuait sur les murs.

Je pointai du doigt deux d'entre eux.

– Je ne me rappelle pas que vous ayez eu ceux-là à Trevor Square. Ou alors ils étaient dans un garde-meuble ?

Nous savions pertinemment, sans avoir à le dire, qu'ils ne provenaient pas de l'héritage familial du chevalier William de Holman.

– Ni l'un ni l'autre.

Elle me revenait progressivement. Sa petite bouche humide et entrouverte s'était affermie, mais elle possédait toujours cette note d'émotion discordante et larmoyante dans la voix, comme si une friction des cordes vocales provoquait cette légère nuance de tristesse. Cela me rappelait la jeune fille qu'elle avait été.

– William a des représentants dans les salles des ventes et, dès qu'un portrait ayant le moindre rapport avec moi est mis aux enchères, il se porte acquéreur.

Elle ne tenta pas d'apporter une interprétation des actes de son mari. Et moi non plus.

– Où est William ?

– Il choisit le vin pour le repas. Il n'en a pas pour longtemps.

Elle alla me chercher à boire dans un grand cabinet rococo sculpté qui, à mon amusement, contenait même un petit évier. Nous nous sommes mis à bavarder. Dagmar était plus au courant de ma vie que je ne l'aurais deviné et elle se rendit sans doute compte à quel point j'en étais flatté quand elle me parla d'un roman en particulier dont le succès public était pourtant resté en sourdine. Je l'ai remerciée et elle a souri.

– J'aime bien me tenir au courant sur la vie des gens que j'ai connus autrefois...

– Plus que de les voir en personne...

Elle haussa les épaules avec légèreté et répondit :

– Les amitiés se fondent sur un vécu partagé. Nous ne partageons plus la même vie. William n'est pas très nostalgique de cette période. Il préfère l'époque d'après.

Ce n'était pas une surprise. J'aurais eu le même sentiment à sa place.

– Est-ce que tu vois encore de nos anciennes connaissances ?

– Je suis passé voir Lucy.

– Eh bien, tu ne fais que ça... Comment va-t-elle ?

– Très bien. Son mari a encore une nouvelle lubie commerciale. Je ne suis pas sûr que ça marche très bien.

– Philip Rawnsley-Price... *Le* type que nous voulions fuir à tout prix et c'est Lucy Dalton qui l'épouse. C'est bizarre, la vie... J'imagine que Philip a beaucoup changé ?

– Pas assez.

C'était méchant mais nous avons éclaté de rire d'une même voix.

– J'ai vu Damian Baxter, aussi. Très récemment. Tu te souviens de lui ?

Cette fois-ci, elle eut une sorte de gloussement nerveux tout à fait conforme à la Dagmar que j'avais connue.

– Si je m'en souviens ? Comment aurais-je pu l'oublier alors que nos deux noms sont irrémédiablement associés depuis ?

Mon esprit était occupé à un autre raisonnement et je fus complètement surpris : avais-je manqué une liaison que tout le monde connaissait ?

– Vraiment ?

Elle fut très étonnée de ma lenteur d'esprit.

– Tu te souviens de mon bal ? Quand il a foutu un gnon à Andrew Summersby ? Et qu'il a ajouté deux mille livres à l'addition de la soirée ? Ce n'était pas rien à l'époque, je peux te le dire.

Ce souvenir ne lui causait aucune tristesse. C'était plutôt le contraire. Très clairement.

– Bien sûr, que je m'en souviens. Je me rappelle aussi que tu avais essayé de faire croire qu'il avait été invité. J'avais trouvé ça charmant de ta part.

Elle opina et sourit malicieusement en pensant à son geste généreux d'antan.

– Ça ne pouvait pas marcher. Ma mère vivait encore dans un royaume d'illusions. Elle croyait que, si elle permettait à un seul jeune homme de rester sans invitation – même s'il s'était très bien conduit pendant toute la soirée –, ça serait la fin de l'Empire romain. Inutile de préciser que son intransigeance nous a couverts de ridicule.

– Tu n'avais rien de ridicule.

Flattée, elle se mit à rougir.

– C'est vrai ? Tant mieux alors.

– Comment va ta mère ? Elle m'a toujours terrorisé.

– Elle ne te ferait plus peur aujourd'hui.

– Elle est encore en vie ?

– Oui, oui. On pourra passer la voir si tu as le temps de te promener après le repas.

– Oui, ça me ferait plaisir.

Il y eut un long moment de silence. J'entendais une abeille qui essayait de sortir en se cognant à une fenêtre. Ce n'était pas la première fois que je constatais combien ces conversations pouvaient mettre mal à l'aise quand on se retrouvait comme des étrangers avec des gens qu'on avait si bien connus.

– Ta mère doit être contente de ce qui t'est arrivé.

J'étais parfaitement sincère. La grande-duchesse avait tellement voulu que sa fille ait droit à un mariage d'exception qu'un parti comme William Holman avait dû être une cruelle déception, malgré la nécessité de la chose à l'époque. Elle ne pouvait guère deviner, et nous non plus, qu'il serait finalement capable de procurer un train de vie largement supérieur à ce que proposaient les meilleurs partis de 1968.

Elle me regarda d'un air pensif avant de murmurer :

– Oui et non.

Avant que je ne puisse poursuivre, William fit son entrée d'un pas énergique en tendant la main vers moi. Il avait meilleure allure que dans mes souvenirs. Il était grand et mince, et ses cheveux grisonnants aux reflets blonds lui donnaient une allure juvénile.

– Je suis ravi de te revoir, fit-il.

Étrangement, sa voix avait davantage changé que son visage. C'était la voix d'un homme important, qui s'adressait à un conseil d'administration, ou à une assemblée municipale où le public était composé de ses métayers reconnaissants.

– Comment vas-tu ?

Nous nous sommes serré la main et avons échangé les platitudes habituelles de type « Ça faisait longtemps » pendant que Dagmar lui servait un verre. Il fit la moue en le prenant.

– Il n'y a pas de citron ?

– Visiblement pas.

– Et pourquoi ?

Certes, nous venions tout juste de dire que nous étions absolument extatiques de nous voir, mais j'étais tout de même plus ou moins un inconnu. Le ton qu'il prit pour parler à sa femme était d'une sévérité étonnante qui me mit mal à l'aise.

– Ils ont dû oublier d'en acheter.

Dagmar parlait comme si elle était enfermée dans une cellule avec un criminel potentiellement violent et qu'elle essayait d'attirer l'attention des gardiens.

– « Ils », c'est qui, « ils » ? C'est surtout *toi* qui as oublié de leur dire d'en acheter.

Il lança un grand soupir qui exprimait sa profonde lassitude face à la médiocrité pitoyable des compétences de sa femme.

– Bon, peu importe, conclut-il.

Il but une gorgée, fit une grimace de dégoût et revint vers moi.

– Alors, qu'est-ce qui t'amène parmi nous ?

Je lui parlai du bal de charité, car je n'allais évidemment pas donner la vraie raison. Il me regarda alors avec cet air faussement intéressé que prennent les gens qui doivent subir un laïus tenu par un mendiant dans la rue.

– Bien sûr, c'est une cause très importante, comme je le disais à Dagmar quand elle m'en a parlé. Et je trouve très bien que tu t'en occupes...

– Mais ?

– Mais je ne crois pas que cela soit vraiment pour nous.

Il s'arrêta, car il attendait que je l'interrompe pour dire que je comprenais très bien sa position, mais je me suis contenté d'attendre sans rien dire, jusqu'à ce qu'il soit suffisamment gêné pour devoir apporter une justification.

– Je ne veux pas que Dagmar soit prisonnière de toute cette histoire. Bien sûr, sa famille a eu une position intéressante il y a longtemps, mais c'est fini tout cela. Dagmar porte désormais le nom de lady Holman. Elle n'a pas besoin de tirer parti d'un titre fantoche datant de la nuit des temps alors qu'elle possède un statut contemporain tout à fait valable. Aussi vital que puisse être ce genre d'événement, il la tire vers le passé et non vers l'avenir.

Ses lèvres produisirent un sourire que démentait l'expression de son regard. Je lançai un regard à Dagmar qui restait silencieuse. Je repris :

– Sa position n'a rien de fantoche. Elle est membre d'une famille régnante.

– Une ex-famille régnante.

– Ils étaient sur le trône trois ans avant sa naissance...

– C'est-à-dire il y a très longtemps.

Une telle goujaterie ne me semblait pas nécessaire.

– Il y a plein de gens en exil qui considèrent son frère comme un dirigeant potentiel.

– Ah, je vois... Tu crois que nous assisterons au couronnement de Feodor ? J'espère qu'il aura le droit de s'absenter du boulot !

Il éclata de rire, avec une bonne dose de sarcasme et un regard lancé à sa femme pour qu'elle saisisse bien le mépris qu'il exprimait. Tout cela était insupportable.

– Désolé, mais pour moi, tous ces trucs, c'est juste une excuse pour qu'un bataillon de snobs fasse des saluts et des révérences et pour donner un peu de cachet à leurs soirées mondaines...

Il secoua la tête lentement, comme s'il développait un argument important.

– Ils devraient plutôt s'intéresser au monde d'aujourd'hui.

Il but une gorgée pour donner un caractère définitif à son assertion. Cela voulait dire que la discussion était close sur ce sujet. Je me suis tourné vers Dagmar.

– Tu es d'accord avec ça ?

Elle respira un bon coup puis tenta d'intervenir :

– Eh bien, en fait...

– Bien sûr, qu'elle est d'accord. Bon, où en est le déjeuner ?

Je compris alors que le fardeau de l'existence de William avait été d'être considéré pendant des années comme le moment de faiblesse de Dagmar, aboutissant à une *mésalliance** honteuse qui avait touché la dynastie morave. Sauf qu'il n'avait plus à supporter cela maintenant. Les rapports de force n'étaient plus les mêmes. Aujourd'hui, c'est lui qui avait l'argent et le pouvoir – et il entendait bien le faire savoir à tout le monde. Mais le pire, c'est que du haut de sa nouvelle position, il ne pouvait plus tolérer que Dagmar ait la moindre place à titre personnel. Elle était à présent censée être son épouse et rien d'autre, et le théâtre de son prestige d'antan était désormais dévolu à son époux. Bref, c'était un tyran. Je comprenais pourquoi la grande-duchesse avait éprouvé des sentiments mitigés.

Le déjeuner fut assez insolite et procura d'innombrables occasions permettant à son mari d'humilier Dagmar publiquement. Ce fut une série de « Mais qu'est-ce que c'est que ça ? C'est normal ce goût de brûlé ? », « C'est quoi, ces couverts ? Ils viennent d'une dînette ou quoi ? » ou encore « Ces fleurs auraient plutôt leur place à la poubelle » et « Il n'y a pas de sauce avec ça ? C'est pour que ça soit bien sec ? ». À la place de Dagmar, je crois que je me serais levé et que je lui aurais cassé une assiette sur la tête avant de le quitter pour toujours. Et encore, on n'était pas arrivé au dessert. Je ne connais que trop bien ce genre de violence conjugale, car il s'agit bel et bien de violence, de celles qui détruisent la volonté de résister, et à mon grand regret, Dagmar acceptait tout. Elle abondait même dans son sens en demandant pardon pour des imperfections parfaitement imaginaires. Elle s'excusait ainsi pour rien : « Je suis désolée, c'est un peu tiède » ou « Tu as raison, j'aurais dû leur dire de mettre le sel d'abord ». Le bouquet, ça a été quand William a pris une bouchée de sa crêpe Suzette et qu'il l'a recrachée dans l'assiette pour s'écrier de son ton le plus véhément :

– Bon sang ! Mais c'est quoi, ça ! C'est du savon ?!

– Je ne comprends pas, je les trouve délicieuses, fis-je prudemment.

– Eh bien, pas chez moi, rétorqua-t-il avec un grand rire, comme si nous partagions tous une bonne blague.

– Chez toi ? C'est où chez toi, à l'origine ? Je ne me rappelle plus.

J'ai gardé mon regard fixé sur lui pendant une seconde. Derrière lui, la gouvernante lança un coup d'œil rapide en direction de la bonne qui aidait au service pour vérifier qu'elle n'en avait pas perdu une miette. Je constatai qu'elles n'avaient pas leurs oreilles dans la poche. En fait, elles étaient à deux doigts de sourire. Il était certes distrayant pour le personnel de la maison de voir le tyran mordre la poussière, mais c'était une marque de snobisme de ma part et c'était de toute manière contre-productif. Rouge de fureur, William était à deux doigts de me mettre dehors, ce qui aurait rendu mon déplacement totalement inutile. Heureusement pour moi, il n'était pas homme à se laisser aller à la colère. Des années de négociations subtiles à la City l'avaient aguerri. J'imagine aussi que la simple idée de voir se répandre l'anecdote dans tout Londres était un risque qu'il ne voulait pas courir – surtout venant de quelqu'un qui avait sans doute davantage de notoriété que lui, même pas plus riche, ni qui ait mieux réussi dans la vie, juste quelqu'un d'un peu plus en vue. Bien sûr, mon crime de lèse-majesté n'était pas d'avoir été grossier envers lui ou de ne pas avoir pris son parti. C'était surtout que j'avais osé trouver sa femme plus agréable et plus intéressante que lui, ce qui était encore plus grave que de lui rappeler le long voyage social qu'il avait fait depuis notre première rencontre. Je devinais qu'il prenait un soin maniaque à sélectionner les gens autorisés à pénétrer sur son territoire si bien que ce genre de confrontation ne devait que rarement se produire, si ce n'est jamais. Question contradiction, il n'avait plus l'entraînement.

Avec un long et profond soupir qu'il rendit suffisamment audible, il reposa sa serviette, qu'il avait pris soin de bien froisser et fit un sourire.

– Bon, c'est terrible, mais il faut que je me sauve. Vous voudrez bien m'excuser...

C'était très amusant de le voir essayer de se montrer gracieux. Ce n'était pas son point fort.

– ... je suis à la maison le vendredi, mais j'ai tout de même du travail, malheureusement. Dagmar te raccompagnera. N'est-ce pas, chérie ? C'était très agréable de se retrouver.

J'arborai un grand sourire, comme s'il ne venait pas de me congédier, et nous avons donc fait comme si tout était pour le mieux. Et puis, il est parti. Dagmar et moi avons échangé un regard. Avec son petit visage froissé et ses frêles épaules, elle faisait penser à une orpheline affamée à Berlin pendant la guerre. Ou à Édith Piaf – vers la fin de sa vie.

– Tu veux aller te promener après tout ça ? Je ne t'en voudrais pas si tu préfères partir. Je ne me vexerai pas.

– Il vient de m'ordonner de quitter sa propriété, non ?

Elle fit une petite moue :

– Et alors ?

– Ne le mets pas en colère pour moi...

– Il est tout le temps en colère. Ça ne change rien.

Les jardins de Bellingham avaient été nettoyés, replantés et avaient retrouvé un semblant de leur apparence edwardienne. Clos de grands murs, avec des « compartiments » contenant des statues séparées par des haies taillées et des bordures de roses bien proprettes. C'était très joli mais le parc était d'une autre dimension. Survivants de l'époque de la construction de la demeure, les chênes gigantesques, anciens et vénérables, donnaient à l'endroit une solennité sobre, une beauté majestueuse qui manquait aux jardins pittoresques ou à l'intérieur restauré.

J'embrassai l'ensemble du regard.

– Tu as beaucoup de chance.

– Tu crois ?

– Pour la propriété, en tout cas.

Elle admira les arbres somptueux et les collines qui moutonnaient autour de nous.

– Oui, pour ça, j'ai de la chance.

Nous avons marché en silence un moment. Puis elle lança très soudainement :

– Comment allait-il ?

Je n'ai pas compris tout de suite.

– Damian. Tu m'as dit que tu l'avais vu récemment.

– Il ne va pas fort, malheureusement.

– J'avais entendu ça. J'espérais que tu me dises le contraire.

– Eh non...

Nous sommes de nouveau restés silencieux en gravissant une petite pente dotée d'une vue magnifique sur le parc et la maison.

– Tu savais que j'étais folle de lui ?

Je commençais à m'habituer aux surprises.

– Je savais que vous aviez passé du temps ensemble mais je n'imaginais pas que c'était le grand amour.

– Si, pour moi en tout cas.

– Vous avez été très discrets alors.

Elle eut un petit gloussement un peu triste.

– Il n'y avait pas grand-chose à cacher.

– Il a parlé de toi l'autre jour.

Elle parut toute remuée et porta la main à sa joue en s'écriant dans un murmure :

– C'est vrai ? Il a vraiment parlé de moi ?

C'était très touchant.

Nous prenions visiblement la direction de la discussion que j'étais venu chercher. Mais je préférais y aller pas à pas.

– Il a juste mentionné que vous étiez sortis ensemble deux ou trois fois. Je l'ai appris à cette occasion.

Soulagée de se savoir encore présente dans les souvenirs de Damian, elle se libéra tout d'un coup :

– Je l'aurais épousé, tu sais.

C'était stupéfiant : je n'en revenais pas de constater la vitesse d'accélération de notre conversation. Damian m'avait laissé l'impression d'un flirt d'une nuit, mais pour Dagmar, ça avait été *Tristan et Yseult*. Cela arrive souvent, que deux amants vivent en fait une relation totalement différente.

En voyant mon expression, elle secoua la tête, croyant d'emblée que j'allais la contredire. C'était une transformation assez incroyable et, pour la première fois, je la vis prendre l'ascendant dans ce qui ressemblait à un désaccord.

– Je l'aurais épousé s'il me l'avait demandé. Oh ! oui.

Je levai les bras en signe d'abandon.

– Je te crois !

Cela la fit sourire et elle se décontracta de nouveau. Elle avait compris que je n'étais pas son ennemi.

– Ma mère m'aurait jetée par la fenêtre bien sûr. Mais j'étais prête à l'affronter. Et puis ce n'était pas qu'un coup de folie. Je savais qu'il saurait se débrouiller. C'est ce que j'aimais chez lui. Il faisait partie du monde qui arrivait. Pas le monde que *nous* pensions voir arriver, pas le *peace & love* avec fleurs dans les cheveux, non. Le vrai monde d'aujourd'hui qui s'est construit pendant les *seventies* et qui nous est tombé dessus pendant les années 1980. L'ambition, la rapacité. Je savais que je verrai l'avènement d'une nouvelle oligarchie avant que je meure et j'étais persuadée que Damian en ferait partie.

Quand on prend de l'âge, on découvre une chose étrange, c'est que tous ceux qu'on a connus jeunes étaient aussi incapables que vous d'exprimer leurs opinions. D'une certaine manière, quand on est jeune, on pense en général que l'on est incompris et que le reste du monde est composé d'imbéciles. Je me rendis compte, avec une certaine peine, que j'aurais pu être beaucoup plus proche de Dagmar si seulement j'avais su ce qui se passait dans sa petite tête.

– Et après ? Qu'est-il arrivé ? Tu n'as pas pu convaincre ta mère ?

– Non, l'explication est ailleurs. Ma mère aurait abandonné la partie si j'avais tapé du pied assez fort. Après tout, elle a bien fini par me laisser épouser William qui n'avait aucun rang, juste parce qu'il semblait capable de faire fortune.

– C'était quoi alors ?

Elle poussa un grand soupir. Cela lui faisait encore de la peine.

– C'est lui qui n'a pas voulu.

Elle fronça les sourcils, soucieuse de nuancer ce qu'elle venait de dire.

– Enfin, il m'aimait bien et ça l'amusait beaucoup tout le... le tralala de la Saison. Mais il n'a jamais vraiment voulu de moi. Pas profondément.

La triste vérité, c'est qu'aucun d'entre nous n'avait jamais vraiment voulu de Dagmar. En tout cas, pas « de cette manière », comme dirait ma grand-mère. Elle avait trop l'air d'une orpheline, d'une enfant délaissée et pitoyable. Mais, en l'écoutant, je fus saisi par une vague d'apitoiement en repensant à ce que nous étions il y a quarante ans, à toute cette jeunesse aux amours sans réciprocité, en tout cas pour tous ceux d'entre nous qui n'étaient pas d'un physique assez agréable. Brûlants de nous exprimer, persuadés que l'objet de notre passion pourrait comprendre la force de notre amour et y céder tout en sachant qu'il n'en était rien, qu'il ne se passerait rien.

Dagmar n'avait pas terminé :

– Il y a eu un moment où j'ai cru que ça pourrait se faire. J'ai pensé que je pouvais lui offrir tout ce qu'il cherchait en participant à cette Saison. Tout ce qu'il voulait socialement, toute la...

Elle ne savait plus trop comment l'exprimer. Elle en avait tellement dit qu'elle s'était aventurée sur un terrain inconfortable.

– ... enfin, tout ça, au niveau social. Je pensais qu'il était suffisamment ambitieux pour que je fasse partie du lot à emporter.

Elle me regarda avec gêne.

– Ça doit te paraître un peu désespéré.

– Cela révèle surtout de la détermination. Je suis surpris que ça n'ait pas marché.

J'étais très sincère. Qu'il la trouve séduisante ou pas, j'aurais imaginé que le Damian Baxter de ces années-là se serait rué sur la possibilité d'avoir une véritable princesse comme épouse.

Mais là, ce fut au tour de Dagmar de me regarder d'un air apitoyé.

– Tu ne l'as jamais compris. Même avant ce terrible dîner au Portugal. Tu croyais qu'il désirait tout ce que tu possédais. Qu'il en voulait même encore plus. C'est vrai, d'une certaine manière. Mais, à un moment dans l'année que nous avons passée ensemble, il s'est rendu compte que ce qu'il voulait, c'était décider de sa vie et ne pas accepter un ordre établi.

– C'est peut-être ce que tu admires chez les hommes. William est assurément quelqu'un qui décide.

Ma remarque aurait pu être cruelle, mais elle la prit au sérieux et eut l'air de réfléchir. Elle secouait la tête, faisant une différence entre les deux hommes.

– William est tout petit. Il m'a épousée pour se grandir. Une fois sa fortune faite, il s'est acheté un anoblissement et il a obtenu le statut qu'il espérait. À ce moment-là, il n'a plus voulu que je partage cette grandeur. Il souhaitait me voir minuscule. Pour être d'autant plus grand...

C'étaient des paroles d'une tristesse infinie, surtout prononcées par cette frêle personne avec sa petite voix vieillotte qui rappelait Valerie Hobson, cette actrice des années 1950. Elle avait l'air tellement fragile, on aurait dit qu'elle pouvait se briser d'un moment à l'autre.

– Il se moque de mes origines, il critique tout ce que je fais, il bâille dès que je parle, ça lui permet de démontrer que c'est moi qui ai besoin de lui et pas l'inverse.

– Il continue d'acheter des portraits de tes ancêtres.

– Il n'a pas vraiment le choix. Si on devait attendre qu'il fasse l'acquisition des siens, les murs ne seraient pas très décorés.

J'aimais bien la voir un peu acerbe.

– Pourquoi est-ce que tu ne le quittes pas ?

Je ne sais pas pourquoi, mais cette question était naturelle sur le coup, pas du tout aussi intrusive qu'elle peut paraître sur le papier.

– Je ne sais pas vraiment. Pendant longtemps, c'était pour les enfants. Mais ce ne sont plus des gosses maintenant. Je ne sais pas, en fait.

– Tu en as combien.

– Trois. Simon est l'aîné, il a 37 ans, il est parti maintenant, il travaille à la City.

– Il est marié ?

– Pas encore. Je me demandais même s'il n'était pas homo. Ça ne m'aurait pas dérangée, mais ce n'est pas le cas. Je crois que l'exemple de ses parents ne lui a pas vraiment donné confiance concernant l'institution conjugale. Et puis, il y a Clarissa, qui est mariée à un pédiatre très sympathique et dont le cabinet marche bien. Cela me fait plaisir, même si William a des réticences.

– Et pourquoi donc ?

– Il aurait préféré un lord idiot à un médecin intelligent, fit-elle en soupirant, et puis il y a Richard, notre cadet. Il a 24 ans et il démarre dans l'événementiel d'entreprise...

Elle réfléchit un instant à ce qu'elle venait de dire.

– Ils ont des drôles de boulots, les jeunes, aujourd'hui, non ?

– C'est pas comme avant...

– Remarque, toi, tu as choisi un drôle de boulot. Personne ne pensait que tu pourrais en vivre. Tu t'en rendais compte ?

– Je m'en doutais un peu. Mais, de ton côté, je m'attendais aussi à ce que tu fasses quelque chose de surprenant.

Je disais surtout ça pour lui faire plaisir, mais ce n'était peut-être pas faux. Pour moi, elle avait toujours été un peu originale, avec sa manière d'être à l'écart, si discrète, avec ses gloussements et ses grands silences. Je me disais que, derrière ce visage de lilliputienne timide, il devait exister une personne totalement différente même si je n'avais jamais poussé plus loin. Je m'étais plus ou moins attendu à ce qu'un jour elle se lâche complètement. Je n'imaginais pas qu'elle se contenterait d'être pantouflarde, qu'elle adopterait la vie tranquille des nantis de Sloane Square, achetant aux enfants les uniformes pour l'école et préparant des plats dans sa résidence secondaire sur sa belle cuisinière Aga.

Dagmar apprécia l'idée d'une carrière professionnelle.

– Vraiment ? Dans les gens de l'époque, personne n'a fait grand-chose de spectaculaire. Rebecca Dawnay compose des musiques de films, et je crois que Carla Wakefield a ouvert un restaurant à Paris. Ou alors je confonds ?...

Elle essaya vainement de se souvenir.

– Je sais qu'une éditrice de Londres est une ancienne Débutante, mais je ne me rappelle plus laquelle. Enfin, je crois que c'est à peu près tout, conclut-elle en soupirant.

– Ça n'empêche rien.

Je m'étais complètement remis de la surprise initiale quand je n'avais pas reconnu Dagmar. Elle était de nouveau elle-même. Et cela faisait resurgir de vieux souvenirs.

– Tu te rappelles la première nuit au Portugal ? Quand nous sommes allés pique-niquer dans ce château hanté sur la colline ? Nous avons parlé de la vie... Tu avais l'air d'une prisonnière en train d'élaborer un plan d'évasion. Tu as dû oublier.

– Non, pas du tout.

Elle s'arrêta comme pour donner du poids à ce qu'elle allait dire :

– Je crois que tu as raison, j'avais une sorte de plan. Et puis je suis tombée enceinte.

Nous le savions tous, même si à l'époque personne ne parlait ouvertement de ce genre de situation. Je me gardai de faire la moindre remarque.

– William m'a demandé de l'épouser et, quoi que tu puisses penser de lui aujourd'hui, je peux te dire que j'ai été largement soulagée à l'époque. Simon est arrivé et puis voilà.

À force de marcher, nous étions presque revenus à la maison et il me fallait des réponses.

– Quand as-tu abandonné l'idée de rester avec Damian ?

Son visage se crispa et elle eut l'expression d'un écureuil angoissé. Je me rendis compte que cette question, et surtout ce retour en arrière jusqu'à 1968, n'avait rien de facile pour elle mais je ne pouvais rien faire pour l'éviter. Je lui laissai le temps de mettre en forme sa réponse :

– J'ai abandonné quand j'ai vu qu'il ne me proposait rien et quand William m'a demandé en mariage. En fait, je ne sais pas trop comment le dire mais, euh...

Elle hésita avant de poursuivre, rougit un peu mais, visiblement, elle s'était aventurée trop loin pour battre en retraite et se décida finalement à tout raconter.

– ... les deux auraient pu être le père. J'étais avec William à l'époque, mais j'ai couché avec Damian la nuit où nous sommes arrivés à Estoril. Je m'en souviens très bien parce que c'était la dernière fois où je me suis dit que j'avais une chance avec lui. Mais, dans la nuit, il m'a fait comprendre clairement que ça n'était pas la peine. Il m'aimait bien, mais bon...

Elle haussa les épaules et, soudain, c'était comme si je me promenais dans le parc avec la jeune fille solitaire au cœur brisé d'il y a quarante ans.

– Après ça, quand j'ai eu du retard dans mes règles, j'ai su que c'était soit William soit la clinique pour avorter. Ça fait bizarre de penser à ça maintenant, vu comment William me traite, mais sur le coup, tu ne peux pas imaginer mon soulagement quand il m'a fait sa demande en mariage.

– J'imagine tout à fait, répondis-je en toute sincérité.

Elle eut un frisson.

– J'aurais dû prendre un gilet.

Elle me lança un regard gêné.

– Je ne sais pas pourquoi je t'ai dit tout ça.

– Parce que ça m'intéresse.

C'était parfaitement vrai. Les Anglais ne prêtent jamais attention à ce que pensent les femmes qui les entourent. Ils préfèrent pontifier aux dîners en parlant d'une nouvelle façon d'accéder à l'autoroute M5 ou se tresser des louanges sur leur dernier triomphe professionnel. Alors, quand un homme exprime la moindre curiosité envers la femme qui se trouve à côté de lui, s'intéresse à sa vie, à ce qu'elle éprouve, elle lui avouera à peu près tout ce qu'il veut entendre.

Nous passions devant les écuries, à quelques centaines de mètres de la maison principale. Le bâtiment était beaucoup plus tardif, de la moitié du XVIIIe siècle sans doute, et le mur au bout de la cour menait à un pavillon assez élégant, probablement construit pour un homme de confiance ou alors un cocher souffrant de la folie des grandeurs. Nous ne nous étions pas plus tôt approchés que la porte d'entrée s'ouvrit et qu'une vieille femme sortit et nous fit signe. Elle portait le foulard et les vêtements en tweed et d'une femme de la haute.

Nous étions encore séparés d'elle par une pelouse et elle nous parlait déjà :

– Dagmar m'avait avertie de votre venue, dit-elle, je tenais à venir vous saluer.

Je scrutai cette personne ridée et squelettique qui s'avançait vers moi. Était-ce vraiment la grande-duchesse que j'avais connue dans ma jeunesse ? Ou alors on l'avait transplantée dans une autre enveloppe corporelle. Au propre comme au figuré, elle n'avait plus le même poids. Et le charisme, la terreur qu'elle inspirait ? Tout cela avait disparu. Je m'approchai et m'inclinai.

– Madame, murmurai-je.

Elle fit non de la tête et me prit dans ses bras pour m'administrer une bise toute sèche sur les deux joues.

– Oublions ces manières, dit-elle gaiement en me prenant le bras.

Un geste pareil était tellement significatif de tout ce qui avait disparu depuis la dernière fois où nous nous étions vus. Étant de nature sentimentale, je trouvais que c'était un changement plus amical et décontracté. Mais, de manière plus générale, je me suis demandé si nous n'avions pas perdu plus que nous pensions, d'un côté comme de l'autre. Elle s'adressa à sa fille :

– Simon est arrivé ? Il m'a dit qu'il essaierait d'être là pour le déjeuner.

– Visiblement, il n'a pas pu. Il ne devrait pas tarder.

Dagmar fit un sourire à sa mère, cette gentille retraitée tout aimable qui avait remplacé la chef de guerre que j'avais connue dans mes jeunes années.

– Nous parlions de Damian Baxter...

– *Damian Baxter*... fit la duchesse en levant les yeux au ciel avec un sourire, si vous saviez les disputes que nous avons eues au sujet de ce jeune homme !

– J'imagine.

– Et le voilà l'un des hommes les plus riches du monde... C'est lui qui aura eu le dernier mot, finalement. En tout cas, je ne sais pas ce que vous a dit Dagmar, mais, en définitive, ce n'est pas moi qui ai empêché que ça se fasse entre eux. Je n'y suis pour rien...

– C'était la faute de qui ?

– Damian.

En prononçant ce nom, sa voix sévère m'évoqua le glas de la cloche de *La Lutine* au siège de la Lloyd's.

– Nous pensions tous que c'était un aventurier, un arriviste, qui allait faire fortune. C'était le cas, à sa manière.

Elle se tourna vers moi et agita son index sous mon nez.

– Et c'est vous qui avez fait entrer le loup dans la bergerie ! Toutes les mères vous maudissaient, fit-elle en riant. Mais, voyez-vous...

Elle voyageait soudain à travers le temps, retournait des décennies plus tôt et prit un ton presque nostalgique :

– ... il ne cherchait pas à s'approprier ce que nous possédions. Pas vraiment. Je ne l'avais pas compris à l'époque. Il voulait juste s'approcher de tout ça mais comme un explorateur venu d'ailleurs. Ça ne l'intéressait pas de vivre dans un monde où il n'avait aucun statut. C'est dans l'avenir qu'il avait un horizon. Et il avait raison, c'est là qu'était sa place.

Elle se retourna vers sa fille qui marchait maintenant derrière nous.

– Dagmar n'avait rien à lui offrir qui lui soit utile pour aller où il voulait...

Elle baissa la voix :

– Évidemment, s'il avait été amoureux d'elle, ç'aurait été différent... Mais, comme il ne l'aimait pas, ce n'était pas une affaire assez intéressante pour lui.

Je fus frappé par le parcours de Damian lors de cette année sublime. Au début, je l'avais vu tout excité quand il avait reçu sa première invitation envoyée par Georgina la Dodue et, quelques mois plus tard, il se payait le luxe de refuser la main d'une princesse de sang. Il y a peu de monde qui puisse se vanter de choses pareilles.

Nous avons entendu un bruit de pas. Dans l'allée, au bout de la haie de lauriers, William apparut, avec une démarche qui rappelait celle de l'oie, vêtu d'un Barbour flambant neuf et chaussé d'impeccables bottes en caoutchouc de chez Hunter. Il m'aperçut et son visage se rembrunit. Selon ses calculs, j'aurais déjà dû être en route pour Londres et à une bonne distance d'ici.

Sa belle-mère le considéra sans rien dire, avec dédain.

– Tiens, voici William, fis-je d'un ton enjoué, ça a dû être un soulagement quand il s'est présenté au moment où Dagmar en avait besoin.

J'avais parlé spontanément sans réfléchir.

La duchesse me lança le regard glacial d'un poisson des grands fonds marins.

– Je ne comprends pas, fit-elle d'un ton cassant.

Là, je la retrouvais vraiment.

– Je veux dire, dans la mesure où Dagmar était impatiente de se marier.

– Dagmar n'avait pas la moindre hâte de se marier, elle a seulement jugé que c'était le bon moment.

La grande-duchesse ayant mis un point final à cette question, elle se décontracta de nouveau et, cette intervention effectuée, redevint la joyeuse retraitée qu'elle était devenue.

– William voulait ce que Dagmar avait à lui offrir. Pas Damian. C'est tout. Vous ne l'aimiez plus du tout à la fin, je crois...

Elle me jeta un regard pour voir ma réaction. Je me gardai de la contredire.

– Dagmar m'a parlé de cette histoire au Portugal.

Bon, tout le monde avait tout raconté à tout le monde, alors. J'étais un peu dépité.

– Mais cela vous a empêché de voir qui il était vraiment et ce qu'il allait devenir. Quand Damian a disparu de notre cercle, même moi j'avais bien compris que c'était quelqu'un d'original.

Je me demande maintenant si cette discussion avec un authentique acteur de l'époque ne lui faisait pas particulièrement plaisir. Surtout que j'étais un vieil ami ou, en tout cas, quelqu'un qu'elle connaissait depuis très longtemps, et au bout d'un certain temps, c'est quasiment la même chose. Et il y avait de fortes chances pour que ce soit notre dernière rencontre. Je venais de lui apporter une occasion imprévue de mettre de l'ordre dans le passé, de comprendre ces lointaines décisions. J'imagine que ce ne sont pas des sujets dont on parle tous les jours et elle voulait profiter de ma présence. C'était la seule explication à sa remarque suivante.

– William n'a jamais eu l'imagination de Damian. Ni son assurance vis-à-vis de l'avenir. Quels que soient ses défauts, Damian était une sorte de visionnaire. William n'a jamais été qu'un arriviste vulgaire et ennuyeux.

– Cela ne signifie pas qu'il n'aimait pas votre fille, rétorquai-je en me disant qu'il avait le droit au bénéfice du doute.

Mais elle n'était pas d'accord.

– Je ne crois pas. Elle lui a permis de se sentir important, c'est tout. C'est pour ça qu'il ne peut plus la voir. L'idée qu'il ait eu besoin d'elle pour flatter son petit ego... ça lui est insupportable maintenant.

Je continuai à me taire. Non pas que je n'appréciais pas son manque de loyauté – j'étais même plutôt flatté qu'elle se dévoile ainsi –, c'est juste que je n'avais rien à ajouter. Elle me regarda et se mit à rire.

– Je ne peux pas le voir en peinture ! Dagmar non plus, j'imagine, mais nous n'en parlons jamais.

– Cela ne sert à rien. Sauf si elle compte y faire quelque chose.

Elle opina. La pertinence de cette dernière remarque l'attrista. En fait, c'est toute cette conversation qui l'avait attirée sur un terrain incertain et je vis son regard s'embuer sous l'effet du liquide lacrymal. Elle me répondit :

– Ce qu'il y a, c'est que je ne sais pas comment on pourrait se débrouiller. Tel que je le connais, il ferait en sorte de ne rien lui donner en cas de séparation. Il trouverait un avocat suffisamment malin pour ne rien lui laisser. Et on ferait quoi, après ?

Elle soupira avec la lassitude de quelqu'un qui avait travaillé dur dans les vignes de la vie sans obtenir le repos qu'elle méritait.

On entendit au loin le bruit d'un moteur dont elle chercha l'origine du regard.

– Ah, c'est Simon. Enfin.

Son arrivée venait de la soustraire aux abîmes qu'elle contemplait. Elle devait déjà regretter tout ce qu'elle venait de dévoiler.

Une voiture rutilante de marque étrangère suivait l'allée et se dirigeait vers nous. En la voyant approcher, je fus pris d'une vague espérance : j'aurais tellement voulu que ce soit le fils de Damian. Cela me bouleversait d'une manière plus poignante que pour Lucy. À leur manière un peu évaporée, je savais que, entre les projets à la noix de Philip, les coups de pouce des uns, des autres et du destin, les Rawnsley-Price arriveraient à peu près à s'en tirer. Mais, aujourd'hui, j'avais l'impression d'avoir rendu visite à des amis emprisonnés quelque part dans le tiers-monde pour un crime qu'ils n'avaient pas commis. Comme tous ceux de sa caste, la grande-duchesse avait une peur exagérée de la misère. Dans son cas, cela ne pouvait qu'être une misère très relative, très bourgeoise mais, selon sa perspective, cela restait inacceptable. La mère de Dagmar devait se dire qu'elle avait subi assez de grands bouleversements comme ça, et je crois qu'on peut la comprendre. Pour les classes supérieures britanniques et même les familles royales, c'est toujours un sujet délicat, l'idée de se retrouver face à la pauvreté après avoir été habitué à vivre dans l'aisance. La plupart n'ont pas seulement peur de l'inconfort mais de la vexation qui va avec la perte de revenus, et ils sont prêts à toutes les humiliations privées du moment qu'ils n'ont pas à perdre leur standing en public. Bien sûr, il y a aussi ceux qui s'en moquent complètement. Ils sont moins nombreux mais ce sont eux qui ont de la chance.

Je me mis à penser que dans cette voiture qui se dirigeait vers nous se trouvait peut-être quelqu'un qui allait mettre fin à cette souffrance. Un test ADN et ils seraient libérés du despote qui régnait sur leur triste existence. Dagmar, sa mère et les autres enfants pourraient s'évader, partir pour de nouvelles contrées où ils pourraient tous faire ce qu'ils voulaient tandis que William resterait tout seul à sa grande table vide à marmonner et à fulminer en insultant ses domestiques jusqu'à la fin de ses jours. Comment faire accepter à Simon un test ADN ? Aurait-il des scrupules envers les sentiments de William ? Et William avait-il des sentiments ? Dagmar m'avait rejoint. Sa mère et son mari étaient plus loin devant nous, ils attendaient la voiture qui s'approchait.

– Ça m'a fait plaisir de te revoir, toi et ta mère, que j'ai trouvée fort adoucie par les années.

Je voulais qu'elle voie vraiment en moi un ami – parce que c'était le cas.

Elle m'adressa un petit sourire pour dire qu'elle comprenait mais elle redevint rapidement plus grave. De toute évidence, elle avait manœuvré pour que nous nous retrouvions loin des oreilles indiscrètes.

– J'espère que tu ne tiendras pas compte de tout ce que j'ai pu dire tout à l'heure. Je ne sais pas ce qui m'a pris. C'était juste un accès d'auto-apitoiement.

– Je n'en parlerai à personne.

– Merci.

Son inquiétude se dissipa. La voiture s'était garée sur l'esplanade devant la maison, et un homme approchant de la quarantaine en était sorti. Il se tourna vers nous et nous fit un signe.

En un instant, le destin de Dagmar fut scellé. Tous les fantasmes où je me voyais jouer les Superman pour sauver cette famille en perdition s'effondrèrent d'un coup. À part la différence d'âge, on aurait dit le jumeau de William. Il n'avait pas la moindre ressemblance avec sa mère. Les yeux, le nez, la bouche, la chevelure, la forme du visage, les manières, la démarche... Ils se ressemblaient comme deux gouttes d'eau. Dagmar, voyant que je le regardais, me sourit.

– Comme tu le vois, c'est bien le fils de William.

– En effet.

Nous étions arrivés à ma voiture dont j'ouvris la portière.

– Donc, tout est pour le mieux, finalement, dit-elle.

– Bien sûr. C'est souvent le cas, malgré tout ce qu'on peut nous dire à la télévision.

Je grimpai dans mon véhicule. L'avenir radieux qui avait failli lui sourire repartait avec moi. Je crus un instant qu'elle allait ajouter quelque chose mais elle se ravisa. Alors c'est moi qui l'ai dit à sa place :

– Je saluerai Damian de ta part.

Son sourire m'indiqua que j'avais deviné juste.

– S'il te plaît, oui. Avec toute mon affection.

Elle se retourna et me demanda :

– Tu es sûr que tu ne veux pas rester pour rencontrer Simon ?

– Non, ce n'est pas la peine. Je suis en retard et il doit être fatigué. Je me contenterai du spectacle d'une famille aimante en passant devant vous.

Dagmar sourit avec une expression légèrement ironique. Je savais qu'elle était soulagée de me voir tourner les talons. J'avais commis un péché impardonnable en lui rappelant une époque où elle était plus heureuse. Pire, je lui avais fait admettre des vérités sur sa vie actuelle qu'elle aurait préféré garder enfouies au fond d'elle-même. J'avais de bonnes raisons mais cela restait un moment cruel pour elle.

Elle n'insista pas et s'écarta de la voiture, attendant courtoisement mon départ. Un instant plus tard, j'étais parti.

Serena

7

Le temps de me perdre en cherchant l'autoroute et d'être pris dans les embouteillages autour de Londres, ma petite escapade avait duré plus longtemps que prévu et je ne suis arrivé à la maison qu'un peu avant huit heures. Bridget était déjà rentrée et avait eu le temps de se cogner une demi-bouteille de chablis. Cela l'avait mise de méchante humeur, comme je le constatais en la voyant préparer le repas avec bruit et fracas. Je ne sais pas pourquoi il est toujours allé de soi qu'elle me fasse à manger alors qu'elle passait ses journées à travailler, dans un bureau où elle devait prendre des décisions difficiles tandis que moi, je musardais, inventant des petites choses inutiles à faire qui me permettaient de remplir la journée en attendant l'inspiration. Pour ma défense, je ne l'ai jamais entendue se plaindre de cet arrangement. Quand c'était son tour, elle faisait la cuisine et quand c'était mon tour, nous sortions. Parfois, on accepte les situations telles qu'elles sont.

– Ton père a téléphoné. Il veut que tu le rappelles.

– C'était à propos de quoi ?

– Il ne m'a pas dit, mais il a appelé deux fois et il avait l'air très ennuyé que tu ne sois pas là.

Elle avait réussi à introduire dans cette phrase une sorte de récrimination vague mais complètement irrationnelle.

– Je ne vais pas organiser mes journées en fonction des appels de mon père.

– C'est pas à moi que tu dois le dire. Je ne fais que passer le message.

Elle haussa les épaules et retourna à la cuisine.

Ce n'était pas la première fois que j'étais frappé en constatant la grossière erreur que commettent cinquante pour cent de la race humaine quand les choses vont mal dans un couple. Et cela ne dépend ni du sexe ni de l'âge ni de facteurs nationaux, ethniques ou sociaux. Cette erreur est la suivante : quand on se retrouve dans une relation qui bat de l'aile, on a tendance à l'aggraver en lui injectant une dose de mélodrame, obtenue en devenant lunatique et mordant, et en montrant en permanence son insatisfaction. Cela passe par des répliques comme « Mais pourquoi tu fais tout le temps ça ? » ou « Bon, tu m'écoutes, oui ? Parce qu'en général tu comprends rien quand je t'explique », ou bien « Me dis pas que tu as *encore* oublié ? ».

Comme je ne fais pas partie de ces gens-là, j'ai du mal à comprendre cette façon de penser. Imaginent-ils donc qu'en se montrant exigeants, colériques et acariâtres ils vous forceront à vous améliorer ? Si c'est le cas, ils ont tort, bien sûr. C'est le genre de remarques qui ne fait que donner une excuse pour tout arrêter. Plus ils montrent leur rancœur, plus cette aigreur provoque le destin qu'elle était censée conjurer. En fait, le jour où vous entendez pour la première fois ce long soupir artificiel, assorti d'une remarque comme « Et c'est à moi de nettoyer ça, peut-être ? », ce n'est plus qu'une question de temps. La véritable ironie est que ceux qui sont les plus difficiles à quitter sont les personnes les plus joyeuses. Se séparer d'un amant heureux, le rendre malheureux alors que cela n'était pas le cas avant, est une démarche insensible et cruelle qui ne peut que conduire à une culpabilité intense. Alors que quitter quelqu'un qui se plaint tout le temps relève de la logique la plus élémentaire.

Bien sûr, cela signifierait qu'il est aisé d'avoir le courage de mettre fin à une relation ayant dépassé sa date de péremption mais beaucoup trouvent la rupture difficile. Ils se disent qu'en retardant l'inévitable ils font une faveur à l'autre, ils se montrent dignes et adultes alors qu'il ne s'agit que de faiblesse. Je ne parle pas d'un mauvais mariage ou quand il y a des enfants. Mais, dans le cas d'une cohabitation sans enfant, se contenter d'un échec relève de la lâcheté. Les années qui suivent le moment où l'on s'est dit que l'on n'avait pas envie de finir avec cette personne jusqu'au bout et d'être enterré à côté d'elle sont juste des années de gaspillées. Alors pourquoi repousser la fin de la liaison ? Par une gentillesse mal placée, un faux optimisme, ou parce qu'on a réservé une villa en août avec les Grimston et qu'on ne peut pas les laisser tomber ? Ou pour une raison comme : « Mais où donc pourrais-je ranger toutes ces affaires ? » Peu importe. Quand la petite voix intérieure a donné son verdict, chaque jour passé à éviter le dénouement est indigne. En ce qui concerne Bridget FitzGerald, je me suis montré indigne.

Mon père n'était pas de bonne humeur au téléphone.

– Où tu étais toute la journée ?

– Je devais me rendre dans le Hampshire pour un déjeuner.

– Et pourquoi donc ?

Comme le savent tous les enfants devenus adultes, quand on a affaire à des parents âgés, il est inutile d'entrer dans ce genre de discussions.

– Tu aurais pu m'appeler sur le portable...

– C'est interdit quand on conduit.

– J'ai un kit mains-libres.

– Même.

Se taire est en fait la seule option raisonnable. Une fois sa colère passée, il retourna au sujet qui l'occupait.

– J'aimerais que tu descendes me voir. Il faudrait que l'on parle de certaines choses.

Mon père avait beau vivre au nord de Londres, entre le Gloucestershire et le Shropshire, il faisait partie d'une génération de personnes pour qui Londres constitue le plus haut point de Grande-Bretagne. Donc, il « monte » à Londres et il « descend » partout ailleurs. Je trouvais cela touchant. J'imagine qu'il devait « descendre » à Inverness, même si c'est au nord des Highlands. Je ne lui ai jamais demandé. Et je ne lui demanderai plus car il est mort depuis. Il me manque chaque jour.

Bridget sortit de la cuisine avec une assiette sur laquelle elle avait déjà servi une grande plâtrée de tout ce qu'il y avait à manger, ragoût et légumes.

– J'ai déjà rempli les assiettes dans la cuisine. Je sais que tu n'aimes pas ça, mais on n'a pas que ça à faire.

Je trouve toujours ce genre de remarque intensément irritant, avec ce côté pompeux et artificiel.

– Tu as raison, dis-je avec froideur, je n'aime pas qu'on me serve une assiette avec une montagne de choses que je n'ai pas choisies. Pas depuis que j'ai quitté la maternelle, et c'était il y a un petit moment. Et puis je ne vois pas ce que nous avons d'autre à faire. Y aurait-il quelque engagement urgent auquel nous soyons attendus ?

Après cette tirade idiote qui n'était pas moins pompeuse que les remarques l'ayant provoquée, je me mis à table. Mais Bridget n'avait pas encore terminé. Elle posa la mixture devant moi.

– Je suis désolée, mais je crois que c'est beaucoup trop cuit, soupira-t-elle.

Il était temps de reconnaître que nous étions en train de nous disputer. Cette dernière remarque idiote me permit d'épuiser les dernières réserves de patience que j'avais en stock.

– Je ne vois pas pourquoi. J'étais là avant huit heures. À quelle heure avais-tu donc l'intention de manger ? dis-je sur un ton volontairement acerbe et glacial en réplique au sien.

Elle fit la moue et resta silencieuse.

Je savais bien que c'était une méchanceté malhonnête. Avant de me rencontrer, Bridget attaquait sa collation du soir vers six heures et demie ou sept heures et elle continuait à trouver mon exigence d'un dîner à huit heures et demie ou neuf heures non pas capricieuse mais carrément étrange. Ceux qui ont entrepris de quitter le confort de leur territoire à la recherche d'une âme sœur ont déjà vécu cela. Même à notre époque où dans le sud de l'Angleterre en tout cas, toutes sortes d'aliments – de l'avocat au sushi – sont devenus monnaie courante, choisir l'heure du repas du soir peut encore provoquer un choc des cultures. Je ne conçois de prendre un repas tôt que si l'on considère la nourriture comme le carburant destiné à alimenter les aventures d'une longue soirée. Il est alors normal de dîner à six heures ou six heures et demie afin d'être prêt à sept heures pour s'amuser dans les heures qui suivent. On peut alors sortir et se rendre à un club, au pub, faire du sport, du macramé, apprendre le mandarin moderne, la danse en ligne ou même rester dans son canapé pour regarder la télévision. La soirée est *votre* moment et, en mangeant tôt, vous faites en sorte d'en profiter au maximum.

La raison pour laquelle cet arrangement est incompréhensible pour les classes supérieures et la bourgeoisie est tout simplement que, pour eux, c'est le dîner lui-même qui représente le moment de plaisir de la soirée. C'est censé en être le point culminant, le cœur, l'apogée. Si l'on a fini de se restaurer à sept heures et demie, que va-t-on bien pouvoir faire avant d'aller se coucher ? Ces gens-là ne vont pas à des groupes de parole, ne font pas de théâtre amateur, ne prennent pas des cours d'histoire de l'art ni de patchwork, et ils ne vont pas dans des bars. Cela explique que les fonctions politiques municipales leur posent un tel problème – c'est en général à l'heure où ils passent à table que leur présence est requise pour des réunions. Pour ceux qui changent complètement d'univers, il y a peu d'habitudes qui soient aussi peu commodes à modifier, quelle que soit la sphère sociale en question. Assurément, cela n'avait pas été facile pour Bridget, et j'étais là à la houspiller, à l'insulter, à l'humilier. J'avais honte de moi, mais pas suffisamment pour retrouver ma bonne humeur, semble-t-il.

Je considérai mon assiette d'un air dégoûté et râlai en dépliant ma serviette :

– Et si tu pouvais ne pas servir des plâtrées comme ça, c'est répugnant, j'ai l'impression d'être un clodo à qui on sert sa ration avant qu'il aille dans sa chambrette Rowton House[1].

– Et moi j'ai l'impression d'être la bonniche à son service, me rétorqua Bridget sans le moindre sourire.

Nous en sommes restés là.

À ce moment-là, mon père vivait dans un petit village du nom d'Abberley, à l'extrémité du Gloucestershire. Il avait déjà 86 ans

1. À la fin du XIXe siècle, le secrétaire du Premier Ministre Benjamin Disraeli, le philanthrope Montagu Lowry-Corry (baron Rowton), mit en place un ensemble de six pensions à Londres appelé Rowton Houses. Elles permettaient aux travailleurs célibataires d'obtenir un logement élémentaire à très bas prix.

quand il décida de s'y retirer après la mort assez soudaine de ma mère dix ans plus tôt. Il n'avait aucune raison pressante de s'y installer car ils avaient passé la majeure partie de leur vie commune à l'étranger et, au début de sa retraite, dans le Wiltshire. Mais j'imagine qu'il souhaitait du changement, et notre famille avait résidé pendant la deuxième moitié du XIXe siècle à Abberley Park, demeure aux mérites architecturaux assez limités et au nom légèrement grandiloquent, dotée d'une cour pavée et qui trônait au bout de la grand-rue du village. Je ne l'avais connue que transformée en hôtel de troisième ordre et je n'y étais pas très attaché. Il arrivait tout de même que nous y allions prendre le déjeuner ou le thé et papa affectait une forme de nostalgie à l'égard de ce lieu. Je soupçonne que cette attitude avait pour but de me forcer à m'intéresser à l'histoire familiale, mais j'ai toujours trouvé cette mélancolie à la Tourgueniev assez peu convaincante. Le grand hall quelconque, qui donnait de part et d'autre sur un grand salon et une salle à manger également quelconques, était pourvu d'une décoration immonde et tout ce qui pouvait rester de la vie privée qui s'y était déroulée jadis ne faisait plus partie de l'atmosphère des lieux depuis longtemps. Mon père n'avait pas de souvenirs de la maison puisque mon grand-père l'avait vendue au début du XXe siècle, après la crise agricole, avant même qu'il ne soit né. Dans le style baroque un peu primaire du XIXe siècle, l'escalier pouvait paraître joli et la bibliothèque, aux boiseries un peu sombres, avait pu à une époque être coquette, mais depuis qu'on l'avait transformée en bar, avec bouteilles à l'envers sur des porte-bouteilles en argent, cela avait annihilé le charme fragile qu'elle avait pu avoir. Reste que le grand-père qui avait vendu la maison, son épouse et d'autres membres de notre clan reposaient dans le cimetière de l'église locale et avaient vu leur mémoire célébrée par des plaques dans la nef. J'imagine que cela donnait à mon père un sentiment d'appartenance, ce que ma mère et lui n'avaient pas vraiment trouvé dans leur précédente résidence.

Sa vie à Abberley Park était agréable mais un peu triste, bien sûr, comme celle de tous les hommes âgés qui vivent seuls, contrairement aux vieilles dames. Il avait une femme de ménage, Mrs. Snow, qui était raisonnablement aimable et qui lui préparait à manger tous les midis. Elle partait après avoir fait la vaisselle et tout rangé. Elle lui laissait le repas du soir dans le frigidaire, ce qui faisait un épouvantable amoncellement de plats recouverts de film étirable avec des Post-it rappelant des consignes très strictes : « Bouillir pendant vingt minutes », « Mettre au four préchauffé à 150 °C pendant une demi-heure ». Je n'ai jamais compris l'intérêt de tout ce cirque vu qu'elle n'était pas une très bonne cuisinière – et c'est un euphémisme – et ne disposait que d'un répertoire rappelant la nourriture des cantines anglaises des années 1950. Mon père aurait aussi bien pu se fournir au supermarché local. Cela aurait été plus rapide et plus facile à préparer – et bien meilleur gustativement. Mais, avec le recul, je me dis qu'il aimait bien la discipline consistant à déballer chaque plat et à obéir à sa volonté de fer. Cela devait l'occuper une bonne partie de la soirée, ce qui n'était pas négligeable.

Le jour où je suis allé le voir, Mrs. Snow nous préparait le déjeuner. En me servant un sherry très sec, mon père m'informa d'un ton plaisant qu'elle nous laisserait dès qu'elle aurait servi le dessert, signifiant ainsi qu'elle ne ferait pas la vaisselle.

– Nous serons tranquilles pour discuter, dit-il furtivement en se dirigeant vers son fauteuil, dans un salon à la décoration assez peu réussie.

Comment se fait-il que des gens puissent vivre dans des maisons pendant vingt ans avec un mobilier qui a l'air de tout juste sortir du camion de déménagement ? En l'occurrence, pour cette dernière demeure, mon père avait repris le modèle de certaines pièces que ma mère avait conçues dans les autres endroits où ils avaient vécus, mais il n'avait jamais vraiment recréé le salon, trop petit et à la disposition biscornue. Avec ses murs blanc cassé et son mobilier hétéroclite, le salon attendait donc une inspiration qui n'est jamais venue.

– Très bien, lui répondis-je, puisque c'était ce qu'il voulait entendre.

– Je crois que c'est mieux, fit-il avec énergie.

Des années passées dans les services diplomatiques l'avaient rendu très secret et, comme tous les gens de sa classe sociale, il estimait que les conversations de nature financière ne pouvaient avoir lieu qu'entre les murs d'une banque ou dans le bureau d'un notaire, hormis dans deux circonstances précises. La première concernait l'inévitable discussion que l'on doit avoir avec son futur gendre pour connaître son patrimoine et ses perspectives économiques, la deuxième concernait son propre testament. Comme ma sœur était déjà mariée depuis longtemps, j'ai tout de suite pensé qu'il s'agissait de la seconde situation et je n'avais pas tort.

Nous avions échangé diverses nouvelles familiales de manière décontractée en dégustant un hachis parmentier fade et qui manquait de sel. Nous nous trouvions maintenant face à un *plum pudding* peu appétissant nappé de crème anglaise quand Mrs. Snow s'est montrée dans l'encadrement de la porte avec son manteau et son chapeau.

– Bon, j'y vais. J'ai apporté le café dans la bibliothèque, sir David, ne le laissez pas refroidir.

Mon père répondit par une sorte de clin d'œil, montrant ainsi que, comme souvent pour les vieilles personnes qui n'emploient qu'un seul domestique, leur relation commençait à évoluer dangereusement. Il fit un signe de remerciement et, dès qu'il entendit la porte claquer, il démarra :

– J'ai eu un malaise assez sérieux l'autre jour, alors je suis allé voir Babbage. Il m'a fait faire des examens et, apparemment, j'arrive au bout du rouleau.

– Je croyais que Babbage méritait d'être rayé de l'ordre des médecins ?

– Jamais de la vie.

– Tu disais qu'il serait incapable de diagnostiquer une blessure par balle.

– J'ai dit ça ? fit mon père, assez réjoui à cette idée. Peut-être après tout. En tout cas, ça ne change pas grand-chose. Je vais y passer et c'est pour dans pas longtemps.

– Qu'est-ce qu'il t'a trouvé précisément ?

– Je ne vais pas t'embêter avec ces détails.

– J'ai fait deux heures quinze de route pour te voir ; j'ai droit à quelques précisions.

Mais il ne pouvait se résoudre à changer les habitudes de toute une vie.

– Oh, c'est une histoire de sang qui ne fonctionne pas normalement. Des choses répugnantes dont je n'ai pas l'intention de discuter en prenant le dessert.

Je n'avais pas grand-chose à ajouter, j'attendis donc qu'il en vienne au fait. Il reprit :

– Bref, je me suis rendu compte que nous n'avions jamais parlé de la vie tous les deux.

C'est étrange, la mort. On dirait que cela relativise tout ce qui a précédé. Voilà, mon père était sur le point de mourir, sans doute d'un cancer, et quel avait été le sens de sa vie ? Il avait travaillé plutôt dur, à l'image des gens de sa génération – ce qui était différent et plus raisonnable qu'aujourd'hui – en commençant sa journée tard, en prenant de longues pauses-déjeuner et en rentrant chez lui pour dix-huit heures trente. En tout cas, il avait fait de son mieux. Il avait voyagé dans le monde entier, connu des hôtels miteux, des réunions assommantes, écouté des chefs d'État mentir de manière éhontée et des experts faire de terribles prédictions qui ne se révélaient jamais fondées. Il avait étudié un nombre incroyable de notes de synthèse sans intérêt et fait semblant de croire les porte-parole de gouvernements qui rapportaient les boniments ridicules de ministres incompétents, et tout cela pour quoi ? Il n'avait pas d'argent. En tout cas pas ce que ma mère aurait appelé « de l'argent pour de vrai ». Il possédait cette maison, quelques actions en Bourse, un ou deux beaux objets légués par des ancêtres qui avaient vécu sur un plus grand pied, et il touchait une retraite qui s'éteindrait avec lui. Ma sœur et moi avions bénéficié d'une scolarité de qualité, ce qui avait dû faire un trou dans leurs revenus, mais Louise avait largement gaspillé le fruit de ses études en épousant un courtier très ordinaire et en se consacrant à l'éducation de trois enfants dont le manque de vivacité confinait au génie. Et moi...

– Je veux que tu saches tout ce que j'ai préparé, pour que tu ne trouves pas que j'ai trop compliqué les choses. Tu seras l'exécuteur testamentaire, donc c'est toi qui te coltineras les problèmes si j'ai fait des bêtises.

J'opinai sans pouvoir arrêter le cours de mes pensées. Pauvre gars. Il avait eu une bonne vie, j'imagine. Enfin, c'est ce que diraient les gens le jour où son enterrement aurait finalement lieu. « Il a eu une bonne vie. » Vraiment ? Est-ce que c'est vrai, finalement ? Est-ce que c'était une « bonne » vie ? Avait-elle été suffisamment bonne ? Il avait rencontré ma mère vers la fin de la guerre, quand elle travaillait comme secrétaire aux Affaires étrangères. On l'avait nommé pour travailler aux résolutions concernant la Pologne et d'autres endroits où la Grande-Bretagne s'occupait de prendre de mauvaises décisions, ce qui l'avait préparé à reprendre sa carrière à la fin des combats. Ils se marièrent en 1946, juste avant sa nomination comme deuxième secrétaire à l'ambassade à Madrid et, *grosso modo*, ils avaient été parfaitement heureux. J'en suis vraiment convaincu. Ma mère aimait voyager, et le changement de domicile constant, loin de la contrarier, lui faisait plutôt plaisir. Quand mon père a été nommé ambassadeur, je dirais même qu'elle s'est bien amusée, et s'il n'a jamais pu obtenir les très grandes ambassades, Paris, Washington ou Bruxelles, il a quand même réussi à décrocher Lisbonne et Oslo, qui leur avaient beaucoup plu, et Harare, qui fut beaucoup plus intéressant qu'ils ne l'avaient cru au départ, mais pas de manière très agréable. Quand cette histoire a été terminée, ils sont rentrés s'installer dans une ferme qu'ils avaient achetée près de Devizes, dans le Wiltshire. Et puis c'était tout. Mon père avait été fait chevalier à son avant-dernier poste, ce qui m'avait fait plaisir car cela leur permettait de penser qu'ils avaient accompli quelque chose d'important, ce qui n'était bien sûr pas le cas. Cette nomination avait dû également les aider un petit peu pour s'imposer socialement dans une région qu'ils ne connaissaient pas du tout. Mais je n'ai jamais compris cette pulsion qui les avait poussés à s'installer à la campagne alors qu'ils n'étaient ni l'un ni l'autre du genre à passer leur vie à sortir le chien ou à s'intéresser à des causes (très) locales. Ils n'aimaient pas spécialement les activités d'extérieur. Mon père avait arrêté de chasser vingt ans auparavant, après une sortie en Écosse où il avait passé quatre jours dans la lande sans toucher une seule grouse. Quant à ma mère, elle n'avait jamais apprécié les activités où elle risquait de prendre froid.

Certaines personnes se sentent tenues par leur appartenance sociale à dire qu'elles ne se sentent bien qu'à la campagne. C'est une obligation bien cruelle dont mes parents ont été parmi les nombreuses victimes. Ils aimaient fréquenter des groupes sociaux très différents. En matière de bruits de couloir, ils préféraient avoir des sources bien informées. Ils aimaient parler de politique, d'art, de théâtre et de philosophie, et tout cela ne se rencontre guère une fois franchies les frontières urbaines. Comme ils n'appartenaient pas à la caste des notables recourant à de nombreux employés, et que leur famille n'avait aucun lien historique avec la région du Wiltshire qu'ils avaient choisie, il était inévitable que leur accès à la notabilité locale soit limité. Il y avait tout à parier que leurs ego se retrouveraient réduits à une portion congrue tant qu'ils habiteraient là-bas. Bref, il y avait peu de chance qu'ils soient vraiment heureux, ou même qu'ils aient suffisamment de distractions, dans ce milieu-là – pas comme s'ils avaient résidé à Chelsea ou Knightsbridge ou Eaton Square –, mais ils faisaient avec, ils rencontraient des gens, se rendaient à des dîners et à des réceptions caritatives, signaient des pétitions concernant l'aménagement urbain, se fâchaient en voyant comment le pub local était géré, etc. Et puis ma mère est morte, ce qui est exactement ce à quoi mon père ne s'attendait pas. Mais il a su se montrer courageux, a fait ses valises pour quitter Devizes et est reparti de zéro dans un endroit tout aussi insignifiant du Gloucestershire. Il en était là, après dix ans sans le moindre événement, à me parler de sa mort autour d'une assiettée d'immonde bouillie en guise de dessert. Je n'ai jamais ressenti l'absurdité de la vie aussi intensément que ce jour-là.

– Tout est noir sur blanc, il ne devrait donc pas y avoir de problème. Regardons un peu tout ça, déclara mon père en sortant une chemise contenant des documents imprimés.

Il me tendit le tout.

Il me conduisit à la petite bibliothèque où il passait le plus clair de son temps. Comme à chaque fois, je fus touché à la vue de cette pièce. Contrairement au salon qui n'avait aucun caractère, la bibliothèque était l'exacte reproduction miniature de celle que ma mère avait conçue pour la ferme du Wiltshire, avec des murs tendus de damas rouge et des étagères aux montants cannelés, couleur gris pâle. Même les coussins et les lampes avaient été soigneusement récupérés lors du déménagement. Un portrait de ma mère, exécuté juste après leur mariage et qui n'était pas mal du tout, était accroché au-dessus de la cheminée. Tout en parlant, mon père jetait de temps en temps des regards vers son épouse, gaiement vêtue à la mode des années 1940, comme s'il cherchait son approbation. D'ailleurs, c'est exactement ce qu'il faisait.

Devant le canapé en velours vert, un plateau préparé par l'infatigable Mrs. Snow était posé sur la table basse avec le café pour deux. Mon père se servit tout en me montrant la chemise.

– Enterrement, cérémonie, il y a tout. Les prières, les hymnes, qui doit faire le discours si jamais tu ne veux pas le faire – j'ai tout mis.

– Je croyais que tu détestais les hymnes.

– Oui, mais on ne va pas faire lecture d'une grande déclaration à un enterrement, non ?

– En même temps, c'est la dernière fois que tu pourras le faire.

Cela le fit sourire.

– C'est bon, je ferai le discours, dis-je.

– Merci, répondit-il avec un petit gloussement pour masquer son émotion. J'ai laissé cette maison à Louise, vu que tu as déjà l'appartement.

Ce qu'il disait était parfaitement logique et acceptable mais, très irrationnellement, je ressentis une irritation. Peut-on jamais être satisfait de la façon dont sont arrangées les successions ? Si l'on est enfant unique, peut-être, mais pas si on a des frères et sœurs.

– Et pour les affaires ?

– Je pensais que vous pourriez partager, mais je n'ai rien précisé.

– Je préférerais que tu le fasses.

– Comment ça ? Chaque petite cuillère ?

– Jusqu'à la dernière petite cuillère.

Il eut l'air peiné. Il voulait sans doute croire que ses enfants s'entendaient bien, ce qui était le cas, mais nous n'avions plus la même proximité, et je savais que le mari de Louise, enquiquineur de force dix comme il était, interviendrait pour que ma sœur rafle tout ce qui était potable si on ne faisait rien pour le contrer maintenant.

– J'entends déjà Tom dire qu'ils ont des enfants et que, moi, je n'en ai pas, et qu'ils doivent récupérer tous les objets familiaux. Et puis on va se disputer et Louise va pleurer, et moi, je vais crier et Tom prendra son air offensé. Sauf si tu mets tout noir sur blanc afin qu'il n'y ait pas de discussion.

– Très bien. C'est ce que je vais faire, dit-il gravement. En fait, tiens, je lui laisse les bijoux de ta mère et tu prends le reste. Si tu veux lui donner des brimborions sur ta part, tu pourras toujours. Sinon, ce sont ses gamins qui vont tout récupérer comme tu n'en as pas de ton côté.

– Oui, je crois que c'est comme ça que ça risque de se passer. En tout cas, ça ne sera pas perdu.

– J'aimerais tant que tu aies une famille.

Ce n'était pas la première fois qu'il me le disait. En général, je m'en tirai avec une boutade ou un soupir d'exaspération, mais étant donné le sujet de notre conversation, un peu de sincérité me semblait plus appropriée.

– Moi aussi, tu sais.

– C'est encore possible, regarde Charlie Chaplin.

– Il n'y a pas besoin de remonter si loin.

Mais pourquoi toutes les personnes de plus de 50 ans citent-elles Charlie Chaplin quand on parle de ça ? Après tout, il y a tous les jours un acteur un peu déjanté qui trouve que c'est extraordinaire d'avoir des enfants à 70 ans et que ça embellit la vie. Je me demande combien de temps ils tiennent avec ce genre d'illusions avant de succomber à un mélange de *burn-out* et de fureur.

– Bien sûr, j'imagine que, euh... comment s'appelle-t-elle ?

– Bridget.

– Bridget, c'est ça. C'est un peu tard pour elle ?

À 52 ans, cet euphémisme relevait du compliment.

– C'est vrai, mais ce n'est pas tellement ça qui... enfin...

C'était à mon tour de ne pas oser formuler ce que je pensais. Mais nous savions tous les deux ce que je voulais dire. Mon père sembla se réjouir considérablement à cette idée, ce qui m'ennuya un peu. J'avais toujours su qu'elle n'était pas son type mais je n'y avais jamais songé plus que ça, et il avait toujours montré une impeccable politesse à son égard. Du coup, Bridget l'aimait bien. Cela paraissait injuste de se rendre compte qu'il avait secrètement espéré que je passe à quelqu'un d'autre.

– Ah, je vois. Tu gardes tes secrets pour toi.

Il prit la cafetière en argent pour se resservir du liquide brunâtre et vaguement caféiné qu'on avait laissé à notre délectation.

– Je la connais ?

– Il n'y a personne en particulier, fis-je en secouant la tête, un peu agacé.

– Qu'est-ce qui se passe ?

Je ne m'attendais ni à sa question ni au ton qu'il avait employé, beaucoup plus chaleureux qu'à l'habitude.

– Comment ça ?

– Depuis que tu es arrivé, tu es tout bizarre.

Sa remarque portait visiblement sur autre chose que mes relations avec miss FitzGerald. J'étais surpris parce que mon père n'était guère adepte de l'introspection, ni pour lui ni pour les autres. Quand nous étions jeunes, dès qu'une conversation à table commençait à devenir intéressante, il avait tendance à couper court avec une réplique ultra-*british* : « Enfin, n'entrons pas dans des considérations psychologiques. » Je ne veux pas dire qu'il n'était pas conscient de l'importance que pouvait avoir la vie intérieure des gens. C'est juste qu'il ne voyait pas l'intérêt que cela pouvait avoir pour lui. Les potins l'ennuyaient. Il n'arrivait jamais à se rappeler les petites histoires et les caractéristiques des gens afin de saisir la chute d'une anecdote et il pouvait même s'énerver si on essayait de le distraire avec des nouvelles à sensation concernant le voisinage.

En vérité, cette attitude avait beaucoup affecté ma mère car elle n'avait jamais le droit de discuter ou de supputer sur la vie privée de leurs relations, ce qui rendait inévitablement leurs conversations assez arides. « Franchement, est-ce que ce sont nos affaires ? » disait-il. Alors elle répondait que oui, et bien sûr, et qu'il avait raison et elle finissait par se taire. Quand j'ai eu l'âge de la défendre, je citais Alexander Pope, par exemple : « L'étude la plus propre à l'homme est l'homme même. » Reste que mon père se sentait mal à l'aise et manquait d'entrain quand il s'agissait de plonger dans les eaux sombres de l'intimité des autres, et ma mère avait cessé de vouloir le changer et se satisfaisait de ses amis et de ses enfants pour aborder ce genre de sujet. Tout se passait bien entre eux, mais heureusement que la fin de leur vie commune s'est déroulée à l'ère de la télévision, sinon leurs soirées auraient pu être d'un silence pesant. Et pourtant, mon père s'intéressait soudain à moi, me demandait des explications intimes sur mon état d'esprit. C'était tellement rare que je n'avais pas de temps à perdre en étant évasif.

– J'ai l'impression que je voudrais changer de vie.

– C'est-à-dire ? Te débarrasser de Bridget ? Arrêter d'écrire ? Vendre l'appartement ? C'est ce que tu veux ?

– Oui.

Nous nous sommes regardés.

– En fait, dans tout ce que tu viens de mentionner, je n'ai pas envie d'arrêter d'écrire, repris-je.

– C'est venu comment ?

Je lui ai alors parlé de Damian et de sa mission, comment ça s'était passé jusqu'ici. Il prit un air pensif avant de me dire :

– Je l'aimais bien, jusqu'à votre brouille...

Il s'interrompit mais je n'avais aucun commentaire à faire.

– ... mais je suis surpris de voir qu'il a eu une si grande importance pour autant de personnes.

– Ce n'est pas que je veuille le défendre après ce qu'il m'a fait subir, mais c'est le seul de notre groupe qui ait fini par devenir l'un des hommes les plus importants de sa génération.

– C'est vrai, bien sûr, je ne me rendais pas compte.

Mon père s'exprimait sur le ton de quelqu'un ayant la bonne grâce d'accepter d'être corrigé. Il poursuivit :

– Bon, qu'est-ce qui se passe, alors ?

– Ce n'est pas encore bien clair dans mon esprit mais je crois que je suis un peu déprimé de devoir comparer ce qu'on imaginait quand nous étions jeunes avec ce que le monde est vraiment devenu.

Mon père était d'accord.

– Pour parler comme ta grand-mère, « comparer, c'est déprécier ».

– Et en plus, ça ne sert à rien, mais ça n'empêche qu'on compare tout le temps.

Bizarrement, je trouvais soudain important qu'il me comprenne :

– C'est autre chose. Je ne sais pas trop ce qu'on a fait de nos vies. Damian a vraiment accompli des choses mais c'est le seul d'entre nous.

– Tout le monde ne peut pas être un célèbre milliardaire...

– C'est sûr. Mais tout le monde a besoin de se sentir relié à quelque chose de gratifiant, de se dire qu'au final on a une vie qui signifie quelque chose à un niveau plus large. Et moi, qu'est-ce que j'ai fait ? À quoi se rattache mon existence ?

Mon père n'arrivait pas à prendre ça au sérieux.

– Tu ne crois pas que tout le monde se pose cette question, au moins depuis que Chaucer a taillé son premier crayon ?

– Je crois qu'à une époque la majorité des gens avait le sentiment d'appartenir à une culture qui fonctionnait harmonieusement, le sentiment d'avoir une identité au sein d'un ensemble qui valait quelque chose – avec des slogans comme « Je suis un citoyen romain », « *God Bless America* », « Être anglais, c'est avoir gagné à la loterie de la vie », etc. Avant, les gens avaient le sentiment que leur civilisation était importante et qu'ils avaient de la chance d'en faire partie. Je suis certain que j'ai eu ce sentiment à un moment ou un autre, il y a quarante ans.

– Tu étais jeune, il y a quarante ans.

Il eut un sourire : il ne semblait visiblement pas affolé par mes interrogations existentielles.

– Bon, tu me dis que tu souhaites vendre l'appartement ? Si c'est ce que tu veux, alors fais-le.

Après ces paroles, j'aurais pu m'en aller, parce que, en toute honnêteté, c'est sa permission que j'étais venu chercher. J'étais surpris par sa réaction, si directe et franche : je pensais qu'il m'aurait fallu beaucoup plus de temps pour l'amener à dire oui. Soyons clairs, c'était très généreux de sa part, même si quelqu'un d'extérieur ne peut pas vraiment s'en rendre compte immédiatement. Comme je l'ai indiqué, c'est ma mère qui avait insisté pour me laisser l'appartement de Londres, ce qui les avait privés d'un capital non négligeable. Il avait résisté un moment parce qu'il avait compris que leur train de vie allait en souffrir, ce qui a bel et bien été le cas, mais il avait finalement cédé aux suppliques de ma mère. Et là, je lui disais que je voulais rafler la mise, ramasser la galette, prendre ma part du magot... et cela ne le dérangeait pas le moins du monde ! J'allais apprendre quelques mois plus tard qu'il se savait déjà beaucoup plus malade qu'il ne le disait et que la fin du parcours n'était plus très loin. J'imagine qu'il voulait une vraie complicité entre nous, ce qui rendait sa gentillesse d'autant plus touchante.

– C'est vraiment sympa de ta part.

– Mais non, mais non. Allez, on se reprend un peu de café ?

Évidemment, sa façon de minorer l'émotion de cet échange était justement ce qui rendait ce moment si poignant. Comme beaucoup d'autres personnes de son genre, mon père était résolument incapable d'exprimer l'amour qu'il ressentait car il était beaucoup trop anglais pour se permettre de manifester ses sentiments. Même quand nous étions petits, il détestait nous embrasser pour nous dire bonsoir et il avait été visiblement ravi quand cette coutume avait pris fin au début de notre adolescence. Mais la tendresse muette qu'il y avait eu ce jour-là dans ses paroles me fait encore monter les larmes aux yeux aujourd'hui, des mois après.

– Je ne veux pas que tu penses que c'était une mauvaise idée de me laisser cet appartement. C'était la case départ idéale, ça m'a vraiment permis de me lancer. Je suis réellement reconnaissant, tu sais.

– Je sais. Mais ce n'est pas parce que cela te convenait à l'époque que cela te convient maintenant. Donc, si tu veux le vendre, vas-y.

– Merci.

– Et avec cette fille, ça ne marche pas ?

Je ne pus me retenir de penser, pas très gentiment je dois dire, que Bridget adorerait savoir qu'on parle d'elle comme d'« une fille », même si ce n'est plus un terme socialement accepté. Elle était très jolie et il n'y avait pas de danger que cela change, mais, sans être une vieille pie, ce n'était pas non plus un perdreau de l'année. Je ne savais pas trop quoi lui répondre.

– C'est pas ça, ça va à peu près, comme depuis le début en fait.

– Mais ?

– Mon problème, c'est que, avec mes recherches pour Damian, je me suis rappelé ce que c'était que d'être vraiment amoureux. Je crois que je l'avais oublié.

– Là encore, tu te souviens de ce que c'était que d'être amoureux à 20 ans. À 60 ans, l'amour, ce n'est pas pareil, même si les comédies romantiques américaines veulent nous faire croire le contraire.

– Peut-être. Mais je crois que je suis loin du compte aujourd'hui.

– Alors il faut faire quelque chose, c'est sûr, fit mon père gravement. Au fait, est-ce que tu vois Serena Gresham, avec toutes tes pérégrinations ?

J'étais suffoqué par cette question qui me tombait dessus sans prévenir. Décidément, mon vieux papa était plein de surprises. Ou alors c'est qu'on avait implanté une autre personne dans son corps ? Il se souvenait vraiment de Serena ? Mais comment savait-il ce qu'avaient été mes sentiments pour elle ? Personne n'avait parlé d'elle depuis trente ans et je n'aurais jamais imaginé qu'il se soit suffisamment intéressé à ma vie pour remarquer mes déboires sentimentaux.

– Non, enfin, presque pas. Parfois, à des réceptions à Londres. C'est tout.

– Elle s'est mariée, hein ?

– Oui.

– Un bon mariage ?

– Je ne la vois pas assez pour avoir une opinion à ce sujet. Elle a deux enfants adultes et elle est toujours avec son mari.

Il réfléchit un instant à ma réponse que je savais faiblarde.

– Je ne suis pas certain que vous auriez été heureux tous les deux, tu sais.

C'est le genre de réflexion qu'il est difficile d'accepter venant de ses parents, quel que soit l'âge, mais comme cela arrivait juste après un geste d'une gentillesse inédite chez lui, je n'ai pas eu envie de me montrer cassant. Je me suis contenté d'une remarque :

– J'aurais au moins aimé avoir eu l'occasion de le découvrir par moi-même.

– Tu n'aurais pas pu être écrivain. Tu aurais fini par travailler à la City. Il aurait fallu que tu gagnes assez d'argent pour son train de vie.

– Pas forcément.

Il poussa un petit grognement de supériorité ironique. On est toujours à deux doigts d'exploser quand on se trouve face à son père et qu'il prend ce genre d'attitude condescendante, avec l'air de tout savoir de proches qu'il connaissait à peine. Mais, bon, après nos derniers échanges, je ne voulais pas qu'on se batte.

– Il y a beaucoup de gens qui ont changé de mode de vie par rapport à leur enfance. Toi, par exemple.

– Certes. Mais ma génération n'a pas eu le choix et, crois-moi, on a toujours du mal à changer les vieilles habitudes. J'en sais quelque chose.

Il voyait bien que j'essayais de ne pas me mettre à défendre Serena et il ne poussa pas son argumentation plus avant.

– Je n'ai pas dit que je ne l'aimais pas, je n'ai jamais trouvé que vous alliez vraiment ensemble. Mon avis vaut ce qu'il vaut.

– Ouais, bon, d'accord.

Nous sommes restés silencieux. Nous n'étions plus aussi à l'aise. Mon père venait de se rendre compte avec un certain embarras qu'il avait abordé un terrain glissant et même sans doute douloureux. Il m'adressa un grand sourire afin d'atténuer le malaise.

– En tout cas, j'espère être encore là pour rencontrer la prochaine.

– J'espère aussi, répondis-je sincèrement.

Malheureusement, ça ne sera pas le cas.

Nous avons passé le reste de l'après-midi à parler de son testament, que j'eus enfin la permission de lire. Comme il me l'avait dit, il laissait la maison à ma sœur et le reste de son capital se divisait entre ma nièce, mes deux neveux et moi. Je ne trouvais pas cela très juste, puisque Louise et ses enfants auraient dû compter pour une seule part, mais il a téléphoné à son notaire en ma présence pour lui dicter un codicille me léguant le contenu entier de la maison, alors je n'avais pas envie de chicaner. Et puis, nous avons fini par faire le tour de tout ce qu'il y avait à prévoir. Ce qu'il désirait pour l'église était très raisonnable et même assez modeste. Cela ressemblait plus à une lamentation solennelle qu'à une cérémonie extravagante.

Nous étions dans la cuisine à faire du thé avant mon départ quand mon père me parla de nouveau de ma vie. Mrs. Snow avait tout préparé et mis en évidence sur la table, même les biscuits emballés sous un film étirable. De toute évidence, elle ne le croyait pas capable de gérer des opérations domestiques tout seul et elle avait sans doute raison. Après un autre silence de sa part, il nous servit deux tasses de thé bien fort et enchaîna :

– Ce n'est quand même pas très correct de la part de Damian... Tu vas sans doute bouleverser la vie d'une personne qui s'en sortait très bien. Il y a quelqu'un qui va se retrouver du jour au lendemain des millions de fois plus riche que ses frères et sœurs ou que tous les gens qu'il ou elle connaît. Il y a une mère de famille qui va devoir expliquer à son mari que l'aîné n'est pas de lui... Ça ne va pas être facile.

– Et si cet argent signifie la fin de la pauvreté pour quelqu'un dont la vie va enfin prendre sens, quelqu'un qui va pouvoir accomplir de grandes choses ?

– À t'entendre, on dirait un roman de gare...

– À t'entendre, on dirait un inspecteur de la Sécurité sociale.

Il grignota son *digestive biscuit*. Mrs. Snow ne prenait pas de risque dans ses choix de biscuits, comme pour le reste.

– Et puis je ne trouve pas très juste que Damian se décharge de son fardeau sur toi. Ce n'est pas comme si tu étais son débiteur...

Je ne voulais pas laisser penser que j'ignorais les raisons du choix de Damian.

– Certes mais, malheureusement, personne d'autre que moi ne pouvait s'y coller.

– Peut-être, mais je ne crois pas qu'il se soit rendu compte de ce à quoi il t'exposait.

Je n'avais pas vu venir cette étrange remarque.

– Pourquoi ? À quoi donc suis-je « exposé » ?

– Tu retournes dans ton propre passé et tu dois le comparer avec ta vie actuelle, ce qui te force à te souvenir de ce que tu désirais à 19 ans, il y a quarante ans, avant que tu ne saches vraiment ce qu'était la vie. En fait, tu dois regarder en face toutes vos attentes de l'époque, les tiennes, celles de toutes ces jeunes dindes maquillées et de tous ces jeunes coqs prétentieux avec qui tu traînais. À cause de Damian, tu dois faire face à tout ce qui est arrivé à ces gens-là et à toi aussi. À la fin, avec l'âge, tout le monde doit regarder en face les déceptions de la vie mais c'est un peu trop tôt pour toi d'en passer par là. Il t'a confronté à tes regrets trop tard, ou presque trop tard pour que tu y puisses quelque chose, mais trop tôt dans ta vie, avec suffisamment de temps pour remâcher ces regrets. Damian n'aurait pas dû te gâcher la vie comme ça.

– C'est qu'il n'a plus beaucoup de vie à gâcher de son côté...

– Même.

Et il n'avait pas tort, franchement.

Est-ce la fatalité ? La fatalité comme explication pour ces concours de circonstance qui, lorsqu'ils font irruption dans nos vies, semblent donner l'impression que tout était prévu ? À moins que la fatalité ne soit qu'un autre nom pour une forme d'intuition accidentelle ? Ou peut-être pour des déductions dues au hasard mais qui aboutissent à une étincelle soudaine ? Dans tous les cas, c'est un tel coup du sort qui me permit d'avancer dans la mission que m'avait confiée Damian.

Bridget et moi étions invités chez un architecte extrêmement ennuyeux et son extrêmement charmante épouse, dans leur maison du Yorkshire, achetée quelques années auparavant. C'était une vieille demeure, une demeure historique, une « grande » demeure d'une certaine manière, et ce type n'était pas près de s'arrêter de nous l'expliquer. L'architecte en question s'appelait Tarquin Montagu. Mon intuition me soufflait qu'il n'avait pas pu recevoir un tel nom sur les fonts baptismaux, ni lui ni personne d'autre. En tout cas, je n'ai jamais trouvé de lien familial entre lui et la maison ducale des Montagu de Manchester, alors qu'il aimait bien le suggérer. Je ne le connaissais que par l'intermédiaire de sa femme, Jennifer Bond, une délicieuse romancière qui était chez le même éditeur que moi. Nous nous étions retrouvés ensemble sur une tournée de salons du livre un été il y a quelques années, ce qui avait été la source de notre amitié. Je ne savais pas trop d'où son mari pouvait tirer sa fortune car il n'avait jamais participé à des constructions célèbres ou spectaculaires, mais il vivait à un niveau de standing que lui aurait envié John Vanbrugh, l'architecte du palais de Blenheim. Quelques années avant notre visite, il avait acheté un superbe manoir à moitié en ruine près de Thirsk, Malton Towers.

Malton Towers était une construction gothique de l'époque de George IV, datant des années 1820, qui avait été abandonnée par ses propriétaires familiaux et qui avait subi la triste histoire de ce genre d'endroit : elle s'était transformée en école, puis en centre de formation, en maison de retraite et, j'en suis à peu près certain, en école hôtelière spécialisée dans la nouvelle cuisine. Le manoir avait retrouvé une partie de sa gloire d'antan, même si cette gloire avait revêtu une nature scandaleuse, vers la fin des années 1990, quand il devint le centre mondial d'un énième mouvement spirituel de méditation transcendantale qui avait attiré la clientèle d'un des *boys bands* préfabriqués de l'époque. Sous cette nouvelle forme, la demeure avait été gérée par un personnage douteux qui prétendait tenir son autorité du dalaï-lama en personne si je me souviens bien, mais je peux me tromper. Bref, vint le jour où un journal à scandale du dimanche, à la une barrée de rouge, révéla que cette personne n'avait rien d'un philosophe en contact avec les hautes sphères métaphysiques, comme ses disciples avaient dû en toute bonne foi le supposer, mais un vieil escroc né à Pinner, dans la banlieue de Londres, dont les existences antérieures se signalaient par des condamnations pour vol à l'étalage, vol de voiture et fausse déclaration aux assurances. Ces révélations causèrent un exode massif des disciples, suivis de peu par leur leader peu spirituel. Les huit années suivantes, les galeries poussiéreuses, les grands salons et la gloriette en déshérence s'étaient retrouvés balayés par le vent. Et un jour, alors que tout espoir semblait perdu, arriva Tarquin le sauveur. Du point de vue de la demeure elle-même, c'était sans doute une très bonne chose. Pour ce qui est de la qualité de vie de Jennifer, on peut avoir certains doutes.

Ce sempiternel désir de reproduire à tout prix le mode de vie et les coutumes de l'aristocratie du XIXe siècle qu'on trouve chez toutes les personnes qui ont fait fortune doit un peu irriter nos grands maîtres du parti travailliste. Ils refuseraient certainement de l'admettre, au même titre qu'ils ne veulent pas reconnaître de quoi est faite une bonne partie de la nature humaine, mais je suis certain de ce que j'affirme. Et ces aspirants aristocrates ne choisissent pas n'importe quelle période à imiter. Le noble du XVIIIe siècle, qui dormait en position assise, déjeunait à midi avec un bol de chocolat poisseux avant de partir à cheval, qui n'avait pas de tenue particulière pour ses activités d'extérieur ou ses sorties, qui se buvait trois ou quatre bouteilles de porto par soirée et qui, quand il voyageait, devait partager son lit avec son domestique pendant que sa femme se pelotonnait avec sa bonne, ça, ils n'en veulent pas ! Ça n'est pas un modèle très glamour pour le millionnaire moderne. Et ne parlons pas d'un autre modèle, plus primitif, celui du nobliau du XVIe siècle, dont l'hygiène intime et les convictions politiques feraient s'évanouir les plus robustes personnalités d'aujourd'hui. Non, le modèle de référence, c'est celui de l'aristocrate de la fin de l'ère victorienne, qui savait si bien mêler le souci de la hiérarchie et du confort : les solennités et la déférence combinées avec la température adéquate, des chambres sans courants d'air, la splendeur moelleuse de tapis profonds et de doubles rideaux. Une époque où la nourriture est servie chaude par des valets de pied.

C'est bien triste, mais ce mode de vie exige beaucoup plus d'argent que les copieurs contemporains ne l'imaginent. Ils font leurs comptes et pensent qu'ils ont assez pour restaurer le manoir, refaire le parc, embaucher un domestique sympathique pour servir à table, et ils se lancent. Hélas, ces palais étaient à l'origine censés être le centre de centaines d'hectares de production agricole et la vitrine d'immenses fortunes fondées sur le commerce et l'industrie – cela ne se voyait peut-être pas mais, à l'instar des taupes creusant sans cesse leurs galeries, c'était des capitaux qui travaillaient dans l'ombre. Car ces demeures sont de grandes dévoreuses de fortune. Elles avalent l'argent comme les terribles ogres des frères Grimm dévorent les enfants et tout ce qu'ils trouvent sur leur chemin.

Quand des gens authentiquement riches rachètent de tels palais, je suis sûr qu'ils en profitent pleinement, et même s'ils ne restent pas, les demeures s'en trouvent rajeunies. Là où les choses sont moins roses, c'est lorsque des gens « pas tout à fait assez riches » se les offrent en croyant pouvoir se débrouiller. En général, avec ces gens-là, tout se passe selon la même chronologie. Ils font fortune, peu importe à quel niveau. Ils achètent un palais pour célébrer cette richesse puis le restaurent et ne cessent d'inviter du monde pendant huit ou dix ans avant de finalement le revendre, économiquement exténués par les efforts nécessaires pour que le bateau ne coule pas. Pendant ce temps-là, la véritable noblesse, celle dont la fortune n'a jamais connu d'éclipse et dont les demeures et les prétentions sont construites sur des fondations solides comme le roc, contemple ces efforts avec un sourire, et parfois une trace de regret, avant de regarder arriver le candidat suivant. Tarquin Montagu en était à sa sixième année.

En l'évoquant maintenant, je ressens plus de sympathie pour lui que sur le moment. Pour être plus précis, j'éprouve à présent de la sympathie pour lui alors que je n'en ressentais vraiment aucune. Quand nous avons été invités chez lui, cela avait dû correspondre à un moment où il sentait sa belle aventure aristocratique sur le point d'exploser, mais sa personnalité était telle qu'il était hors de question d'admettre ou de discuter de telles craintes. Il aurait pris ça comme une marque de faiblesse ou une perte de contrôle de la situation. En fait, son problème c'est qu'il était incapable de se laisser aller et de ne pas vouloir tout contrôler. Je crois que c'est même le pire exemple du genre que j'aie jamais rencontré. Non seulement il était impossible de converser avec lui, de lui parler ou de l'écouter, mais en plus cela le transformait en une personne esseulée et pitoyable car il lui était impossible d'admettre devant quiconque et surtout sa femme qu'il ne maîtrisait plus rien. Je savais qu'il était pénible et d'humeur changeante, qu'il avait du mal à suivre ou à participer aux conversations dont il n'était pas le centre. Mais je n'avais pas complètement pris la mesure de sa névrose avant ce jour où nous sommes arrivés chez eux à l'heure du thé, un vendredi d'été. Nous étions des gens normaux, fatigués par la route, qui n'avaient qu'une envie, à savoir qu'on nous montre notre chambre, afin de nous détendre, de prendre un bon bain avant de descendre, comme les invités modèles que nous étions, changés, rassérénés et prêts à bavarder, à participer au repas ou à toute autre activité préparée par nos hôtes.

Ça, c'était en rêve. D'abord, il nous a fallu écouter patiemment un récit concernant l'histoire de la maison, et quand Jennifer se permit de suggérer que nous pourrions en profiter davantage quand nous serions frais et dispos, Tarquin répliqua qu'il ne nous jugeait pas encore « prêts » pour voir les chambres qu'il nous avait préparées. Naturellement, mon instinct le plus virulent me dictait de lui dire d'aller se faire foutre et de repartir pour Londres aussi sec. Mais, en lisant la lassitude et la fatigue peintes sur le visage de Jennifer, je n'étais pas loin de penser que cette option avait dû constituer le choix de bon nombre d'invités par le passé. Par pitié pour elle, et au grand soulagement de Bridget, je me suis laissé embarquer dans la bibliothèque afin d'écouter la conférence comme un gentil garçon.

Et Tarquin se lança dans son interminable laïus :

– Il faut comprendre que, lorsque sir Richard décida de reconstruire le manoir en 1824, il voulait être à la pointe de la mode et en même temps ne pas perdre le sens de l'histoire qui coulait dans ses veines.

Il respira un grand coup et nous regarda comme s'il attendait de nous une réaction. Laquelle, je n'en ai pas la moindre idée.

– C'est pour ça qu'il a choisi de faire ça en gothique ? finis-je par lancer tout en me demandant si on allait enfin nous proposer de nous restaurer.

À mon arrivée, je mourais d'envie de prendre une tasse de thé, mais après vingt minutes de ce cinéma, j'étais prêt pour du whisky – sans glace et dans une grande chope de bière.

Tarquin n'était pas d'accord.

– Non. Pas vraiment.

Il nous parlait sur un ton hautain qui donnait envie de lui écraser une chaise sur la tête, comme un cow-boy dans une comédie de Mack Sennett.

– C'est pour cela qu'il a choisi sir Charles Barry comme architecte. Barry était encore jeune à l'époque. C'était avant l'incendie du Parlement. Il était surtout connu pour ses églises et comme restaurateur de constructions anciennes, pas comme concepteur de maisons de campagne. Travailler avec un serviteur de Dieu pour diriger les travaux apportait une solennité à cette entreprise qui lui a gagné le respect de ses voisins.

– Vu qu'il a choisi le gothique, relançai-je.

Je n'avais pas envie de le lâcher et l'ennui me rendait méchant. Et c'était à peu près la seule chose que je pouvais me permettre tout en faisant semblant d'écouter Tarquin avec respect. Bref, je me foutais de lui.

– Non ! répondit-il, cette fois-ci avec une vraie impatience. Ce n'est pas le style qui compte ! Le style n'a aucune importance. Je parle de l'arrière-plan spirituel qui a présidé à la conception d'ensemble.

– Conception gothique, grommelai-je.

– Je peux aller aux toilettes ? Je n'en peux plus, fit Bridget.

Comme souvent en compagnie de dames, je me suis demandé pourquoi je n'y avais pas pensé plus tôt.

– Bien sûr, fit Jennifer, je vais vous montrer votre chambre.

Elle lança un regard irrité à son mari et nous emmena, en passant par le hall pour que nous prenions nos valises. Tarquin, exaspéré d'avoir vu sa prestation oratoire interrompue, resta seul dans la bibliothèque à bouder en silence tout en nous regardant monter le double escalier impérial dans un silence pesant.

– Bon sang ! Je ne crois pas que je vais pouvoir supporter ça tout le week-end...

Je m'étais permis un grand soupir en me laissant tomber sur le lit afin que Jennifer en profite depuis le palier. Ça ne devait pas être la première fois qu'elle entendait ce genre de remarque et de soupir. Le lit était un grand lit à baldaquin, qui faisait impression à première vue, mais c'était une imitation edwardienne bon marché aux décorations mal faites. Les Montagu l'avaient visiblement acheté pour l'effet qu'il produisait et non pour sa qualité intrinsèque, sans doute parce qu'ils ne pouvaient pas se permettre d'en acheter un authentique. En fait, je m'étais aperçu que toute la maison était comme ça, impressionnante au premier abord, mais décevante si on s'approchait, comme un joli décor de théâtre qu'on pouvait admirer depuis le balcon mais pas regarder de trop près. De fait, c'était un véritable décor de théâtre, une scène sur laquelle Tarquin se faisait plaisir en donnant chair à ses fantasmes de nobliau gonflé d'une grâce toute littéraire. *Oy vey.*

Ça ne s'est pas arrangé le soir. Nous nous sommes retrouvés dans une salle à manger lugubre et dépourvue de meubles. Bridget tremblait de froid avec son châle arachnéen. Une gigantesque table en faux Renaissance du XIXe siècle dominait le centre de la pièce. Quand nous sommes entrés, j'ai entendu Tarquin se plaindre que le couvert ait été mis à une seule extrémité au lieu que nous soyons éparpillés autour de cette immense table comme les personnages de la famille Addams. Ou comme dans un téléfilm de la BBC où les croyances contemporaines se mélangent à une ignorance crasse pour faire adopter aux personnages de fiction des pratiques mystérieuses.

– Si tu dois nous faire un sermon, je préfère l'entendre plutôt que de voir tes lèvres bouger de loin, répondit Jennifer qui coupa court à la discussion.

Nous avons pris place – Tarquin présidait, bien sûr – et il nous toisa avec un fin sourire qui lui pinçait le coin des lèvres, tout en jouant avec une bouteille de vin blanc placée devant lui sur un repose-bouteilles.

– Sers le vin, murmura Jennifer en apportant des assiettes remplies de ce qui semblait être une sorte de soupe exotique.

– Je ne suis pas sûr qu'ils le méritent, répliqua Tarquin qui continuait à nous fixer de son regard étrangement scintillant. Pour le meilleur ou pour le pire, j'ai sélectionné cette bouteille. C'est un sauvignon assez atypique, vif mais avec en même temps quelque chose de piquant, et je ne le sors que dans les grandes occasions. Je n'arrive pas à décider si c'en est bien une...

– Putain, tu le sers, ce vin, oui ?!

Jennifer venait de donner voix à mes pensées intimes avec beaucoup d'exactitude. Elle s'assit avec humeur à gauche de son mari, en face de Bridget, avec moi à sa gauche. Elle se mit à manger sa soupe. Tarquin ne répondit pas. Visiblement, la révolution grondait depuis un moment. Comme un roi dénué d'imagination politique, il était désarçonné par ces rebuffades qui attaquaient son autorité et ne savait pas trop quelle était la bonne réaction à avoir. Il resta un instant simplement immobile et silencieux. Puis il se leva pour nous verser le précieux liquide.

Mon regard croisa celui de Jennifer, mais elle détourna la tête. Elle n'était sans doute pas prête à reconnaître – et un simple coup d'œil suffit à l'exprimer – qu'elle était prise au piège dans une vie de couple sordide avec un véritable emmerdeur. Je sympathisais avec cette pudeur, notamment parce que je savais bien que je n'étais pas au courant de tout ce qui se passait entre eux. De nombreux éléments entrent en ligne de compte dans un couple, marié ou non, et ce n'est pas parce que l'un d'entre eux se met en colère à un dîner ou déteste votre meilleur ami, ou est incapable de raconter une anecdote convenablement que ces inconvénients empêchent le couple de fonctionner harmonieusement. Cela dit, c'est toujours très difficile de comprendre comment fonctionne un couple comportant un empoisonneur de cet acabit.

Ces gens qui veulent tout contrôler ont un effet paralysant autour d'eux, ils étouffent tout le monde, ce sont de véritables extincteurs qui font suffoquer la moindre flamme de vie. Déjà, ils ne se plaisent que sur leur propre terrain. Impossible de profiter d'une soirée qui ne soit pas la leur. Quand ils sont invités, ils sont incapables de se décontracter en public. Cela voudrait dire qu'ils éprouvent de la gratitude, et, pour eux, la gratitude est un signe de faiblesse. Ils sont également insupportables en tant qu'hôtes, notamment dans les restaurants, où ils sont imbuvables envers les serveurs et les convives, et empoisonnent l'ambiance. Ils sont incapables d'admirer quelqu'un qui a mieux réussi qu'eux. Ils ne supportent pas les amis de leurs conjoints car ces gens extérieurs ne sont pas forcément enclins à reconnaître leur supériorité. Mais, comme ils n'ont pas non plus d'amis personnels, ils finissent par considérer toute assemblée avec méfiance. Ils ne peuvent dire du bien de qui que ce soit puisque cela impliquerait de reconnaître de la valeur à cette personne et que ces censeurs fonctionnent en retirant à tous ceux qui les entourent la moindre valeur. Ils ne peuvent rien apprendre puisque cela demanderait de reconnaître que leur professeur en sait plus qu'eux et cela leur est impossible quel que soit le sujet. Et puis, surtout, ils sont barbants. Barbants à un point... Et pourtant, j'ai connu des femmes qui s'entichaient d'hommes de ce genre et emménageaient avec eux. Des femmes intelligentes, intéressantes, jolies, spirituelles, travailleuses, avec une belle réussite professionnelle... qui acceptaient de se laisser dominer par des tyrans ennuyeux et médiocres. Je ne comprends pas pourquoi. C'est excitant de se laisser dominer ? Ça apporte de la sécurité ? Qu'on m'explique !

– Il y a quelque chose de prévu pour demain ? lança joyeusement Bridget, qui commençait à bleuir à cause du froid.

– Cela dépend, répondit Tarquin.

Mais Jennifer n'avait pas la patience de savoir de quoi cela pouvait bien dépendre.

– Rien de spécial avant la soirée. On pensait aller voir un feu d'artifice à un château pas très loin d'ici. C'est pour une œuvre de charité. On a déjà acheté les billets, donc on n'a plus qu'à y aller. On emmène son pique-nique et après il y a un concert. Ça peut être sympa, du moment qu'il ne pleut pas.

– Allons-nous nous laisser imposer des restrictions par des futilités comme la météo ?

Tarquin avait pris un ton sombre qui se voulait mystérieux. J'imagine qu'il voulait reprendre le crachoir mais le volontarisme de Jennifer nous avait rendus téméraires et nous avons fait comme s'il n'avait rien dit.

– Oui, ça serait très bien, fit Bridget, ce qui conclut la discussion.

Nous avons tant bien que mal enduré la soirée jusqu'au bout et nous avons fini dans la bibliothèque. Cet endroit avait dû être magnifique et il comportait encore ses rayonnages en acajou Régence qui avaient bizarrement survécu aux dégradations de l'après-guerre. J'étais même surpris que le faux gourou ne les ait pas revendus pendant son séjour ou lors de sa fin de règne. Peut-être les journaux à scandale avaient-ils été injustes ? Bien sûr, les livres d'origine avaient disparu depuis longtemps et Tarquin n'avait absolument pas pu trouver leurs équivalents. Il s'était contenté de grandes encyclopédies en plusieurs volumes en faux cuir rouge avec des reliures industrielles. Au moins, il y en avait beaucoup et elles occupaient l'espace comme il fallait, et faisaient illusion de loin.

– Quel est ce manoir où nous allons demain ? demanda Bridget avant que Jennifer ne revienne avec le café sur un plateau.

Tarquin leva les sourcils, prenant son temps pour ménager un maximum d'effet dramatique.

– Vous le découvrirez demain...

Mon long soupir dut être parfaitement audible pour tout le monde.

8

Je ne sais pas trop pourquoi, mais c'est seulement vers la fin du trajet que j'ai commencé à deviner où nous allions. Nous avons quitté la route nationale à une sortie qui ne me disait rien. Et puis la route que je connaissais n'était pas une voie rapide à l'époque et, au tournant, il n'y avait pas de lotissements modernes dotés d'un affreux éclairage jaunâtre. Mais, quand nous sommes arrivés dans le village lui-même, j'ai commencé à comprendre. La périphérie avait changé mais la rue principale était à peu près la même ; elle n'avait pas subi de dégradation et s'était même améliorée. Le pub avait bien meilleure allure, il devait recevoir le week-end une clientèle de jeunes gens de la ville branchés et pas seulement les paysans assoiffés qui avaient occupé ses bancs quarante ans auparavant. Nous sommes passés devant et, au bout du village, il me fallut moins de dix minutes avant que je ne retrouve le petit pavillon palladien que je connaissais. Nous sommes entrés dans la propriété à la suite d'une petite file de voitures, pour rejoindre la grande allée et profiter du très agréable et confortable bruit du gravier des belles propriétés sous nos roues.

Je n'ai rien dit. Pas même à Bridget qui ne connaissait pas cet endroit et qui ne savait rien de la vie qui avait été la mienne à l'époque où j'étais reçu ici. La raison était bien simple : je ne voyais pas l'intérêt à faire connaître mes liens avec ce lieu étant donné les circonstances de ma dernière rencontre, non pas avec Serena mais avec ses parents. Je pouvais leur faire confiance d'avoir gardé en mémoire ce fameux repas car il y a peu de gens qui en ont vécu d'aussi effroyables, Dieu merci. J'avais aussi une autre excuse, plus fragile, pour ne rien dire: il se pouvait qu'ils aient tout oublié, à la fois de cet épisode et de ma personne. J'imagine le cauchemar si j'avais raconté quoi que ce soit et que Tarquin se mette à se vanter du fait que je connaissais personnellement la famille afin de se faire valoir devant la foule – et il en était bien capable – pour que finalement personne ne me reconnaisse. Cela peut paraître vaniteux de ma part, et c'est bien de vanité qu'il s'agissait, mais c'est aussi que je ne voulais pas confronter mes rêves à la lumière de la réalité. Même si mon aventure avec les Gresham s'était terminée par une catastrophe, j'aime à penser que j'avais fait partie de leur existence à une époque lointaine, à une période où ils avaient fait partie de la mienne de manière si vitale. Et même si la simple logique me disait qu'il y avait peu de chance que cette illusion ait encore la moindre réalité, j'avais réussi à la conserver intacte jusqu'ici et j'aurais aimé retourner à la voiture à la fin de la soirée avec cette chimère encore en bon état. De toute manière, ils ne seraient sans doute pas là. Plus j'y pensais et plus j'en étais sûr. Ils seraient sûrement à Londres ou en vacances, en tout cas ailleurs pendant que les autochtones et les notables locaux allaient envahir leur propriété.

– Oh, regardez ! fit Jennifer.

Nous progressions dans les virages de l'allée et nous avions la maison devant nous, qui surplombait les terrasses et regardait la vallée de haut. L'éclairage du manoir, dont la source était masquée par les buissons, était plutôt élégant et constituait une innovation par rapport à mon époque. Dans le crépuscule, les rayons lumineux donnaient à la façade gris perle une grâce éthérée.

– Quel endroit fabuleux ! fit Bridget. Comment s'appelle ce château ?

– Gresham Abbey, répondit Tarquin comme si le nom lui appartenait et qu'il n'avait pas trop envie de le laisser en liberté.

– C'est une propriété du National Trust ?

– Non, la famille est toujours propriétaire. Lord et lady Claremont.

– Ils sont sympas ?

Tarquin hésita.

– Ça va. Ils sont très âgés, ils sortent peu.

Cela voulait dire qu'il ne les connaissait pas du tout, bien sûr. En l'entendant parler d'eux, je me rendis compte que j'avais du mal à me représenter lady Claremont comme « très âgée ». Quand j'étais jeune, lady Claremont possédait un prestige qui en faisait une personnalité impressionnante, même si elle était avant tout de nature bienveillante. Élégante, dynamique, toujours efficace, charmante mais avec une épine dorsale en acier trempé. Certes, elle n'avait jamais vraiment fait attention à moi qui rôdais dans les fêtes sans faire vraiment partie des gens qu'on remarquait. Je m'asseyais où on me disait de le faire, en général à l'endroit le plus anodin d'une tablée, et je conversais gentiment avec mes voisins pendant le dîner, j'accompagnais les vieilles tantes dans le jardin, j'achetais des trucs dont je ne voulais pas à la fête du village et je bouquinais dans la bibliothèque de Gresham Abbey.

Je me souviens d'un jour où j'étais dans la pénombre à m'esquinter les yeux pour essayer de lire un bouquin : elle est entrée et a eu un petit rire en allumant toutes les lumières avec un seul interrupteur. J'ai levé le nez et elle m'a dit : « Il ne faut pas avoir peur d'allumer » avec un sourire pressé avant de retourner à ses affaires. J'avais des sueurs froides dans le dos tellement je m'étais senti humilié. C'est vrai que je n'avais pas osé allumer ; en fait je devais espérer que quelqu'un d'autre le ferait à ma place et que je n'aurais pas à prendre une telle responsabilité. Mais, comme je l'ai dit, elle ne se montrait jamais cruelle. Elle n'était pas non plus spécialement fâchée de me voir là sans cesse – c'est juste qu'elle n'avait aucun intérêt particulier pour moi.

Nous nous sommes approchés du bâtiment salués par les inévitables joyeux jardiniers et autres responsables de l'entretien du domaine, chacun équipé de torches, qui faisaient des signes pour nous diriger vers un grand champ où d'innombrables rangées de voitures donnaient une idée de l'ampleur de l'événement.

– Eh bien, fit Bridget, c'est tout le Yorkshire qui s'est donné rendez-vous ici !

– Vous verrez, la prestation musicale est de tout premier ordre, précisa Tarquin avec la voix d'une prof de géographie sur le déclin, ce qui tempéra un instant notre bonne humeur.

Nous nous sommes garés et nous avons commencé notre opération de manutention en sortant tout notre équipement de pique-nique de la voiture. Tarquin s'était déjà emparé d'un horrible panier à vin en plastique qu'il emporta vers la grille que nous devions de nouveau emprunter pour accéder aux festivités. En nous garant dans le champ, nous avions longé la demeure, et la jolie grille en fer forgé donnait directement sur le côté du jardin qui partait de l'arrière du manoir et formait une série de terrasses qui s'étageaient jusqu'au lac tout au fond de la vallée.

Voyant le monde qu'il y avait déjà, Tarquin était visiblement déterminé à nous trouver un bon coin et nous l'avons vite perdu de vue tandis que nous étions occupés à porter tout le reste des affaires. Bridget partit à sa suite avec sa cargaison de plaids et de coussins, si bien que Jennifer et moi avons dû nous coltiner la grande glacière blanche toute froide. Nous avons progressé tant bien que mal jusqu'à la grille en trébuchant sur les mottes d'herbe du pré pour les vaches.

– On peut s'arrêter un petit peu ? suggéra Jennifer.

La glacière était très lourde et nos pauvres petites mains de chochottes étaient sciées par les poignées en ficelle. Nous nous sommes reposés un instant contre la grille. Au loin, on entendait les murmures et les rires de la foule, et des enceintes qu'on ne voyait pas diffusaient quelque chose d'inoffensif pour les oreilles très britanniques du public, du Elgar ou du Mahler, sans doute. Jennifer brisa le silence.

– Je crois qu'on a jusqu'à neuf heures pour manger et après c'est le concert.

– Parfait.

– Tu es vraiment gentil d'être venu, ajouta-t-elle avec de la gratitude dans la voix. Ça fait un moment qu'on devait se voir mais je ne croyais plus que ça se ferait. Je t'en remercie vraiment.

– Mais non, tu exagères, c'est un plaisir.

Sauf qu'elle n'exagérait pas et que c'était loin d'être un plaisir. Comme je l'ai déjà dit, j'appréciais beaucoup Jennifer. Les tournées promotionnelles ont quelque chose de terriblement déprimant : vous vous sentez très vulnérables quand on soumet au public votre livre, votre film ou quel que soit l'objet pour lequel vous faites votre retape. Votre œuvre est comme un nouveau-né spartiate qu'on présente au jugement crucial du mont Taléton. Quand on subit cela en compagnie d'un autre auteur, il se forme un lien difficile à décrire à ceux qui ne l'ont pas vécu. C'est un peu comme les survivants d'un naufrage ayant partagé un canot de sauvetage, j'imagine. La démarche commerciale est une composante du monde moderne, et si vous avez quelque chose à vendre, il faut passer par la promo, mais franchement, quelle barbe si ça ne fait pas partie de vos dons naturels ! Et Jennifer, comme moi, venait d'un monde qui n'est pas à l'aise avec l'idée de l'acte commercial. Acheter quelque chose est déjà un peu honteux, mais *vendre* quelque chose professionnellement et – pire encore – se vendre soi-même ne peut qu'être franchement avilissant. Cet état d'esprit se manifeste par une multitude de petites remarques mordantes, comme : « Je t'ai vu à la télé, l'autre jour avec l'animateur qui parle mal. Je ne regarde jamais cette émission mais la jeune fille au pair avait allumé. » Ou encore : « J'étais dans la voiture l'autre jour et je t'ai entendu à la radio – il y avait un horrible animateur avec un accent du Nord qui te faisait passer sur le gril. Ça faisait peur. » Il y a aussi le fameux : « Mais qu'est-ce que tu faisais à la télé l'après-midi ? Tu ne travailles pas ? » Et on encaisse – parce qu'on sait que cette émission de télé de l'après-midi vend plus de livres que toutes les affiches et campagnes de promotion dans toute la Grande-Bretagne et, en réalité, vous savez que vous avez beaucoup de chance d'avoir été invité.

Et Dieu sait qu'on est tenté de l'expliquer à tous ces gens, ou au moins de leur dire d'aller se faire voir, de grandir un peu, que les années 1950 sont terminées. Mais on se retient. Comme aurait dit feu ma mère : « Ce sont des jaloux, mon chéri. » C'est peut-être vrai, un petit peu au moins, même s'ils n'en sont pas toujours conscients. Mais, moi aussi, je suis jaloux, notamment quand je vois que leur mode de vie n'exige pas d'eux de se rendre ridicule au milieu de cette grande piste de cirque, tout ça pour ramasser une piécette – parce que c'est ça, l'effet que ça fait, la plupart du temps.

Quelle que soit leur vie ou leur profession, seuls ceux qui ont réellement fait le même voyage que vous peuvent vraiment vous comprendre. Une mère de famille veut l'avis d'une autre mère de famille, pas d'une assistante sociale sans enfants. Ceux qui ont un cancer veulent parler à d'autres cancéreux qui s'en sont sortis, pas aux médecins qui les soignent. Même les hommes politiques victimes d'un scandale ne veulent vraiment se confier qu'à ceux qui ont pareillement été descendus en flèche. C'est ce genre de lien que Jennifer et moi partagions. Nous étions des écrivains au succès modeste et précaire, et son amitié comptait beaucoup pour moi. Je voulais lui faire plaisir et je savais que c'était important pour elle que nous soyons venus les voir jusque dans le Yorkshire. Je croyais au début que l'intensité de son insistance indiquait une affection particulière mais je pense qu'elle était à un point de désespoir où très peu de gens acceptaient de venir les voir, où personne ne revenait une deuxième fois à moins d'avoir besoin de leur emprunter de l'argent et où les week-ends en la seule compagnie de Tarquin devenaient insupportables.

– Il est toujours comme ça ?

En me remerciant avec autant de sincérité, elle méritait une franchise équivalente de ma part, mais je me suis demandé si je n'étais pas allé trop loin avec cette remarque.

Elle se contenta de répondre en souriant :

– Pas quand il dort.

Son sourire se transforma même en un rire ironique.

– Je n'arrive pas à savoir s'il était déjà comme ça quand nous nous sommes mariés. J'étais très jeune et je manquais tellement de confiance en moi que j'ai pris sa forfanterie pour du savoir et sa condescendance pour de l'instruction. Ou peut-être qu'il a changé...

– Ça doit être plutôt ça. S'il avait toujours été comme ça, même Helen Keller n'en aurait pas voulu.

Elle pouffa mais avec une pointe de tristesse.

– Si seulement nous avions un enfant...

Elle sentit mon regard et se reprit.

– Je sais, tout le monde pense qu'avoir un enfant résout tous les problèmes et on se trompe.

– Ce n'est pas à moi qu'il faut demander, je suis le vieux célibataire qui n'a jamais pu s'engager.

– J'ai l'impression qu'en ce qui le concerne, ça aurait pu lui donner un ancrage. Ça lui aurait apporté l'infime élément d'immortalité que vous procurent les enfants. Ou même, s'il avait pu réaliser quelque chose dans sa vie... mais ça n'a jamais été le cas.

– Il se débrouille bien, pour un loser, quand même.

– Non, c'est un héritage !

J'étais surpris.

– Je ne le voyais pas comme un rentier vivant de placements boursiers.

Elle comprenait ce que je voulais dire et ne s'en offusqua pas.

– C'est une fortune récente. Toutes ces conneries de famille Montagu, c'est n'importe quoi. Ce n'est même pas notre vrai nom. Son père est arrivé de Hongrie en 1956 après la révolution. Il était camionneur et puis il a monté son entreprise de transport qu'il a revendue dans les années 1990. Tarquin est fils unique. J'aimais beaucoup son père, c'était quelqu'un d'adorable, mais Tarquin le cachait et aucun de nos amis n'a jamais eu la possibilité de l'approcher. Aujourd'hui, Tarquin fait comme si sa fortune était ancienne et qu'il avait personnellement contribué à la développer. Mais c'est faux, tu l'auras deviné.

Je me suis retenu d'opiner, ce qui aurait été hautain et condescendant.

– C'est assez romantique, comme histoire...

– Je ne vois pas comment cela peut durer, dit-elle avec un soupir anticipant le naufrage imminent, la maison nous coûte beaucoup plus que nous n'avions imaginé et il y a très peu d'argent qui rentre – on a tout mis dans la propriété. Avec mes bouquins, ça assure les repas et les sorties au théâtre, mais je ne suis pas sûre qu'on puisse garder la tête hors de l'eau bien longtemps. Tarquin est nul comme architecte, tu sais. On l'engage de temps en temps sur des projets quand un cabinet a besoin de quelqu'un en plus mais personne ne lui demande jamais de rester.

– Faut dire... tu l'embaucherais, toi ?

Là, elle éclata de rire.

– Oui, c'est peut-être ça : c'est un super architecte mais personne ne supporte de travailler avec lui.

– Alors tu vas faire quoi ?

Elle s'arrêta de rire.

– Je ne sais pas. Tout le monde me dit que je devrais le quitter, notamment ma mère – jamais elle n'aurait imaginé ça il y a vingt ans, et moi non plus –, mais le plus étrange, c'est que je l'aime encore. Tu vas me dire que je suis folle, mais quand je le vois emmerder tout le monde, essayer de tout contrôler, d'impressionner les invités et de se faire admirer, je sais qu'en réalité, c'est quelqu'un de très désemparé, de peu sûr de lui, qui ne sait pas ce qu'il faut faire. Il se rend compte que rien ne va mais il ne comprend pas pourquoi. Plus personne ne vient nous voir.

– À part nous.

– À part des naïfs comme vous. Et personne ne tient à nous inviter dans la région. J'ai vu des gens littéralement lever les yeux au ciel quand nous arrivons quelque part. Je ne me sens pas le droit de le laisser se faire tirer dessus alors que tout le monde voit bien – sauf lui – qu'il est incapable de se protéger tout seul.

J'ai beau savoir que l'amour, comme beaucoup d'autres choses dans la vie, existe sous des formes incroyablement variées, je suis toujours ébahi devant certains de ses avatars.

– Cela n'a rien d'effarant. C'est ta vie.

– Je sais. Et ce n'est pas une répétition générale. Mais, même si je ne fais rien d'extraordinaire de ma vie, le fait est que j'ai choisi Tarquin. Personne ne m'a forcée et il faut que j'aille au bout. Ce que je dis a l'air sorti tout droit d'un bouquin de la fin du XIXe siècle, façon G. A. Henty !

– Ça a surtout l'air de venir d'une femme bien.

Elle se mit à rougir et, à ce moment-là, Bridget réapparut :

– Venez à mon secours, s'il vous plaît. S'il n'arrête pas de parler du vin qu'il a sélectionné, je vous jure que je lui casse la bouteille sur la tête.

Elle soulagea Jennifer de sa part du fardeau de la glacière et nous guida jusqu'à l'emplacement sur la terrasse du haut que Tarquin s'était approprié. Nous avons déballé nos abondantes denrées devant les plaids et coussins qui nous attendaient, accompagnés par le mélange sonore apaisant des gens qui bavardaient, de la musique et de Tarquin qui parlait tout seul.

Nous avions presque fini de manger quand Tarquin s'est lancé dans une grande conférence sur la dynastie ptolémaïque en Égypte ou un autre sujet aussi fascinant. Nous avions choisi de nous abstraire mentalement de cette logorrhée en adoptant un regard figé. Tarquin s'interrompit soudain et sa voix prit une gravité nerveuse :

– Ils sont là.

– Qui ça ? demanda Bridget, ravie de voir émerger un nouveau sujet de conversation, quel qu'il soit.

– La famille du manoir. Les Claremont.

En entendant leur nom, j'eus la surprise de constater que, comme dans une vieille chanson, mon cœur fit boum. Atteint-on jamais l'âge où l'on est trop vieux pour ce genre de sottises ? En regardant dans leur direction, je ne vis pas trace de Serena. Il n'y avait qu'un groupe de personnes âgées en tenue de soirée. Ils venaient sans doute de finir leur dîner, plus chic et de meilleure qualité que le pique-nique général. Ils jetaient un regard bienveillant sur le public ravi de pouvoir profiter de ce décorum charmant grâce à leur bonne volonté. Parmi eux, je reconnus deux antiques retraités qui me firent l'effet d'imitateurs du comte et de la comtesse de Claremont, ces chers Pel et Roo – même si je n'avais jamais été assez intime pour les appeler par leurs petits noms –, qui avaient autrefois tenu un rôle si important dans ma vie. Je contemplais ces emblèmes de ma jeunesse, rassuré qu'ils ne puissent pas me voir. Je ne savais pas si je les évitais de crainte qu'ils sautent au plafond en poussant des cris d'horreur en me voyant ou bien parce que je ne pourrais pas supporter de constater qu'ils m'avaient oublié et qu'ils ne me reconnaissaient pas. C'était sans doute plutôt la dernière option. Secrètement, j'avais bien peur que, si jamais quelqu'un leur avait dit qu'il se trouvait parmi les centaines de pique-niqueurs une connaissance à eux d'il y a quarante ans et qui avait souvent pensé à eux, ça ne les ait pas éclairés du tout. Et puis on ne m'avait pas mis sous leur nez non plus.

Ce soupçon déprimant fut renforcé par une triste mais indubitable réalité : on avait remplacé le comte de Claremont par un imitateur. Ce n'était plus l'hédoniste enjôleur, au physique imposant et séduisant, à la mèche accrocheuse et au sourire charmeur – on lui avait substitué un individu racorni et squelettique. Ses joues décharnées faisaient ressortir son nez tout amaigri qui était désormais crochu comme celui du duc de Wellington – avec qui il devait sans doute partager un lien de parenté. On aurait dit que ses lèvres généreuses avaient été élimées et il n'avait presque plus de cheveux. Il ne paraissait pas moins distingué pour autant, loin de là. Il avait l'air de quelqu'un qui lisait de la poésie et de la philosophie et qui se posait des questions existentielles, alors que le lord Claremont que j'avais connu avait plutôt le profil de quelqu'un qui savait trouver une bonne table à la dernière minute ou dénicher un grand château-d'yquem, mais pas grand-chose d'autre. Il regarda un moment vers moi, sans rien laisser paraître, ce qui n'était pas étonnant car, si je l'avais bien connu jadis, il ne devait guère m'avoir remarqué, enfin à peine. En tout cas, il n'avait jamais donné l'impression d'avoir prêté attention au jeune homme laid et gauche qui ne servait guère qu'à faire le quatrième au bridge. Mais en voyant cette silhouette sèche comme un coup de trique qui ressemblait au baron de Münchhausen, l'homme qu'il avait été me manqua soudain. Difficile de ne pas se désoler en constatant l'impitoyable passage des ans.

Lady Claremont avait été moins altérée par les années. Cela fait bizarre mais, quand je l'avais connue, le souffle de la jeunesse l'animait encore. Serena était l'aînée et sa mère s'était mariée jeune, elle ne devait pas avoir plus de 42 ou 43 ans quand je l'avais rencontrée. Il est toujours étrange de se rendre compte une fois qu'on a bien vieilli que les personnes les plus imposantes du temps où l'on était très jeune étaient en réalité dans la fleur de l'âge. À cette époque, sa finesse d'esprit et son assurance magistrale étaient renforcés par sa beauté glacée, et elle paraissait à mes yeux tout à fait colossale. Certes, sa beauté avait fané, mais pas entièrement. Même de loin, je voyais bien qu'elle avait substitué à ce qui avait pu disparaître d'autres qualités, peut-être plus fondamentales encore que celles de sa première incarnation. Elle regarda vers nous et, oubliant un instant tout ce qui m'avait poussé à rester hors de son champ de vision, je fus tenté de signaler ma présence, mais l'idée de lui faire signe et qu'elle ne me remarque pas – et le plaisir que cela aurait procuré à Tarquin – m'arrêta. On annonça le début du concert. Lady Claremont se pencha vers son mari pour lui dire quelque chose, j'imagine qu'elle voulait retourner à leurs places. Un moment après, ils saluèrent tout le monde et montèrent les marches de pierre qui les emmenaient vers la terrasse qui dominait les autres.

Le concert fut plus joyeux que profond. C'était un pot-pourri de Puccini, Rossini et Verdi, avec un morceau de Chopin au milieu pour faire pleurer. La dernière œuvre musicale avant la pause était la chanson à boire de *La Traviata*, convenablement interprétée par un ténor venu d'une troupe du nord de l'Angleterre et une grosse soprano italienne censée être bien meilleure que lui, ce qui n'était en réalité pas le cas. C'était dans tous les cas un bon choix car l'assistance avait le gosier tout sec et l'on entendait les bouchons de champagne sauter pendant la note finale entonnée par les deux vocalistes. Tarquin avait bien sûr apporté un flacon rare, du Cristal ou un équivalent, et nous expliquait comment le déguster, quand il fut interrompu par un homme en livrée moderne, un majordome d'aujourd'hui, avec pantalon à rayures et veste noire de costume. Tarquin étant visiblement notre chef de groupe, c'est à lui qu'il s'adressa pour lui murmurer quelque chose à l'oreille. L'étonnement de Tarquin se transforma en stupéfaction quand il me pointa du doigt.

– C'est lui, fit-il.

L'homme se précipita vers moi.

– Sir, madame la comtesse voudrait savoir si vos amis et vous, vous voudriez bien les rejoindre après le concert, afin d'admirer le feu d'artifice depuis la terrasse.

Je ne peux nier le sentiment d'intense gratification que me procurèrent ces paroles, comme c'est toujours le cas quand on se rend compte qu'une relation qu'on croyait à sens unique est en fait réciproque. J'avais été pardonné ou, au moins, pas complètement oublié, c'est déjà ça.

Je me suis retourné vers les autres.

– Lady Claremont nous demande de les rejoindre pour le feu d'artifice après le concert.

Un grand silence accueillit cette annonce. Jennifer fut la première à reprendre ses esprits.

– C'est terriblement gentil de sa part. Nous en serions ravis. Dites-lui que nous la remercions.

L'individu accusa réception en inclinant légèrement la tête plutôt qu'avec une révérence et montra les marches.

– Vous prenez par là et puis... mais, bien sûr, monsieur connaît le chemin.

– Oui, pas de problème.

– Ils seront dans le grand salon à tapisserie.

– Merci.

Il retourna à ses autres tâches. Mes trois compagnons me dévisagèrent dans un silence ébahi.

– « *Monsieur connaît le chemin* » ? fit Tarquin qui, pour une fois, ne faisait aucun effort pour cacher qu'il était impressionné.

– Je venais ici dans ma jeunesse.

Tarquin resta silencieux. Je le connaissais suffisamment maintenant pour savoir qu'il réfléchissait à un moyen de retourner la situation à son avantage. Pour l'instant, il ne trouvait pas.

– Pourquoi tu n'as rien dit ? demanda Jennifer, question qui ne manquait pas de pertinence au vu de la situation.

– Je n'avais pas compris où nous allions. Nous avons demandé à Tarquin mais il ne voulait pas nous le dire...

Jennifer jeta un bref regard noir à son époux qui avait l'air absent.

– ... et puis je n'étais pas certain qu'ils auraient le moindre intérêt pour ma personne après tant d'années. Certes, j'ai passé un certain temps ici, lors de ma folle jeunesse, mais c'était il y a quarante ans...

– Alors elle doit avoir un regard d'aigle, cette « lady Claremont »...

Bridget avait utilisé des guillemets sarcastiques, comme toujours quand elle se sentait menacée par un aspect de ma vie passée. Je savais déjà, sans même en parler, que de tout le week-end le présent épisode serait celui qui la mettrait le plus mal à l'aise. Mais nous n'avons pas pu en discuter davantage car l'orchestre avait repris et nous nagions déjà dans une version très grand public de « Quando Me'n Vo' » tiré de *La Bohème*, souvent traité de manière humoristique dans le contexte du reste de l'opéra, mais dont le traitement en concert est en général plus larmoyant. Tous les responsables de clubs de chasse à courre et présidents à vie du jury de concours horticoles des villages alentour sortirent leurs mouchoirs.

Je savais que le grand salon à tapisserie donnait directement sur le jardin au-dessus de nous, mais des résidus de ma timidité adolescente me rappelaient que débarquer avec des inconnus par la porte-fenêtre serait peut-être pousser le bouchon un peu loin. Je préférais donc adopter une tactique consistant à rapporter nos affaires à la voiture après le concert afin d'éviter de revenir les chercher et à passer par l'entrée principale. Le programme annonçait clairement un entracte de cinquante minutes entre le concert et le feu d'artifice, je savais donc que nous disposions d'un peu de temps. De cette manière, nous pourrions entrer par la porte principale comme des gens normaux sans donner l'impression que nous tendions une embuscade à nos hôtes.

Je fus heureux de cette décision car il y avait pas mal de monde qui arrivait. Visiblement, la famille Claremont avait trouvé un bon stratagème pour satisfaire la bourgeoisie locale qui estimait mériter une certaine considération sans avoir à les inviter tous à dîner. Le vestibule de Gresham Abbey était vaste et haut de plafond, avec un sol en pierre et une enfilade de colonnes qui en fermait le carré. Derrière, un escalier en pente douce menait à l'étage : les marches étaient si basses qu'une femme en robe longue – et, pour notre génération, ce ne pouvait être qu'une robe de soirée – paraissait flotter comme si ses pieds ne faisaient qu'effleurer les marches. C'était plus compliqué pour les hommes qui devaient rapidement s'adapter au fait que chaque marche ne les faisait descendre que de cinq centimètres à la fois. Mais, pour les femmes, l'effet était saisissant tant il donnait une impression de grâce et de fluidité qui est restée gravée dans ma mémoire.

Les portraits exposés avaient été choisis par lady Claremont lors de leur installation en 1967 quand, avec son mari, elle avait repris la maison. Je constatai immédiatement que cette décoration n'avait pas changé. Elle avouait sans honte les avoir choisis uniquement pour leur valeur esthétique, et malgré les protestations véhémentes des vieilles tantes de lord Claremont, les éminents hommes d'État victoriens en redingote de croque-mort, les effrayants soldats du XVIIIe siècle, rougeauds et au menton volontaire, les grands hommes de l'époque Tudor, au regard fourbe et matois, à l'expression avaricieuse, bref, les membres de la famille les plus laids avaient été relégués aux antichambres, couloirs et chambres individuelles, sauf quand il s'agissait de peintres vraiment renommés. Ils s'étaient alors retrouvés soit dans la bibliothèque, soit accrochés de manière impressionnante en une double rangée sur le damas cramoisi de la grande salle à manger. Lady Claremont m'avait expliqué à l'époque que ces deux endroits étaient des pièces masculines qui devaient en imposer mais qui n'avaient pas besoin d'être jolies. Dans le hall, donc, de charmants enfants de toutes les périodes alternaient avec des portraits de beaux jeunes hommes nerveux commémorant leur départ d'Eton en tremblant d'excitation face à la belle vie qui les attendait. Il y avait aussi de jolies jeunes filles de la famille Gresham, dont on avait peint le portrait le jour de leurs fiançailles à quelque noble personnalité ou dont les portraits faisaient partie d'une série de beautés de la cour du roi

Charles II ou de George IV, et qui accordaient un gentil sourire à leurs admirateurs. Les cadres dorés et brillants étaient rehaussés par les murs abricot et le stuc aux motifs complexes. Au centre du plafond pendait un énorme chandelier qui ressemblait à une averse de gouttelettes luisantes figées dans leur chute par le regard de la reine des neiges.

– Oh, c'est vraiment charmant ! s'exclama Jennifer qui admirait la pièce au grand dam de son mari qui lui lança un regard furieux que je comprenais fort bien.

Toute réaction indiquant qu'ils n'étaient pas des visiteurs réguliers devait être refoulée. Jennifer en était consciente, bien sûr, mais elle avait pris la décision intéressante de ne pas jouer le jeu en flattant l'arrogance de Tarquin. Bridget, inutile de le préciser, s'était réfugiée dans un silence ironique dont je n'avais ni le temps ni l'envie de m'occuper. J'étais de retour à Gresham, ce que je n'aurais jamais imaginé, et j'étais bien décidé à en profiter.

Le grand salon à tapisserie donnait sur l'angle du jardin de devant et le chemin le plus avisé pour y parvenir se faisait par une antichambre ovale au fond du hall où des portes qui se faisaient face donnaient à gauche sur la salle à manger et à droite vers notre destination. C'était une pièce charmante. Les murs étaient tendus d'un bleu moiré et poudreux, avec des panneaux couleur crème aux bordures dorées montant jusqu'à mi-hauteur. Les grandes portes à panneaux étaient surmontées de tableaux dont l'encadrement prolongeait l'alliance de couleur crème et dorée jusqu'au plafond. Sur la grande surface bleue, des tapisseries des Gobelins célébraient des batailles victorieuses, remportées je crois par Marlborough. Je ne me rappelle plus précisément la raison de leur présence. Peut-être un Claremont de l'époque avait-il contribué à la gloire du célèbre duc. En fait, je crois me souvenir que c'est peut-être la raison pour laquelle la famille Claremont avait obtenu d'être élevée au rang de maison ducale dans les années 1710. Nous avions sous les pieds un tapis d'Aubusson, doté de son léger froncement typique. Les meubles splendides comprenaient une superbe horloge sur piédestal de plus de deux mètres de haut avec un coffrage décoré de dorures, cadeau au troisième comte de Claremont de l'impératrice de Russie en récompense d'un service qui resta secret et que personne n'a jamais vraiment pu expliquer. Le majordome auquel nous avions parlé à l'entracte présentait un plateau avec des verres et deux serveuses passaient avec du vin et de petites choses à déguster. Lady Claremont, avec son impeccable sens du détail, décidément toujours aussi vif, avait fait préparer des canapés, notamment des huîtres au bacon et de toutes petites portions de *welsh rarebit*[1] sur de minuscules toasts. Elle savait que, même après dîner, tout cela serait fort apprécié.

– Ah, vous voilà ! Nous n'en avons pas cru nos yeux en vous découvrant dans le jardin. Vous auriez dû nous dire que vous veniez...

Très dynamique, lady Claremont me fit rapidement la bise sur une joue – ce n'était pas son style d'adopter la double bise importée dans les années 1970. Je présentai les gens qui m'accompagnaient, qui serrèrent tous la main à notre hôtesse. Jennifer fut la seule à la remercier pour l'invitation. Tarquin tenta d'entamer une discussion concernant la célèbre horloge, sur laquelle il disposait évidemment d'une multitude d'informations. Mais lady Claremont avait passé sa vie à éluder de

1. Plat à base de cheddar fondu.

telles tentatives de rapprochement et, d'un signe de tête et d'un sourire, elle signifia qu'elle en avait assez entendu. Elle se retourna vers son antique voisine pour me présenter :

– Vous souvenez-vous de Mrs. Davenport ?

C'est vrai que cette vieille femme me disait quelque chose et je fis un petit signe de tête en lui serrant la main.

Lady Claremont expliqua avec un rire joyeux :

– Il venait tout le temps à la fin des années 1960. Il nous faisait beaucoup de peine...

Elle me lança un regard débonnaire, mais je sentis une boule dans la gorge en devinant ce qui allait suivre – rien ne pouvait l'arrêter et elle lança à la cantonade pour qu'un maximum de gens l'entendent :

– ... il était tellement amoureux de Serena !

Elle éclata de rire avec Mrs. Davenport ; elles étaient toutes gaies au souvenir de mon cuisant malheur qui m'empêchait encore parfois de dormir la nuit et que je croyais secret, caché de tous par mes soins experts. Je me contentai de répondre d'un sourire pour bien montrer à quel point je trouvais ça drôle d'avoir pu déambuler dans cette demeure avec le cœur à vif. Mais la voix calme et mesurée de lady Claremont réussit à apaiser ces douloureux souvenirs et elle se mit à parler de tout et de rien, de Serena et de ses autres enfants, du temps magnifique qu'il faisait, du gouvernement – évidemment épouvantable – et de tout ce qui constitue l'essentiel des conversations dans un manoir de province. Je remarquai qu'elle n'avait pas mentionné l'événement dont nous partagions le souvenir et qui avait scellé la fin de toutes ces illusions lointaines. Seule une coutume américaine relativement récente qui a écarté la bonne vieille tradition britannique consistant à garder un doigt sur les lèvres et à considérer que le silence est d'or veut que l'on « se dise tout ». Mais qu'y a-t-il à gagner à gratter les plaies de la vie en permanence ? Quel que soit le téléfilm, il y a toujours un personnage pour dire : « Il faut qu'on parle. » On finit par avoir envie de leur hurler : « Mais, non ! Laissez tomber un peu ! » Je n'étais pas surpris que lady Claremont n'ait pas adopté cette culture consistant à raviver les vieilles blessures. D'une certaine façon, en m'invitant à prendre un verre, elle me disait : « Ça va, comme vous, nous sommes passés à autre chose. Après toutes ces années, nous pouvons quand même bavarder tranquillement comme des gens normaux sans avoir à en parler. » Et même si elle s'était gentiment moquée de mes troubles amoureux, je lui étais tout de même reconnaissant pour cette courtoisie.

Le temps que j'aie fini de ruminer, le mouvement des invités avait dispersé mes compagnons. Tarquin, qui avait beaucoup apprécié les remarques de lady Claremont, ne savait pas s'il devait utiliser la petite pique de notre hôtesse pour m'humilier et trouver dans mes tourments sentimentaux de jadis de quoi s'amuser ou si le seul fait d'avoir été suffisamment souvent à Gresham pour que lady Claremont soit consciente que j'ai été amoureux de sa fille et m'accueille comme un vieil ami me rende digne d'un traitement spécial. Je l'abandonnai à son dilemme. De l'autre côté de la pièce, Jennifer avait déniché quelqu'un qu'ils avaient déjà rencontré et semblait occupée à bavarder avec entrain. Bridget, dépassée par les événements, en profitait pour bouder. Résultat, j'étais à peu près tout seul dans mon coin, sur les lieux douloureux et lancinants de ma jeunesse passée.

Mon verre à la main et un sourire accroché aux lèvres, je me suis escrimé à contre-courant du flot des invités pour atteindre l'antichambre ovale. Nous l'avions traversée rapidement à notre arrivée mais, ainsi que je m'en souvenais parfaitement, c'était un endroit charmant, pas très grand mais à la délicatesse séduisante, tendu d'un chintz féminin et léger, et décoré d'objets dans le même esprit. Chez les Claremont, cette pièce servait de boudoir et la table de travail de lady Claremont se trouvait dans un coin. C'était un magnifique bureau plat mouluré, avec plein de papiers, de lettres et de listes de choses à faire. Je me mis tranquillement à admirer une série de petits tableaux flamands représentant les cinq sens, exécutés par David Teniers le Jeune quelque part dans les années 1650. Je les avais toujours appréciés et je les retrouvais à présent comme de vieux amis. Quelle délicatesse, quelle finesse dans les détails, quel étrange sentiment de se dire que, depuis que la peinture avait séché, c'était non pas deux ou trois mais vingt générations qui étaient nées, avaient fait des projets, rêvé, subi des déceptions et avaient disparu. Nonchalamment, je gagnai les portes de la salle à manger. Elles étaient fermées mais, en tournant les poignées, je pus les ouvrir et faire sursauter une bonne qui finissait de mettre la table. Je lui adressai un sourire pour lui montrer que je n'étais pas hostile :

– Plus de quatorze pour le petit-déjeuner ?

Elle se décontracta un peu et me répondit avec les riches et chaleureuses inflexions de l'accent du Yorkshire :

– Dix-neuf convives. Et encore deux de ces dames restent dans leur chambre.

– Je me souviens de la règle qui voulait que, quand il y avait quatorze convives ou moins, le petit-déjeuner se prenait dans la petite salle à manger. Quand il y avait plus de monde, on le prenait ici.

J'avais réussi à capter son attention. Elle était même soudain tout à fait curieuse. Elle me regarda avec davantage d'attention.

– Vous veniez souvent, alors ?

– Oui, à une certaine époque. Ça fait plaisir de voir que rien n'a changé.

Et je le disais sincèrement. C'était vraiment rassurant de constater autant de permanence en ce lieu, cette presqu'île de ma vie personnelle quand tout avait changé dans le reste de la société. Certes, je devais apprendre plus tard qu'il y avait là une part d'artifice car le domaine, comme le reste du pays, avait connu des moments difficiles dans les années 1970 avant d'être remis sur les rails à partir du milieu des années 1980 par un excellent intendant.

En fait, de nombreuses familles que j'avais fréquentées avant leur chute temporaire avaient connu ce *happy ending*. Si seulement cela avait pu être la règle pour l'ensemble de ces familles... Mais un trop grand nombre d'entre elles avaient succombé à cette dangereuse mode, courante chez ceux qui ont hérité de leur fortune, qui consiste à vouloir prouver à tout le monde et à soi-même que leur richesse reflète leur intelligence et leur savoir-faire. L'avantage de cette attitude est que l'on n'a plus besoin de se sentir redevable envers ses ancêtres ou obligé de respecter les gens qui ont forgé leur patrimoine tout seuls et qui pourraient autrement revendiquer une supériorité morale vis-à-vis de ceux dont la position enviable doit tout aux efforts des autres. Le désavantage est qu'elle repose sur un mensonge. Comme ils sont dans le déni, ces riches aristocrates, riches mais stupides, se lancent benoîtement dans des entreprises qu'ils ne maîtrisent pas et dans des investissements idiots en se fiant à des conseillers dénués de jugement ou de talent jusqu'à ce que leur ignorance finisse par avoir raison d'eux. Je pourrais citer vingt personnes qui pèseraient quelques millions de plus si elles étaient restées tranquillement dans leur chambre sans s'occuper de rien plutôt que de se mêler de faire des affaires. Et j'en connais qui avaient débuté dans la vie avec toutes les cartes en main et qui se sont retrouvées quasiment toutes nues. Dans ce domaine, j'imagine que les femmes, qui sont généralement plus pragmatiques, ont moins besoin de prouver leur valeur de manière narcissique et qui, en matière de bon sens économique, se sont la plupart du temps montrées plus avisées. Lady Claremont n'aurait par exemple jamais laissé son cher époux prendre lui-même la direction des opérations pour ce qui est de la gestion du patrimoine Gresham.

– Maman n'aurait jamais dû dire ça. J'espère que ce n'est pas pour cette raison que tu t'es mis tout seul dans ton coin. Si jamais tu étais ne serait-ce qu'un tout petit peu amoureux de moi, je trouverais ça flatteur.

Sa voix me troublait toujours autant. La seule présence de Serena me causait une joie indicible ; le simple fait qu'elle ait entendu les paroles de sa mère me faisait vivre un cauchemar. J'étais donc tiraillé entre deux sentiments en me retournant pour la découvrir de l'autre côté de la porte de l'antichambre.

– À l'époque, j'espérais que personne n'avait remarqué.

– Au début, je n'avais rien vu non plus.

– Jusqu'au Portugal.

– Avant. Mais peu importe.

Elle ne voulait pas se laisser entraîner dans cette direction, ce qui n'était pas surprenant.

– Maman m'a dit, après coup, qu'elle avait compris tes sentiments dès ta première visite. J'imagine qu'une mère est censée se rendre compte de ce genre de chose.

Cette remarque nous fit tous deux sourire.

– La tienne, en tout cas. C'était gentil de sa part de ne pas avoir évoqué Estoril. C'est la dernière fois que je les avais vus.

– Vraiment ?

– J'ai dû les apercevoir à une réception estivale chez Christie's ou à un autre événement de ce genre mais je ne leur avais pas parlé depuis cette soirée.

Elle haussa doucement les épaules.

– Bah, c'était il y a longtemps.

Je me mis à considérer Serena. Certes, je l'avais croisée épisodiquement au fil des années et il n'y avait pas un fossé de quatre décennies, mais le simple fait de la regarder me stupéfiait toujours. Là où nous faisions tous notre âge, elle semblait n'avoir pris que quelques petites années. En fait, elle avait à peine changé. Quelques petites rides au niveau des yeux, un creux un peu marqué au coin de la bouche, une chevelure d'une teinte légèrement plus claire – c'était tout.

– Vous êtes tous là pour le week-end ? lui demandai-je.

– Pour la plupart. Maman avait assuré ses arrières au cas où l'événement fasse un flop et qu'il nous faille intervenir. Mais les organisateurs se sont mieux débrouillés que l'an passé.

– Mary est avec vous ? Et Rupert ?

– Mary, oui. Elle était dans le hall tout à l'heure. Rupert est à Washington, le pauvre. Il est en poste là-bas depuis trois ans.

– Washington ? Quel honneur...

– Et quelles complications ! Nous avons vraiment hâte qu'il soit nommé à Paris ou Dublin, en tout cas, un endroit où il puisse rentrer à la maison le week-end.

– Et Peniston ? Il est venu avec vous ?

Serena avait deux enfants. L'aînée, Mary, que j'allais sans nul doute revoir après bien des années, avait épousé le premier secrétaire de l'ambassade de Washington, Rupert Wintour, et n'allait pas tarder à devenir madame l'ambassadeur. Enfant, elle était très ordinaire et ressemblait affreusement à son père physiquement, et j'avoue en avoir conçu quelques soupçons quant aux motivations réelles de son mari pour l'épouser. Le père de son mari, sir Bidule Wintour, était un homme d'affaires et sa mère une ancienne esthéticienne : la fille d'un comte paraissait donc un choix un peu trop parfait, mais après avoir rencontré Rupert, je me suis rendu compte que j'avais été injuste avec lui car il était très vif d'esprit. L'autre enfant de Serena, le garçon obligatoire, Peniston, était un peu plus jeune que sa sœur et je l'avais croisé chez eux, à Lansdowne Crescent, au moment où notre amitié se distendait.

– Peniston est là mais il est venu de son côté. Il est marié et a des enfants. Aujourd'hui, je suis trois fois grand-mère.

– Pour ça, je demande des preuves...

Elle eut le sourire de ceux qui sont habitués aux compliments.

– Helena est venue avec William et les garçons. Il faut que tu les voies. Et il y a Anthony. Je ne sais pas où se trouve Venetia. Maman me dit qu'elle est à New York, mais j'ai reçu une carte de Singapour la semaine dernière. Tu sais comment elle est...

Elle leva les yeux au plafond avec un rire bienveillant pour souligner son propos. Il y avait trois sœurs et un frère, qui était bien sûr l'héritier du royaume. Helena, deuxième fille Gresham, avait épousé un agréable baron de la banque qui possédait quelques terres dans un comté voisin. Cela avait convenu à sa mère, même si elle n'avait pas non plus sauté au plafond. C'est la plus jeune des filles, Venetia, qui avait défié la famille en acceptant la demande en mariage d'un impresario qui faisait dans la musique de variétés. Je me souviens très bien de cet épisode : les

Claremont avait totalement refusé cette union au début. À la surprise générale, Venetia avait beau ne pas être particulièrement rebelle ou têtue, elle avait tenu bon et, à la fin, c'est la famille qui avait cédé et préféré éviter le scandale d'un mariage où leur absence aurait été remarquée. Comme disait mon père, « ne jamais prêter le flanc au scandale ». Venetia était sortie vainqueur. Son mari avait amassé une fortune immense dans l'industrie musicale et elle se retrouvait plus riche que sa famille, ou au moins autant. Mais ses proches se vengeaient encore aujourd'hui en adoptant une attitude condescendante envers elle, comme si sa vie avait toujours été d'une trivialité futile.

Étrangement, c'est le frère, Anthony, que nous connaissions le moins. Né après Serena et avant les autres, il était encore très jeune, presque gamin, quand je fréquentais Serena. Mais même plus tard, une fois adulte, il ne devint pas plus transparent pour autant. Il était poli et de conversation agréable à l'apéritif ou à table, mais il était resté curieusement opaque. Il ne dévoilait rien. C'était le genre de personne qui se révèle au bout de longues années avoir été un terroriste ou un *serial killer* sans que cela n'étonne personne. Je l'aimais bien malgré tout et je dois dire qu'il n'a jamais eu la fatigante habitude qu'ont certains de s'appliquer à montrer à quel point ils sont mystérieux. Anthony cachait ce qui le concernait, mais sans mystère, ostentation ou affectation.

– Bon, et toi, comment tu vas ? Tu sors un nouveau livre ? Je devrais le savoir, je ne suis pas très fière de te le demander.

Quand on s'intéresse à votre carrière artistique, cela paraît parfois sincère et généreux mais, en même temps, la façon de le faire parvient à réduire la valeur de votre travail à fort peu de chose. L'enthousiasme aimable de la question renferme simultanément une dose de mépris qui ressemble à la manière dont les gens maladroits qui ne savent pas s'y prendre avec les enfants essaient de complimenter le dessin d'une petite fille. Et les véritables aristocrates sont très forts à ce jeu-là.

– J'en ai un nouveau qui sort en mars.

– Tiens-moi au courant.

Ces gens-là vous sortent souvent ce genre de réflexion : « Dites-moi la prochaine fois que vous passez à la télévision » ou « Prévenez-nous quand cela paraîtra », ou encore « Tenez-nous au courant de votre prochaine interview ». Comme si on allait se mettre à rédiger trois mille cartes pour prévenir d'une apparition en public. Ils savent d'ailleurs qu'on n'en fera rien. Le message subliminal est en fait le suivant : « Vos activités ne nous intéressent pas suffisamment pour que nous soyons au courant. Comprenez bien que nous sommes imperméables à tout ce que vous faites. Veuillez donc nous excuser si nous manquons vos prochaines œuvres. » Serena n'avait pas dit cela méchamment, à l'instar de la plupart de ces gens, mais j'avoue que c'est parfois un peu déprimant.

Elle poursuivit avec jovialité :

– Quand est-ce que tu as su que tu viendrais nous voir ? Tu aurais pu nous prévenir et venir dîner avec nous.

Je dus lui expliquer la situation. Serena leva les sourcils.

– Ce sont des amis à toi ? Il a le titre de comte des Emmerdeurs par ici. J'espère que nous n'avons pas été trop injustes.

– Non. Ce jugement est plutôt adapté.

Elle pouffa.

– Je suis contente de te revoir. Est-ce que Gresham a beaucoup changé ?

– Pas vraiment. Moins que le reste de ma vie.

– Voyage au pays des souvenirs ?

– Je n'en sors pas en ce moment.

Naturellement, j'étais obligé de lui en dire plus. Je me contentai d'une explication partielle. Sans lui révéler la vraie raison qui exigeait que je retrouve toutes ces femmes de notre passé commun, je lui expliquai que Damian voulait savoir ce qu'elles étaient devenues et qu'il m'avait demandé de le faire parce qu'il les avait rencontrées par mon intermédiaire.

– Mais pourquoi as-tu dit oui ? Cela doit te prendre un temps fou. Et puis, tu ne lui dois rien.

Elle appuya cette dernière remarque d'une expression interrogative.

– Je ne sais pas trop pourquoi je fais ça. Quand il me l'a demandé, je voulais dire non, mais quand j'ai vu qu'il était mourant...

Je m'interrompis. C'était visiblement un choc pour elle et je regrettai immédiatement d'avoir sorti ça comme ça.

– Mourant ?

– J'en ai peur.

Elle resta silencieuse, digérant l'information en reprenant le contrôle d'elle-même.

– C'est étrange. On n'imagine pas quelqu'un comme Damian « mourant ».

– C'est pourtant le cas.

Elle avait parfaitement retrouvé son calme.

– Ah, j'en suis bien triste. Surprise et triste.

– Il a toujours été surprenant.

Mais Serena n'était pas d'accord.

– Non, ce n'est pas vrai. Il se passait toujours quelque chose avec Damian, mais ce n'était pas en soi « surprenant », plutôt inévitable. Rien d'étonnant à ce qu'il s'incruste dans la Saison aussi habilement. Et cela n'a rien eu de surprenant non plus qu'il gagne plus d'argent que qui que ce soit au monde. Je savais que ça se passerait comme ça pour lui dès le jour où je l'ai rencontré. Mais mourir trente ans avant l'heure...

– Comment as-tu compris ça ?

– Je crois, répondit Serena après un temps de réflexion, que c'est parce qu'il avait une sorte de colère permanente. Et j'ai toujours constaté que les jeunes gens en colère soit explosent en vol et disparaissent, soit se débrouillent bien mieux que les autres. Quand j'ai appris qu'il travaillait à la City, je savais qu'il finirait avec des milliards.

Je ne pouvais résister à la curiosité, même si c'était aussi douloureux que de mâcher avec une carie avancée.

– Tu l'aimais bien ? Je veux dire, même à la fin, après tout ce qui s'est passé ?

Elle me fixa, pleinement consciente de l'importance de la question pour moi malgré les années qui s'étaient écoulées depuis le temps où tout cela avait compté dans nos vies. En plus, comme tous les membres de sa tribu, elle était réticente quand il s'agissait de donner une information sur ses sentiments qui puisse être utilisée contre elle. Mais elle finit par marquer son assentiment :

– Il y a eu un moment, oui.

Et puis elle retrouva sa carapace et l'ajusta de nouveau sur ses épaules.

– Je crois que nous devrions rejoindre les autres. Ça va commencer.

Comme en réponse à ses paroles, une sorte de grondement fusa et, par les grandes portes-fenêtres qui ne comportaient pas de rideaux, nous avons vu une fusée traverser le ciel nocturne. Une explosion retentissante libéra une multitude de scintillements dorés salués par les « Ooohh » enthousiastes du public.

– Andrew est là ?

Par simple politesse, je ne pouvais éviter plus longuement de le demander. Cela restait maladroit, comme si j'avais du mal à décoller la question de mes lèvres.

– Oui, il est dehors avec les enfants. Il adore les feux d'artifice.

Je vis l'antichambre se remplir derrière elle. Le grand salon débordait de gens désireux de profiter du passage pour sortir. Serena se dirigea vers eux et je la suivis. Nous sommes passés par la porte-fenêtre et, un instant plus tard, nous étions dehors, dans le froid soudain de la nuit qui nous enveloppait de son frisson. Plus loin, sur notre droite, le reste des invités émergeait du salon à tapisserie et la terrasse commençait à être bien remplie. Une autre fusée, une autre explosion, une nouvelle pluie de paillettes ponctuée de cris enthousiastes.

– Andrew, regarde qui est là !

Je reste personnellement blessé que, parmi tous les choix possibles sur Terre, Serena ait choisi d'épouser Andrew Summersby. Comment ma déesse avait-elle pu volontairement choisir pareil cornichon ? Au moins, dans *Le Songe d'une nuit d'été*, Titania ne jette son dévolu sur Bottom que parce qu'elle avait été droguée. Ma Titania personnelle avait choisi son Bottom les yeux grands ouverts et sans avoir ingéré la moindre substance. Évidemment, nous savions tous que, de son côté, lady Claremont avait poussé sa fille vers cette union car à l'époque personne ne contestait l'idée que le boulot d'une mère était d'arranger un mariage convenable. Un mari de rang et de fortune égaux valait plus que toutes les autres cartes du jeu.

Et puis, bien sûr, nous savions aussi que lady Belton poussait de toutes ses forces dans le même sens – tellement fort qu'elle avait dû se démettre une épaule. Même ainsi, cela avait été difficile à comprendre à l'époque et plus encore aujourd'hui avec le recul. Je me demandais même si lady Claremont, avec la connaissance du monde moderne et de ses valeurs, aurait défendu avec autant de ferveur ce mariage. Il me semblait que non. Mais à quoi servent de telles spéculations ? Car avec des si, on mettrait Paris en bouteille...

Le visage bovin d'Andrew, respirant le crétinisme à grandes bouffées, était plus plat, plus large et plus rougeaud – et plus répugnant – que dans mes souvenirs. Il se tourna vers moi avec un regard inexpressif et daigna me gratifier d'un hochement de tête solennel et prétentieux.

– Bonjour, fit-il sans ajouter d'autre signe d'étonnement ou de politesse, prenant acte du temps écoulé depuis notre dernière rencontre.

Bridget était enfin parvenue à fendre la foule pour nous retrouver, et c'est le moment qu'elle choisit pour glisser son bras sous le mien d'une manière ouvertement possessive destinée à indiquer le titre de propriété qu'elle détenait envers moi et adressa un sourire hautain à Serena. Je trouvais cela parfaitement agaçant mais refusai de le montrer.

– Puis-je vous présenter Bridget FitzGerald ? Andrew et Serena Summers...

Je m'interrompis car ce n'était pas la bonne formule. J'aurais dû l'appeler par son titre et non par son patronyme. Le père d'Andrew était mort, je le savais, mais j'étais distrait :

– ... pardonnez-moi : Andrew et Serena Belton.

Serena esquissa un sourire et serra la main de Bridget mais Andrew parut fâché et leva les yeux vers le feu d'artifice. J'ai cru sur le moment que c'était parce que je ne lui avais pas donné le bon nom, mais connaissant son manque total d'intelligence et d'imagination, je soupçonne qu'il a surtout mal pris le fait d'être présenté à une inconnue de rang inférieur autrement que comme « lord Belton ». Cela paraît difficile à croire, mais il n'était pas seul dans cette catégorie d'authentiques aristos souffrant de cette puérilité qui consiste à reproduire les coutumes et les habitudes vestimentaires de leurs ancêtres datant de cinquante ans en arrière. Ils font l'erreur de croire qu'il s'agit d'une preuve de leur bonne éducation et non de leur parfaite stupidité.

Serena poursuivit avec naturel, comme si l'impolitesse de son mari était normale – de fait, elle devait y être habituée.

– Voici ma fille Mary et mon fils Peniston.

Sa présentation s'adressait à Bridget. Je dis bonjour avec un sourire et Mary répondit cordialement, je suis heureux de le dire. Peniston me tendit aussi la main. Ils savaient très bien qui j'étais et, dussé-je en rougir, j'avoue que cela me faisait le plus grand plaisir. Serena souriait également, ravie d'avoir ses enfants avec elle.

– C'était quand, la dernière fois que tu les as vus ?

– Dans une autre vie, j'en ai peur, dis-je en souriant et en serrant la main du jeune homme. Je ne parlerai pas de la petite fille en train de bouder à cause d'une robe de bal qu'elle n'aimait pas ou du petit garçon en barboteuse bleue qui pédalait dans la cuisine avec son premier tricycle.

– Heureusement ! fit Peniston.

– Je me souviens de cette robe, dit Mary. Granny l'avait fait reprendre et avait ajouté des smocks. On aurait dit une illustration des années 1950 du poème « Jack and Jill ». J'avais hurlé jusqu'à ce qu'on me dispense de la porter. Je crois que je ferais pareil aujourd'hui.

Nous avons ri et Mary me sembla, malgré sa ressemblance dérangeante avec Andrew, mériter que je révise mon opinion à son sujet. Pendant ces échanges, Bridget était inexpressive et Andrew avait pris son air offensé dont je devinais qu'il lui était devenu habituel. On pouvait se demander pourquoi. C'était peut-être parce que j'avais mentionné un caprice d'enfant de sa fille ou la barboteuse de son héritier, ou la cuisine de sa femme, ce qu'il considérait comme des crimes de lèse-majesté de ma part. Franchement, je n'en avais rien à faire.

Les deux frère et sœur firent passer ce moment de malaise dû à l'indélicatesse d'Andrew en enchaînant et en bavardant de choses et d'autres. Peniston et sa sœur devaient souvent rendre ce service pour sauver la face de leur pénible papa. Je n'étais pas disposé à beaucoup apprécier le nouveau vicomte Summersby, puisque tel était désormais son titre, et que j'avais des spasmes rien qu'à entendre ce nom, mais je dois admettre qu'il avait l'air sympathique. Je ne peux pas dire qu'il était très séduisant car il était petit et légèrement enveloppé, et son visage était plus avenant que véritablement beau. Mais mon point de vue peut paraître partial. La plupart des gens, qu'il s'agisse des hommes ou des femmes, pour ce que j'en sais, ressentent des sentiments ambivalents envers les enfants des personnes dont ils ont autrefois été amoureux, surtout quand on n'a pas choisi soi-même de mettre fin à cette relation. D'une certaine manière, on considère que ces enfants sont les symboles d'une grave erreur de la part des dieux et qu'ils n'auraient jamais dû naître. Et pourtant, ils n'y sont pour rien, non ? On finit toujours par s'en rendre compte et c'est ainsi que j'ai fini par changer de sentiment envers Mary Wintour et Peniston Summersby. Quand j'avais appris la nouvelle de leur naissance à venir, j'avais reçu un coup de poignard, mais, bien sûr, face à cet homme sympathique et cette femme charmante, c'était une autre affaire, et même moi, je me rendais bien compte qu'il était injuste de les détester parce que leur père était un crétin et que leur mère m'avait brisé le cœur. On ne retrouvait pas grand-chose de Serena chez eux. Petite, Mary ressemblait à Andrew en miniature, beaucoup plus que son frère, mais ce soir, s'il fallait lui trouver une ressemblance avec ses parents, lui aussi penchait davantage vers son père. Heureusement pour eux et leur avenir, ils n'avaient rien en commun avec Andrew en matière de charme personnel.

Peniston sourit en reprenant la parole.

– Granny a été terriblement remuée quand elle vous a repéré. Elle est très fière de connaître un vrai romancier. Elle a lu tout ce que vous avez écrit.

– J'en suis flatté.

J'étais non seulement flatté mais aussi stupéfait. Je comprenais mieux pourquoi j'avais été repéré dans la foule.

– Ça lui fait très plaisir de connaître un écrivain. Question lecture, la plupart de ses amis ont du mal à aller au bout d'une addition de restaurant.

Une jolie femme d'une trentaine d'années venait de se joindre à nous.

– Voici ma femme, Anne.

– C'est vrai, ce que dit Peniston, intervint Anne. Roo est tout excitée par votre présence. Elle a tous vos livres. Il y a des chances qu'elle soit en train de les préparer pour que vous lui signiez des autographes...

– Avec plaisir !

Comme le goût de lady Claremont pour mon œuvre impliquait au moins un relatif intérêt pour ma personne, je trouvais amusant qu'en quarante ans elle ne m'ait jamais invité à la moindre réception, à Gresham ou à Londres, ni tenté de reprendre contact. Pourquoi, alors qu'elle paraissait si fascinée par ma carrière d'écrivain ? Sur le moment, ma paranoïa attribua cela à la fameuse soirée d'Estoril mais je suis à peu près sûr que je me trompais. On constate parfois cette étrange défiance chez les véritables aristocrates qui n'a rien de morbide ni de méprisant. C'est l'autre face de leur tendance à la condescendance : la séparation absolue entre leur monde et le vôtre existe toujours mais, dans ce cas précis, c'est dû à une sorte d'humilité, qui reconnaît tacitement que la prééminence sociale qui leur permet de rouler des mécaniques n'est pas toujours à même d'impressionner ceux qui ont fait d'autres choix.

– Vous êtes en train de tout manquer, fit Andrew en interrompant nos propos enjoués.

Nous avons alors sagement tourné notre attention vers le feu d'artifice. Wizz... Boum ! Aaahhh... etc. Le spectacle se termina sur ce qui aurait dû être le superbe blason de Gresham, un lion rampant tenant une sorte de fanion. En l'occurrence, la tête du lion ne s'alluma pas complètement, ce qui rendit l'image plutôt macabre, mais même ainsi cela produisit un final de belle ampleur. Comme tout était fini, il était temps pour les invités de partir, en tout cas pour ceux qui ne passaient pas la nuit sur place, et ils n'étaient pas censés s'attarder trop longtemps. Je parvins à retrouver nos hôtes dans la foule pour les saluer et les remercier.

Lady Claremont avait toujours son sourire et une lueur dans le regard.

– Il faut absolument que vous veniez nous voir. Si vous pouvez vous libérez.

– Je suis là pour le week-end, c'est donc que j'ai parfois du temps...

– Mais, oui, c'est vrai, vous êtes avec ces drôles de gens de Malton Towers.

Sa formule en disait long sur les chances de Tarquin de se faire accepter par la noblesse locale.

– Une des arrière-grands-mères de Henry a grandi à Malton. Il y allait souvent avant la guerre. Tu trouvais l'endroit affreux, hein, Henry ? dit-elle en regardant son vieux mari.

– Oh, oui ! J'ai jamais vu une baraque aussi glaciale. Bains froids, repas froids, tout était froid. J'ai jamais pu fermer l'œil convenablement là-bas.

On comprenait facilement que lord Claremont en ait eu assez de cette interminable soirée et qu'il était prêt à aller se coucher, mais il tenait à ajouter quelques remarques :

– Ils sont dingues d'avoir acheté cette maison. Elle a ruiné mes cousins et tous les propriétaires qui ont suivi. Et encore, mes cousins avaient les terres qui allaient avec. Pour ce que ça les a aidés ! Vos amis ont acheté un puits sans fond.

Non seulement ses remarques me paraissaient frappées au coin du bon sens, mais, curieusement, elles avaient aussi quelque chose de rassurant. On oublie facilement quand on voit des gens comme Tarquin balancer par la fenêtre toute leur fortune pour nourrir leurs fantasmes de pseudo-aristos cinglés qu'il reste encore des familles pour lesquelles ce genre de demeures est le lieu naturel d'une vie normale. Si un tel endroit est inconfortable, eh bien, on ne peut rien y changer et peu importent les jolies moulures ou les sculptures de Grinling Gibbons ou le fantôme de Mary Stuart dans l'aile est du château. Cette façon de décrier Malton Towers avec le bon sens terrien le plus naturel confortait ce que j'en avais perçu et me libérait de tout devoir de révérence. Lord Claremont avait dit ce qu'il avait à dire et il semblait inutile de lui en demander plus. Je les saluai avant de poursuivre mon chemin.

J'aperçus Serena dans le hall. Elle se trouvait avec sa famille et parlait à Helena qui paraissait bien plus âgée que sa sœur aînée. Elle se montra amicale avec moi, m'embrassa et me souhaita tout plein de choses – dans le même temps, mon sourire s'adressait surtout à celle qui avait été l'objet d'une passion unilatérale. Même avec le recul, je ne sais pas trop pourquoi le fait de revoir Serena, au lieu de me déprimer, me donna un coup de fouet moral. Je me sentais bien, tout était cool, super, bath, quel que soit le terme daté des années 1970 qui convienne, parce qu'elle m'avait rappelé que j'avais autrefois pu être amoureux. Que je l'étais encore, en fait. Je sentais s'agiter en moi, au niveau du cœur, tout un ensemble de muscles que je croyais atrophiés par l'inaction. C'est un petit peu comme de recevoir un as quand vous ramassez vos cartes. Même si vous n'avez aucune occasion de le jouer, vous vous sentez bien et plein d'assurance juste parce que vous le possédez.

– C'était très sympathique de se revoir, me dit Serena d'un air parfaitement sincère.

– Cela m'a fait plaisir.

Je me rendis compte que je répondais sur un ton très neutre, presque avec froideur – alors que je ressentais tout sauf de la froideur à son égard. Je ne saurais expliquer pourquoi, sauf peut-être en remarquant qu'un Anglais de ma génération se protège systématiquement contre le risque de révéler ses vrais sentiments. C'est dans sa nature et il n'y peut rien.

Elle m'adressa un nouveau sourire, ce sourire des gens auxquels tout réussit.

– Nous sommes tous tes fans, tu sais. Il faut que tu viennes nous voir à Waverly.

– Ce serait avec plaisir. D'ici là, bon courage.

Nous nous sommes embrassés sur la joue et j'ai tourné les talons. Je suis sorti par la porte principale, mais je n'avais pas fait deux pas que j'entendis la voix d'Andrew, scandalisé.

– Comment ça, « bon courage » ? Qu'est-ce qu'il raconte ?

J'avoue que la tentation était trop forte : je me suis rapproché furtivement de la porte pour écouter. Serena lui répondit sur un ton patient, bien modulé, comme pour calmer un cheval ou un chien trop nerveux.

– Mais rien du tout, voyons. Bon courage, c'est tout ! Bon courage en général.

– C'est quand même une drôle de formule, dit-il avant de se racler la gorge comme pour se faire remarquer. Je suis assez surpris de le trouver si radieux et toi si accueillante après tout ce qui s'est passé.

Ils étaient seuls, ou croyaient l'être, et Serena prit soudain moins de gants pour lui répondre.

– Oh, bon sang ! Depuis la soirée dont tu parles, il y a eu la chute du communisme, les Balkans à feu et à sang et l'effondrement de toute la société britannique traditionnelle. Si nous avons réussi à survivre à tout ça, je crois qu'on peut oublier une soirée trop arrosée d'il y a quarante ans...

Mais Bridget me tirait par la manche en me regardant bizarrement. Il me fallut avancer et je me trouvai alors trop loin pour entendre. Si Andrew avait quelque chose à répondre à l'envolée de Serena, je n'ai pas pu en profiter. Ce n'était pas la première fois que je me demandais comment dans la haute société, plus que dans les autres classes, des femmes extrêmement intelligentes peuvent vivre avec des époux aussi lourdement idiots sans même que le mari ne se rende compte du sacrifice quotidien consenti par son épouse.

Alors que nous traversions la foule pour passer par la grille et retrouver la route principale, seule Jennifer s'exprima :

– C'était gé-nial ! Quelle chance de t'avoir eu avec nous. Hein, chéri ?

Je n'imaginais pas que Tarquin puisse lui répondre, lui pour qui il était physiquement pénible de reconnaître la supériorité de quelqu'un d'autre, surtout dans son propre pseudo-royaume, mais Jennifer resta tournée vers lui. Elle continua à conduire en ne gardant qu'un œil sur la route jusqu'à ce qu'il arrive à formuler une sorte de réaction réticente.

– C'était chouette, marmonna-t-il, enfin, je crois parce que c'était assez peu audible.

Entre sa jalousie et l'humeur exécrable de Bridget, le véhicule se remplissait de mauvaises vibrations et de vapeurs méphitiques lourdes de ressentiment. Mais Jennifer ne lâchait pas l'affaire :

– Je les ai trouvés très gentils. Et puis, visiblement, ils t'adorent !

– En tout cas, *lui* les adore. Enfin, il ne les adore pas *tous*, hein, chéri ?

La remarque que venait d'asséner Bridget en ces circonstances précises ressemblait assez à une agression à l'acide. J'étais bien forcé, en me voyant rappeler ce qu'était l'amour, de constater aussi ce qui ne l'était pas. Je ne sais pas ce que je vivais avec Bridget, mais ça n'était visiblement pas une histoire d'amour. J'avais senti le vent venir et j'y avais fait allusion avec mon père quand j'avais déjeuné avec lui. Mais, avant cette soirée à Gresham, je ne m'étais pas aperçu que non seulement la fin du voyage approchait mais qu'on était déjà presque au terminus. En toute honnêteté, je ne pouvais pas en vouloir à Bridget de se sentir agacée. C'était une femme intelligente et séduisante, et elle allait de nouveau constater qu'elle venait de perdre plusieurs longues années avec un choix stérile : elle rentrait bredouille de sa chasse au trésor et se retrouvait dans une impasse. Comme je l'ai déjà dit, ce n'était pas la première fois qu'elle commettait cette erreur, loin de là, je le savais très bien et jusqu'à ce jour j'avais été d'accord avec son point de vue selon lequel elle était tombée sur des brutes sans vergogne qui ne s'étaient pas résolus à la rupture tout en sachant que la relation n'allait nulle part. Ils avaient choisi de lui dérober son avenir, et les enfants qu'elle n'aurait jamais. C'est à ce moment précis, dans la pénombre d'une voiture cheminant sur les routes du Yorkshire, que je pris conscience qu'il ne s'agissait pas vraiment de brutes sans vergogne mais d'imbéciles égoïstes, de mufles sans cervelle. Comme moi, quoi. Et dès le lendemain matin, je partagerai la même culpabilité en tant qu'acteur de *La Triste Histoire de Bridget FitzGerald*.

Elle n'ajouta plus rien jusqu'à ce que nous ayons rejoint notre chambre glaciale et humide. Elle avait commencé à se déshabiller avec ce ressentiment fourbe et détourné que je lui connaissais si bien : elle me tournait le dos tout en parlant par-dessus son épaule avec une colère à peine contenue.

– C'est parfaitement ridicule.

– De quoi tu parles ? Il n'y a rien du tout.

– Ça, tu l'as dit, il n'y a rien du tout. Elle ne s'intéresse pas du tout à toi.

Elle s'exprimait avec vivacité et une sorte de jubilation explosive, comme si elle était personnellement responsable du manque d'amour de Serena, comme si c'était un exploit dont elle pouvait être fière.

– C'est sans doute vrai.

– Elle n'a pas le moindre intérêt pour toi ! répéta-t-elle en augmentant le volume et l'acidité verbale. C'est tellement évident. Elle se rappelait à peine qui tu étais.

Je trouvais qu'elle tapait nettement en dessous de la ceinture mais j'avais décidé de ne pas répliquer. Je choisis à la place de prendre un air blessé. Cela ne servit à rien. Bridget était lancée à fond maintenant et ne pouvait plus se soucier d'éventuels sentiments d'injustice.

– Tu la vois quitter son mari ? Jamais de la vie !

– En effet.

– Et même si elle le quittait, tu l'imagines vouloir vivre avec un pauvre petit dépressif comme toi ?

– Certes, non.

– Il n'y a aucune chance pour que cela arrive. Pas une sur un million.

– Eh oui.

– Abandonner ses privilèges ? L'aura de son statut ? Passer de la comtesse de Belton à Mme Personne ? Aucune chance !

Je faillis lancer une protestation facétieuse en faisant remarquer que son véritable titre serait lady Personne, mais je me ravisai. En revanche, je trouvais amusante l'idée que Serena et Andrew puissent avoir ensemble une forme d'aura. Je ne sais pas trop ce que cela voulait dire et, dans ce contexte, de quelle aura il pouvait être question. Je crois que la fureur de Bridget était en roue libre et qu'il n'y avait plus trop de pilote dans l'avion question argumentation.

– C'est effectivement improbable, convins-je.

– Je veux, oui. Ce genre de femmes n'abandonne jamais.

– « Ce genre de femmes » ? Ça veut donc dire qu'il y en a d'autres comme ça ? Eh bien, je vais pouvoir en chercher d'autres alors.

– Oh, va te faire foutre.

Je ne pouvais pas trop me plaindre de la dernière réplique car je l'avais un peu cherché. Mais je m'étais également dévêtu et nous étions à présent tous les deux occupés à grelotter sous d'insuffisantes couvertures dans notre affreux lit aux horribles ornements, et elle s'était calmée. Jusqu'à ce moment-là, sa colère m'avait empêché de ressentir la culpabilité mais il n'était pas dit que je m'en sortirais comme ça. Juste avant que je n'éteigne, elle abaissa son livre et se tourna vers moi.

– Qu'est-ce que j'ai fait de mal ?

Sa voix avait recouvré sa douceur, avec une trace d'accent irlandais que j'avais toujours trouvé si attirant et qui avait là quelque chose de poignant qui me rappela à quel point je déteste faire du mal.

Je fis un geste de dénégation, accompagné d'un sourire que j'espérais chaleureux et lui répondis sur un ton qui me sembla sincère.

– Ce n'est pas de ta faute. Tu n'as rien fait de mal. C'est de *ma* faute.

Quand on énonce des états d'âme si familiers, notamment avec des formules aussi rebattues, on espère exprimer des sentiments d'une certaine noblesse et d'une certaine générosité. On se dit qu'« on prend tout sur ses épaules », qu'« on assume ses responsabilités », etc. En fait, il s'agit bien sûr d'une malhonnêteté, ainsi que tous les salauds de séducteurs – pour utiliser une appellation sensationnelle – le savent bien, et nous sommes tous, à un moment donné, des salauds de séducteurs. Ces formules sont des raccourcis faciles qui servent à éviter les coups qui vous pleuvent dessus et à précipiter la discussion vers son terme le plus rapidement possible.

Bridget, à juste titre, pensait mériter mieux qu'une réplique aussi hypocrite et lâche.

– S'il te plaît, réponds-moi vraiment. Qu'est-ce que j'aurais pu faire différemment qui aurait arrangé les choses ?

Son intonation m'arrachait le cœur. En la regardant, je me décidai à être sincère.

– Tu aurais pu être plus heureuse.

Elle se révolta immédiatement.

– Tu aurais pu me rendre plus heureuse.

– Justement, fis-je, en opinant avec une rigueur quasi militaire.

Nous avions tous les deux le sentiment que ce qu'elle venait de dire donnait à chacun le dernier mot. J'éteignis la lumière et nous avons fait semblant de dormir.

Joanna

9

C'est le lendemain de mon retour du Yorkshire que je reçus un nouveau coup de téléphone de Damian. Je dis « Damian », mais c'est la voix discrète et réservée de Bassett qui me salua avec une certaine nervosité : « Mr. Baxter se demandait... » Comme il hésitait, je m'interrogeai sur ce que Damian pouvait se demander qui soit si important, mais la réponse à cette question n'avait rien d'exceptionnel : « ... s'il vous était possible de venir le voir prochainement. »

Il me semblait que je devais confesser mon absence de résultat sur-le-champ, même s'il était clair que je ne pouvais guère dissimuler de grandes découvertes.

– Je n'ai pas grand-chose à lui révéler, répondis-je.

Mais Bassett ne semblait pas s'attendre à autre chose.

– Mr. Baxter en est bien conscient, sir. Il se doute que vous l'auriez contacté s'il y avait eu le moindre élément nouveau. Mais il aimerait bien discuter avec vous malgré tout.

En dépit du ton sucré de Bassett, j'entendais clairement l'urgence avec laquelle on attendait de moi que j'accepte cette invitation, ce qui déclencha une alarme au fond de moi. J'eus soudain le sentiment très inconfortable que je m'étais plus ou moins mis au service de Damian en acceptant sa requête et, au lieu de lui faire une faveur, je m'étais laissé acheter. Je n'étais pas payé, bien sûr, mais à l'encontre de mon intuition première, j'avais accepté cette carte de crédit insultante et, d'une certaine manière, cela faisait de moi son employé, ce dont j'aurais dû me douter dès le début. J'avais brisé ma propre règle selon laquelle, si on se laisse acheter, autant que ce soit au prix fort. C'est pour cette raison qu'il ne faut jamais accepter de donner une conférence pour une œuvre de charité ou se montrer à une quelconque manifestation si l'on vous offre une rémunération, en tout cas, en Angleterre. Le cachet est systématiquement minuscule, mais les organisateurs ont le sentiment que, à partir du moment où ils vous ont mis quelques piécettes dans la main, vous leur appartenez corps et âme. Quand on doit accepter ce genre de proposition, car on n'a parfois pas le choix, il faut impérativement le faire gracieusement. Par bonté d'âme. Ce n'est pas le cachet qui fera une grande différence à votre train de vie mais, au moins, vous n'aurez pas à supporter d'être traité comme un mercenaire qui doit obéir car vous restez maître de votre générosité. Mieux encore, faites don de votre cachet à l'œuvre de charité, ou à une autre également digne d'intérêt, ce qui ajoutera une odeur de sainteté à votre personne. Dans le cas présent, par un drôle de retournement, Damian m'avait eu et conservait sa position de supériorité morale. Je ne lui rendais plus un service, j'exécutais une mission, ce qui est très différent.

Nous avons finalement pris rendez-vous. J'avais une semaine chargée, donc nous sommes convenus que je retournerai le voir dans le Surrey pour le déjeuner du dimanche d'après. Je pris donc le train et fus une nouvelle fois accueilli par l'impeccable chauffeur en uniforme. En arrivant dans la petite planète appartenant à Damian, j'eus la surprise de voir les jardins envahis par ce qui semblait être une fête de village. Les voitures étaient garées dans un champ, un peu plus loin. Les stands et le gros de l'activité semblaient séparés de la pelouse principale, la fête ne débordait donc pas sur le manoir lui-même. Reste qu'une telle philanthropie ne cadrait guère avec l'image chérie que je me faisais de Mr. Baxter. Bassett confirma cependant mon impression initiale quand je lui posai la question en sortant de la voiture.

– Oui, cet événement a lieu pendant deux jours chaque année, sir. C'est pour l'église catholique locale, Sainte-Thérèse, à Guilford.

– Mr. Baxter est catholique ?

Cela ne m'était jamais venu à l'esprit. Je n'ai rien contre les catholiques, c'est juste difficile d'imaginer Damian comme fidèle d'une religion, quelle qu'elle soit.

– Je crois bien, sir.

– Il fait ça tous les ans ?

– Oui, depuis qu'il s'est installé ici.

Je dus masquer le cynisme de mon étonnement tandis que Bassett me conduisait à la bibliothèque. Je compris immédiatement pourquoi on avait exigé ma présence. Damian était mourant. C'était déjà le cas la fois d'avant, bien sûr, quand je lui avais rendu cette visite qui avait tout déclenché, mais on peut être en train de mourir sans que cela soit aussi évident physiquement. Ce n'est pas qu'il paraissait atteint par une maladie mortelle, c'est plutôt qu'il ressemblait déjà à un cadavre.

Il était allongé, les yeux fermés, et gisait sur une méridienne. Sans les infimes mouvements de sa poitrine émaciée, j'aurais pu croire que j'arrivais trop tard. Mon expression devait laisser paraître ma surprise car il ouvrit les yeux et eut un petit rire rauque en voyant la mine que je faisais.

– Allez, remets-toi. J'ai l'air en plus mauvais état que je ne le suis.

– Heureusement, parce que visuellement ça ne pourrait pas être pire.

Naturellement, cela lui donna un coup de fouet. Il sonna et quand Bassett, toujours aussi vigilant, apparut à la porte, il suggéra avec ses formules comme d'habitude très détournées de prendre une collation. Il attendit que Bassett soit sorti pour me demander si je passerais la nuit sur place.

– Je ne pense pas. Je voulais continuer mes recherches demain et je ne crois pas que je devrais trop repousser ça.

– Non, mon Dieu, non – ne remets pas ça à plus tard.

Il afficha une expression cocasse, comme pour alléger cette allusion à son prochain trépas, puis il me demanda où j'en étais et je lui parlai de Lucy et Dagmar.

– Elles t'aiment beaucoup.

– Ne prends pas cet air surpris.

C'était bien le problème – j'étais effectivement surpris mais je ne savais pas comment formuler cela de manière acceptable, alors je n'ai même pas essayé. Je me suis contenté de lui transmettre leurs amitiés et je crois l'avoir fait en étant fidèle à leurs sentiments.

– Je crois que je ne me rendais pas compte que tu les avais si bien connues.

– Il y a beaucoup de choses me concernant dont tu ne te rendais pas compte.

Il attendait peut-être que je proteste mais je restai silencieux.

– Pauvre Dagmar... dit-il avec un soupir qui se voulait comique et qui m'invitait à partager ses considérations sur Dagmar et sa situation désespérée.

Mais après l'avoir vue si récemment, je me serais senti déloyal si je m'en étais moquée. Il développa son idée :

– Elle aurait dû naître en 1850, faire un mariage arrangé avec un grand-duc et passer sa vie à suivre le protocole. Elle aurait fait ça très bien et aurait été très aimée de ses loyaux sujets qui ne l'auraient jamais approchée d'assez près pour se rendre compte à quel point elle était ennuyeuse.

– Elle est moins ennuyeuse aujourd'hui, intervins-je. Moins ennuyeuse, moins méfiante et moins heureuse.

Il prit acte de mes remarques d'un signe de tête.

– J'avais été surpris par son mariage. Je croyais qu'elle opterait pour quelqu'un de terne et respectable et qu'elle finirait dans une ferme du Devon avec plein de portraits de familles royales qui paraîtraient déplacés dans une grande ferme avec poutres apparentes. Je ne la voyais pas choisir quelqu'un incarnant une réussite sociale agressive pour finir malheureuse dans un grand palais.

– En tout cas, elle a les portraits.

– Est-ce qu'elle t'a dit qu'elle voulait m'épouser ?

Il dut comprendre la désapprobation qui se lisait sur mon visage car il y répondit directement :

– J'en suis à un stade où je me moque de la galanterie. Je suis à peu près mort. Quand on en est là, on dit ce qu'on pense.

Ce n'était sans doute pas faux.

– Elle me l'a dit, oui.

– Ah, oui ? fit-il, réellement surpris.

– Elle m'a dit qu'elle en avait vraiment eu le désir mais qu'elle n'avait rien à proposer dont tu aies eu besoin ou envie.

– Cela paraît un peu sec.

– En fait, c'était plutôt touchant.

Damian hocha la tête, avec l'air de comprendre la sincérité de Dagmar, et reprit sur un ton plus doux qu'auparavant :

– Je n'ai jamais dit que ce n'était pas une femme agréable. C'était une de celles que je préférais parmi vous.

Il s'interrompit avant de remarquer :

– C'était dur pour les ex-familles régnantes.

– C'est vrai.

– Ça allait pour ceux qui avaient encore un trône. Après toutes les bêtises des années 1960 et 1970, il leur restait une position enviable. Mais, pour les autres, c'était dur.

– Je suppose que tu ne voulais pas de ce genre de fardeau. Pas quand tu as compris toutes les implications.

– Il y a beaucoup de choses dont je n'ai pas voulu quand j'ai compris les implications. Puisqu'on en parle, c'est même de votre milieu que je ne voulais plus du tout. Mais, bon, tu es sûr que ce n'est pas elle qui a écrit cette lettre ?

– Certain.

– Et ce n'était pas non plus Lucy ?

Je lui ai alors expliqué l'hérédité médicale de sa fille. Il enregistra attentivement chaque détail qui éliminait la possibilité de sa paternité.

– Et comment allait-elle ?

– Ça va pour elle, dis-je avec la mimique qui signifie « comme ci, comme ça », ce qui déclencha sa curiosité.

– Tu manques de lyrisme... Je croyais que vous étiez proches tous les deux ?

– Elle est davantage responsable de sa situation que Dagmar.

En vérité, j'étais assez tiède en ce qui concernait les Rawnsley-Price. Il paraît que « Comme on fait son lit, on se couche », mais c'était vrai pour tout le monde. Sauf que, dans le cas de Lucy, contrairement à beaucoup d'autres, elle avait eu de vraies possibilités étant jeune et il me semblait qu'elle n'avait choisi aucune des plus créatives et des plus intéressantes.

Damian exprima exactement ce que je pensais :

– Lucy... encore une victime des *sixties*.

Il me semblait que je devais un peu défendre ma vieille amie.

– Ce n'est pas la pire. Au moins, ce n'est pas une de ces sexagénaires de la télé qui se baladent en blouson de cuir pour bavasser sur les Arctic Monkeys.

– C'est vrai. Mais le côté fille de baron foldingue qui adopte les nouvelles mœurs avec un côté barré – ça n'a qu'un temps. Et elle ne l'a pas compris assez vite.

Il avait raison et je ne me voyais pas la défendre sur ce point.

– Et puis ce genre de numéro, ça va quand on est jeune. Le côté foldingue décalée à 58 ans, c'est pathétique.

– Mais on l'aime bien quand même.

– Certes. Elle survivra.

Il vit que je regardais sa petite fête par la fenêtre.

– Je constate que tu ne t'attendais pas à me voir faire dans le caritatif.

– C'est vrai.

– Tu as raison. Je ne suis pas quelqu'un de très sympathique.

Il s'exprimait de manière très sèche et se refusait à mentir, fût-ce par omission.

– Mais j'aime bien ce que font ces gens. J'admire leur caractère ordinaire. Quand j'étais jeune, je ne tolérais que les gens qui avaient de l'ambition, je ne parvenais pas à concevoir une vie faite d'acceptation, sans volonté de changement. Je n'étais à l'aise qu'avec les gens qui voulaient être millionnaires, ministres ou vedettes de cinéma. Tout projet ambitieux avait ma sympathie, même le plus ridicule. Mais ceux qui n'avaient d'autre désir qu'une vie tranquille avec une maison convenable et des vacances de temps en temps m'étaient totalement étrangers. Ils me mettaient même mal à l'aise.

– Et ça n'est plus le cas.

– C'est ça. Maintenant, je comprends qu'on puisse aborder la vie simplement et avec noblesse. On n'est pas obligé de se forcer comme une bête de labour... alors que c'est ce que j'admirais. J'imagine que c'est la même chose que ces gens qui, il y a des centaines d'années, allaient dans des couvents ou des monastères pour consacrer leur vie à Dieu. Je crois que ces gens, parce qu'ils vivent normalement, consacrent aussi leur vie à Dieu. Même si je n'y crois pas.

Il savourait mon étonnement.

– Tu ne t'attendais pas à ce que je dise des trucs comme ça, hein ?

– Ni quoi que ce soit d'approchant !

Il a ri avant que je poursuive :

– Je suppose que l'emblème de cet état d'esprit, c'est la sainte du jour, jeune, innocente et entourée de fleurs délicates ?

– Non, ça, c'est l'autre sainte Thérèse. La nôtre, c'est sainte Thérèse d'Avila. Elle a passé sa vie à ressentir la Passion du Christ et à avoir des visions où tout le monde baignait dans le sang. Elle a fondé un nouvel ordre, a été enfermée par le pape mais elle s'est battue comme une tigresse et a fini par avoir gain de cause.

– Tu aurais dû me dire ça tout de suite, j'aurais compris immédiatement pourquoi elle t'intéressait.

Il éclata de rire et il fallut attendre que sa toux se calme. Sa gaieté avait alors été remplacée par quelque chose de plus réfléchi.

– Je veux que tu comprennes que j'ai changé. C'est important pour moi.

Il me regardait en même temps pour voir l'effet que me faisaient ses paroles, ce qui était très déconcertant.

– Enfin, c'est ce qu'on dit, qu'on a « changé »... Sauf qu'on ne peut pas savoir s'il s'agit de changement ou de qualités qui ont toujours été là et qui finissent seulement par sortir. Je pense être plus gentil qu'auparavant.

– Ce n'est pas difficile.

– Et je ressens moins de colère.

J'entendais là un écho de la conversation du Yorkshire, ce qu'il dut percevoir.

– Qu'est-ce qu'il y a ?

– Le week-end dernier, je suis tombé sur Serena Gresham, ou plutôt Serena Belton aujourd'hui, et elle m'a dit quelque chose de similaire. Que tu étais un jeune homme en colère quand elle t'a connu et que ce genre de personne explose en vol ou bien réussit de grandes choses.

– Ou les deux.

Bassett nous interrompit en apportant le plateau avec le thé, aussi parfait qu'un accessoire de film hollywoodien, avec de minces sandwichs au concombre et une soucoupe en argent contenant des tranches de citron. Tout cela m'était destiné. Damian n'en était plus à consommer quoi que ce soit pour le plaisir. Il attendit le départ de Bassett pour reprendre.

– Tu es vraiment allé fouiller dans les moindres recoins de la cave au grenier... Elle va bien ?

– Plutôt bien. Andrew est ignoble, comme à son habitude.

– Il était là ?

Je fis une grimace d'assentiment, tout de suite reprise par Damian.

– Je me suis toujours demandé comment il pouvait s'en tirer dans les dîners de famille. Je les imagine bien, tous si alertes et spirituels à côté d'Andrew montrant à peu près autant de vivacité qu'une motte de terre.

– Je crois qu'il arrive à s'en sortir en n'étant absolument pas conscient qu'il n'est pas à la hauteur.

– Et lady Claremont ?

– Pareille à elle-même. Malheureusement, le joyeux lord Claremont semble avoir été remplacé par une effigie volée dans la nécropole des Habsbourg de Vienne, mais elle est restée à peu près la même.

Je lui racontai alors la petite plaisanterie de lady Claremont à mon égard. C'était risqué comme confession, vu ce qui s'était passé quand cette passion avait été révélée il y a tant d'années. Mais j'étais allé trop loin pour m'embarrasser de précautions.

Il eut un sourire.

– C'est toi qui aurais dû l'épouser.

– On va éviter le sujet, OK ?

Après tout ce qui s'était passé, je n'étais pas étonné de voir que ma colère pouvait se déclencher très rapidement.

Si je m'attendais à trouver Damian mortifié, j'ai dû être déçu car il intervint sans faire la moindre référence à son rôle dans l'histoire.

– Je veux dire que lady Claremont aurait préféré que ce soit toi plutôt qu'Andrew.

– Ou toi, ou n'importe qui.

– Non, pas moi, constata-t-il simplement.

Je n'arrivais pas à abandonner complètement le sujet. La blessure était rouverte et elle paraissait toute fraîche.

– Pourquoi l'a-t-elle épousé ? Elle avait quoi, 19 ans ? Elle n'était même pas enceinte. Leur fille est arrivée dix mois après et c'était le portrait craché d'Andrew, il n'y avait donc eu aucun souci particulier. Je ne comprends pas.

– C'était une autre époque. On ne fonctionnait pas pareil.

– Jusqu'où est allé votre béguin ? Entre toi et Serena.

Chaque mot était comme une brûlure au fer rouge que je m'infligeais.

Il pouffa.

– C'est vieillot comme expression ! On dirait un magazine féminin d'il y a trente ans. Qu'est-ce que tu veux dire par là ?

– Tu le sais très bien.

Il se tut puis répondit en haussant les épaules.

– J'étais dingue d'elle.

Est-ce que je m'en doutais ou pas ? Difficile à dire après tout ce qui s'était passé. Mais rien que de l'entendre de sa bouche, c'était un vrai choc. Comme d'apprendre la mort d'un ami après des mois d'agonie. Je voulais boire le poison jusqu'au bout.

– Qui a rompu ?

Je voyais bien que je commençais à l'ennuyer. Nous étions allés au bout de notre fausse amitié et nous retrouvions nos vrais sentiments réciproques.

– Je ne voulais pas qu'on me prenne de haut toute ma vie.

On aurait dit qu'il était retourné à cette époque, comme s'il ne l'avait jamais quittée.

– Je me souviens d'une fois à Gresham...

– Tu allais à Gresham ?!

Je n'arrivais pas à y croire ! J'étais où, moi, pendant tout ce temps-là ? Dans un placard ? Pourquoi je découvrais ça de cette manière ?

– Tu sais bien, pour le bal.

Ah, oui, c'est vrai, je le savais.

– C'est elle qui m'emmenait. Donc, je suis allé chez eux, à leur appartement. C'était où, déjà ? Quelque part dans Belgravia ?

– Chester Square. Et c'était une maison, pas un appartement.

Il me jeta un regard montrant qu'il comprenait pleinement ce que signifiait la précision de mes souvenirs.

– Bref, on avait chargé les valises...

Mentalement, il était dans cette petite voiture rouge que j'avais si bien connue. Il poussa un soupir.

– En partant, elle m'a dit : « Il va falloir soigner la mise en scène », et elle m'a dressé une liste de tout ce que je devais dire et faire une fois là-bas, comment me comporter, ce qu'il fallait répondre et éviter de répondre quand sa mère m'accueillerait, comment faire face aux questions de son père, ce que je devais dire à son frère et à ses sœurs. Ça durait, c'était interminable, et moi, je me disais que je ne pourrais pas supporter ça. Je ne voulais pas passer pour un poids mort, je ne voulais pas devoir être pris en main comme ça pour que mes hôtes n'aient pas honte de moi ni devoir faire un stage complet avant de pouvoir sortir de la voiture. Je ne voulais pas être l'invité qu'on n'a pas envie de voir.

Il s'arrêta, à bout de souffle, et attendit d'avoir récupéré.

– Je comprends, répondis-je.

De fait, je comprenais très bien. Il me regarda en ayant l'air de se demander si je n'étais pas secrètement heureux de tels aveux.

– Je ne voulais pas le reconnaître à l'époque, mais, franchement, c'est là que j'ai compris que ça ne pourrait pas marcher. Pas sur le long terme.

– Tu le lui as dit ?

– Pas à ce moment-là. Plus tard.

– Mais c'était fini à partir de cet instant-là ?

Je ne sais pas pourquoi j'insistais tellement.

– Je ne sais pas, je ne me souviens pas. En tout état de cause, je me suis rendu compte que, si jamais je me mariais, je préférais avoir une belle-famille qui soit du genre à décorer son balcon pour la fête nationale, à allumer des feux d'artifice, à publier des annonces dans le *Times* –, pas le genre qui lève les yeux au ciel sans rien dire, le regard plein de rancune en constatant que je suis totalement inadapté. Tu as vu ce qu'a dû endurer le type qui a épousé la plus jeune... Ils l'ont massacré.

– La famille de Serena a mis le holà à votre relation ?

Ce n'était pas une remarque très amicale mais je crois que j'étouffais de jalousie – j'aurais pu le tuer sur place, alors il ne s'en tirait pas si mal.

Son sourire se fit désabusé.

– Le problème, c'est que toi et ta bande, vous m'avez gâté. Je ne vous aimais pas, ni vous ni votre univers, et je ne voulais pas posséder ce que vous aviez, mais quand j'ai essayé de revenir vers les gens que je connaissais avant, je ne partageais plus les mêmes goûts. J'étais devenu comme cette vieille folle de lady Belton, trop snob et trop conscient de détails insignifiants. J'avais besoin de cette mise en scène.

– Nous t'avons interdit l'accès à notre milieu et dégoûté du tien.

– En gros, oui.

– Serena a dû se marier très vite une fois que ça a été fini entre vous ?

– Oui, pas longtemps après... J'espère qu'elle est heureuse.

Je buvais mon thé avec le vague espoir de calmer mon esprit agité, ce qui ne servit à rien.

– Je ne crois pas qu'elle soit très heureuse, mais c'est difficile à dire avec des gens comme eux.

Il me considérait de nouveau avec le soin d'un anthropologue observant une espèce rare et imprévisible.

– Tu y trouves du plaisir ? Je veux dire, dans cette recherche du temps perdu ? C'est ton passé autant que le mien, après tout.

– Pas vraiment, non.

– Et ta... ta compagne – je déteste ce mot –, qu'est-ce qu'elle en dit ?

– Bridget ? Je ne crois pas que ça l'intéresse. Ce n'est pas son milieu.

La dernière phrase n'était pas fausse, contrairement à la première. Mais je n'avais pas envie d'entrer dans les détails.

– De toute manière, cela n'a aucune importance : nous avons rompu.

– Ah. J'espère que cela n'a rien à voir avec notre histoire.

– Un peu, si. Ça devait finir comme ça de toute manière.

Il opina mais ça ne l'intéressait pas assez pour qu'il me pose des questions.

– Qui est la suivante ?

– Candida Finch ou Joanna Langley. Joanna, sans doute.

– Pourquoi ?

– J'ai toujours eu un faible pour elle.

Il sourit en entendant cet aveu.

– Ça nous fait un point commun.

– Tu te souviens d'Ascot ?

– Comment oublier un tel événement !

D'un air détaché, malgré la douleur lancinante, malgré l'impression récurrente de remâcher le passé avec une dent cariée, j'essayai de m'informer :

– Tu étais avec elle à ce moment-là ? Je sais que tu n'étais pas avec son groupe, mais tu étais quand même venu avec les Gresham, non ?

Il fronça les sourcils, l'air concentré.

– Si j'étais avec elle ? Techniquement, peut-être. Mais je ne crois pas avoir été « avec » aucune d'entre elles. C'est venu plus tard.

Je fis la grimace.

– Je trouvais que Joanna et toi formiez plutôt un beau couple.

– Parce que nous étions tous les deux des roturiers arrivistes ? Et parce que, comme ça, je n'aurais pas été dans tes pattes ?

– Parce que vous étiez tous les deux modernes et conscients des réalités sociales, contrairement à la plupart d'entre nous. Nous allions devoir apprendre notre leçon – vous deux, vous n'en aviez pas besoin.

Il accepta mon compliment avec politesse.

– C'est un jugement bien généreux. Nous n'étions pas aussi synchrones que nous le paraissions. J'étais très ambitieux, tu te souviens ?

– Ça, oui.

Ma voix était sans doute plus révélatrice que je ne le voulais et il parut surpris.

– Et c'était le tout début de la Saison, je n'avais pas encore décidé ce que je voulais en tirer ou pas. Joanna ne voulait rien de particulier. À part échapper à sa mère et se cacher. Elle ne le savait peut-être pas consciemment à ce moment-là. En tout cas, elle s'en est rendu compte assez rapidement.

– On a vu, oui.

Damian eut un petit rire.

– Et à ce moment-là, vous n'alliez plus du tout dans la même direction.

Il avait beau opiner, je voyais bien que, à chaque fois que je l'interrompais, cela l'embêtait de ne pas pouvoir choisir son propre rythme. D'ailleurs, je savais parfaitement à quel point cela peut être agaçant, comme ces gens pénibles et sans une once d'humour qui, lors de soirées, harcèlent celui qui raconte une anecdote et en détruisent la chute sans jamais ajouter quoi que ce soit d'intéressant. Pour autant, je n'avais pas envie d'écouter la version édulcorée et aseptisée de Damian sans m'autoriser à mettre mon grain de sel.

– Quand tu l'auras vue et que tu auras fini de fureter partout, cela m'intéressera de savoir ce qu'elle pense de cette époque. J'ai hâte que tu la retrouves.

Cette question me posait problème. De tous les noms de la liste, c'était celui qui offrait le moins d'information.

– Tu ne m'as pas donné grand-chose pour y parvenir.

Damian ne protesta pas.

– C'est vrai. À part l'épisode d'Ascot et d'autres trucs de l'époque, on ne trouve pas grand-chose sur Internet. Après le divorce, plus rien.

– Elle a divorcé ?

– En 1983.

J'ai dû avoir un air un peu grave car Damian fit un bruit de langue en secouant la tête.

– Allons, inutile de faire comme si c'était un choc. C'est déjà bien que ça ait duré quatorze années.

– Pas faux. C'était quoi, le nom de son mari, déjà ?

– Kieran de Yong. Il y a plein d'informations qui traînent sur lui.

– Kieran de Yong...

Je n'avais pas songé à ce nom depuis des années mais il me faisait toujours sourire. C'était pareil pour Damian visiblement.

– Je l'apercevais de temps en temps à des mondanités en ville mais il faisait toujours bien attention de m'éviter. Et je n'ai pas vu Joanna, ni en personne ni même son nom depuis leur séparation.

Il me demanda d'un air songeur :

– C'était quoi, son vrai nom ?

– Sûrement pas Kieran de Yong !

– Peut-être Kieran, mais pas de Yong, ajouta-t-il en riant.

Je me suis mis à me remémorer les unes des journaux concernant ce curieux jeune homme.

– Il faisait quoi ? Coiffeur ? Styliste ? Agent pour mannequins ? Quelque chose de typique de l'époque, en tout cas.

– Je crois que tu vas être surpris. La plupart des gens n'ont pas l'avenir qu'ils souhaitent, mais pour d'autres, c'est l'inverse. On a une adresse le concernant. Ça doit être dans la documentation.

– Oui, mais s'ils ont divorcé, est-ce qu'il saura où elle est ?

– Bien sûr, ils ont un fils. À moins que ce ne soit le mien. Mais même s'il n'a pas l'adresse, il aura une piste. De toute manière, il faut commencer par lui, parce qu'il n'y a pas d'alternative.

J'étais sur le point de partir mais il fallait que je lui pose une dernière question.

– Tu es vraiment catholique ?

Il trouva cela assez drôle pour éclater de rire.

– Je ne sais pas trop ce que tu veux dire. Je suis né dans une famille catholique. Tu ne le savais pas ?

– Non. Tu es donc un apostat maintenant ?

– J'en ai peur.

– Pourquoi donc ? Tu voudrais être croyant ?

Damian me regarda avec la condescendance qu'on réserve aux enfants.

– Bien sûr que j'aimerais être croyant : je suis en train de mourir.

La voiture m'attendait patiemment devant le manoir, mais comme je savais qu'il y avait un train toutes les vingt minutes, je me suis permis, avec l'autorisation du chauffeur à l'uniforme immaculé, une petite promenade dans la fête de village. Je pensais aux paroles de Damian en déambulant parmi les stands qui proposaient de vieux bouquins illisibles, de multiples lampes provenant des pires périodes possibles, des gâteaux et des confitures qu'on avait pris tant de peine à confectionner et qui seraient sans doute immédiatement déclarés hors la loi par les services de la Stasi sanitaire, des poupées qui ne parlent plus, des puzzles auxquels il ne manque qu'une seule pièce, et, moi aussi, je fus rasséréné et revigoré par la bonté simple que cela représentait. Bien sûr, tout cela était très vieillot et je suis certain que si une certaine ministre New Labour pouvait trouver scandaleux *The Last Night of the Proms*[1], elle se trouverait carrément au bord du suicide à la vue d'une manifestation aussi anglaise que comique. Mais il y avait là une forme de générosité. Ces gens avaient travaillé

1. *The Last Night of the Proms* est la soirée qui vient clôturer la saison des Proms (*Promenade Concerts*), consacrés à la musique classique, au Royal Albert Hall, et à un répertoire très britannique (Edward Elgar, Thomas Arne). C'est ici une allusion aux propos de Margaret Hodge qui, en 2008, avait considéré que cet événement provoquait un effet d'exclusion car son contenu n'était « pas assez multiculturel ».

dur pour quelque chose que j'aurais autrefois trouvé insignifiant. Leurs efforts n'étaient pas vains – de fait, j'étais presque au bord des larmes.

C'est difficile d'être certain après tout ce temps, mais je crois qu'Ascot, c'était après le bal de la reine Charlotte. De toute manière, j'avais déjà rencontré Joanna Langley plusieurs fois avant cette manifestation hippique, mais c'est vraiment ce jour-là que nous sommes devenus amis car j'aime à penser que nous étions vraiment amis. C'est là que j'ai compris que Joanna était vraiment une femme de son temps et qu'elle n'essayait pas, comme nous autres, de reproduire la jeunesse de nos parents.

En tant qu'événement mondain, Ascot a quasiment cessé d'exister aujourd'hui. Avec sans doute beaucoup de bon sens, le représentant de Sa Majesté à Ascot avait décidé que ce meeting aurait davantage de sens comme journée pour les amateurs de sport hippique et pour les mondanités d'entreprises. Dans ce but, la tribune réservée à la famille royale (les pauvres... c'est le dernier petit avantage qui leur restait en échange de tous les sourires qu'ils sont obligés de faire sans rémunération), ainsi que d'autres mystérieux sanctuaires réservés furent supprimés car ils n'avaient pas leur place dans le nouvel aménagement. La célèbre loge royale n'étant plus envisageable dans la luxueuse architecture moderne, la cour s'est sentie indésirable et ses membres ont rapidement trouvé autre chose à faire. Suite à leur retrait, avec la logique de l'inéluctable, ce sont les gens chics, puis ceux qui sont en quête d'ascension sociale, tous ceux pour qui les chevaux ne représentent pas l'alpha et l'oméga de leur vie qui ne manqueront pas de disparaître à leur tour, à tout jamais, sans doute car une fois que les aristos britanniques sont autorisés à se soustraire à une obligation sociale, il est très difficile de les forcer à y revenir. Certains pensent qu'il était grand temps que cela change et les amateurs de hippisme seront ravis de voir les chevaux redevenir la raison d'être de l'événement. Quoi qu'il en soit, dans les années 1960, nous adorions aller à Ascot !

Je ne sais plus pourquoi mais, cette année-là, j'y étais allé avec la famille d'une jeune fille du nom de Minna Bunting. Son père avait un poste à Buckingham Palace. Je ne sais plus ce qu'il faisait exactement, il devait être intendant de la bourse royale ou un de ces titres archaïques comportant, entre autres privilèges, une place dans le parking d'Ascot réservé aux membres de la maison royale. Le parking était, et est encore, situé en face de l'entrée principale et a toujours été considéré comme un lieu du dernier chic, bien qu'il ne consiste qu'en un vaste carré de bitume sans rien de particulier, jouxtant les écuries principales au parfum peu engageant et ne disposant que de toilettes uniques, logiquement réservées aux palefreniers. Une sorte de grange en ruine faisait une sorte d'abri sur un côté et deux box pour poneys, abandonnés, apportaient de l'ombre de l'autre côté. Autrement, il n'y avait que des rangées de voitures. Mais la garde du lieu était confiée chaque année aux responsables les plus adorables qui soient, ce qui donnait un cachet considérable à ce parking. Je me rappelle que j'avais été pas mal envié quand on avait su que je prendrais mon pique-nique là-bas, même si l'odeur des écuries rendait la collation difficile à savourer.

Je crois que nous nous aimions bien, Minna et moi, et nous nous fréquentions gentiment, même si ça n'a pas duré. Je sais que nous sommes sortis dîner plusieurs fois et je n'ai aucune idée de la manière dont notre histoire s'est terminée. Je suis souvent frappé de voir à quel point il est difficile de démêler l'écheveau de nos choix concernant les relations ou les événements appartenant à un lointain passé. Pourquoi ça n'a pas marché avec telle fille, pourquoi tel homme vous mettait du baume au cœur et tel autre vous accablait. Quand on considère tout le monde avec le recul des années, liaisons, amis et ennemis paraissent tous sympathiques, jeunes et agréables et, franchement, tous un peu pareils. Comment pouvait-on, quarante ans plus tôt, les trouver différents, intéressants ou ennuyeux ?

Nous avions terminé le déjeuner et il était temps de traverser la route pour se diriger vers les pistes. Nous avons donc emprunté tous deux le chemin bordé de lauriers qui menait à l'entrée. La police régulait la circulation, comme il était normal, même à une époque où celle-ci n'était guère importante, et nous avons dû nous arrêter.

– Mais qu'est-ce qui se passe, bon sang ! s'exclama Minna.

En effet, devant l'entrée, sur le trottoir d'en face, se trouvait une nuée de ce que l'on appellerait aujourd'hui des paparazzi. En général, ils étaient moins nombreux qu'aujourd'hui, une poignée à peine, employés par des magazines de mode et parfois un quotidien à sensation mais, en 1968, la curiosité du public pour les habitudes vestimentaires des *people* s'étanchait facilement. Ce jour-là, cependant, on aurait cru qu'un événement de dimension internationale se déroulait devant nous. Nous avons traversé, passé l'entrée et avons atteint la petite grille où les gens peu prévoyants pouvaient acheter leur passe le jour même, avant d'approcher la loge royale. Il se passait quelque chose à cette barrière qui fascinait les photographes. Certains utilisaient cette technique aujourd'hui banale mais toute nouvelle à l'époque, consistant à tenir son appareil au-dessus de tout le monde et à prendre des photos à l'aveugle en espérant obtenir quelque chose de valable.

Avec nos revers pourvus du badge réglementaire et forts du sentiment d'être à notre place, nous avons crânement traversé la foule pour tomber sur la cause de cette émeute. Joanna Langley portait un charmant pantalon en dentelle blanche, un chapeau orné de dentelle et de fleurs blanches qui faisaient ressortir ses jolis cheveux bouclés, des gants blancs et un sac à main blanc. Elle essayait de négocier avec le brave homme en chapeau melon, un ex-soldat, qui gardait l'entrée.

– Désolé, miss, dit-il fermement mais sans méchanceté, les pantalons sont interdits. Je n'y peux rien, c'est le règlement. Seules les jupes sont autorisées.

– Mais c'est quasiment une jupe... plaida Joanna.

– « Quasiment » ne suffit pas, mademoiselle. Veuillez vous écarter.

Il nous fit signe d'approcher et nous avons suivi ses indications.

Je ne connaissais pas très bien Joanna à ce moment-là mais nos précédentes rencontres avaient toujours été amicales.

– Bonjour, fis-je en souriant, tu fais sensation aujourd'hui.

– C'est une idée de ma mère, dit-elle en riant. C'est elle qui a voulu. Je pensais qu'elle se trompait et qu'on me laisserait entrer, mais finalement non.

– Allez, viens, dit Minna en me tirant par la manche, pressée de sortir de ce guêpier médiatique.

Ces gens-là réagissent toujours de cette manière-là. Ce n'est pas par affectation qu'ils évitent l'attention publique, ils détestent vraiment ça. Mais j'étais un peu curieux tout de même : je ne comprenais pas ce que Joanna racontait. Si sa mère pensait qu'on lui refuserait l'entrée, pourquoi avait-elle organisé cela ?

– Mais pourquoi ta mère voulait qu'on t'interdise l'entrée ? Elle est là ?

Joanna me désigna quelques personnes regroupées derrière les barrières et je reconnus la petite dame excitée du bal de la reine Charlotte. Elle portait un tailleur fuchsia avec une énorme broche sur la poitrine. Elle était tout excitée et regardait sa fille tout en la désignant à ceux qui l'accompagnaient. Bizarrement, elle ne tentait pas de s'approcher.

– Qu'est-ce qu'elle attend ? demandai-je.

– Ce qu'ils attendent tous. Ça.

Et sous mon regard ébahi, elle passa la main sous le haut de son tailleur et détacha la ceinture du pantalon. D'un mouvement gracieux, elle se mit à extraire une jambe – longue, bien faite et gainée d'un bas – puis l'autre et se retrouva en minijupe, avec le pantalon qui faisait une flaque de dentelle à ses pieds.

Évidemment, la frénésie des photographes se déchaîna. Ils étaient surexcités : on aurait dit que, pour eux, ce *coup de théâtre** était l'équivalent de la dernière apparition publique de Marilyn Monroe, la découverte du fils de Hitler ou l'arrivée du Messie.

– J'imagine que je peux entrer maintenant, dit-elle doucement à l'homme au chapeau melon responsable de la barrière qui pouvait difficilement cacher l'intérêt qu'il accordait à l'événement.

Il acquiesça.

– J'imagine que vous pouvez entrer, dit-il en lui faisant signe d'avancer.

J'étais assez près pour entendre Joanna quand elle retrouva sa famille :

– C'était vraiment idiot !

– Attends un peu, ça sera dans les journaux dès ce soir, et surtout demain, dit sa mère qui s'exprimait par petits trilles aigus, comme un oiseau affamé coincé dans un buisson.

– Moi, j'trouve que c'était la honte, merde ! fit un homme avec un accent populaire du Nord.

– C'est parce que tu ne réfléchis pas.

Mrs. Langley traitait toujours celui que je devais plus tard identifier comme son mari et le père de Joanna avec un étrange mélange de déférence et de mépris. Elle avait besoin de le remettre à sa place mais elle avait aussi tout simplement besoin de le garder.

– Je suis d'accord, allez, paie-moi une coupe de champagne, fit Joanna en prenant le bras de son père.

Elle avait toujours préféré son père et n'en faisait pas mystère, mais cela ne leur donnait apparemment pas plus de pouvoir décisionnel face aux exigences de sa mère. C'était un drôle de d'arrangement et pas des plus confortable.

Nous les avons regardés s'en aller.

– Tu veux aller boire quelque chose ? demandai-je à Minna.

– Pas maintenant. Pas avec eux.

Peut-être Joanna avait-elle entendu ces derniers mots, même si j'espère que non, mais elle se tourna vers nous pour nous faire une suggestion :

– Vous pouvez venir dans ma loge pour une collation. N° 531. Venez vers quatre heures pour voir la prochaine course.

Je lui adressai un petit signe en guise de réponse.

– Nous devons retrouver mon père à la tente de White's[1] répondit Minna.

– Je suis certain que nous pourrons nous débrouiller pour être aux deux endroits.

1. White's est un éminent club londonien fondé en 1693. On trouve parmi ses membres l'écrivain Evelyn Waugh, l'acteur David Niven, le prince Charles ou David Cameron.

Nous avons emprunté les marches de ce long tunnel évoquant vaguement un couloir menant aux toilettes au pied de la grande tribune, construite à un funeste moment de l'histoire de l'architecture, dans les années 1960, et dont on célèbre pourtant souvent la mémoire maintenant qu'elle a été remplacée par une structure pourtant nettement plus réussie. Nous sommes passés à l'arrière du bâtiment pour atteindre les pelouses de la loge royale. C'est à ce moment précis que j'aperçus Damian qui déambulait près de l'arche en étudiant le programme des courses, le bras gauche nonchalamment passé autour de la taille de la jeune fille qui l'accompagnait. Il portait la tenue adéquate selon nos critères, c'est-à-dire une jaquette noire, et si son costume se remarquait, c'est uniquement parce qu'on aurait dit qu'il avait été fait sur mesure et non, comme c'était le cas pour nous, à partir de ce qu'on avait déniché au fond d'une garde-robe ayant appartenu à un oncle dont on n'avait jamais entendu parler – nos mères nous disaient toujours, sans ironie aucune, que ce serait parfait si on rajustait un tout petit peu les manches. Je trouvais amusant de noter que son haut-de-forme en soie était noir et usé et je me demandai où il l'avait dégotté. À l'âge d'or des courses hippiques, avant la guerre, il y avait toutes sortes de règles concernant les chapeaux noirs ou gris et les jaquettes noires ou grises selon qu'on les portait avant le derby d'Epsom ou après les Oaks d'Epsom. Mais à mon époque tout avait été simplifié : pour les vrais aristos, c'était jaquette et chapeau noirs, autrement on était en gris. La seule nuance que j'ai connue, à partir des années 1980, c'est que, si on voulait vraiment être chic, on ne mettait pas du tout de chapeau pour se rendre à un mariage. Contrairement à de nombreuses évolutions sartoriales modernes, c'était là une vraie amélioration : entre l'église et la réception, on ne disposait jamais d'un moment pour le poser sur la tête et on finissait par l'abandonner avec tous les autres dans le vestiaire où il était susceptible d'être embarqué par quelqu'un d'autre. Et, finalement, vous vous retrouviez avec un couvre-chef encore pire que le premier. Le chapeau restait obligatoire pour les courses et le hic, c'est qu'à un certain moment, on a cessé de fabriquer de vrais hauts-de-forme en soie – sans nul doute pour quelque raison politiquement et écologiquement correcte –, si bien qu'il fallut absolument s'en procurer un avant qu'ils ne disparaissent complètement ou n'atteignent des prix astronomiques. Le résultat, c'est qu'on distinguait au premier coup d'œil les gens vraiment chics car la moitié des hommes portait des couvre-chefs qui n'avaient clairement pas été fabriqués ni achetés pour eux : un peu enfoncés, élimés et de la mauvaise taille, ils étaient forcément les reliques de pères et de grands-pères défunts ou les rebuts d'oncles ou cousins maternels. Le mien, légué par mon cher père, avait du mal à rester en équilibre sur mon crâne et ressemblait à un chapeau de fête des années 1950, mais ça allait à peu près.

– C'est incroyable, fis-je en guise de salut, je te trouve partout où je vais !

– C'est que tu dois aller partout où il faut... répondit Damian en riant.

Celle qui l'accompagnait se tourna en entendant ma voix. C'était Serena. Une marque certaine de l'étroitesse d'esprit des gens, c'est quand on ne supporte pas de voir ses amis devenir amis avec d'autres amis à soi. Malheureusement, c'est très fréquent, et on constate souvent cette petite grimace lorsque l'on se rend compte que deux couples se sont vus sans vous inviter alors que c'est vous qui les aviez présentés. « On vous remercie tellement de nous avoir permis de rencontrer les Cooper ! » s'exclament les enthousiastes auxquels on répond avec un simple sourire pincé et un vague bafouillis. Certes, il y a des gens qui ne prêtent nulle attention aux amitiés nées à leur table tandis que d'autres ont la largesse d'esprit d'apprécier le goût mutuel de leurs amis, mais la majeure partie des gens ont la déprimante habitude d'éprouver l'amertume de se sentir exclus, délaissés, négligés, de considérer qu'on les aime moins parce que l'affection que l'on recevait personnellement est soudain destinée à d'autres. Toute personne sensée sait qu'il s'agit de sentiments ignobles, peu gratifiants, d'une médiocrité à la limite du pathétique et sait qu'il faut l'éviter avec la même rigueur que de se curer le nez en public. Et pourtant...

C'est déjà peu glorieux quand cela concerne des amis, mais c'est pire encore dans les cas d'une liaison sentimentale ou, pour être plus précis, de liaisons utopiques qui n'existeront jamais. Voir quelqu'un qu'on a adoré en vain et de loin tomber amoureux d'un soi-disant ami et être le témoin de l'épanouissement de cette relation réciproque, chaleureuse, profondément harmonieuse, et qu'on voit le contraste avec les émotions à sens unique, à l'aigreur pitoyable que l'on chérissait dans le secret ténébreux de son âme, voilà un spectacle difficile à supporter. Surtout quand vous savez à quel point vous vous humiliez dès que vous laissez paraître le moindre indice de vos sentiments réels. Mais que vous soyez dans votre bain ou dans une file d'attente à la poste, votre âme est constamment en train de bouillir de rage, prête à tout détruire, dans le même temps que vous continuez d'adorer ceux que vous détestez. Je rougis de l'admettre, mais il en était ainsi entre Serena et moi, ou plutôt entre Damian et moi puisqu'il était la source de tous mes maux.

Ce bras, placé avec tant de décontraction au creux du dos de ce tailleur Christian Dior rose, la main posée sur la courbe où se forme la hanche, à deux doigts de sa taille, ce bras était pour moi une trahison grotesque et violente. J'avais déjà touché le bras de Serena en la saluant, comme tout le monde. Je lui avais pris la main, effleuré la joue, mais de tels privilèges étaient en fait réservés à tous ceux qui la connaissaient. Je n'avais jamais eu de contact impliquant la moindre intimité. Je l'avais touchée comme une connaissance amicale, jamais comme un homme. Je me pris à imaginer la texture de sa jupe. Est-ce que la trame du coton s'imprimait dans la paume de Damian, titillant le bout de ses doigts qui devinaient l'imperceptible mouvement de son corps ? En sentait-il la chaleur ? Mentalement, j'arrivais à imaginer tout cela. Sauf que, contrairement à Damian, cela n'était pas réel.

– T'as un tuyau pour celle de 14 h 30 ? demanda Damian, ce qui me fit sursauter.

– Me demande pas, je parie uniquement sur des noms qui me disent quelque chose.

– Il y a Rêves Fougueux, indiqua Serena en écho à mes désirs. Fletcher m'a donné une liste et il était sûr que Rêves Fougueux ferait quelque chose. Après, il pensait à Décroche la Timbale.

Tous les chevaux s'étaient passé le mot pour parler à mes désirs désespérés, ou quoi ?

– C'est qui, Fletcher ?

– Notre palefrenier à Gresham.

Cette simple phrase, composée de mots qui exprimaient le fossé absolu entre elle et lui, sembla l'arracher à ses côtés.

– Joanna Langley nous fait signe.

Damian retira son bras de la taille de Serena et traversa la pelouse pour rejoindre le groupe où trônait Joanna, avec ses formes harmonieuses et sa minijupe. Je pris sa place – Minna était toujours à mes côtés et faisait un peu la tête.

– Tu as vu ce cirque à l'entrée ? fit Minna en essayant de les apercevoir et en fronçant les yeux à cause du soleil.

– Non, mais on m'a raconté, répondit Serena, amusée. Cela avait l'air amusant, mais je ne comprends pas bien l'intérêt.

– Elle sera dans les journaux dès demain, répondis-je.

Ma remarque dut me faire passer pour un imbécile.

– Je sais. Mais qu'est-ce que ça lui apporte ? Qu'est-ce qu'elle espère ?

– Être connue...

– Connue pour avoir fait quoi ? Avoir enlevé son pantalon ? Si c'est être connu pour être connu, je ne vois pas ce que ça lui apporte.

Serena était déconcertée par le choix qu'avait fait Joanna ce matin-là et, pour autant que je me rappelle, Minna et moi étions d'accord. Peut-être parce que c'était ce que nous pensions et, sinon, parce que c'était ce que nous étions censés penser.

L'idée d'« être célèbre pour être célèbre », formule que nous utilisions souvent, était une critique sarcastique et radicale à cette époque, mais c'était évidemment annonciateur de *notre* époque. Cette recherche effrénée de notoriété est parfois décrite de manière erronée comme « culte de la célébrité » mais cela, en soi, n'a rien de neuf. Il y a toujours eu des gens célèbres et des gens pour les admirer. Et contrairement à ce qu'on affirme parfois, leur réputation ne reposait pas forcément sur des actes très recommandables. Des fripouilles et des courtisanes ont connu la gloire, ainsi que des criminels et de méprisables parasites, mais ils possédaient en général une personnalité en rapport avec leur renommée. Ce qui est véritablement neuf, c'est le culte de la *non-célébrité* où l'on admire des gens parfaitement ordinaires comme s'ils étaient vraiment importants. La célébrité des inconnus est l'oxymore qui constitue véritablement une innovation contemporaine. C'est peut-être le pressentiment de cette mode, de ce nouvel âge de la célébrité pour la célébrité destiné à ouvrir toutes grandes les portes du Valhalla, qui a donné l'idée à Mrs. Langley et bien d'autres d'exploiter ces nouvelles possibilités. Elle avait juste commis une erreur de calcul qui concernait le public auquel elle s'adressait. Son spectacle ne visait pas la bonne cible. La haute société n'a jamais été intéressée par la célébrité. Disons du moins qu'on y accueille parfois des célébrités mais ce n'est pas une qualité très prisée pour les membres du groupe eux-mêmes. Même aujourd'hui, ils n'ont pas besoin de cela pour se faire remarquer et ils n'y voient par ailleurs aucun intérêt. Leurs modernes héritiers peuvent parfois employer des stratégies vulgaires dans le bénéfice de leurs intérêts, mais l'obligation morale demeure – même chez ces petits malins de la dernière génération au sein de ce groupe – de prétendre qu'attirer l'attention sur soi de cette manière est une démarche humiliante et mesquine.

Joanna elle-même comprenait cette vérité fondamentale, alors que sa mère, non. Elle savait que plus la presse l'adulerait, plus on l'inviterait à *Top of the Pops*, moins elle serait la bienvenue dans le monde que sa mère avait l'ambition mal placée de lui destiner. Cette pauvre Mrs. Langley avait beau être à côté de la plaque, elle devait sincèrement penser qu'elle améliorerait les chances de sa charmante fille de décrocher un bon parti, ainsi qu'une place dans la haute société avec des simagrées de cet ordre alors qu'elle les anéantissait définitivement.

C'est ce que j'appris lors d'une conversation avec Joanna ce même jour, en la rejoignant dans sa loge à la suite de son invitation. J'avais pris cette décision à la suite d'une petite dispute avec Minna qui avait fini par rejoindre son père pour le thé tandis que je m'étais retiré par l'une des entrées de la loge royale, gardée comme toutes les autres par l'un de ces charmants individus en chapeau melon. Ma bisbille avec Minna ne devait pas être bien dramatique puisque, le soir même, je dînais avec son clan, mais cela a peut-être contribué à la fin de notre mini-romance. Je n'ai jamais éprouvé beaucoup de patience envers les gens qui n'arrivent pas à sortir de leur rôle obligatoire, même pendant cinq minutes, quel que soit ce rôle.

Une fois de l'autre côté de la porte, j'étais dans l'autre Ascot et, d'une certaine façon, projeté dans l'avenir, dans le monde d'aujourd'hui. Des durs à cuire avec des costumes brillants, voire sans veste du tout, se baladaient avec leurs petites amies, vêtues de manière gaie et parfois déconcertante. Je pris les escalators couverts qui m'amenaient à l'étage où se trouvaient les loges, dans cette autre tribune encore plus inesthétique. Ici et là, d'autres membres de la loge royale dispersés dans la foule tentaient avec difficulté de se frayer un chemin. On entendait des railleries et des sifflets qui se moquaient de leur costume. Passer de la loge royale aux autres loges était un peu comme dévaler une cascade car on s'y faisait gentiment bousculer. Ce fut le cas jusqu'au terme de cette époque où Ascot était considéré comme un rendez-vous distingué mais, vers la fin, c'était devenu nettement moins amical. Des politiciens de tous bords trouvaient qu'attiser la lutte des classes constituait une arme primordiale pour manipuler l'opinion et ils ne résistaient guère à la tentation de jeter de l'huile sur le feu. Même aujourd'hui, on nous encourage à croire à l'économie capitaliste alors que, dans le même temps, on désigne à la vindicte ceux qui en tirent avantage. C'est une position philosophique pour le moins contradictoire et cette théorie stérile a largement contribué aux dysfonctionnements de la société. Mais, dans les années 1960, on n'en était qu'aux débuts de cette tendance. Casser les barrières entre les classes sociales était encore une activité joviale et les plaisanteries que l'on subissait restaient dans l'ensemble dans un bon esprit.

Les loges d'Ascot ont toujours eu une position ambiguë par rapport à l'ensemble de l'événement. Certaines étaient réservées à des grands entraîneurs ou à des propriétaires de chevaux, et ce n'est pas de celles-ci que je parle. Ces dernières possèdent justement une utilité logique et rationnelle et les gens en question ont toujours été présents à Ascot en tant que membres de la grande fraternité hippique et indépendamment des modes. Ils seront toujours là longtemps après que le *beau monde** sera parti. Mais pour ceux qui ne venaient à Ascot que pour s'amuser et profiter du divertissement et pour qui les chevaux n'étaient qu'une partie du décor, les loges avaient toujours été un peu justes. Déjà, il n'était pas nécessaire d'avoir un badge de la loge royale pour en louer une ou pour s'y rendre, et à l'époque, quand les autorités exerçaient encore leur contrôle sur les personnes admises dans la loge royale, les loges normales étaient le paradis de tous ceux qui n'étaient pas tout à fait au niveau social requis, les actrices divorcées ou les vendeurs de voitures trop expressifs snobés par la Vieille Angleterre.

L'autre problème, c'est que, pour la plupart, ces loges étaient minuscules. On passait par une galerie en béton, et quand on entrait, on se retrouvait dans un hall pour lilliputiens avec une kitchenette digne d'une caravane des années 1950 sur un côté. Il y avait ensuite un espace pour dîner et s'amuser, dans un réduit de la taille d'une salle de bains d'hôtel de seconde zone et, enfin, le balcon, qui permettait tout juste à deux personnes de se tenir côte à côte en utilisant les trois marches qu'il y avait. Bref, la loge de base avait la contenance et l'élégance d'une cage d'ascenseur de grand magasin. Mais, pour les gens importants en quête de standing voulant compenser leur frustration sociale – et c'est un groupe beaucoup plus important qu'il n'y paraît –, ces loges permettaient de profiter des courses dans un espace personnel. L'endroit avait beau être modeste, on y était souverain et cela évitait de passer la journée à supporter des sourires en coin et autres mesquineries au sein de la loge royale. J'imagine que c'est ce qui avait plu au père de Joanna : Alfred Langley voulait bien accompagner son épouse et sa fille mais uniquement à la condition qu'il dispose de sa loge pour s'y planquer toute la journée.

Mrs. Langley me sauta dessus, tout en cherchant de ses yeux fébriles s'il n'y avait pas quelqu'un de plus important derrière moi qui mérite son attention.

– Joanna se trouve sur le balcon avec des amis.

Craignant de m'avoir vexé avec cette phrase pourtant banale, elle se sentit obligé de préciser :

– Joanna nous a dit que vous veniez.

– Minna a dû aller retrouver son père à la tente de White's, mais elle vous salue.

– Sir Timothy Bunting... dit-elle songeuse, comme si j'ignorais le nom de mon hôte.

– C'est cela.

Elle opina de nouveau. Il émanait d'elle quelque chose d'un peu sournois que sa belle coiffure, son tailleur sur mesure et sa superbe broche en diamants ne parvenaient pas tout à fait à masquer. Elle était très nerveuse, comme Peter Lorre dans les films de mafieux, prêt à se faire alpaguer à tout moment. J'ai fini par mieux la connaître et j'ai l'impression que ce sentiment d'angoisse et d'appréhension était permanent. Elle ne savait pas se décontracter, ce qui paraissait être un élément qui dressait sa fille contre elle en même temps qu'un facteur expliquant l'ascendant qu'elle exerçait.

Joanna était appuyée à la rambarde, en compagnie de lord George Tremayne et de deux ou trois autres prétendants, tous légèrement pompettes et pourvus de flûtes de champagne vides ou presque. La flûte était le nouveau verre à la mode et venait seulement de remplacer la coupe en forme de sein que l'on avait utilisée la décennie précédente. Mais il est vrai que les Langley étaient à la pointe de la mode. Cela dit, il faisait beau et je ne trouvais rien de plus réjouissant que la vue de Joanna en train de me sourire, avec ses boucles dorées et son chapeau en dentelle blanche, et en arrière-plan le somptueux champ de courses tout vert.

– Je suis venu finalement.

– Je vois...

Elle s'est avancée pour m'embrasser sur la joue et s'adressa à ses compagnons :

– Poussez-vous, vous voulez bien ? Rentrez, prenez un verre et apportez-m'en un tout à l'heure. Il faut que je lui parle et c'est privé.

Elle me toucha la manche en disant cela et, malgré leurs protestations, elle s'était montrée très ferme. Évidemment, elle n'aurait jamais pu dire des choses pareilles si elle avait obéi aux règles de bienséance qui avaient cours avec ces gens-là. J'ai souvent constaté les avantages qu'il y a à ne pas rester captif de certaines règles, notamment en termes d'efficacité. Ce qui est sûr, c'est qu'ils partirent sur-le-champ.

J'ai déjà indiqué que Joanna était très belle et je dois sans doute attacher trop d'importance à l'apparence physique dans ma liste des qualités mais, dans son cas, il s'agissait vraiment d'une beauté spectaculaire. J'avais beau en avoir scruté chaque détail, le visage de Joanna représentait une perfection que l'on n'obtient que chez les sculpteurs, les dessinateurs ou au cinéma. Elle avait un nez de statue grecque ; sa peau lisse au teint égal n'avait aucun défaut ; le dessin de sa bouche évoquait les courbes tendres d'un pétale de fleur. Quant à ses yeux, harmonieusement assortis aux longs cils serrés, leur bleu profond s'approchait du violet. Sa chevelure généreuse aux brillantes boucles de blonde authentique encadrait magnifiquement son visage et tombait jusqu'aux épaules. C'était une merveille à contempler – je ne pouvais que penser à la chanson « Lovely to Look At ».

– Qu'est-ce que tu regardes ?

Sa voix, avec sa légère trace d'accent de l'Essex, me sortit de mes rêveries et, quand elle répéta sa question une deuxième fois, finit par me ramener à la réalité.

– Toi.

– C'est gentil, dit-elle avec un sourire.

En plus de tout le reste, le contraste entre son physique éthéré et sa parfaite normalité dégageait quelque chose de particulièrement séducteur. Elle ressemblait tellement à Mlle Tout-le-monde dans son attitude que cela participait à son charme – c'est sans doute grâce à cela que Nell Gwynne put séduire Charles II ou que les Gaiety Girls, ces danseuses de la fin du XIXe siècle, purent épouser tant de lords. Sa jovialité était à l'opposé de toute vanité mais sans verser dans une démonstration de modestie. Elle était juste parfaitement naturelle.

– Ça porte sur quoi, cette fameuse discussion privée ? Ça me passionne déjà.

Elle se mit légèrement à rougir – pas la rougeur de la colère, non, juste un léger rosissement chaleureux qui se répandait gracieusement sur son visage, comme quelqu'un de surpris par la lumière de l'aube.

– Il n'y a rien de vraiment privé. C'était pour les faire partir. Mais je suis désolée que tu aies été témoin de ces sottises à l'entrée, tout à l'heure. Je ne voudrais pas que tu aies une mauvaise opinion de moi.

Là encore, la simplicité de sa requête était à la fois flatteuse et terriblement désarmante.

– Je ne vois pas comment je pourrais avoir une mauvaise opinion de toi, répliquai-je en parlant le langage de la pure vérité, et je suis certain que je lirai un résumé dans les journaux demain matin – ça me rendra tout euphorique d'y avoir assisté pour de vrai.

Cela n'eut pas l'air de la rasséréner.

– Ma mère pense que c'est utile de faire la une, que tout le monde parle de moi. Elle trouve que ça me rend, je ne sais pas... intéressante.

Malgré son hésitation, quel que soit le mot qu'elle aurait pu choisir, sa remarque était clairement un appel à l'aide, même si elle ne l'avait pas formulé ainsi.

Je me suis efforcé de lui monter que j'étais de son côté et de ne pas donner l'impression que je la jugeais.

– Pour citer Oscar Wilde : « La seule chose pire que d'être l'objet des ragots, c'est de ne pas l'être »...

Elle eut un petit rire, plus par politesse parce que ce que j'avais dit était censé être drôle, que parce que cela l'amusait vraiment.

– Oui, j'ai déjà entendu ça. Mais tu ne trouves pas que ce soit vrai, hein ? Vous ne pensez pas comme ça.

Elle avait raison mais je ne voulais pas jouer les rabat-joie – et surtout pas auprès d'elle. En même temps, elle me demandait mon avis et j'ai essayé d'être aussi sincère que possible.

– Ça dépend ce que tu en attends. Qu'est-ce que tu cherches ? C'est quoi, ton but ?

– C'est le problème. Je n'en sais rien, dit-elle après un instant de réflexion.

– Mais alors pourquoi tu participes à la Saison ? Qu'est-ce que tu espérais quand tu as commencé ?

– Je n'en sais rien non plus, dit-elle avec tout le désespoir d'un lapin pris dans un collet.

Théoriquement, Joanna aurait dû se sentir plus libre que ça. Son père était un *self-made-man* et elle n'avait pas été élevée dans un carcan mais, d'un autre côté, elle connaissait des contraintes encore plus rudes. Cette époque était peut-être la dernière où l'aristocratie détenait le pouvoir d'admettre les nouveaux riches ou de leur refuser l'entrée dans leur univers. Après, une fois le mode de vie des gens chics revenu à la mode et une fois que certains ont eu l'ambition d'y accéder, les nouveaux riches ont eu davantage les épaules pour s'imposer, que la vieille garde le veuille ou pas. Mais, dans les années 1960, l'ancienne classe dominante conservait une influence déterminante. Je me rappelle très bien une amie de ma mère menacer un jeune imbécile qui avait fait des dégâts dans son appartement – cette matrone s'était exclamée avec exaspération : « Encore une bêtise de ce genre et toutes les portes de Londres se retrouveront fermées pour vous ! » La menace était bien réelle parce qu'elle avait le pouvoir de la réaliser. En 1968, il était possible de fermer les portes à quelqu'un.

En 1988, les portes étaient grandes ouvertes. Aujourd'hui, ça fait longtemps qu'il n'y a même plus de portes.

Je décidai de prendre le taureau par les cornes, même si plus personne ne dit cela aujourd'hui.

– Ce n'est pas compliqué. Si ta mère et toi, vous espérez un grand mariage à l'issue de la Saison, alors ce n'est pas la bonne méthode. Si tu veux être célèbre et passer à la télévision, épouser un producteur ou un grand industriel qui cherche un peu de prestige pour pimenter sa vie, alors, c'est probablement la bonne méthode.

Elle me regarda et poussa un soupir.

– C'est vraiment très déprimant. Tu as raison. Maman veut que je sois « baronne de ». Elle ne rêve que de ça et c'est franchement triste – elle croit qu'elle agit dans le bon sens et moi, je sais que c'est tout le contraire qui se passe.

– Essaie de la raisonner. En faisant machine arrière, c'est possible. Et puis cela n'a rien d'immoral : en étant « baronne de », comme tu l'as dit, en plus de toutes tes autres qualités, tu pourrais faire beaucoup de choses bien.

Certes, je devais ressembler à un évêque en train de faire son sermon à la télé le dimanche matin mais, à l'époque, je ne voyais pas quoi dire d'autre. Je crois même que je pensais que c'était la vérité.

Mais Joanna n'était pas d'accord.

– Je ne suis pas comme ça. C'est pas que je sois contre, c'est juste que je ne suis pas comme ça. Faire partie de comités de village, inaugurer les chrysanthèmes, organiser une brocante pour réunir les fonds pour que l'hôpital local puisse se payer un nouveau scanner... Franchement...

Elle crut un instant m'avoir vexé.

– Rassure-toi, je ne suis pas opposée à tout ça. Mais c'est pas pour moi.

– En revanche, c'est ce que ta mère désire.

– En fait, je ne crois pas qu'elle se soit projetée très loin. Elle veut juste un grand mariage ultrachic avec un reportage dans *Tatler*. Elle n'est pas allée plus loin dans sa réflexion.

– Alors, c'est à toi d'aller plus loin. Peut-être que le caritatif, c'est pas ton truc, en tout cas, pas sous cette forme. Mais tu peux peut-être t'occuper d'une école pour enfants handicapés, ou participer à la gestion municipale. Il y a plein de causes nécessitant un peu de prestige social. Ce que je veux dire, c'est que tu y arriveras.

J'imaginais l'un des frères Tremayne dans la loge à côté de nous prêt à l'épouser sans condition pour remporter le premier prix qu'elle représentait.

– Si tu réfléchis à toutes les possibilités, tu finiras peut-être par t'y faire.

Avec le recul, en pensant aux conseils stériles, pompeux et condescendants que je lui donnais, ce qui m'intéresse, c'est de comprendre pourquoi l'idée ne m'était pas venue de lui suggérer d'avoir un métier, plutôt que ce genre de parcours aussi futile qu'immoral. Après tout, il y avait déjà des femmes qui menaient des carrières, et même un certain nombre. À moins que cela n'ait pas semblé réaliste à des gens comme nous – peut-être étions-nous dans une telle tour d'ivoire que nous étions totalement coupés de la réalité sociale. En tout cas, sur ce sujet comme pour tant d'autres choses, l'avenir allait montrer que j'avais complètement tort.

– À t'entendre, on dirait Damian, dit-elle à ma grande surprise.

– Sans blague ?

– Ouais. Il me dit toujours de jouer de mon physique. D'« y aller à fond », alors que je ne sais même pas où je vais.

– Je ne savais pas que tu le connaissais aussi bien.

Étais-je voué à rester l'éternel second de Damian, un simple suiveur malgré moi ?

– Si, si, je le connais bien.

Le regard froid qu'elle m'adressa était des plus explicite. En la regardant dans les yeux, je repensai à la main de Damian, posée avec légèreté sur la hanche de Serena tout à l'heure. Qu'avais-je donc fait de mal dans une vie antérieure pour mériter d'entendre le récit, dans le même après-midi, des exploits de Damian qui lui avaient gagné l'affection si ce n'est la couche de ces deux femmes, qui étaient toutes les deux chacune à leur manière de véritables déesses ? Pourquoi celui qui n'était en somme que mon jouet, mon invention, ma marionnette, récoltait-il toutes ces faveurs ? Quelques mois, quelques semaines après l'avoir fait entrer dans le poulailler, je voyais ce renard triompher dans ma basse-cour. Joanna dut comprendre à mon front soucieux ce que je pensais.

– Tu aimes bien Damian ?

Je me rendis compte qu'elle me posait une question, que je ne m'étais d'ailleurs pas posée jusqu'à présent, alors que j'aurais dû. Je choisis de botter en touche :

– C'est moi qui vous l'ai présenté à toutes.

– Je sais, mais tu n'as plus l'air de beaucoup l'aimer.

– Bien sûr que si.

C'est peut-être à ce moment que je me suis rendu compte que je le détestais, mais il était dit que je ne me l'avouerais pas avant un certain temps.

– Parce que vous n'avez pas l'air d'avoir grand-chose en commun. Il veut avancer dans la vie, mais il ne souhaite pas être dans un moule, pas du tout à ta manière. Tu crois qu'il va profiter de tout ça et s'incruster dans cette société, qu'il finira par épouser lady Pénélope Trucmuche et envoyer ses enfants à Eton, mais je ne pense pas. Je crois qu'il ne peut pas vous sacquer, qu'il est prêt à vous dire au revoir et à tout laisser tomber.

On sentait que cette idée l'excitait pas mal. Est-ce qu'elle m'apprenait quelque chose ? Je n'étais pas surpris, franchement.

– Peut-être que vous devriez tout laisser tomber ensemble. Vous avez l'air de bien vous entendre sur le sujet.

– Ne parle pas comme ça.

– Comment, « comme ça » ?

– Avec cette arrogance hautaine. T'as l'air ridicule.

Évidemment, cela me calma pour quelques minutes.

– Et puis Damian et moi, nous n'allons pas bien ensemble, pas vraiment. J'y ai cru un moment, mais en fait, non.

– Vous avez pourtant tous les deux l'air d'être très à la page.

Je ne sais pas pourquoi, mais je n'arrivais pas à ne pas me comporter comme l'imbécile arrogant et hautain qu'elle venait de mentionner. Pour citer de nouveau ma mère, j'étais juste jaloux.

Ma remarque la rendit cependant pensive plus qu'elle ne l'offensa.

– Il a envie de faire partie du monde d'aujourd'hui, confessa-t-elle. Comme moi. Mais il veut être dominateur. Il veut être le chef, tout faire à sa main, mener des gens comme toi à la baguette et faire le caïd, le grand méchant boss.

– Et pas toi ? Ça ne te dit rien de devenir la grande dame dirigeant le domaine, avec l'auguste sagesse de la parfaite hôtesse ?

– C'est ton obsession, mais ça ne me ressemble pas. Et je n'ai pas non plus l'ambition de passer à la télé ni d'épouser un grossium avec un bel appartement moderne dans Mayfair et une villa sur la Côte d'Azur.

Ce qu'elle décrivait avec tant d'exactitude en une seule phrase était évidemment un monde qu'elle connaissait bien et qu'elle méprisait, visiblement, ainsi que celui de la noblesse et de la haute société, ou même l'univers de Damian qui se voyait en enfant prodige de la City – elle était très en avance sur son temps.

– Il y a bien quelque chose qui te fait envie ?...

Joanna se mit de nouveau à rire sans entrain.

– Rien que je puisse trouver en jouant le jeu de la Saison.

Elle réfléchit un peu avant d'ajouter, hésitante :

– Je ne veux pas être grossière... commença-t-elle, ce qui est généralement le prélude à une énorme grossièreté, mais vous êtes tous tellement peu en contact avec la réalité... Damian a raison pour ça. La mode, la musique... vous êtes à côté de la plaque !

Elle hochait la tête lentement, comme étourdie par l'étendue de notre égarement.

J'étais un peu blessé.

– On écoute tout ce qui sort !

– Oui, soupira-t-elle, vous écoutez tout ça, vous dansez sur les Beatles et les Rolling Stones, mais toujours en tenue de soirée et dans une salle de bal ou sous un barnum. Cette musique n'a rien à voir avec ça ! Ce n'est pas ça, le monde d'aujourd'hui.

– Sans doute.

– Le monde change. J'ai envie de changer avec.

– Joanna chérie ! fit la voix de Damian que je connaissais suffisamment pour ne pas avoir à me retourner.

– Quand on parle du loup... commença Joanna.

– ... on en voit la queue, terminai-je.

Damian descendit nonchalamment les marches puis enveloppa Joanna dans ses bras.

– Allez, viens t'amuser avec nous. T'as passé trop de temps avec M. Gueule-de-Raie, après il va croire qu'il a ses chances avec toi et on pourra plus le contrôler.

Il m'adressa un clin d'œil pour m'inviter à participer à sa remarque spirituelle, qui était en fait bel et bien une insulte comme nous le savions tous les deux. Au début de la Saison, il s'était senti le devoir de marquer une certaine déférence à mon égard, juste pour être certain que j'étais de son côté, mais cela faisait longtemps qu'il ne s'en donnait plus la peine. C'était lui le maître de cérémonie à présent.

– Très bien, répondit-elle, je viens avec vous. Mais seulement si tu me donnes le cheval gagnant pour la prochaine course.

Avec un sourire, elle remonta les marches pour sortir de la loge et rejoindre le fan-club qui attendait son apparition.

Le bras toujours à sa taille et un grand sourire aux lèvres, Damian lui lança :

– Le cheval gagnant ? Mais tu l'as déjà : je suis là...

Ils rentrèrent et disparurent en riant.

J'ai souvent pensé à cette conversation que Joanna et moi avions partagée, par ce beau jour d'été dans cette loge de privilégiés surplombant le champ de courses bondé. Je ne me suis peut-être jamais tant approché de la grande illusion des *sixties*, ce gouffre qui devait engloutir tant de mes contemporains dans la décennie suivante. Certes, il y avait des changements. On s'était débarrassé de la dépression de l'après-guerre, l'économie était en plein boom et on rejetait bon nombre des anciennes valeurs. Mais ces valeurs devaient faire leur retour plus tard. Sauf qu'elles n'allaient plus prendre la forme de la queue-de-pie ou des vacances à Frinton pendant l'été, mais plutôt s'incarner dans l'ambition et la convoitise, la cupidité et la soif de pouvoir. Après une quinzaine d'années de chaos, les vieilles règles allaient connaître leur résurrection – jusqu'à aujourd'hui où une élite plus fortunée que jamais depuis la période edwardienne achète les maisons de Belgravia. Mais ce ne sont pas là les changements que Joanna et ses semblables attendaient.

Ils croyaient – non, ils *savaient* – qu'arrivait l'aube d'un monde nouveau où l'argent ne vaudrait plus rien, où le nationalisme, les guerres et les religions disparaîtraient, où le rang et la naissance et toutes les lamentables distinctions entre les gens s'évanouiraient dans l'éther comme de la fumée et que triompherait l'amour. C'était une croyance, une philosophie, qui a laissé une telle empreinte sur ma génération qu'ils sont nombreux à s'y accrocher encore. On peut se moquer de ces conceptions infantiles proférées par des ministres vieillissants et des chanteurs croulants avec un désespoir grandissant à mesure qu'ils se rapprochent de l'âge de la retraite. En tout cas, cela me fait rire de voir des gens qui ont réussi à passer une vie entière à ne rien apprendre du tout. Mais, malgré cela, je dois dire que j'avais été touché ce jour-là par cette jeune femme si gentille et bien intentionnée, si fine et charmante, qui, tranquillement installée au soleil, avait décidé de tout miser sur l'optimisme.

Comme on pouvait s'y attendre, le lendemain, tous les journaux faisaient leur une avec Joanna Langley en train d'enlever son pantalon de dentelle pour obtenir l'autorisation d'entrer à Ascot. Je me souviens que le *Mail* ou l'*Express* avaient même publié toute une série de clichés, comme une bande dessinée. Nous en avons tous beaucoup ri et nous avons pris l'affaire encore moins au sérieux qu'au début – les aspirations de Mrs. Langley furent ainsi totalement saccagées. De toute manière, tout cela n'eut bientôt plus d'importance. Je n'ai jamais su si Joanna avait pu parler à sa mère de tous ses doutes. Si c'est le cas, cela n'avait pas dû avoir beaucoup d'effet puisque l'invitation à son bal de Débutante à la campagne arriva peu après de la part de « Mrs. Alfred Langley ». Le carton tout blanc était si raide qu'il paraissait avoir été découpé dans un vieux chêne et le gaufrage des lettres était tellement prononcé qu'on aurait pu se prendre les pieds dedans. J'imagine que la plupart des gens avaient accepté de venir. Avec un raisonnement impitoyablement anglais, nous nous attendions à ce qu'une fortune soit dépensée pour notre divertissement, ce qui rendait la soirée intéressante, quelle que soit notre opinion sur la fille qui nous recevait. Personnellement, je l'aimais bien et j'avoue que j'avais hâte d'y aller, même si je me demande – maintenant que de telles réceptions sont plus rares et, pour mon vieux palais fatigué et blasé, assez identiques – ce que Mrs. Langley avait bien pu nous préparer. Je suis certain que la soirée aurait été mémorable avec de nombreux délices.

Seulement voilà : par un beau jour de juillet, nous avons ouvert le journal et découvert en grand titre « L'ESCAPADE AMOUREUSE DE L'HÉRITIÈRE ! » dont l'article expliquait que Joanna, « fille unique du roi du tourisme, le multimillionnaire Alfred Langley », s'était enfuie avec le créateur de mode Kieran de Yong. Le couple n'était pas marié – ce qui apportait un supplément d'intérêt égrillard pour les journalistes de l'époque, alors qu'on le mentionnerait à peine aujourd'hui – mais « des sources indiquaient qu'ils partageaient l'appartement de Mr. de Yong dans Mayfair ». Au souvenir de la conversation d'Ascot, ce dernier détail m'arracha un sourire.

Deux jours plus tard, un nouveau carton arrivait de la part de Mrs. Langley. On n'y trouvait que la très sobre information suivante : « Le bal organisé pour miss Joanna Langley n'aura finalement plus lieu. »

10

À la grande surprise de mes attentes snobs et narquoises, Kieran de Yong n'était pas resté inactif depuis notre dernière rencontre. La documentation me renseignait sur ce qu'il avait accompli et c'en était presque effarant. Il avait 28 ans, c'est-à-dire neuf ou dix ans de plus que nous, quand il était parti avec « Joanna, fille d'Alfred Langley de Badger's Wood, Godalming, dans le Surrey ». Il l'avait épousée l'année suivante. Utilisant sans doute un peu du trésor Langley, il avait ouvert une chaîne de magasins de prêt-à-porter à la fin des années 1970, Clean Cut, ce qui me parut assez habile, et on le voit sur un certain nombre de photographies à cette période lors de réceptions, avec Joanna à ses côtés et des vêtements horribles sur le dos, même en prenant en compte les critères de l'époque. Mais quel aveuglement avait donc frappé les jeunes de ma génération ? Pourquoi les gens s'autorisaient-ils à quitter le havre de leur domicile vêtus de blousons en cuir blanc avec des franges et des décorations de cow-boys ou des costumes bleus luisants portés avec des chemises noires et des cravates ultra-larges ? Ou des chemises de paysans russes ? Ou des uniformes de l'armée customisés ? Ils devaient se prendre pour Elvis ou Marlon Brando. Sauf qu'ils ressemblaient surtout à un prestidigitateur pour fêtes d'anniversaire camé au crack.

Mais de Yong semblait s'être calmé lors des décennies suivantes. Sur les photographies ultérieures, avec des mannequins assortis et ensuite une superbe seconde épouse, il était vêtu de manière chic puis enfin classique. Il avait vendu sa chaîne de magasins dans les années 1980 et avait amassé des millions, s'était lancé dans l'immobilier – secteur qui inspirait une adoration religieuse dans ces années-là – et, avec ses gigantesques lots de terrain sur les docks de Londres, il avait dû connaître l'angoisse avant de montrer à tout le monde qu'il avait fait le bon choix et de multiplier ses gains par sept. D'autres grandes constructions avaient suivi, dont deux immeubles célèbres dans la City, un village de vacances en Espagne et une ville nouvelle dans le nord de l'Angleterre. Il s'était ensuite diversifié en se lançant dans les laboratoires pharmaceutiques. Sa société était pionnière dans le traitement de l'arthrite et de certains cancers peu médiatisés. Il avait investi une partie de ses bénéfices dans l'éducation et la mobilité sociale, ou plutôt dans la lutte contre son absence due aux fantaisies de l'Establishment universitaire. J'étais impressionné de voir que cet enfant des *sixties* n'hésitait pas à s'adresser de front au groupe social encore sous l'emprise du grand message de ces années-là. Bref, il avait mené une vie pleine et courageuse et d'une impressionnante dignité. Ma seule surprise était que le public, et moi avec, le connaisse si peu en tant que personne.

Je n'avais jamais vraiment connu Kieran de Yong. La seule fois où nous nous étions vus durablement, c'était pendant ce séjour de vacances lusitanien qui revient si fréquemment dans mes cauchemars. Mais, même à cette occasion, nous nous étions à peine parlé et, une fois chacun rentré chez soi, nous avions tous ressenti l'envie de ne jamais nous revoir. En tout cas, tel était mon sentiment personnel et ce n'est pas le meilleur point de départ pour une grande amitié. À l'époque, je l'avais considéré comme étant commun et mal éduqué, terne et un peu gênant avec ses tenues fantaisistes et sa façon d'essayer à tout prix d'être cool. Joanna était tellement protectrice que cela aggravait les choses et son comportement mordant ajoutait au malaise ambiant. Pour ma défense, je dirais qu'il est quand même assez difficile de rester concentré quand on discute avec un type aux cheveux teints en blond orangé. En considérant son CV impressionnant, je me sentais remis à ma place. Je n'avais rien accompli de bien valable en comparaison. Et mes amis non plus, tous indignes d'être seulement mentionnés dans la même conversation.

Il n'y avait guère d'informations sur sa vie privée. Il avait épousé Joanna en 1969, et dans son cas, l'enfant était largement né dans le cadre des liens sacrés du mariage, et l'imminence de la naissance n'avait pas été la cause de cette union. Leur enfant était un garçon, Malcolm Alfred, mais on ne trouvait pas d'autre information sur Wikipédia. Le divorce datait de 1983 et, honnêtement, je partageais l'étonnement de Damian que le couple ait tenu si longtemps. La superbe seconde femme, épousée en 1997, s'appelait Jeanne LeGrange et son nom laissait imaginer une vie pleine de voyages dans le monde entier, mais il n'y avait rien d'autre. Plus aucune mention après cela de divorce, d'épouse ou d'enfants. Ce qui m'intéressait, c'est que, selon Damian, Joanna avait poursuivi leur liaison même après son mariage. Cela semblait confirmer qu'elle avait épousé de Yong pour fuir sa mère plus que sous le coup d'un amour éternel, ce qui ne me surprenait pas car c'était ce que j'avais toujours pensé.

J'avais le numéro professionnel de Kieran sur la liste de Damian. J'avais cru au départ que c'était sa ligne directe mais, en me rendant compte de l'ampleur de son entreprise, je n'en étais plus aussi sûr. J'avais plutôt l'impression d'appeler Buckingham Palace et de demander à parler à la reine. En l'occurrence, je suis tombé sans problème sur son bureau et j'ai parlé à sa secrétaire personnelle qui s'est montrée très polie avec moi. Je lui ai expliqué que j'étais un très ancien ami et, utilisant le même stratagème qu'avec Dagmar, que je voulais le voir pour parler d'un projet caritatif susceptible de l'intéresser. Elle soupira, sans agressivité mais audiblement. Je devais être le cinquantième mendiant de la journée.

– Les activités caritatives de Mr. de Yong sont traitées par un autre département. Je vous les passe ?

Je sentais que la perspective d'aboutir était sur le point de s'évanouir et je n'avais pas d'autre alternative que de tenter le tout pour le tout.

– En fait, je préférerais parler directement à Kieran s'il a un petit moment.

Je m'étais dit que l'emploi familier du prénom serait plus convaincant mais je n'étais pas certain de mon coup. Elle hésita, me demanda d'épeler mon nom de nouveau et me mit en attente en compagnie d'un mauvais enregistrement du *Sacre du Printemps* de Stravinsky. S'il refusait de me voir, je ne savais pas trop comment procéder. D'ailleurs, je me demandais pourquoi il accepterait de me rencontrer. S'il se souvenait de moi, ça serait sous la forme d'un jeune boutonneux coincé qui l'avait snobé tant et plus – sans parler de la terrible soirée où nous nous étions vus pour la dernière fois. Reste que l'un des plaisirs qu'apporte la réussite sociale, surtout quand il a fallu subir le mépris, c'est que l'on peut retrouver les imbéciles qui n'ont pas cru en vous ni en vos projets et de les faire revenir sur leurs opinions. Leur faire reconnaître, si ce n'est leur faire admettre, qu'ils avaient entièrement tort à votre égard et que vous les avez rendus ridicules. On pouvait espérer que l'idée de m'infliger une leçon d'humilité lui paraîtrait amusante.

J'entendis un clic et, surprise, Kieran à l'autre bout du fil.

– Eh bien, eh bien, quelle surprise ! Qu'est-ce qui me vaut ce plaisir inattendu ?

La formulation était peut-être convenue mais j'entendais clairement qu'il s'était amadoué. Son accent populaire s'était adouci, mais sans devenir prétentieux, et son ton était étonnamment chaleureux étant donné les circonstances.

– Je suis surpris que tu te souviennes de moi.

– Mais non, voyons. J'ai suivi ta carrière avec intérêt et j'ai même lu certains de tes bouquins.

Soulagé, je souris intérieurement en constatant que ma tâche allait être, cette fois-ci encore, réalisable.

– T'as fini de me draguer !

Il rit à son tour. Mais quand il m'a demandé pourquoi je l'appelais, j'ai un peu bafouillé ; je ne m'étais pas imaginé lui parler directement et mon histoire n'était pas très au point. Heureusement, il interrompit mes explications fastidieuses en me proposant une invitation. Ses déjeuners étaient pris des mois à l'avance, mais il voulait savoir si j'étais libre pour dîner.

– À moins que tu ne puisses pas te libérer ?

– Non, non, je suis totalement libre, malheureusement. Et toi ?

– Pareil de mon côté.

Nous sommes donc convenus d'une date pour le dîner et il suggéra le Savoy Grill car le restaurant devait fermer pour deux ans afin de subir une « rénovation » – à moins que j'aie une objection, ce qui n'était pas le cas. Comme lui, je trouvais qu'un restaurant de notre jeunesse commune, un lieu célèbre mais sur le point de disparaître, constituait une bonne idée pour parler du passé. Cela ne manquait pas de finesse, même. Bref, rendez-vous fut pris.

Le vieux Savoy – mélange impressionnant et détonnant de style Odéon et Belle Époque –, un des points névralgiques de mon enfance et de ma jeunesse, n'existe plus aujourd'hui. De très vieilles tantes bien loin de leur Saison de Débutantes m'y emmenaient prendre le thé. J'y ai connu les bals et les cocktails dans la River Room et, depuis, j'y ai distribué les sourires et hourras à de nombreux mariages, anniversaires et autres célébrations privées jusqu'à récemment, où j'ai fait mon devoir lors de repas de festivals littéraires et de dîners pour des remises de prix accompagnées de menus aussi prévisibles que la gaieté et les congratulations de rigueur dans ces circonstances. Peu après mon dîner avec Kieran, le nouveau propriétaire a mis aux enchères le mobilier avant une longue période de fermeture pour rénover et reconfigurer l'hôtel. Et même si la nouvelle équipe a reconnu la place spéciale qu'occupait le Savoy dans le cœur des Londoniens depuis plus d'un siècle, depuis que Richard d'Oyly Carte avait fait un rêve, même s'ils ont tenté d'honorer l'histoire avec autant de dignité que possible, il n'en reste pas moins que ce qui fut le lieu de rendez-vous de Nellie Melba et Diana Cooper, Alfred Hitchcock et la duchesse d'Argyll, de Marilyn Monroe et Paul McCartney et de tous ces gens étincelants, a désormais rejoint le palais de Jean de Gand autrefois édifié sur ce site et qui appartient aujourd'hui à la mémoire et aux livres d'histoire.

Je n'avais pas remis les pieds au Savoy Grill depuis un moment et, en arrivant, je découvris qu'il avait déjà pas mal changé depuis l'époque où c'était le lieu de rendez-vous à la mode, que j'avais connu dans mon adolescence puis ma jeunesse. Au début des années 1960, j'y allais souvent avec un cousin de mon père doté d'une réputation sulfureuse et qui m'avait un peu adopté. Il considérait le restaurant comme son club privé et il avait coutume d'y amener ses dernières proies pour dévorer des huîtres et faire de fausses promesses d'amour. Naturellement, ce fringant cousin représentait un véritable idéal pour l'adolescent laid à la peau boutonneuse que j'étais. Quand il avait quitté l'armée à 40 ans, le cousin Patrick avait décidé de vivre sans penser au lendemain, c'est-à-dire de vivre en s'amusant, sans fonder de famille ni prendre la moindre responsabilité. De plus, il était beau et séducteur, ce qui rendait sans doute son mode de vie plus accessible qu'à d'autres. Ma mère l'adorait malgré la désapprobation de mon père mais, finalement, ce sont les commentaires acerbes de mon père soulignant qu'on récolte ce qu'on a semé qui se sont montrés prémonitoires puisque, après des années de batifolage sans s'engager à rien, mon cousin mourut d'une attaque prématurément et dans la solitude, prouvant ainsi que l'on finit en général sa vie comme on l'a vécue.

Il était cependant pour moi une véritable inspiration car il n'acceptait aucune règle et aucune contrainte. Moi qui avais été élevé par un paternel très droit et assez strict, cela m'ouvrait les portes d'un paradis de liberté. Je me souviens d'une fois où j'étais au restaurant avec lui et nous avions du mal à attirer l'attention du serveur. Patrick s'est tourné, a attrapé un de ces accessoires qui servent de porte-salière et à caler les menus, et l'a envoyé dinguer à l'autre bout de la salle où il s'est écrasé avec le retentissement d'une explosion nucléaire qui fut suivi d'un silence absolu là où régnaient un instant avant les conversations d'une salle bondée. Au lieu d'être réprimandé ou mis à la porte ainsi que je m'y attendais, la seule conséquence tangible fut que le service s'améliora considérablement. L'anecdote comporte sans doute une morale subversive que mon père aurait préféré ne pas me voir enseignée.

En arrivant au Savoy, j'ai pensé à Patrick. Je le revoyais devant cette même porte, scrutant la salle avec un sourire indolent pour repérer d'éventuelles possibilités parmi les convives. Quand on prend de l'âge, bizarrement, on se retrouve souvent en tête à tête avec la cohorte des morts qui ne cesse de recruter de nouveaux membres, lesquels s'imposent à vous à tout bout de champ. Une photo, une boutique, une rue, une pendule qu'on vous a offerte, un objet provenant d'une tante décédée, ou tel fauteuil d'un oncle et, pendant une seconde, ils sont à nouveau en vie et vous murmurent à l'oreille. Quelque part dans le monde existe une religion selon laquelle nous mourons tous à deux reprises : une fois pour de bon et la seconde quand la dernière personne à nous avoir vraiment connu meurt à son tour, ce qui fait disparaître la mémoire de notre vie. Je suis d'accord avec ce point de vue et, ce jour-là, je pris plaisir à penser à mon cousin décédé, ne serait-ce que pour remarquer les changements du restaurant depuis son époque. Les décorations murales avaient disparu et donc une bonne partie de l'atmosphère qui y régnait, les sobres panneaux qu'on avait installés à la place, chics et discrets, me donnaient l'impression d'être enfermés dans un humidificateur à cigare géant. J'imagine qu'on parle aujourd'hui de *rebranding*, ce stratagème qu'on utilise au XXIe siècle comme autrefois les charlatans leurs flacons de remèdes miracles. Kieran était déjà attablé quand je suis arrivé. Nous nous sommes fait signe et, quand je suis arrivé à table, nous nous sommes serré la main.

Comme chacun le sait, le processus de vieillissement est toujours choquant quand on ne l'a pas suivi au quotidien. Le Kieran que j'avais connu, jeune prolo avec faux cheveux et faux bronzage, n'avait à peu près rien à voir avec l'homme d'affaires de haut rang vieillissant que j'avais sous les yeux. S'il avait pris de l'âge, son visage était cependant plus fin que dans sa jeunesse et, à presque 70 ans, il était moins bouffi, moins joufflu et beaucoup plus assuré. Il n'avait plus les joues trop rouges de sa jeunesse, les mèches colorées, ni la couleur d'origine de ses cheveux. À la place il avait une chevelure grise plutôt distinguée, comme un mannequin dans les pubs pour lotions capillaires. Il avait toujours ses cheveux, le veinard. En revanche, il avait troqué ses petits yeux porcins pour un regard aimable, ce qui est toujours surprenant pour quelqu'un qui s'était forgé un nom de tueur dans la jungle de l'immobilier.

Il envoya chercher deux coupes de champagne.

– C'est très gentil à toi.

– Ça me fait plaisir.

Il étudia le menu tandis que j'étudiais son visage. Il avait acquis une véritable stature – je ne vois pas de meilleur mot pour décrire ce changement. Il dégageait une autorité profonde et authentique. Il était poli, décontracté, naturel, mais on sentait qu'il s'attendait à ce qu'on lui obéisse comme seuls les gens véritablement puissants l'exigent. Le serveur revint avec nos verres. Il m'interrogea quand nous avons été de nouveau tranquilles :

– Alors, c'est à propos de quoi ?

Je lui ai alors sorti mes balivernes caritatives. Ce n'était pas tout à fait fictif car j'imaginais que, s'il voulait faire un don, quelqu'un pourrait peut-être en profiter, mais j'ai tout de suite compris que cela ne l'intéressait pas.

– Autant t'interrompre tout de suite, fit-il en levant la main gentiment pour couper mon flot de paroles, je fais des dons à trois organismes uniquement. J'ai dû rationaliser mes intérêts caritatifs car je reçois une centaine de demandes par jour. Ce sont toujours des causes très estimables mais je ne peux pas soigner tous les maux de la Terre. Je peux te faire un chèque mais ça ne sera pas très important et c'est tout.

– Merci, répondis-je en opinant du chef.

Il était très convaincant et j'aurais accepté sa décision si j'avais vraiment eu cet objectif en tête. Pourtant, j'étais intrigué : c'est exactement ce que sa secrétaire avait essayé de me dire quand j'avais appelé et il aurait pu me l'expliquer au téléphone sans pour autant être impoli.

– Mais alors pourquoi dînons-nous ensemble ?

Ce n'est pas vraiment comme ça que je voulais exprimer mes pensées et je me suis empressé de me corriger :

– Je suis ravi de ce dîner, bien sûr, et ravi de te retrouver, mais je suis surpris que tu aies le temps de me voir.

– J'ai du temps. Beaucoup de temps quand je tiens à quelque chose.

C'était une politesse qui ne répondait pas tout à fait à ma question, ce dont il se rendit compte.

– Il se trouve que, dernièrement, je passe beaucoup de temps à penser au passé. À ce qui m'est arrivé et à la vie que j'ai menée. Bref, à comment j'en suis arrivé là.

– Donc tu fais toujours une exception pour les gens qui proviennent de ce passé ?

– J'aime bien retrouver d'anciennes connaissances. Surtout si je les ai si peu vus depuis ma jeunesse.

– Franchement, je suis même étonné que tu te souviennes de moi. Je m'attendais à être accueilli par un retentissant « qui ça ? ».

Il se fendit d'un petit rire silencieux mais son regard restait triste.

– Je ne crois pas que quiconque puisse oublier un dîner pareil.

– C'est vrai.

Il leva son verre. Après des années dans la bonne société, il savait ne pas choquer les verres comme il l'aurait fait à l'époque.

– À nous. Nous avons tant changé que ça, tu crois ?

– Je crois bien que oui, répondis-je. J'ai moins de cheveux et plus de kilos et je ne suis plus aussi folâtre qu'avant, mais toi, tu t'es complètement métamorphosé.

Il se mit à rire plus franchement, comme si cette idée lui plaisait.

– Kieran de Yong, styliste des stars.

– C'est l'homme que j'ai connu.

– Oh, là, là, mon Dieu...

– Il n'était pas si mal.

– Je ne sais pas si c'est l'alcoolisme ou la dépression qui te rendent si gentil : j'étais affreux.

Je n'ai pas pris la peine de le contredire vu que j'étais d'accord avec lui. Je voyais le serveur rôder, attendant un creux dans la conversation pour venir prendre la commande. Kieran lui fit un léger signe de tête et l'homme s'avança, carnet et crayon en main. Il est réconfortant de voir que l'art du service n'a pas encore totalement disparu, même s'il faut savoir où le trouver et en payer le prix. Je ne déteste pas cette vague de gens d'Europe de l'Est qui semblent avoir pour fonction de me demander ce que je désire manger. Je les trouve même plutôt enjoués et sympathiques globalement, surtout comparé aux Anglais grincheux qui avaient toujours l'air de s'apprêter à cracher dans votre soupe. Mais j'adorerais que quelqu'un leur apprenne à ne pas débarquer dans la conversation quand on est presque à la fin d'une anecdote.

Le serveur ayant réuni toutes les informations nécessaires à l'élaboration de notre repas, il partit les faire mettre en œuvre.

– Qu'est-ce qui t'a changé ? lui demandai-je.

Il n'eut pas besoin que je précise ma question.

– J'ai appris. J'ai vécu. C'est la même chose. À l'époque, j'avais l'impression de venir de nulle part – ce qui est faux car nous venons tous de quelque part. J'avais aussi le sentiment de ne rien savoir, ce qui était assez vrai, mais pas complètement. Résultat, je voulais me présenter comme un type qui savait tout, qui connaît les secrets de l'Univers, qui est la modernité même. Je me voyais comme un vrai bonhomme, un type qui contrôlait son destin, et pas comme un minable avec les cheveux teints.

Il ébaucha un sourire en y repensant.

– Rien que les vestes que je portais, franchement !

Je ne pouvais que partager son rire.

– C'est pour ça que je vous détestais tous.

– Comment ça ?

– J'avais le sentiment que vous saviez où vous en étiez. Plus que moi.

– Ce n'était pas le cas.

– Je m'en rends compte aujourd'hui. Mais votre mépris envers moi et tout ce que je faisais me donnaient l'impression que vous saviez où vous alliez.

Cela me rendit un peu triste. Pourquoi passe-t-on tant de temps à faire du mal à des gens qui ne vous ont rien fait ?

– J'espère que nous n'étions pas si terribles. Je ne supporte pas l'idée d'être méprisant.

– Tu es plus sympathique maintenant. Je devinais que ce serait le cas. Quand on est un peu intelligent, on devient forcément plus sympathique avec l'âge. Mais nous avions beaucoup de colère en nous à l'époque.

– Tu as su la mettre à profit. À grande échelle.

– On m'a dit un jour que, quand on est jeune et intelligent, si on a de la colère en soi, soit on explose en vol, soit on réussit de grandes choses.

La coïncidence de la formulation me choqua.

– C'est drôle, une amie à moi a dit exactement la même chose à propos de quelqu'un que j'ai connu il n'y a pas longtemps. Tu te souviens de Serena Gresham ?

– Je me souviens de tous ceux qui étaient à ce dîner.

J'eus une mimique d'assentiment ; ce devait être le cas de tous ceux qui y avaient assisté. Mais il poursuivit :

– Je me souviens très bien d'elle. C'était une bonne amie de Joanna, et elle l'est restée même quand Joanna a tout laissé tomber pour partir avec moi. C'est Serena qui m'a dit de faire attention à ne pas exploser en vol.

J'étais simultanément impressionné par la générosité de Serena qui avait continué de voir Joanna et Kieran alors que les autres filles les avaient laissés tomber, et un peu déçu, comme on l'est toujours quand ce qui avait semblé être un bon mot qui vous est exclusivement réservé est en fait une devise récurrente.

– Quand elle m'a dit cela, c'était en parlant de Damian Baxter, autre membre du club du dîner portugais.

– Membre fondateur, même !

Il but une gorgée de vin et ajouta :

– D'une certaine façon, je crois que Damian Baxter et moi avons été cette année-là les deux diplômés de l'université de la vie.

Forcément, Kieran et Damian devaient se connaître – ils faisaient tous les deux partie des maîtres de l'Univers. Damian m'avait dit que Kieran l'avait soigneusement évité et j'étais curieux de savoir si c'était vrai.

– Vous devez vous croiser de temps en temps, Damian et toi, à des réceptions où sont invités les grands de ce monde ?

– Pas vraiment.

Je n'ai pas obtenu de réponse plus approfondie.

– C'est une soirée dont nous nous souviendrons toute notre vie...

Il sourit en haussant les épaules.

– Damian n'est pas mon ami, mais ce n'est pas à cause de cet épisode.

Naturellement, j'aurais voulu connaître la cause, mais j'avais l'intuition que cela aurait des répercussions négatives sur ce que je venais découvrir et ce n'était pas vraiment le moment d'ouvrir cette boîte de Pandore.

– De toute évidence, sa réussite a été moins secrète que la tienne.

Rien que cette remarque renforçait mon admiration pour Kieran. C'est toujours un sentiment agréable de se rendre compte qu'on admire quelqu'un sans réserve. Cela me faisait plaisir de le reconnaître devant lui. En plus, cela justifiait ce que je reprochais à quelqu'un que j'avais toujours détesté.

– Damian n'a pas courtisé la célébrité. C'est venu tout seul. J'ai passé énormément de temps et d'argent à effacer mon nom partout où je le pouvais. Des deux, quelle est l'attitude la plus égocentrique ?

– Pourquoi était-ce important pour toi ?

– Plusieurs choses. D'un côté, je trouvais cela très mature d'éviter de devenir une personne publique et, d'un autre côté, j'en avais déjà eu ma part. Serrer des pognes et aller à des soirées, je ne faisais que ça durant ma période styliste pseudo-chic. C'était en partie du business, mais je jouais surtout ce jeu par plaisir. Quand vous êtes promoteur immobilier, la célébrité ne vous donne rien d'essentiel et vous apporte beaucoup de choses nuisibles.

Le serveur réapparut avec l'attirail adéquat et Kieran attendit pour reprendre qu'il ait fini de nous équiper pour les délices à suivre.

– On peut se servir de la célébrité. Ça permet de ne pas faire la queue pour prendre l'avion ou aller à l'hôpital, de trouver une bonne table dans un restaurant qui était complet avant votre appel. On reçoit des invitations pour le théâtre et l'opéra et même provenant de gens qui vous intéressent vraiment. Mais l'argent procure aussi cela – sans les problèmes. On n'est pas tenu d'apporter son soutien à telle cause, de faire l'ouverture de tel événement parce que personne ne sait qui vous êtes. Les journaux ne passent pas ta biographie au peigne fin en interviewant tes amis d'école pour savoir qui tu as embrassé dans le local à vélos en 1963... Je n'ai pas à supporter tout ça. Je reçois des sollicitations pour verser de grosses contributions et je participe parfois. C'est tout ce qu'on me demande.

– Ça t'a surpris quand tu t'es mis à gagner de l'argent ? Je veux dire vraiment beaucoup d'argent.

Cela peut sembler étrange de demander cela à une vague connaissance après quarante ans sans se voir mais, sur le coup, cela nous parut une question parfaitement naturelle.

– Toute personne ayant connu ce genre de réussite te dira que la première réaction est complètement schizophrène. D'un côté, on se dit: « Tout ça pour moi ? C'est forcément une erreur ! » et de l'autre: « Ah, enfin, ça a mis du temps à venir ! »

– Je suppose qu'il faut avant tout croire en soi.

– Il paraît. Mais ça ne suffit pas de se préparer à ce qui va arriver. J'ai gagné beaucoup d'argent quand j'ai vendu la chaîne de magasins, mais quand j'ai fait l'addition pour envisager les profits sur mon premier projet immobilier, j'ai cru que j'avais mis trop de zéros. Je n'arrivais pas à croire que ça allait me rapporter autant. Et puis après, ça n'a plus arrêté. Et ça a tout changé.

– Toi, tu n'as pas changé.

– Oh, si. Au début, j'étais devenu complètement dingue. Un vrai con, je mettais mon nez partout, ça allait très très loin. Ma maison, mes vêtements, mes voitures, il fallait que tout soit comme je le voulais. Peut-être que je croyais imiter le comportement des aristocrates mais je me gourais complètement. Je passais mon temps à me plaindre dans les restaurants et, dans les hôtels, je réclamais différentes couleurs pour les serviettes de bain et différentes sortes d'eaux minérales. Je ne répondais pas au téléphone quand c'étaient des gens que je connaissais.

Il s'interrompit, un peu désarçonné par le souvenir de sa propre démence.

– Pourquoi ?

– Parce que je croyais que c'était ce que faisaient les gens importants. C'était dingue. Même le président des États-Unis prend les gens au téléphone s'il les connaît. Moi pas. J'avais une armada d'assistants qui se baladaient avec des tonnes de messages et je donnais des listes de choses à faire à tout le monde. Et puis j'annulais tout. J'étais le roi de l'annulation. La tangente de dernière minute – c'était ma botte secrète.

– Je n'ai jamais compris pourquoi les gens font ça.

C'est vrai et pourtant c'est un phénomène de plus en plus répandu chez ceux qui ont la prétention de viser la gloire.

Il fit une grimace.

– Moi non plus, franchement. Je crois que je me sentais piégé dès que j'avais accepté quelque chose, juste parce que ce n'était pas moi qui l'organisais. Plus la date approchait, plus je paniquais, et le jour même je décidais de ne pas y aller, en général sous un prétexte insensé et farfelu. Et tous les employés que je payais pour me lécher le cul me disaient que ça irait, que mon hôte comprendrait très bien. Donc, je ne me gênais pas.

– Quand cette période a-t-elle pris fin ?

– Quand plus personne ne m'a invité. Je pensais être quelqu'un de recherché quand je me suis rendu compte que j'allais seulement aux réceptions de célébrités et jamais aux endroits intéressants. Les hommes politiques, les artistes, les écrivains, les penseurs ne m'invitaient plus. Je n'étais plus fiable du tout.

Cette confession me fascinait car j'avais rencontré bon nombre de stars de cinéma ou d'animateurs télé qui s'étaient progressivement retirés de la société, en tout cas de la société des gens un peu intéressants et non des fans inconditionnels. En général, ils ne s'en aperçoivent même pas et continuent de croire qu'on recherche leur présence avec ardeur alors que c'est loin d'être le cas.

– Ma grand-mère disait qu'on ne peut faire le difficile que jusqu'à hauteur de sa propre valeur.

– Elle avait raison. C'est une règle que j'ai brisée et je l'ai payé. Je valais beaucoup moins que mon sale caractère.

Sa voix eut une nuance d'exaspération et exprima bientôt une peine sincère.

– C'est à ce moment-là que Joanna m'a quitté. C'était compréhensible. Elle m'avait épousé pour protester contre les règles de l'Establishment et elle se retrouvait avec un type qui faisait faire ses chemises pour qu'il y ait un écart de cinq millimètres entre la longueur des deux manches, qui n'achetait ses cravates qu'à Rome et qui ne pouvait faire ressemeler ses chaussures que chez un cordonnier bien précis de St James's Street. C'était devenu très embêtant. On ne peut pas lui en vouloir.

Je sentis qu'il fallait peut-être alléger l'atmosphère.

– Si je me rappelle bien ta belle-mère, elle a dû apprécier le changement que tu as connu. Le changement et la fortune.

Il m'a regardé pendant que le serveur apportait le premier plat.

– Tu connaissais bien Valerie Langley ?

– Non. Pour moi, c'était « la mère de Joanna », pas « Valerie ».

– Elle porte une lourde responsabilité.

Son ton n'était pas du tout enjoué. Je me demandais ce que j'allais pouvoir ajouter, mais il n'avait pas terminé.

– Tu te rends compte qu'elle nous a emmenés au Portugal uniquement pour nous faire rompre ? Tu imagines une mère faire ça à sa fille ?

Malheureusement, oui, si la mère en question est Valerie Langley mais, bon, je n'allais pas jeter de l'huile sur le feu et j'ai préféré changer de sujet.

– Je crois que tu t'es remarié après la séparation d'avec Joanna. Tu es toujours avec ta seconde femme ?

Il sursauta comme si mes paroles l'avaient surpris alors qu'il était occupé à faire quelque chose.

– Non. Nous avons divorcé. Il y a des années.

– Désolé. Ce n'était pas dans ta biographie.

Une nouvelle fois, il me regarda comme si je le forçais à discuter d'une contravention de 1953 infligée à un inconnu.

– Il n'y a pas à être désolé. Jeanne ne représentait rien.

Sa remarque était glaçante. Pas seulement par sa cruauté ; elle en disait peut-être trop sur sa solitude. Comme il avait déjà mentionné Joanna, j'ai pensé pouvoir le faire à mon tour.

– Comment va Joanna ? Vous êtes en bons termes aujourd'hui ?

Ma question parut le prendre par surprise et le ramener au présent. Mes paroles venaient de lui révéler autre chose que ce qu'elles voulaient exprimer.

– Pourquoi voulais-tu me voir ?

J'eus soudain l'impression d'avoir été pris en flagrant délit de vol à l'étalage ou, pire, pris à voler son goûter à un camarade.

– Je suis en mission.

– Quelle mission ? Pour qui ?

– Damian...

J'hésitai avant de poursuivre, en panne d'inspiration :

– Tu sais peut-être qu'il est malade...

– « ... et a bien l'air d'en mourir. »

Je trouvais plaisant qu'il cite *Richard III* dans ce contexte.

– Exactement. Il voudrait avoir des nouvelles de ses amis de l'époque...

Je ne savais pas du tout comment poursuivre.

– ... savoir ce qui leur était arrivé. Si la vie s'est bien passée pour eux. Enfin, tu vois. Un peu comme ce que tu disais sur ton passé et le fait que tu aimes en parler.

C'était une tentative désespérée pour les mettre un peu dans le même panier.

– Tous ses amis ou seulement certains de ses amis ?

– Certains seulement, pour l'instant. Il m'a demandé de l'aider parce qu'il a totalement perdu contact et que nous avions été très proches.

Kieran n'était pas homme à avaler ça, c'était un peu faiblard.

– Je suis stupéfait que toi, surtout toi, tu aies accepté un tel mandat.

C'était évidemment une remarque pertinente.

– Moi aussi, je le reconnais. Je ne voulais pas dire oui quand il m'a demandé au début, mais je suis allé le voir chez lui et je me suis senti...

Je n'arrivais pas à continuer – qu'avais-je donc ressenti qui ait pu annuler les effets d'une vie entière à le détester ? C'est Kieran qui trouva la réponse.

– Tu t'es dit que tu ne pouvais pas refuser parce que tu le voyais en train de mourir alors qu'avant de le voir tu te le représentais encore jeune.

– Quelque chose comme ça.

C'était effectivement quelque chose comme ça. Mais pas seulement. En plus de la pitié que j'avais ressentie pour Damian, j'avoue avoir peut-être perçu une sorte de tristesse plus large et générale en moi, une sorte de chagrin face à la cruauté du temps qui passe. En tout cas, Kieran avait réussi à me mettre mal à l'aise, et je me sentais honteux avec mes questions indiscrètes et mon œuvre caritative fictive à la noix.

– Quels « certains » ?

– Pardon ?

Je ne comprenais rien à sa phrase, on aurait dit quelqu'un qui apprenait à parler.

– Tu as parlé de « certains » amis de Damian. Lesquels ?

Je lui ai raconté quelles femmes étaient concernées. Il écoutait en mangeant ses œufs de lump, découpant le toast et étalant la substance rosâtre avec la précision méticuleuse qui indique qu'un homme vit seul. Ses manières n'avaient rien d'efféminé ni de tatillon et faisaient plutôt penser au soin et à la discipline militaires. Il termina son assiette avant de reprendre la parole :

– Est-ce que cela a quelque chose à voir avec mon fils ?

Ses paroles me firent l'effet d'un coup de poing à l'estomac. Je me suis même senti carrément nauséeux et, pour un peu, j'aurais pu me trouver mal. Et puis je me suis dit qu'il était temps d'être franc. De toute manière, j'étais à peu près aussi opaque pour Kieran qu'une vitre en verre feuilleté. Après avoir respiré un grand coup, je pus lui avouer :

– Oui.

Il se mit à y réfléchir et paraissait retourner l'information dans tous les sens, comme un amateur de porcelaine peu convaincu par le prix qu'on lui demande pour une pièce ancienne. Et puis il parvint à une décision dont il me fit part.

– Je préfère ne plus en parler ici. Est-ce que tu as le temps de passer à la maison pour le café ?

– Oui.

– Alors on fait comme ça.

La personne qui n'hésitait pas à se critiquer et à se livrer disparut alors sous mes yeux et il adopta une posture sophistiquée, affable et gracieuse, et bavarda avec désinvolture, parlant des pays qu'il aimerait bien visiter, évoquant sa déception face au gouvernement, s'interrogeant sur les excès du mouvement écologique. Puis il paya le repas et, en sortant de l'hôtel, me conduisit jusqu'à une grande Rolls-Royce avec chauffeur, qui tenait la porte du véhicule.

Kieran me dit avec légèreté en montrant la voiture : « Parfois, la tradition a du bon » et nous sommes montés dedans.

Nous sommes allés jusqu'à un de ces nouveaux blocs, assez laids je dois dire, construits à côté de Vauxhall Bridge. Je n'avais jamais pénétré dans un de ces immeubles et je me posais des questions sur ce choix de demeure. Je devais m'imaginer qu'il habiterait un ravissant manoir dans Chelsea bâti à l'origine pour un joyeux gentilhomme cultivateur vers 1730 et valant assez aujourd'hui pour combler le déficit d'une ville comme Madrid. Mais, en sortant de l'ascenseur au dernier étage et en entrant dans son appartement – même si le terme paraît bien faible –, je compris immédiatement. Au bout d'un vestibule gigantesque qui correspondait à la taille d'un des côtés du bâtiment, dix mètres de large et je ne sais combien de long, se trouvait uniquement un vaste salon. Sur trois murs, de très grandes fenêtres offraient une vue de Londres inégalée, sauf par la London Eye. Je baissai le regard pour apercevoir la Tamise nocturne ondoyer, parsemée de minuscules bateaux qui papillotaient avec leurs lueurs colorées, les voitures, microscopiques, filant sur des routes en forme de rubans, les passants miniatures, petits points que je voyais sous les lampadaires courir sur les trottoirs. J'avais l'impression de voler.

L'intérieur n'était pas moins formidable. L'endroit était rempli des objets les plus merveilleux que j'ai vus dans une demeure particulière. Normalement, dans une maison de famille, même la plus somptueuse, on trouve nécessairement parmi les plus belles pièces une paire de fauteuils tapissés par tante Joan ou un souvenir du Soudan rapporté par papa. Mais pas là. Deux tapis assortis de la Savonnerie recouvraient le parquet luisant et le mobilier était si magnifique qu'on l'aurait cru déménagé de divers grands palais d'Europe. Les tableaux étaient des paysages plutôt que des portraits, et si je trouve cela parfois un peu tristounet, il s'agissait ici de petits joyaux du genre : des paysages de Canaletto, du Lorrain, de Gainsborough, de Constable et d'autres que je ne peux que deviner. Un ravissant portrait d'Angelica Kauffmann, *La Princesse de Monaco*, me plut particulièrement. Kieran avait vu que je l'admirais et remarqua :

– Je n'aime pas les portraits, d'ordinaire, je les trouve ennuyeux. J'ai acheté celui-ci parce qu'il me rappelait Joanna.

Il avait raison. Il y avait une ressemblance. C'était Joanna avec un chapeau large, décoré de fleurs, habillée à la mode décontractée des années 1790, et cela respirait l'insouciance – jusqu'à ce qu'on se rappelle soudain qu'il ne lui restait que trois ans avant la mort affreuse qui l'attendait. La malheureuse princesse était montée dans la toute dernière charrette de la Terreur. Les officiers qui conduisaient le convoi vers la guillotine avaient entendu éclater l'émeute du coup d'État le 9 thermidor mais, malheureusement pour leurs passagers, ils avaient décidé d'aller au bout du funèbre voyage : si le régime tombait, personne ne leur en voudrait d'avoir obéi, mais si Robespierre gardait le pouvoir, il les ferait exécuter pour avoir épargné les victimes. C'était un raisonnement valable.

J'admirais la cheminée très travaillée au-dessus de laquelle figurait le tableau. Kieran m'expliqua qu'elle faisait partie des trésors disséminés d'une grande maison démolie quand j'étais plus jeune, éparpillant ainsi une multitude de portes et de cheminées, de balustrades et autres éléments livrés au pillage quand elle avait mordu la poussière dans cette terrible période des années 1950. La famille propriétaire existe encore et se satisfait d'une charmante petite orangerie reconvertie.

– Tu as le droit de faire du feu dans un bâtiment tout neuf comme ça ?

– Bien sûr. Je voulais l'appartement du dernier étage pour que je puisse y mettre une cheminée. Un salon sans cheminée, c'est plus un salon, non ? Ils n'ont pas fait trop de difficultés.

On aurait dit qu'il parlait simplement de refaire la salle de bains.

Ce n'était pas la première fois que je me demandais quel effet cela faisait d'être immensément riche. Certes, nous sommes tous immensément riches comparé aux habitants d'une bonne partie de la planète et je ne voudrais pas avoir l'air de le méconnaître. Mais cela doit être très particulier de ne se priver d'acheter, de manger ou de boire quelque chose pour l'unique raison qu'on n'en a pas envie. À cela, certains répondent : « Ça serait tellement ennuyeux ! » Je n'en suis pas si sûr ; on n'éprouve pas de lassitude à avoir l'eau chaude tous les matins, un repas savoureux tous les soirs, de dormir dans de bons draps, de vivre dans de beaux endroits et de collectionner de beaux tableaux. Alors je ne vois pas pourquoi obtenir tout cela d'un claquement de doigts serait le moins du monde ennuyeux. Je crois que j'adorerais ça.

– Tu as une maison à la campagne ? demandai-je.

– Non, répondit-il sur un ton tolérant et avec un petit rire, comme pour dire que j'aurais dû connaître la réponse. J'en suis passé par là mais c'est fini, tout ça. À un moment, je possédais un domaine dans le Gloucestershire, un autre en Écosse, un appartement à New York, une villa en Italie près de Florence et une maison à Londres près de Cheyne Row. Quand j'y allais, j'arrivais, je m'énervais à propos de tout ce qui n'avait pas été fait correctement et je repartais. Je ne restais nulle part plus de trois jours, donc je n'ai jamais dépassé le stade des récriminations. Mais la maison des Cotswolds me manque vraiment...

Un petit nuage de nostalgie sembla l'envahir.

– La bibliothèque était une pièce magnifique, une des plus belles que j'aie vues et *a fortiori* habitées. Mais bon. C'est fini, tout ça. Ça ne sert à rien.

Je ne sais pas trop ce qu'il voulait dire par là, mais je le laissais secouer la tête, comme pour chasser ces images qui le dérangeaient par leur complaisance. Il avait demandé du café quand nous étions dans la voiture et un domestique discret vint nous l'apporter. Une nouvelle fois, j'avais l'impression d'être dans une comédie de Frederick Lonsdale. Je m'étais vraiment demandé ce que j'allais voir du monde moderne en acceptant les quelques deniers de Damian. C'était peut-être un choc de découvrir qu'un certain mode de vie, dont on n'avait cessé de nous dire pendant les années 1960 qu'il était en train de mourir, était en fait tout à fait vivant et peut-être même plus courant qu'à l'époque. Je me considère comme ayant une certaine aisance et j'ai passé pas mal de temps dans des demeures qu'on peut estimer enviables, mais je commençais à comprendre qu'il ne s'agissait pas, comme avant, de quelque rare millionnaire vivant comme à l'époque edwardienne et diffusant l'électricité pour laquelle nous lui sommes redevables, mon cher. Non, aujourd'hui, il existe toute une classe de gens très riches aussi nombreux qu'à l'époque georgienne et dont le mode de vie est toujours luxueux. La seule différence, c'est qu'à l'heure actuelle tout se passe derrière des portes opaques qui facilitent la représentation erronée qu'en font les médias. Le résultat, c'est que la grande majorité ignore totalement l'existence de ce nouveau groupe de riches vivant sur un grand pied, comme leurs prédécesseurs d'il y a un siècle, mais qui, à la différence de leurs prédécesseurs, ne s'occupent en rien de ceux qui sont moins fortunés. Cette nouvelle espèce ne ressent pas le besoin de diriger les masses publiquement, mais seulement dans l'ombre du trône.

Je servis une tasse de café, assis sur une bergère tapissée, j'imagine, vers le milieu du XVIIIe siècle. Il valait mieux démarrer pour de bon. J'ai donc repris là où nous avions cessé la conversation :

– Comment va Joanna ?

Kieran me fixa longuement. Même lui devait comprendre que c'était là où je voulais aller.

– Joanna est morte.

– Quoi ?!

– Et d'une manière assez affreuse. On l'a retrouvée dans des toilettes publiques, près de Swindon, avec une seringue vide à côté d'elle. Elle a fait une overdose d'héroïne. Quand la police l'a trouvée, ils ont estimé qu'elle était morte depuis cinq jours. C'est l'odeur qui les a alertés et, étant donné les lieux, ça devait être plutôt fort avant que ça se remarque.

C'est à ce moment-là que j'ai compris que Kieran de Yong était un homme qui vivait dans le tourment, hanté par cette image tragique d'une femme qu'il avait aimée beaucoup plus qu'il ne l'aurait imaginé au début. Il devait constamment avoir présent à l'esprit cette image sordide et horrible, sauf peut-être pendant le sommeil – et encore, je ne pense pas que ses rêves l'aient laissé tranquille à cet égard. J'ai compris que, s'il avait accepté de me voir, c'est parce que parler de Joanna ou penser à elle était tout ce qui l'intéressait. Quand nous nous sommes rencontrés, il s'était rendu compte qu'il ne pouvait pas entamer la conversation sans me mettre au courant et il lui était impossible de faire ce récit dans un restaurant bondé et bruyant. S'étant acquitté de cette tâche, il parut presque détendu.

Quand on apprend une nouvelle particulièrement choquante, il arrive que le cerveau ait besoin de quelques secondes pour l'intégrer. Je me rappelle un tremblement de terre en Amérique du Sud où je voyais les objets et les livres faire des bonds, et il m'avait fallu quelques instants avant que mon cerveau ne m'explique ce qui se passait. C'est très exactement ce qui m'arrivait là. La ravissante, la charmante Joanna Langley était morte, et d'une façon évoquant davantage les créatures abandonnées, perdues et oubliées qu'une enfant chérie des dieux.

– Ah.

Pendant un instant, j'ai cru que j'allais éclater en sanglots et, en regardant Kieran, j'ai vu qu'il n'en était pas loin non plus. Et puis il s'est repris. Enfin, il a hoché la tête comme si mon exclamation avait été un véritable commentaire. Certains décès ont quelque chose de paisible et sont porteurs d'une sorte de réconfort qui aide les proches à surmonter le chagrin. Pas dans le cas de Joanna.

– Ça s'est passé quand ?

– Octobre 1985. Le 15. Nous nous étions séparés deux ans auparavant, comme tu le sais, et nous ne communiquions plus, sauf concernant Malcolm parce que nous étions... disons, en discussion. Enfin, en désaccord. Et même, on se battait.

Après cette gradation, il fit un geste de désespoir de la main.

– Mais, avec le jugement, qui était enfin une décision, j'ai eu le sentiment qu'on pourrait avancer et qu'on allait tous les deux s'en sortir.

– Et ça ne s'est pas passé comme ça.

– Et non.

– Vous vous battiez à quel propos ?

On pourrait penser, sur le papier, que je me mêlais de ce qui ne me regardait pas mais, au cours de la soirée, nous nous étions rapprochés, comme on dit, ou j'en avais du moins l'impression, et ma question ne paraissait pas du tout indiscrète. Il passa la main dans son enviable chevelure et m'expliqua :

– Joanna avait beaucoup de problèmes, tu l'auras compris vu les circonstances de son décès. Je voulais avoir la garde de Malcolm. Je ne voulais pas qu'elle en soit privée, pas du tout...

On sentait clairement que la culpabilité pour la mort de sa femme le rongeait comme une maladie encore vingt-trois ans après. Il reprit :

– Je pensais seulement qu'il s'en sortirait mieux en vivant avec moi qu'avec sa mère qui l'aurait traîné n'importe où. Et puis j'avais plus d'argent qu'elle à ce moment-là.

– Ah bon ?

– Alfred avait tout perdu dans une crise de l'immobilier quelques années auparavant et il ne leur restait plus grand-chose. Leur vie avait radicalement changé par rapport à notre époque. Ils étaient complètement fauchés et vivaient dans un appartement près de Streatham.

Je vis soudain de nouveau très nettement Mrs. Langley avec ses bijoux étincelants, au bord de la piste de bal, agitée comme un furet, en train de guetter la moindre étincelle d'intérêt du vicomte Summersby pour sa fille. Je ne l'avais jamais beaucoup aimée, mais j'étais quand même désolé pour elle. À l'époque, personne n'aurait pu imaginer une telle destinée.

– Ce n'était pas qu'une question d'argent. Joanna était très déçue de la situation de notre époque. Elle croyait que nous devrions tous être en train de vivre dans une sorte de Népal spirituel, à fumer de l'herbe et à chanter les paroles de *Hair*. Pas à toucher des allocations dans la Grande-Bretagne de Mrs. Thatcher.

– C'est comme ça que pensaient beaucoup de gens de notre génération. Il y en a même qui sont ministres aujourd'hui.

Je ne pouvais pas faire barrage : Kieran avait une histoire à raconter et il irait jusqu'au bout.

– Et puis, bien sûr, de son point de vue, j'étais au sommet de ma folie perfectionniste, je hurlais s'il y avait un faux pli sur une chemise, je virais des domestiques parce que les couverts n'étaient pas bien rangés dans les tiroirs... De ce côté-là, elle n'y est pour rien.

Cet effort pour être tout à fait équitable vis-à-vis de sa femme n'était pas seulement admirable, il était poignant. Il soupira de nouveau :

– Bref, nous nous sommes battus comme des chiffonniers pour notre fils. Elle disait que j'allais l'empoisonner avec des idées fascistes. Je lui rétorquais qu'elle allait l'empoisonner avec sa drogue. On s'est déchirés, ça n'arrêtait pas. Et puis un jour, elle a lâché la bombe qu'elle gardait en réserve. On était à table au petit-déjeuner. C'était une ambiance étrange, électrique, celle des couples qui vivent encore ensemble mais plus pour longtemps. On était totalement silencieux, et puis elle m'a regardé et j'ai vu qu'elle allait dire quelque chose. Je m'attendais à une insulte ou une autre, donc je ne lui ai pas demandé ce qu'elle voulait. Elle en a eu marre et elle a lâché le morceau.

– Qui était ?

– « Malcolm n'est pas ton fils. »

– C'est ce qu'elle a dit ?

– Textuellement. « Malcolm n'est pas ton fils. »

Kieran s'interrompit et me laissa digérer ses paroles. Était-ce donc là que ma quête s'arrêtait ? C'était étrange d'avoir atteint ainsi ma destination, et en même temps, il y avait quelque chose de réconfortant à ce que la mort de Joanna soit partiellement rachetée par la reconnaissance du fils par son vrai père. Enfin. Même s'il était assez décevant que la fortune de Damian finisse dans l'escarcelle de la seule famille d'Angleterre qui ne s'en apercevrait même pas.

Kieran n'avait pas terminé.

– Tu as parlé de cette soirée au Portugal...

– Oui.

Je me doutais que le Portugal aurait quelque chose à voir avec tout ça.

– Elle m'a raconté qu'elle était allée voir le père de son garçon là-bas et qu'elle avait couché avec lui une fois de retour à Londres. La nuit même du retour. Dès que nous sommes rentrés de l'aéroport, nous nous sommes disputés à propos de ce séjour idiot et elle est sortie... De toute évidence, elle parlait de Damian.

Kieran dut se méprendre sur ma réaction et, de peur que je ne me sente blessé, il s'empressa d'ajouter :

– Elle t'a toujours beaucoup apprécié, mais...

Comment allait-il s'en sortir ? C'était à moi de l'aider.

– Je ne l'intéressais pas.

Inutile de discuter, après tout, nous savions tous les deux que c'était la vérité.

– Pas sur ce plan-là, admit-il. Quant aux Tremayne, Joanna n'en avait rien à faire. C'était forcément Damian.

Il dut s'arrêter. Visiblement, même s'il avait déjà exploré ce terrain, c'était toujours aussi douloureux.

– Et j'étais là, avec un toast dans une main et une tasse de café dans l'autre, à l'écouter foutre ma vie en l'air. Ça ne m'a pas fait du bien quand elle m'a dit ça. Pas du tout.

– J'imagine.

– Ce n'était pas seulement à cause de notre fils, c'était toute notre vie commune qu'elle détruisait. C'était comme un verdict avec effet rétroactif. Elle parlait d'une époque où nous n'étions mariés que depuis un an, je pensais que nous étions heureux à ce moment-là. J'étais contre ces vacances au Portugal, j'avais peur qu'elle ne soit rattrapée par un univers qui n'était à mon avis, pas bon pour elle.

– Mais vous y êtes allés parce que sa mère vous y a forcés. Et au retour, elle couchait avec Damian...

Je commençais à comprendre sa détestation viscérale envers Damian.

– En gros, c'est ça. Au point où nous en étions de nos démêlés, ça lui faisait plaisir de me lancer ça à la figure parce que c'était un moyen de sauver son fils de mon influence, d'une vie de milliardaire cinglé. Elle pensait que cela réglerait tout. Que j'abandonnerais et lui laisserais le champ libre, que Malcolm irait avec elle et que je resterais seul à compter mon argent et à me lamenter.

– Ce n'est pas ce qui s'est passé ?

– Eh non ! C'est moi qui avais reconnu l'enfant ! Nous étions mariés quand il était né et quand il avait été conçu. Je l'aimais et c'était mon fils !

Il avait presque crié en prononçant ces mots, comme s'il avait été au beau milieu de la dispute avec Joanna. En voyant ma réaction d'étonnement, il se reprit et répéta ses paroles sur un ton plus doux. Ce qui me toucha. N'importe qui aurait été touché.

– Je l'aimais et c'était mon fils. Même devant le juge, pour moi, ç'aurait été un argument suffisant.

J'imaginais bien qu'il avait avancé cet argument s'il était resté en contact avec lui. Et vu ce qu'il disait, cela me semblait évident.

– Et cet argument a tenu ?

– J'ai fait faire un test de paternité. Je voulais savoir comment se présentait la bataille.

Il me regarda avec une certaine férocité qui me fit sympathiser avec Joanna car elle avait dû avoir affaire à forte partie. Je ne crois pas qu'on puisse connaître une réussite comme celle de Kieran sans avoir une certaine fermeté quelque part.

– Quand j'ai eu les résultats du test, en définitive, Malcolm était bien mon fils.

L'impression d'avoir tout résolu s'évanouit en un instant.

– Comment l'a-t-elle pris ?

Il leva les yeux au plafond.

– Qu'est-ce que tu imagines ? Elle n'était plus capable de réfléchir normalement. Elle disait qu'elle ne me croyait pas, que j'avais truqué les résultats, etc. Je te laisse imaginer le laïus.

Je voyais très bien.

– Bref, on a fait d'autres tests, réalisés par des gens qu'elle avait choisis et, évidemment, les résultats ont été exactement les mêmes, mais elle était de toute manière à un point où elle s'effondrait.

Il se tenait debout et regardait par la fenêtre. Sa silhouette se découpait sur le ciel de velours bleu nuit épinglé d'étoiles. Il continuait à s'adresser à l'obscurité, à peine conscient de ma présence.

– Comme c'était prévisible, elle ne s'était pas vraiment présentée comme une femme rationnelle avec ses hurlements et ses crises. Cela n'a donc pas été une surprise quand le juge m'a donné la garde, avec des droits de visite pour elle, ce qui était plus que ce que j'avais demandé. Nous avons eu la décision en septembre 1985.

– Et le mois d'après, elle se suicidait.

– Elle se suicidait ou faisait une overdose accidentelle...

Il soupira longuement, son ancienne colère était complètement oubliée.

– De toute manière, elle était morte. Ça a fini comme ça pour Joanna. Et ça ne servait à rien, en plus. Malcolm avait 14 ans. Je n'aurais pas pu contrôler le fait qu'il la voie, ou pas plus d'un ou deux ans, même si je l'avais voulu – et je ne le voulais pas.

Certaines décisions sont si difficiles à déchiffrer. Qu'elles soient individuelles ou nationales, on ne les comprend pas toujours. Pourquoi Napoléon a-t-il envahi la Russie ? Pourquoi Charles Ier n'a-t-il pas accepté la paix quand on la lui offrait ? Et pourquoi Joanna Langley s'est-elle enfuie pour épouser cet homme quand il n'était qu'un individu grotesque et angoissé et l'a-t-elle quitté au moment où il commençait à s'affirmer et à réussir ? Pourquoi a-t-elle voulu provoquer un tel déchirement chez son enfant au moment où il était assez grand pour faire son propre choix entre ses deux parents et leurs philosophies si antinomiques ? Pourquoi a-t-elle sombré dans la dépression qui devait lui donner la mort alors qu'elle n'avait en fait rien à craindre ?

– Ce que je ne comprends pas, c'est pourquoi personne n'a entendu parler de cette histoire. On ne trouve rien sur Internet.

– C'est essentiellement parce que j'ai consacré beaucoup de temps et d'argent à faire en sorte que personne n'en entende parler. J'ai agi pour que les journaux soient le plus discrets possible. Je ne t'expliquerai pas comment. Et j'ai quelqu'un qui travaille à plein temps pour passer Internet au peigne fin et éliminer les anecdotes qui ne me plaisent pas, y compris la moindre allusion à Joanna.

– Pourquoi ?

– Parce que je lui dois. J'ai détruit sa vie. Je ne veux pas qu'elle devienne un article à sensation une fois morte.

« J'ai détruit sa vie. » J'étais stupéfié par cette culpabilité sans pitié, si violente, si crue. Il ne s'autorisait aucune circonstance atténuante.

– C'est triste, fis-je avec toute ma sincérité.

J'étais vraiment triste. Je venais d'apprendre en quelques minutes comment le malheur avait frappé l'ensemble de la famille Langley. Dans mes pensées en proie au chagrin, le gentil Alfred et l'irritante et ambitieuse Valerie venaient d'être arrachés à leur piédestal doré où ils reposaient en toute sécurité dans mon esprit pour être jetés à terre, comme Don Juan, et retourner d'où ils venaient. Et Joanna, ma référence absolue en matière de beauté féminine, gisait, morte, le bras piqué de marques de seringue, ses cheveux sales étalés sur un sol en béton puant la pisse quelque part dans les Midlands.

– C'est très triste.

Je jetai un œil à ma montre. Il était temps que je parte. Je comprenais que Kieran avait saisi l'opportunité d'évoquer la femme qui l'avait quitté alors qu'il voulait l'avoir à ses côtés, et qui désormais ne quitterait plus jamais ses pensées. Il avait simplement voulu en parler avec quelqu'un qui l'avait connue, ce qui ne devait pas se présenter fréquemment, même pour lui. Il vit que je regardais l'heure.

– J'aimerais te montrer quelque chose avant que tu partes.

Quittant la somptueuse chambre des privilèges où nous nous trouvions, il me conduisit le long du corridor, passant devant des portes entrouvertes, où l'on devinait des pièces sublimes pour manger, lire et s'adonner à d'autres plaisirs, avant d'arriver à la dernière porte du couloir. Il l'ouvrit et me fit pénétrer dans ce que j'imaginais être une sorte de pièce de travail, avec un fauteuil confortable et un bureau. Je devinais que c'était le lieu où Kieran travaillait pour de vrai, par opposition à la splendide bibliothèque que j'avais entraperçue où il devait feuilleter des papiers auprès d'une secrétaire en train de prendre des notes. Il y passait sans doute du temps, autant qu'il le pouvait, même. Et pas parce que l'endroit était calme ou bien rangé. C'était surtout parce qu'il s'agissait d'un véritable sanctuaire. Les quatre murs étaient recouverts de photographies encadrées, l'un uniquement avec Joanna. La Joanna que j'avais connue, jeune et absolument exquise, et puis Joanna un peu plus âgée et encore un peu plus, mais jamais vraiment âgée. Joanna à 30 ans, visiblement épuisée, plus soucieuse et ridée qu'elle n'aurait dû. Joanna à 33 ans, à la sortie du tribunal pendant le divorce : c'était l'image brute de son affliction, généreusement prise par un paparazzi travaillant pour un torchon du soir mais sans doute jamais publiée. Joanna à 35 ans, assise à côté de son fils en train de rire. Kieran regardait les photos avec moi.

– Celle-ci a été prise par un ami à elle. Malcolm était venu déjeuner chez elle et il y avait cet ami qui a pris la photo. C'est la dernière photo d'elle. Il lui restait moins d'une semaine. On ne croirait pas.

– C'est vrai.

Je scrutais son sourire et son regard exténué. Je me pris à espérer que cela avait vraiment été une belle journée pour elle, cette dernière fois avec son fils bien-aimé. Je cherchais sans les trouver des photographies de presse relatant son décès. Malgré ce que Kieran avait dit, j'étais surpris de n'en trouver aucune.

– Et il n'y a pas eu le moindre article sur l'événement ? Je ne comprends toujours pas comment tu as pu empêcher que quoi que ce soit paraisse – même dans les journaux locaux.

– Ça a fait quelques petites étincelles mais ça n'a pas pris.

– Je n'ai rien trouvé sur Google. Il n'y a vraiment rien sur elle après votre séparation.

Kieran avait une explication.

– Elle a utilisé mon vrai nom après le divorce. C'est le nom qu'on a trouvé dans son sac. J'ai fait en sorte que personne ne fasse le lien.

Et il ajouta après une légère hésitation :

– Tu trouveras un récit de l'événement si tu tapes Joanna Fuckh.

– Fuckh ?

J'étais heureux de pouvoir encore trouver quelque chose de drôle. Kieran sourit timidement.

– Pourquoi crois-tu que j'ai toujours gardé le nom « de Yong » ?

– Je me demandais, oui. Et le nom de jeune fille de ta mère ?

– Secks, dit-il en soupirant, tu te demandes, des fois...

– Je vois : il y en a qui ont de la chance.

Nous avons ri ensemble.

J'avais commencé à observer les autres murs de cette pièce consacrée à une étoile. On voyait Joanna avec Kieran jeune, avec son affreuse coiffure blondasse et vêtu d'une intarissable garde-robe composée des vêtements les plus horribles au monde. On apercevait ensuite Kieran adulte, Kieran devenu important, Kieran serrant la main à des présidents et des monarques, Kieran portant des costumes de plus en plus beaux. Et auprès de Kieran, partout où le regard se posait, des photos de son fils.

Malcolm sur la photo de classe de maternelle, Malcolm en train de nager, sur son vélo, Malcolm à cheval, Malcolm en train de bouder, encadré par ses parents et rechignant à participer à la journée de présentation de son école privée. Malcolm au ski, à l'université, à la remise des diplômes, le visage grave, Malcolm en randonnée.

– Il fait quoi, maintenant, Malcolm ?

Kieran ne répondit pas tout de suite. Puis il prit le ton le plus aimable qu'il réussit à maîtriser pour me répondre :

– Il est mort, lui aussi.

– Quoi ?

Je ne connaissais pas ce garçon du tout et son père à peine mais j'avais l'impression qu'on venait de me gifler avec une crosse de revolver.

– Rien de terrible. Pas comme sa mère.

Cette fois-ci, je voyais ses yeux s'humidifier, même s'il parvenait à garder le contrôle de sa voix.

– Tout allait bien pour lui. Il avait 23 ans, il venait de commencer son travail à la banque Warburg et il n'arrivait pas à se débarrasser d'une mauvaise grippe. On s'est dit qu'il fallait faire des examens.

Il respira un grand coup, il revivait ce moment terrible.

– Je l'ai emmené à l'hôpital pour faire les examens, et sept semaines plus tard, il était mort.

Il se passa rapidement la main sur le nez pour essayer sans y parvenir de contenir ses larmes. Il continua à parler, plus pour se donner une contenance que pour m'informer.

– Et puis, voilà, c'était tout. J'ai mis du temps à me rendre compte de ce qui s'était passé. Ça n'est pas venu tout de suite. Quelques années plus tard, je me suis même remarié.

Il considérait l'absurdité de la vie, dépité.

– Évidemment, ça n'avait aucun sens et ça n'a pas duré. J'ai commis une erreur, vois-tu. Celle de croire que je pouvais continuer à vivre.

Il me regarda de nouveau, puis soupira, comme s'il avait enfin dit ce qu'il avait à me dire.

– Bref, après m'être débarrassé de Jeanne, j'ai vendu les maisons et le reste, et je suis venu m'établir ici. J'ai pris pas mal de choses, comme tu l'as vu. Je n'avais pas complètement abandonné.

– À quoi ressemble ta vie ?

– Oh...

Il réfléchit un instant, comme si la question était curieuse et qu'il avait du mal à y répondre.

– J'ai encore pas mal de choses en cours et je trouve intéressant de financer la recherche, contre le cancer surtout. J'aimerais penser que cela pourrait éviter que cela n'arrive à quelqu'un d'autre. Et puis je m'intéresse à l'éducation, ou plutôt à son absence. Si j'étais né aujourd'hui, j'aurais fini serveur dans un pub de Chelmsford. Ça me fait de la peine, tous ces gamins qui n'auront jamais la chance d'évoluer.

Cela avait l'air de lui faire plaisir d'évoquer ces questions et le rôle qu'il voulait y jouer. Il en avait bien le droit.

– Et puis, sinon, je lis. Je regarde beaucoup la télévision, j'aime beaucoup ça – personne ne l'admet jamais.

Il tenta de sourire mais y renonça.

– Tu comprends, quand ton enfant unique est mort, toi aussi, tu es mort.

Il s'arrêta, comme pour noter la justesse de sa propre remarque.

– Ta vie est finie. Tu n'es plus le parent de personne. Tu n'es plus rien. C'est terminé. Tu attends juste que ton corps en soit au même point que ton moral.

Il s'arrêta de parler et nous sommes restés sans rien dire, dans ce sanctuaire d'amour. Kieran pleurait ouvertement maintenant, et les larmes dévalaient le long de son visage, laissant des traces humides sur les revers de sa veste de luxe. Moi aussi, je pleurais. Nous n'avons plus rien dit et pendant quelques minutes nous n'avons même pas esquissé le moindre mouvement. C'était un bien étrange spectacle : deux hommes un peu enrobés, plus tout jeunes, vêtus de leurs beaux costumes de Savile Row, debout, immobiles, en train de pleurer.

Terry

11

Après une soirée comme celle-là, on comprendra aisément que j'aie eu besoin de prendre un peu l'air. Kieran proposa que son chauffeur me ramène mais je voulais marcher et il n'insista pas. Nous nous sommes serré la main, comme de vrais Anglais, comme si ce moment de déchirement émotionnel n'avait jamais existé, comme si rien ne s'était vraiment passé et que les traces laissées par nos larmes avaient une autre explication beaucoup plus banale et plus acceptable. Nous nous sommes fait les habituelles promesses de se revoir que l'on se sent obligé de faire. Pour une fois, j'avais envie que cela se produise même si c'est improbable. Ensuite, je suis parti en direction des quais.

Le trajet était long pour rentrer et il faisait froid, mais je ne m'en rendais pas compte. En marchant, je pensais à Joanna, à la fois pour revivre mes souvenirs et les laisser reposer. J'étais content d'avoir eu l'occasion de réviser mon jugement concernant Kieran, même si je savais que plus personne ne pouvait l'aider. J'avais l'impression d'avoir rencontré une belle âme. En quittant Gloucester Road pour rejoindre Hereford Square, j'étais plongé dans ces pensées mélancoliques quand j'ai entendu un hurlement puis des rires et des cris et quelqu'un en train de vomir. J'aimerais pouvoir écrire que j'étais déconcerté d'entendre ce qui ressemblait au bruit d'une portion de *tikka masala* à emporter en train de faire des flaques sur le trottoir, mais aujourd'hui il faudrait débarquer de Mars, et encore depuis très récemment, pour être surpris par ce genre de joyeusetés. Un groupe de jeunes hommes et femmes d'à peine 20 ans traînait dans un coin de la place, peut-être venaient-ils de sortir du Hereford Arms, le pub de l'autre côté de la rue, mais peut-être pas. Une femme avec une minijupe en cuir et des baskets était occupée à vomir avec l'assistance d'une autre femme aux cheveux trop noirs. Les autres attendaient la suite de leurs réjouissances du soir. Stupidement, je me suis arrêté pour les regarder.

– T'as un problème ?

L'homme qui s'était adressé à moi avait la tête rasée et toute une série de piercings sur l'oreille droite – il en avait tellement, c'était un miracle qu'il n'ait pas la tête qui penche.

– Mes problèmes ne sont rien comparé aux vôtres, répondis-je.

J'ai tout de suite regretté d'avoir voulu faire le malin parce qu'il s'est avancé vers moi d'une manière peu amicale.

– Laisse-le, Ron. Il en vaut pas la peine, lança la fille aux cheveux noirs en se retournant.

On aurait dit qu'elle portait trois ou quatre jupons différents autour des fesses. Heureusement pour moi, Ron avait l'air d'accord avec elle et il repartit vers le groupe en me lançant un « Va te faire enculer » très sec mais un peu forcé, comme si c'était un rituel machinal, comme se dire bonjour quand on croise quelqu'un dans la rue d'un village. Et donc, avant qu'il ne change d'avis, j'ai suivi le sien.

Je ne fais pas souvent des trajets à pied de nuit, plus par paresse que par peur, mais quand cela m'arrive, je suis ébahi par les transformations qui sont survenues au cours de ma vie d'adulte. Le pire, ce ne sont pas les agressions, ni la délinquance, ni même la saleté environnante, les ordures non ramassées qui volettent, tournoient et s'amassent au pied des rambardes et des arbres dans l'attente qu'on s'en occupe. Non, ce sont surtout les gens ivres qui ont transformé l'atmosphère des rues, à Londres mais presque partout ailleurs, créant une menace pour les citoyens respectables. Ce genre d'ivresse autrefois symbole du malheur des opprimés et réservé à la Sibérie aux pires temps du règne de fer de Staline. Ou l'ivresse à laquelle succombaient les hommes séjournant au pôle Nord où les longues nuits d'hiver vous rendent fous. Mais pourquoi à Londres ? De quand cela date-t-il ? Autrefois, je pensais que seules certaines classes sociales étaient concernées, que cela avait à voir avec la misère. Mais c'est faux. J'ai récemment assisté à la fête d'anniversaire d'un jeune homme de 21 ans dans l'un des clubs les plus chics de St James's Street. Ce garçon était intelligent, avec je ne sais combien de lords dans sa famille, et je regardais ces gentilles jeunes filles et jeunes hommes se biturer tant qu'ils pouvaient, jusqu'à ce qu'ils titubent et/ou se mettent à vomir. En partant, j'ai entendu un plateau avec des verres se fracasser, ce qui fit rire tout le monde, et une fille portant une robe de soirée de couturier en crêpe chiffon violet m'est passée devant en courant avec la main sur la bouche en espérant arriver aux toilettes à temps. Dehors, un type avec des traces de vomi sur sa chemise de soirée urinait sur la voiture à côté de la mienne. Je crois que je suis parti au bon moment.

Il y a toujours eu des gens qui buvaient plus que de raison, mais, à mon époque, ces comportements étaient rares et toujours considérés comme sordides, écœurants et honteux. Il y a dix ans encore, ce genre d'ivresse était vu comme un accident, comme la regrettable conséquence d'une fête excessive, comme un égarement dont on devait s'excuser le lendemain. Aujourd'hui, c'est le but même de ces soirées. Quelqu'un peut-il m'expliquer comment on en est arrivé là ? Moi, je ne comprends pas. Certes, j'admets le charme de la « culture bistro » que nous avons prétendument encouragée, mais combien de temps une personne saine d'esprit peut-elle persévérer dans l'échec sans l'admettre ? À quel moment l'optimisme devient-il une erreur de jugement ? L'autre jour à la radio, une femme à l'esprit épais faisait la leçon à un animateur pétrifié et lui expliquait que boire pour se saouler était parfaitement normal et que le vrai problème, c'était les cinquantenaires petits-bourgeois qui, selon elle, se bituraient à la maison. Et l'animateur qui se faisait rudoyer était incapable de lui répondre que, même si c'était vrai, même si tous les *bons bourgeois** se cuitaient à mort et beuglaient des chansons à boire chaque soir dans leur salon, il n'y aurait aucun problème parce que ça ne sortait pas de chez eux. Pourquoi les dirigeants d'aujourd'hui sont-ils incapables de comprendre que leur boulot consiste à contrôler les comportements antisociaux mais pas les comportements privés ? À réguler les actes qui concernent autrui mais pas ceux qui ne concernent que nous-mêmes ? Il est parfois difficile de ne pas se dire que notre culture touche à sa fin, qu'elle végète dans son déni et tourne dans le vide.

Je suis arrivé à mon appartement. J'ai tourné la clé, ouvert la porte et plongé dans l'obscurité du célibat. J'ai pénétré dans le salon, allumé l'ensemble des lampes depuis l'interrupteur près de la porte. Je commençais seulement à m'habituer à l'idée que, quand je rentrais chez moi, tout serait exactement comme je l'avais laissé. Quand Bridget est partie, je dois dire que ça a été pour de bon. Quand je lui ai dit au revoir, je pensais qu'elle considérait la séparation comme temporaire et que j'allais recevoir des signes montrant qu'elle s'attendait à revenir. J'ai été injuste à cet égard. Elle avait dû décider que, finalement, elle était aussi contente d'être débarrassée de moi que moi d'elle. Ce sont des phénomènes étranges : on passe des mois et parfois des années dans la souffrance à ne pas savoir s'il faut en finir ou pas et, une fois la décision prise, vous êtes aussi impatient qu'un gamin la veille de Noël. On a même du mal à se retenir d'aider son ex à faire sa valise, de la mettre dans un taxi et de lui dire *bye-bye* le jour même. Cela devient vital qu'elle s'en aille, qu'on puisse commencer le reste de sa vie. « Je vais te manquer », m'a-t-elle dit en parcourant l'appartement à la dernière minute au cas où elle aurait oublié quelque chose.

– Je sais, ai-je répondu comme on doit le faire dans ces circonstances.

C'est le protocole qui veut ça, c'est comme pour le fameux : « C'est pas de ta faute, c'est ma faute. » Sur le moment, j'ai même cru qu'elle allait me manquer. Mais, finalement, pas tant que ça. En tout cas, moins que prévu. Je sais très bien cuisiner quand je décide de m'y mettre et j'ai la chance d'avoir une femme de ménage qui vient plusieurs fois par semaine, si bien que le véritable changement, c'est que je n'avais plus à supporter de longues et lugubres soirées avec quelqu'un qui ne me trouvait pas à la hauteur. Et c'était assez agréable. En fait, l'un des plaisirs quand on prend de l'âge, c'est de découvrir que ce qu'on craignait le plus, « vivre tout seul », se révèle en fait beaucoup plus plaisant qu'on ne le croyait. Pour nuancer un peu, je dirais que ce qui est triste, c'est d'être vieux et malade et tout seul, et il y a un moment où on voudrait éviter ce genre de fin.

J'imagine qu'une mort solitaire est encore plus effrayante pour ceux qui n'ont pas d'enfants et donc personne pour s'occuper de leur trépas, mais même pour ceux-là – dont je suis – il n'est pas désagréable de profiter de quelques moments de solitude avant d'arriver en vue de la dernière ligne droite. On mange ce qu'on veut, on regarde ce qu'on veut, on boit ce qu'on veut, youpi, et tout ça sans culpabilité et sans devoir se dépêcher au cas où l'on vous surprenne. Si vous êtes d'humeur à voir des gens, vous sortez ou sinon vous restez chez vous. Si vous avez envie de parler, vous prenez le téléphone, ou sinon vous restez tranquille et vous profitez de tout votre saoul d'un profond silence, non pas un silence de ressentiment, mais un silence de paix.

Bien sûr, ces axiomes ne valent que si vous sortez d'une relation non satisfaisante. Quand on est veuf après un mariage heureux, tout est évidemment différent. Je me souviendrai toujours de mon père qui, une fois seul, m'avait fait la remarque que, dans la même situation, certains se sentent enfin libres de s'adonner à leurs intérêts ou hobbies, ou de faire des choses que leur vie de couple avait empêchées, mais que lui n'avait rien gagné et tout perdu. J'avais trouvé que c'était un bel hommage à ma mère, qui le méritait encore plus qu'il ne le pensait. Mais pour un homme ou une femme libéré par une séparation longuement attendue, tout est différent. Bien sûr, on ressent des manques, l'activité sexuelle notamment, mais cela faisait longtemps que, entre Bridget et moi, c'était plus par obligation et pour ne pas vexer l'autre que par véritable intérêt. Je ne peux nier que l'idée de s'embarquer de nouveau dans des séries de rendez-vous sentimentaux pour remplir ce vide puisse être effrayante quand on a passé 50 ans. Mais même dans ces conditions, la liberté, c'est un concept qui est toujours séduisant.

Le lendemain matin, j'étais à mon bureau et je réfléchissais : malgré l'absence d'éléments probants dans cette recherche d'un heureux rejeton, je sentais que j'approchais de la conclusion. Il ne restait après tout que deux femmes, Candida Finch et Terry Vitkov. Ensuite, ma quête serait sans doute achevée. J'avais tout d'abord imaginé que je contacterais Candida en premier puisqu'elle se trouvait en Angleterre. Si elle était celle que je cherchais, cela signifiait que je pouvais éviter un déplacement un peu pénible à Los Angeles, il était donc logique que je commence par elle. Mais quand je composai son numéro, clairement imprimé sur la feuille fournie par Damian, je fus systématiquement accueilli, quasiment pour la première fois de cette aventure, par les politesses enregistrées d'un répondeur – d'autant plus irritantes que je ne cessais de laisser des messages, sans aucun résultat tangible. Je ne me sentais plus tellement à l'aise avec mon prétexte caritatif que Kieran avait démonté sans même le vouloir et, plutôt que d'inventer un nouveau mensonge, je décidai tout simplement de laisser mon nom en déclarant qu'elle m'aurait sans doute oublié, mais que nous étions autrefois amis, et si elle pouvait me rappeler quand elle aurait un moment. J'ai donné mon numéro, reposé le combiné et espéré que ça suffirait. Seulement, après trois semaines d'attente et une carte postale restée sans réponse, je ne savais plus trop quoi faire pour le service de mon maître. Ce n'est pas comme si nous disposions de beaucoup de temps pour négocier l'affaire.

– Va à Los Angeles, me conseilla Damian au téléphone. Fais une pause, reste là-bas quelques jours. Comme ça, tu t'occupes de Terry et tu te fais plaisir. Tu as un agent à Los Angeles ?

– Indirectement, il travaille avec mon agent de Londres mais je ne le connais pas.

– Hé, bah, voilà : invite-le à dîner. Invite des filles, sors-le, qu'il s'amuse à fond. C'est moi qui paie.

Je ne savais pas si je devais trouver cette façon de se montrer généreux odieuse ou bien s'il était vraiment généreux.

– Selon mon agent de Londres, il est gay.

– Encore mieux ! Flirte avec lui. Fais-lui croire qu'il est le seul homme que tu aies jamais trouvé séduisant. Demande-lui son avis sur n'importe quoi et remercie-le pour ses conseils. Et puis tu lui repasses un manuscrit inachevé, qu'il ait l'impression d'avoir une rareté entre les mains.

Ce genre de conseils me faisait comprendre douloureusement à quel point Damian connaissait les usages du monde mieux que moi.

Je lui avais raconté ma soirée avec Kieran de Yong, sans mentionner la fin mais suffisamment pour qu'il sache que j'avais apprécié Kieran et que son fils décédé n'était pas le fils de Damian. Il était resté silencieux au bout du fil avant de reprendre :

– Pauvre Joanna... Elle avait tous les avantages pour profiter de notre époque.

– C'est vrai.

– Si seulement elle avait été plus cynique. Elle est morte d'optimisme, en fait.

– Comme beaucoup d'enfants des *sixties*.

– Je suis content que vous vous soyez bien entendus, Kieran et toi, poursuivit Damian avec une générosité inhabituelle. Évidemment, moi, il ne peut pas m'encadrer.

– Et nous savons bien pourquoi.

J'hésitais à évoquer l'épisode troublant que j'avais à l'esprit et qui ne cessait de resurgir avec chaque détail de cette enquête.

– Est-ce que nous avions conscience de ce que tu faisais ? À Estoril ? Et tous les récits que j'entends, c'est vraiment la vérité ? Ou est-ce que ce sont des illusions rétrospectives ? Parce que j'ai bien l'impression que tu as couché avec toutes les filles de la région en l'espace de quelques jours !

– J'étais jeune.

Nous avons ri tous les deux.

Comme je l'ai mentionné, j'avais rencontré Terry pour la première fois au bal donné par Dagmar de Moravie. Lucy Dalton l'avait immédiatement détestée, et elle n'était pas la seule, mais ce n'était pas mon cas. Je ne me sentais pas non plus dingue d'elle mais, pour retourner la terrible formule de Kieran, elle n'était pas « rien du tout ». Elle possédait beaucoup d'énergie, de ce qu'on appelait autrefois le cran, et j'appréciais sa détermination, ainsi que celle de sa mère, car elles étaient toutes les deux bien décidées à se faire plaisir avant tout. Son père, que nous n'avons jamais beaucoup croisé, avait fait florès avec une agence de publicité, d'abord basée à Cincinnati, puis à New York sur Madison Avenue juste au moment où l'on découvrait le pouvoir de la publicité. Pendant les années 1950, beaucoup se contentaient de penser qu'un slogan à base de « Achetez cet article. Il est super ! » suffisait largement pour proposer le produit à un public reconnaissant. Mais, au moment de mon adolescence, le monde du marketing changea radicalement et entreprit d'envahir la civilisation entière. Jeff Vitkov avait vu venir cette nouvelle ère avant les autres. C'était un homme simple et sans prétention, brillant à sa manière, mais – du moins à nos yeux – sans aucun désir ou besoin compliqué, et il paraissait ne pas avoir la moindre ambition d'élévation sociale. Même après s'être installé à New York, il considérait Cincinnati comme son véritable chez-lui et il aurait bien continué à y vivre avec sa famille, en faisant des allers-retours à New York, en prenant ses vacances dans des hôtels confortables mais modestes si son épouse Verena n'avait pas fait la désagréable constatation que même leur vertigineux progrès financier ne leur avait pas apporté la reconnaissance sociale qu'elle désirait et qu'elle estimait, avec une certaine raison, lui être due. On croit parfois en Angleterre au fantasme selon lequel l'Amérique serait dénuée de classes sociales. Si on a un peu voyagé, on sait très bien que rien n'est moins vrai, surtout dans les villes de province où la structure hiérarchique peut se montrer impitoyablement résistante face à un nouveau venu. J'entendais récemment quelqu'un remarquer qu'il était plus facile d'avoir accès à la chambre du roi à Versailles qu'au cercle des notables de Charleston – et c'est tout aussi vrai pour le *gratin** de la plupart des villes américaines.

Il en a toujours été ainsi. L'une des raisons principales expliquant l'invasion de ces héritières américaines dans les années 1880 et 1890, qu'on a pu appeler les *Buccaneers*[1], est que bon nombre des filles à papa fortunées en avaient assez de voir les portes du beau monde claquer à leur nez chez elles à Cleveland, St Louis ou Detroit et préféraient l'accueil chaleureux que les Anglais bien nés ont toujours su offrir aux fortunes toutes neuves. Il est difficile de nier que la carrière de filles comme Virginia Bonynge, vicomtesse Deerhurst, qui débuta dans la vie comme fille d'un homme condamné pour meurtre

1. Le terme désigne initialement des pirates et, plus largement, toute personne dont la réussite se fait par des moyens douteux. *The Buccaneers* est le titre d'un roman inachevé de Edith Wharton (1937) décrivant la Saison de cinq jeunes Américaines riches et ambitieuses.

dans le Middle West, semble confirmer que la vie était plus facile de ce côté de l'Atlantique. Inutile de préciser que c'était l'occasion de douces revanches lorsque les mères de la duchesse de Manchester ou la comtesse de Rosslyn ou lady Randolph Churchill et beaucoup d'autres revenaient aux États-Unis triomphantes pour bien mortifier les consœurs qui les avaient snobées. Je soupçonnais ce genre d'arrière-pensées chez Verena Vitkov quand elle avait décidé à la fin de 1967 de faire faire la Saison londonienne à sa fille.

Si elles en avaient besoin, les mères des jeunes filles disposaient de plusieurs options pour compenser les nombreuses dépenses. L'abondance ne régnait plus comme avant la guerre où étaient organisés trois ou quatre bals chaque soir à Londres. Tant que la présentation avait existé, il y en avait eu une demi-douzaine par semaine. À mon époque, deux ou trois. Et, quinze ans après, à peine une dizaine pour l'ensemble de la Saison. Même en 1968, certaines filles ne proposaient qu'un cocktail et pas de bal. D'autres organisaient les deux mais partageaient le bal avec une autre fille et cela n'était pas mal vu. Serena Gresham a ainsi partagé son bal de débutante avec sa cousine, Candida Finch, surtout parce que c'était lady Claremont qui finançait les deux. Mais, dès le début, Terry Vitkov a tenu à rechercher la perfection et j'imagine bien qu'elle y a été encouragée par sa mère, la farouche Verena. Le cocktail s'était déroulé à l'hôtel Goring, dans Belgravia, au début de la Saison, avant qu'elles n'aient vraiment trouvé leur place et avait été assez ordinaire. Mais, pour le bal, elles voulaient rendre l'événement mémorable – ce qui fut bel et bien le cas, mais pas de la manière souhaitée, comme vous allez le comprendre. En toute honnêteté, l'endroit était original : Mrs. Jeffrey Vitkov, selon la formulation de l'invitation, « recevra, en l'honneur de Terry, au musée de cire de Madame Tussauds, Euston Road ».

Je ne sais pas s'il est encore possible de louer le musée pour une fête privée – pas seulement une salle, ou une galerie réservée aux réceptions, mais l'ensemble de l'édifice et de son contenu. J'en doute ou alors à un prix prohibitif pour les non-milliardaires. En tout cas, il y a quarante ans, c'était possible. Il y avait aussi moins de risques qu'aujourd'hui, notamment parce que nous étions respectueux des lois. Nous étions plus soigneux. La délinquance des classes bourgeoises était très rare. On a entendu cent fois qu'« avant, en province, on ne fermait même pas la porte à clé de sa maison », mais c'est vrai ! On ne fermait pas quand on allait faire une course. Quand on rentrait chez soi, le soir, à Londres, c'était sans la moindre inquiétude. Le vol à l'étalage n'avait pas du tout bonne réputation – c'était du vol, un point, c'est tout. Quant aux agressions physiques, elles n'avaient même pas ce nom parce qu'il n'y en avait pas assez pour qu'on leur donne un nom. Et, bien sûr, comme je l'ai dit, les gens ne se saoulaient pas autant. Ce qui ne signifie pas que toutes les soirées se déroulaient sans anicroche.

J'ai eu la chance de déguster un excellent repas lors de la soirée du bal de Terry parce que mes hôtes avaient tout simplement oublié notre venue. Je m'étais présenté à la porte d'une maison assez élégante de Montpelier Square et, en attendant que l'on vienne m'ouvrir, j'avais été rejoint par Lucy Dalton et un garçon que je connaissais à peine mais qui, des années plus tard, devait se retrouver à la tête de Schroders ou d'une autre illustre société d'investissement, mais on n'aurait pas cru que l'avenir était aussi prometteur pour lui à l'époque. Nous étions là à faire le pied de grue quand enfin Mrs. Northbrook vint nous ouvrir. Elle était en jeans et pull, et tenait un verre de gin tonic à la main. En nous voyant, elle pâlit soudainement et lança un révélateur « Bon sang, c'est ce soir ! ». Résultat, Mr. Northbrook fut immédiatement convoqué par un cri de sa femme et réserva une table pour dix dans un excellent établissement, juste en face de Harrods, sur ce petit triangle qui je crois était orné d'une pelouse – à moins que je ne l'aie imaginé. Nous avons attendu dans leur joli salon, qui n'avait été ni apprêté ni rangé, en picolant un assez bon pouilly-fumé providentiellement déniché dans le frigo par Mrs. Northbrook, de son prénom Laura (nous avions fait connaissance depuis le moment de surprise du pas de la porte), pendant qu'elle était partie rejoindre son mari à l'étage où ils s'empressaient de s'habiller. Après pareil accueil, il leur était difficile de jouer les avares avec les affreux individus indésirables que nous étions, ce qui me permit de profiter d'un de mes meilleurs dîners de l'année.

Notre groupe était donc d'humeur conviviale et joyeuse quand nous sommes parvenus à l'entrée du fameux musée vers onze heures du soir. J'imagine qu'il devait y avoir des vigiles ou des responsables pour nous faire entrer mais, comme je l'ai déjà dit, je n'ai pas souvenir de passes à montrer ni de listes à vérifier. Le lieu principal pour la fête avait été préparé dans ce qui était, et est toujours je crois, la salle des rois. Les effigies en cire des souverains anglais avaient été poussées vers les murs pour faire un cercle encadrant la piste de danse qui se trouvait bien dégagée. Les mannequins étaient suffisamment espacés pour que nous puissions nous promener entre et prendre des photographies qui devaient plus tard être publiées (même si ce ne fut pas dans *Tatler* comme c'était initialement prévu) et montrer des Débutantes en compagnie de leurs chevaliers servants aux côtés d'Henri VIII ou de la reine Caroline d'Anspach. J'ai moi-même été photographié avec une fille que je connaissais de l'époque où je vivais dans le Hampshire après que mon père eut quitté le service diplomatique. Elle ne fut jamais publiée, Dieu merci, mais bizarrement j'en ai conservé un tirage : la photo donne l'impression que nous parlons à la princesse Margaret et qu'elle ne le prend pas très bien.

Comme toujours, les mannequins de cire laissent penser que le modèle est sous anesthésie ou vient d'être arrêté pour voies de fait, et dans ce domaine, même si c'est peut-être le seul, rien n'a changé depuis quarante ans. Sauf peut-être concernant le choix des modèles. À l'époque, nous possédions de meilleures connaissances en histoire – tout le pays, pas seulement les classes privilégiées. Il est vrai que les autorités responsables de l'éducation n'avaient pas encore aboli le lien entre enseignement et transmission de connaissances. Des personnalités comme le duc de Wellington ou Gordon Pacha détenaient une aura qui dépassait la culture des élites, aujourd'hui les seules certainement à avoir entendu parler d'eux. Et à l'époque, la crainte de troubler les gens, propre à notre modernité pusillanime, n'existait pas et je suis témoin que la salle des horreurs méritait bien son nom. Ce soir-là, elle devait servir de discothèque, et quand je suis descendu avec Lucy pour jeter un coup d'œil, on comprenait bien que les responsables se souciaient assez peu que les invités se blessent avec une des corbeilles à fleurs à l'équilibre précaire, avec les nasturtiums ou les bogues de marronniers.

Des piliers en pierre structuraient la pièce et sur chaque colonne, sur une petite corniche, se trouvait une tête tranchée défigurée par une quelconque atrocité. Les yeux pendaient des orbites, des morceaux de chair arrachés laissaient voir l'os tout blanc et il y en avait même une avec une barre de fer qui traversait le crâne et lui donnait une expression de surprise, ce qui se comprenait. Une longue vitrine en verre montrait les différentes tortures conçues par l'homme – j'en découvrais quelques-unes pour la première fois – et nous nous sommes baladés en les étudiant et en faisant des commentaires sur la cruauté humaine. Puis, plus loin, les *serial killers* ; le terme n'avait pas encore été inventé mais ils existaient, fût-ce sous un autre titre. On y découvrait George Smith, qui avait noyé plusieurs malheureuses épouses, penché sur une baignoire censée être celle où il avait perpétré ses crimes. Le docteur Hawley Crippen et John Haig étaient présents également. Ce dernier avait rencontré sa principale victime au Onslow Court Hotel que je connaissais bien puisqu'il se trouvait dans la même rue où habitait ma grand-mère. Haig avait sélectionné Mrs. Durand-Deacon parmi les clients du restaurant puis gagné son affection avant de l'emmener à la campagne et de la plonger dans une cuve d'acide. Lucy et moi étions sans voix : le spectacle de ces hommes ordinaires qui avaient provoqué tant de malheurs nous avait rendus muets. Aujourd'hui, ces présentations ont un côté comique, voire grandiloquent, qui protège de la réalité qu'ils décrivent et du sentiment que tous ces terribles événements ont vraiment eu lieu. Mais, à l'époque, l'idée était inverse : il s'agissait de rendre le plus réaliste possible ces horreurs qui en devenaient curieusement obsédantes et pouvaient laisser un souvenir vivace, même longtemps après.

Enfin, au centre de la salle, se trouvait un rideau miteux pourvu d'une instruction avertissant de ne pas l'écarter sans y être psychologiquement préparé. Il me semble même avoir vu une interdiction aux moins de 16 ans, ou une autre consigne alléchante de ce genre. C'est le rideau qui était fascinant. Il était vieux, élimé et sale, comme une toile dans une cabane de jardin protégeant du regard les pesticides et, d'une certaine manière, cela rendait tout cela encore plus sinistre qu'un voile de satin écarlate.

– On ouvre ? proposai-je.

– Vas-y, toi. Je ne veux pas regarder.

Lucy détourna les yeux mais ne s'en alla pas pour autant. Ce genre de réaction ne signifie pas que les gens ne regarderont pas mais ils ne veulent pas prendre la responsabilité de ce qui va être révélé. C'est une façon de conserver sa supériorité morale tout en profitant de plaisirs coupables.

Je tirai le rideau. Le choc fut immédiat et violent. Pourtant, il ne provenait pas de la jeune femme qui pendait à un crochet traversant ses entrailles et qui paraissait se tordre de douleur en hurlant avec beaucoup d'intensité. Ça, je pouvais encaisser. L'exclamation de douleur que je parvins à retenir était plutôt due au spectacle de Damian qui étreignait Serena avec fougue et qui était visiblement occupé à plonger sa langue si loin dans la gorge de la malheureuse qu'elle devait avoir des problèmes pour respirer. Je n'eus pourtant pas l'impression qu'elle résistait beaucoup à ses avances. Loin de là, même. Elle lui griffait le dos, passait sa main dans les cheveux de Damian et pressait son corps contre le sien. On aurait dit qu'elle voulait fusionner avec lui.

– Je comprends pourquoi l'écriteau disait de se préparer psychologiquement, ironisa Lucy.

Ils se figèrent et nous dévisagèrent. Je cherchai désespérément une formule qui me permettrait d'exprimer toute ma fureur envers Damian, ma déception envers Serena et mon mépris pour ces mœurs décadentes. Peut-être qu'en allemand on pouvait trouver un mot composé avec tout ça, mais l'anglais a des limites.

– Je vois que vous êtes occupés, dis-je.

Ce n'était pas exactement la phrase que je cherchais.

Ils s'étaient séparés et Serena retrouvait sa contenance. On comprenait clairement à son attitude qu'elle voulait nous demander, à Lucy et à moi, de ne rien dire, mais elle se serait rabaissée en le faisant.

– On ne dira rien, l'assurai-je.

– Ça m'est égal, répondit-elle avec un immense soulagement.

Damian affichait toujours la même insouciance.

– Bon, bah, à tout à l'heure, fit-il en serrant fugacement Serena dans ses bras avant d'enlever une marque de rouge à lèvres avec son mouchoir et de le replacer dans sa poche.

Sans nous dire un mot, il passa de l'autre côté du rideau et s'en alla.

Un morceau d'O. C. Smith qui avait connu un gros succès cet été-là, « Son of Hickory Holler's Tramp », retentit soudain dans la salle, créant un singulier contraste culturel avec les têtes coupées, les meurtriers et la pauvre suppliciée qui pendouillait à son crochet. Nous étions encore là tous les trois à ne rien dire. Il y eut un bruit et le visage désagréable d'Andrew Summersby apparut de derrière le rideau.

– Ah, tu es là, je te cherchais partout, s'écria-t-il en faisant comme si Lucy et moi n'étions pas là.

Il se retourna vers notre amie en cire et rigola.

– Beurk, elle risque d'avoir mal au ventre demain...

Il donna une poussée au mannequin comme si c'était une balançoire d'enfant. L'horrible effigie de cire se mit à osciller au bout de sa corde.

– Allons danser, proposa Lucy.

Et sans un mot pour Serena, nous l'avons laissée aux bons soins du crétin à particule et avons rejoint une lugubre piste de danse à l'ombre d'une guillotine où un aristocrate français vêtu d'un costume en faux velours tout froissé se faisait attacher par deux robustes révolutionnaires. Dans une alcôve décorée d'une tenture, toute la famille royale observait le spectacle sans ciller.

– Ça va ?

À mon grand étonnement, Lucy était au bord des larmes et je ne voyais absolument pas pourquoi. Elle s'énerva de ma question.

– Oui, ça va ! dit-elle brusquement.

Elle se mit à suivre la musique en bougeant la tête avec agressivité, puis se tourna vers moi et s'excusa :

– Fais pas attention à moi. J'ai eu de mauvaises nouvelles en partant et ça m'est revenu. Une tante à moi, la sœur de ma mère, elle a sans doute un cancer.

C'était très malin de sa part, je m'en rends compte maintenant. À l'époque que je décris, les Anglais venaient tout juste de s'habituer à ne plus systématiquement parler d'« une longue maladie affrontée avec courage » mais il restait quelque chose d'effrayant dans le mot lui-même et, sans être honteux, ce terme était quand même à éviter. À cette époque, un tel diagnostic était souvent considéré comme une condamnation à mort, et quand les gens prenaient des traitements, on les accusait presque de ne pas être capables de voir la vérité en face, mais, bon, si l'on suit la logique, certains d'entre eux ont bien dû survivre, non ? En tout cas, cela n'avait rien à voir avec aujourd'hui où il existe de véritables chances de s'en sortir, même si elles ne sont pas aussi élevées que les non-médecins ont tendance à le croire. En prononçant ce mot, Lucy savait qu'elle créerait une diversion.

Mais, avec le recul, j'ai encore un peu honte d'avoir cru spontanément à son explication. Je pris une attitude compatissante.

– J'en suis désolé, mais il y a plein de traitements maintenant.

Cela faisait partie des clichés, à peu près aussi courants que « Heureux de faire votre connaissance », mais personne ne s'attendait à ce qu'ils contiennent la moindre parcelle de vérité. Elle fit un signe de tête par politesse et nous avons continué à danser.

Pour une raison inconnue, et sans doute parfaitement innocente, Terry et sa mère avaient décidé qu'il y aurait un gâteau à couper au moment important de la soirée. Cela n'était généralement pas la coutume. Comme je l'ai indiqué, à cette époque où n'existaient pas les recommandations de type « Boire ou conduire, il faut choisir », nous prenions le repas avant notre arrivée et nous ne mangions plus avant le petit-déjeuner que l'on servait à la fin du bal. Il y avait parfois un discours et un toast vers le milieu des festivités, mais ça n'était pas une règle. Cela se réduisait en général à un vieil oncle qui racontait que Machine était une fille géniale et on levait nos verres et c'était tout. Il était toujours un peu dangereux de s'écarter de la norme mais, pour être honnête, sans le discours, et c'était souvent le cas, la fête tombait un peu à plat. Nous arrivions, nous buvions, nous dansions, nous rentrions chez nous et, dans tout ça, aucun « moment mémorable », comme disait ma mère, ne marquait la soirée. Le père de la débutante avait donc l'amère certitude d'avoir déboursé un énorme paquet pour une soirée qui ne se distinguait pas des autres. D'un autre côté, le danger des discours et des toasts est qu'ils sont souvent très niais. Sauf pour les mariages ou autres événements où l'on attend forcément une allocution. Bref, ce soir-là, peut-être parce que ni Terry ni Verena n'étaient complètement à l'aise avec les règles, elles avaient décidé de porter un toast et de servir un gâteau comme s'il s'était agi d'un mariage.

Je crois que tous ceux qui se baladaient dans le musée avaient été prévenus par des haut-parleurs installés pour informer le public, mais Lucy et moi étions déjà revenus à la salle des rois. Nous étions installés, sans grand enthousiasme, à la table de Georgina Waddilove et Richard Tremayne, couple assez improbable, avec en arrière-plan les effigies en cire des membres les plus ternes de la dynastie de Hanovre, dont l'un était d'ailleurs à l'origine d'un aïeul de Richard, le premier duc de Trent, sans doute à la faveur d'une nuit de réjouissances assez peu habituelle. J'ai oublié pourquoi Richard était avec nous, sans doute parce qu'il était fatigué et qu'il n'avait pas trouvé de place ailleurs. Jeff Vitkov, qui avait fait le déplacement depuis New York et qui de toute évidence entendait bien se faire remarquer, prit le micro des mains du chanteur et annonça qu'il allait proposer un toast en l'honneur de sa « jeune et ravissante fille ainsi que de son épouse, encore plus jeune et encore plus belle ». Ce genre de démonstration fait grincer les dents des Anglais, et nous nous en remettions tout juste quand il ajouta que nous allions goûter d'authentiques brownies américains pour « marquer les débuts dans le monde d'une authentique jeune fille américaine » (Beurk !). Indépendamment du sentimentalisme gluant de cette tirade, les « Brownies » n'évoquaient pour nous, Anglais, à cette époque que le nom des filles scouts, comme les « Cubs » désignaient les *boy-scouts*, et l'idée de les déguster déclencha une certaine hilarité dans la salle mais nous avons sagement écouté la suite du portrait que Jeff fit de sa fille jusqu'à ce que cette dernière se saisisse du micro pour rendre un hommage larmoyant à « Pop et Mom », ce qui nous hérissa les poils de nouveau. Elle prit un grand couteau et l'enfonça dans un plat de brownies. Une multitude de serveuses apparurent alors avec des plateaux décorés pour distribuer ces petits gâteaux collants que nous connaissons si bien aujourd'hui mais qui étaient alors inédits. Je déteste le chocolat et je me souviens que Georgina était dans le même cas. Nous étions donc les seuls à ne pas en manger à notre table, mais ils devaient être bons puisque tout le monde en a pris, et de l'autre côté de la pièce, je voyais Damian les dévorer les uns après les autres.

Les événements qui se déroulèrent quelques minutes plus tard se déclenchèrent comme une rumeur : un sentiment d'étrangeté se diffusa dans la salle sans que personne sache d'où c'était parti. Je me rappelle que je dansais avec Minna Bunting – même si notre flirt était alors terminé – lorsque j'entendis quelqu'un pris de violentes nausées, ce qui était alors tout à fait singulier. Tout le monde sur la piste se jetait des regards surpris car d'autres bruits, moins identifiables, commençaient à se faire entendre : on percevait des rires hystériques, pas des rires bon enfant, non, plutôt des hurlements de sorcière en train de jeter des sorts. Et soudain, de partout fusaient des cris et des chants, des hurlements et des sanglots. J'interrogeai du regard ma partenaire pour partager mon étonnement mais elle ne paraissait pas non plus au sommet de sa forme intellectuelle.

– Je ne me sens pas bien du tout, bredouilla-t-elle, et elle partit de la piste sans ajouter un mot.

Je la suivis immédiatement, mais au bord de la piste, elle prit soudain sa tête dans les mains et partit en courant, sans doute vers d'accueillants vestiaires. Étrangement, les danseurs avaient conservé un semblant de tenue, mais dès qu'on allait voir dans les autres salles, les invités erraient dans un état qui nous sembla quelque peu détraqué avant de se révéler bientôt complètement dingue. Je vis passer comme une flèche l'une des mères de débutante avec un sein à l'air, ainsi que la sœur d'Andrew Summersby, Annabella Warren, allongée par terre en hurlant, sa robe remontée jusqu'au nombril, ce qui offrait un panorama sur d'insolites sous-vêtements, peut-être rafistolés par sa nourrice. Plus loin, un jeune homme était occupé à enlever sa chemise. Dans la mêlée, j'avais perdu Minna de vue mais quelqu'un m'attrapa par le bras.

– Bon sang, qu'est-ce qui se passe ?

Georgina se tenait à mes côtés et son impressionnante présence me fournissait une sorte d'abri. Une fille s'étala de tout son long devant nous et se mit à ricaner.

– Allez, tout le monde tape des mains !

Je ne connaissais que trop bien cette voix amplifiée par les enceintes. Nous nous sommes retournés et avons noté que le garçon qui enlevait sa chemise n'était autre que Damian, alias M. C. Baxter, qui avait enlevé le reste, et se trémoussait sur scène en caleçon – et il n'était pas garanti qu'il le garde très longtemps.

La piste de danse avait été contaminée par le cataclysme ambiant. Certains avaient dû s'enfuir dès les premiers signes de complications, fidèles au merveilleux instinct dont font preuve les classes supérieures de la société britannique dans de telles circonstances, mais pour ceux qui n'avaient pas déjà gagné la sortie, il devenait de plus en plus difficile d'y accéder. Soudain, j'aperçus Terry au milieu de la foule déchaînée. Sa belle coiffure s'était effondrée et des extensions de boucles s'étaient détachées de son crâne pour se prendre dans une fermeture Éclair ou une attache dans son dos, ce qui donnait l'impression qu'elle était poursuivie par une crinière, et en la voyant se frayer un chemin à coups de griffe dans la foule des invités, on aurait dit qu'elle était retournée à l'état sauvage. Je tendis le bras par-dessus un monsieur qui avait régurgité son dîner sur sa chemise et qui pleurait pour attraper le poignet de Terry et la ramener vers nous.

– Qu'est-ce qu'il y a ? Qu'est-ce qui se passe ?

– Quelqu'un a trafiqué les brownies. Ils étaient bourrés de hasch.

– De quoi ?

Est-ce que le mot ne m'était pas encore connu ou bien était-ce le choc qui m'empêchait de comprendre la situation ?

– Du hasch. De la marijuana. De la drogue !

Terry était plus à l'aise que moi sur le sujet, mais elle était d'aussi bonne humeur que Gengis Khan en pleine campagne militaire.

– Mais pourquoi ? Qui a fait ça ?

– Quelqu'un qui a voulu foutre en l'air ma soirée et faire comme si c'était une bonne blague.

C'était, je crois, un excellent diagnostic. Elle était riche, mignonne et marginale par rapport aux autres. C'était suffisant pour s'attirer l'animosité de pas mal de monde, même si cela prenait en l'occurrence une forme franchement déplaisante. Mais le coupable n'avait peut-être pas prévu que sa farce aurait des effets d'une telle magnitude sur l'échelle du chaos. Nous n'étions pas tous des experts à cette époque.

– Ça a l'air d'aller, toi.

– Ça va parce que je suis au régime, répondit-elle d'un ton sec qui aurait pu être drôle si nous n'avions pas été perdus dans une telle débâcle.

À ce moment-là, Verena Vitkov, en pleurs, tirait sur l'autre bras de sa fille. Quelqu'un avait marché sur sa robe et elle s'était déchirée au niveau des coutures de la taille, ce qui ne laissait pas seulement voir ses jambes, mais, ce qui était bien pire, son corset.

– Sortons d'ici, dis-je à Georgina qui acquiesça.

Seulement, à ce moment-là, deux choses se produisirent. Tout d'abord, je vis que Serena Gresham était montée sur scène avec une veste de smoking, sans doute celle de Damian, et elle essayait de la lui enfiler malgré ses protestations. Elle tenait aussi son pantalon sous le bras, mais n'essaya même pas d'entreprendre une tâche aussi irréalisable. L'autre événement qui attira mon attention fut le bruit d'un sifflet de police qui se répandit dans la salle comme le glas du destin, en version aiguë. Le chaos qui régnait se transforma en panique frénétique. On peut presque envisager avec sérénité l'idée d'un raid antidrogue aujourd'hui. Dans les quarante ans qui se sont écoulés depuis cette histoire, la drogue elle-même a cessé d'être extraordinaire. C'est regrettable, et la drogue reste quelque chose qu'il faut éviter à tout prix aujourd'hui, mais elle ne nous est plus si étrangère. À l'époque, la vaste majorité des gens présents ce soir-là ne savait même pas ce que c'était. Quelle que soit l'image des *sixties* que veulent donner les pop stars et Channel Four, si leurs récits ont la moindre once de vérité, c'est qu'ils concernent un monde totalement différent de celui que je connaissais. Certes, les plus voyous d'entre nous commençaient à découvrir certaines substances et, sept ou huit ans plus tard, une part non négligeable d'entre nous serait initiée aux dernières tendances de la culture du je-m'en-foutisme et de la drogue, ce qui n'était pas le cas en 1968. Après tout, la plupart des choses qu'on associe aux *sixties* ont en fait eu lieu la décennie suivante. Seulement, ce soir-là, les Débutantes et leurs chevaliers servants, ainsi que bon nombre de leur papas et mamans, se retrouvaient pris dans un raid anti-drogue, et cela ne pouvait que fournir – nous en étions bien conscients – de merveilleux articles pour les journaux du lendemain. Ne serait-ce que par fidélité familiale, tous ces gentils fils et filles de comtes et vicomtes, d'illustres magistrats et de généraux, de grands banquiers et de P-DG se devaient de quitter cet endroit sans se faire ni voir ni appréhender afin de ne pas couvrir leurs innocents géniteurs du ridicule qui se préparait à les éclabousser de manière imminente. Un incendie n'aurait pas rendu plus urgent de se précipiter vers la sortie.

Je serais allé dans la même direction que la foule si Georgina ne m'avait pas retenu.

– Ça ne sert à rien, m'expliqua-t-elle. Ils vont nous cueillir à la sortie.

– Qu'est-ce qu'on fait, alors ?

– Suis-moi. L'orchestre a dû utiliser une sortie de service. Et les serveuses ont bien dû apporter les boissons de quelque part.

Nous avons tous les deux remonté le courant de la foule. J'aperçus Candida Finch, le visage verdâtre et visiblement au bout du rouleau, mais elle se trouvait trop loin pour que je puisse l'aider : entre nous, des filles dansaient une sorte de gigue, proférant de petits cris au milieu de la salle. Et puis Candida a été emportée par le flot et je ne l'ai plus revue.

– C'est un vrai cauchemar.

C'était Serena. Elle nous avait rejoints avant même que je la voie arriver. Elle avait passé un bras autour de Damian qui continuait à délirer et à beugler, encourageant tout le monde à taper des mains.

– Je vais me servir de mes mains si tu la fermes pas, s'écria Serena sans que cela ait beaucoup d'effet sur lui.

Damian s'étala sur le sol et d'autres personnes lui passèrent dessus – je me suis vraiment inquiété, il aurait pu être grièvement blessé.

– Aide-moi à le relever.

Serena était déjà par terre, au milieu des piétinements, et je compris qu'il fallait que je fasse de mon mieux. Nous avons réussi à le prendre par-dessous les bras et à le traîner – littéralement – à l'écart.

– Comment ça se fait que tu ailles bien ? Tu n'en as pas pris non plus ?

– Je n'avais pas faim, dit-elle en fronçant le nez.

– Par là !

Pleine d'initiative, Georgina avait trouvé une porte de service au fond de la salle cachée derrière un rideau que quelques personnes, mais assez peu, tentaient d'utiliser. Derrière nous, le volume des cris et des sifflets de police avait augmenté : de toute évidence, ceux qui avaient essayé de s'esquiver en utilisant la voie la plus orthodoxe étaient soumis à d'ignobles humiliations avant d'être autorisés à sortir.

– Mon Dieu ! Les journalistes nous attendent à la sortie !

C'était Lucy qui avait emprunté l'escalier principal avant de faire cette découverte et de battre en retraite.

– Si je suis dans les journaux, mon père me tue !

Il est amusant de remarquer que nous avions ce genre de considérations en tête, beaucoup plus que les jeunes d'aujourd'hui.

Nous avons suivi notre chef, Georgina, et avons atteint un entresol qui menait à un escalier de service en pierre. Des invités à divers stades d'égarement le descendaient en courant.

Une fille cassa un talon et termina la dernière volée de marches en hurlant, mais elle se releva dans le même mouvement, arracha le talon de l'autre chaussure et poursuivit sa course effrénée. Malheureusement, Damian semblait aller de plus en plus mal. Il n'essayait plus de nous convaincre de taper des mains, préférant tout simplement s'endormir.

– J'vais très bien, balbutia-t-il le menton enfoncé dans la poitrine, j'ai jiste besoin d'un p'tit dodo et hop, ça ira.

Son menton s'affaissa encore un peu plus, ses paupières également, et il se mit à ronfler.

– Il faut le laisser, conseilla Georgina. Ils vont pas le tuer. Ils prendront son nom et lui donneront un avertissement, et puis ça sera tout.

– Hors de question que je l'abandonne, répondit Serena. On ne sait pas ce qu'ils vont lui faire ! Et puis après, s'il est sur une liste de personnes consommant de la drogue, ils peuvent le priver de passeport ou d'autorisation d'accès ou d'un emploi dans une ambassade.

Ce flot de paroles, par son abondance, créa un joli contraste avec l'aventure précise que nous vivions, planqués dans un escalier de service miteux et poursuivis par la police. On imaginait immédiatement Damian briller lors d'une réception à l'ambassade, voyageant dans le monde entier ou avec un poste important à la City. J'aurais aimé que Serena exprime le même genre d'angoisses colorées pour mon destin personnel.

Mais Georgina n'était pas convaincue.

– Ne sois pas ridicule. La presse n'est pas après lui. C'est ça, la seule chose qui compte : toi, tu peux faire les gros titres, toi aussi et même moi, je passerai dans le journal. Lui, non. Laisse-le dormir ici. Ils ne viendront peut-être même pas aussi loin.

– Je ne le laisserai pas, répondit Serena, allez-vous-en si vous voulez.

Je me rappelai la manière dont elle l'avait défendu lors du bal de Dagmar quand il était seul et que nous étions tous restés sans rien dire. Je n'avais pas envie que l'incident se répète.

– Je vais t'aider. Si on le cale entre nous, on va pouvoir le porter.

Elle me fixa et je vis dans son regard qu'elle m'était très reconnaissante de ne pas l'avoir prise au mot et laissée toute seule pour affronter les hordes mongoles. Nous avons fait comme j'avais dit : nous l'avons hissé, malgré ses protestations et son refrain sur la petite sieste dont il avait besoin, et nous avons finalement réussi à l'emmener jusqu'en bas. Nous sommes passés sans nous arrêter au niveau du rez-de-chaussée car nous entendions les protestations indignées et sonores des adultes arrêtés à la sortie pour être interrogés, ainsi que les braillements, beuglements et les chants des jeunes. Nous nous sommes finalement retrouvés dans une cave, à la recherche d'une porte ou d'une fenêtre susceptible de s'ouvrir.

Nous étions seuls contre tous, bloqués dans ce passage sombre, quand une porte s'ouvrit et une fille passa la tête pour nous prévenir :

– Il y a une fenêtre par ici qui donne sur une ruelle, je crois.

Et elle disparut aussi vite dans la pièce d'où elle était sortie. Je ne la connaissais pas bien. Elle s'appelait Charlotte Quelque Chose et a fini comtesse, mais je ne me souviens plus de son titre. En tout cas, c'est avec gratitude que j'évoque sa mémoire car elle n'avait aucune obligation de revenir pour partager sa découverte. Elle aurait pu grimper par la fenêtre et s'enfuir sans se retourner. C'est ce qui me touche le plus, ce genre de générosité où celui qui fait preuve d'altruisme n'a rien à gagner. Nous l'avons suivie dans ce qui devait être une sorte de placard à balais puisqu'on y trouva des brosses, des chiffons et des boîtes de cirage... ainsi qu'une fenêtre dénuée de barreaux qu'on avait ouverte de force sans doute pour la première fois depuis l'armistice.

De nouveau, c'était Damian qui posait problème vu son état comateux. Nous avons vaguement essayé de le bouger jusqu'à ce que Georgina, qui était plus musclée que le reste d'entre nous, ne se baisse avec un soupir d'exaspération pour le hisser sur son épaule comme un pompier et le balancer vers Serena qui était déjà dehors : elle lui attrapa un bras et la tête avec l'aide de Lucy et elles tirèrent de leur côté pendant que Georgina et moi poussions. Nous y sommes finalement arrivés, même si je trouvais que nos efforts n'étaient pas sans rappeler l'accouchement d'un éléphanteau. Quand Georgina est sortie, nous avons entendu des voix d'hommes dans le passage dehors et j'ai dû être le dernier à m'évader avant que la ruelle ne soit elle aussi encerclée par l'ennemi. Georgina et moi avons fermé la fenêtre aussi vite que possible et couru jusqu'au bout de la ruelle tout en traînant Damian entre nous deux. Il faut comprendre que traîner un jeune homme plutôt bien bâti, à poil, à l'exception d'un caleçon et d'une veste de smoking, est assez peu ordinaire, et nous ne pouvions guère nous considérer hors de danger jusqu'à ce que Serena, qui nous faisait signe pour nous guider dans l'ombre, ait réussi à arrêter un innocent chauffeur de taxi qui n'avait aucune idée de ce dans quoi il s'embarquait.

– On l'emmène où ? siffla-t-elle par-dessus son épaule.

Je devinais que ça serait une couleuvre un peu grosse à avaler pour les Claremont. Je suppose que Damian devait rentrer en voiture à Cambridge à la fin de la soirée après une ou deux tasses de café – car nous faisions ainsi à l'époque, je rougis de l'avouer –, mais là, il n'était visiblement pas en état.

– Mon appartement. Wetherby Gardens, indiquai-je.

Mes parents étaient là mais cela faisait dix-neuf ans qu'ils s'étaient habitués à moi et je les savais capables de supporter ce genre de fantaisie nocturne. Serena donna l'adresse au chauffeur, ouvrit la porte et monta pour nous aider à faire entrer Damian le plus vite possible en le cachant dans l'obscurité du taxi. Nous sommes arrivés à grimper avec force soupirs et ahanements et Lucy se dépêcha de s'installer à nos côtés. On croira peut-être que le taxi était en surcharge, et il l'était de fait, mais il faut comprendre que tout le monde s'en fichait, nous, le chauffeur et les autorités. Personne ne se souciait de surveiller nos moindres faits et gestes comme aujourd'hui – et je suis certain que nous en étions plus heureux. Certains changements se sont révélés positifs, d'autres restent douteux, mais nous ne nous portions pas plus mal de ne pas avoir à supporter l'interventionnisme permanent de l'État dans nos vies. Certes, nous avons parfois pris des risques et ceux qui veulent nous contrôler fronceront les sourcils d'un air condescendant, mais pousser à abandonner sa liberté afin d'éviter un danger potentiel est en général le signe des tyrannies, et ce jeu n'en vaut jamais la chandelle.

– Il faut lui mettre son pantalon ?

Miraculeusement, Serena avait réussi à conserver le falzar en folie. Simultanément, nous avons tous regardé Bébé Damian blotti comme un enfant dans le ventre de sa mère et cette tâche nous sembla insurmontable.

– On laisse tomber, dit Lucy avec fermeté.

– Et tes pauvres parents ? demanda Georgina. Si jamais ils ne sont pas couchés ?

Un nouveau coup d'œil à Damian confirma que la tâche restait impossible.

– Ils peuvent encaisser. Ils sont résistants.

Le taxi partit en pétaradant son bruit infernal caractéristique. En revenant sur Euston Road, nous avons vu que la police était toujours là avec ses voitures et son panier à salade, sans parler d'une troupe de photographes comme on en rencontre aujourd'hui, ce qui, à l'époque, n'était pas très courant. Ils mitraillaient des pauvres diables éblouis par leurs flashes et destinés à connaître une gloire douteuse dès le lendemain.

Mes parents en robe de chambre se frottèrent les yeux et prirent les choses avec philosophie en voyant Damian affalé dans un fauteuil, toujours habillé de manière aussi folklorique, mais avec son pantalon déposé à ses pieds en une flaque froissée, qui faisait comme une offrande rituelle.

– Il va dormir par terre dans ta chambre, ordonna ma mère sans laisser de place à la moindre contradiction. J'ai une réunion de mon comité demain dans le salon à dix heures et il n'y a aucune garantie qu'il soit levé.

– En effet.

Nous avons traîné Damian ensemble dans le couloir et nous l'avons déposé sur un duvet avant de lui mettre quelques couvertures sur le dos.

– Où sont ses affaires ? demanda ma mère.

Je l'ai regardée d'un air bête.

– Sa chemise, par exemple.

– Ah. Chez Madame Tussauds, j'imagine.

– Où nous n'irons évidemment pas les chercher. Il aurait pu t'attirer beaucoup d'ennuis, tu sais.

Sa voix était plus sévère que nécessaire.

– C'est injuste, il n'y est pour rien.

Mais ma mère ne prêta pas attention du tout à mes arguments. Elle ne faisait qu'agir comme beaucoup de gens de son acabit. Quand ils approuvent les fréquentations de leurs enfants, notamment du fait de la position sociale de la personne, ils trouveront toutes les excuses possibles et imaginables pour les comportements les pires qui soient, même s'ils ne veulent pas l'admettre. Inversement, quand ils désapprouvent certaines fréquentations – là encore pour des questions de rang social plus que pour des raisons profondes –, plutôt que de reconnaître cet antagonisme, ils préfèrent dire que rien ne va. On retrouve cette mauvaise foi quand ils vous expliquent comment vous rendre quelque part. Si jamais ils pensent qu'il vous faut absolument aller à tel ou tel événement, à ce moment-là, « c'est facile, tu prends la M4, c'est tout droit et tu y es ». Mais s'ils considèrent que vous ne devriez pas y aller, alors le même trajet devient complètement différent. Soudain, « c'est interminable. Tu roules sur la M4 pendant des heures et quand tu sors, c'est un vrai labyrinthe de petites routes et de petits villages. C'est pas la peine de t'embêter à y aller ». Ma mère n'avait rien de snob et elle aurait été choquée qu'on la considère comme telle, mais elle restait vexée quand elle éprouvait le sentiment qu'on « profitait de moi » (je la cite) et c'est ce qu'elle pensait de Damian. De fait, son analyse n'était pas complètement fausse.

Damian s'éveilla tôt le lendemain matin, vers trois heures. Je le sais parce qu'il me réveilla en me demandant si je dormais jusqu'à ce que cela ne soit plus le cas. Il était complètement sobre.

– J'ai les crocs, il y a quelque chose à manger ?

– Ça peut pas attendre ? Tu prendras ton petit-déjeuner tout à l'heure.

– Je peux aller voir et me débrouiller si tu veux.

Comme cela me paraissait être la pire solution possible, je me levai et passai ma robe de chambre sur mon pyjama – vous devinez la période dont je parle à la seule description des vêtements car, comme la plupart des hommes, j'ai abandonné la tenue de nuit traditionnelle au cours des décennies suivantes – pour traverser l'appartement avec Damian dans mon sillage. J'eus du mal à le convaincre de ne rien faire frire et il se contenta finalement d'un bol de céréales, de pain grillé et de thé. Je pris une tasse moi aussi et nous sommes restés penchés autour de la petite table de la cuisine. Il se mit à rire.

– Qu'est-ce qu'il y a ?

– Bah, la soirée. Imagine ce qu'ils vont écrire dans le journal demain !

– Ce qu'ils veulent du moment qu'on n'est pas dedans. Pauvre Terry !

Personne n'avait pris le temps de déplorer le gâchis et les ravages qui avaient été infligés à notre hôtesse. Il me sembla que quelqu'un devait au moins avoir une pensée pour elle.

Mais Damian n'était pas d'accord.

– T'inquiète pas pour elle. Il ne va rien lui arriver : elle va en profiter pour faire sensation. Ça sera la grande histoire de la Saison.

– C'est sans doute vrai.

– Il y a des chances.

Avec le recul, cette soirée représenta effectivement un moment important pour beaucoup d'entre nous car le passé, le présent et l'avenir s'y étaient rencontrés d'une manière assez folle. C'est un moment où les attaques de la contre-culture anti-autorité (laquelle finirait par s'imposer, mais pas de la manière que nous imaginions) s'étaient engouffrées par les portes de notre petit monde protégé qui ressemblait à celui d'avant 1939 et nous avaient emportés.

Damian remit une tranche de pain de mie dans le grille-pain.

– Je ne sais pas pourquoi j'ai si faim. Ça donne faim, le hasch ?

– C'est pas à moi qu'il faut demander...

Il me regarda avec une légère hésitation et se décida à parler :

– Tu as dû être choqué en écartant le rideau tout à l'heure...

Je restai silencieux. Pas parce que j'étais indigné ou parce que je me sentais dupé. Je ne savais pas comment formuler ce que je voulais dire. D'abord parce que je ne savais pas ce que je voulais dire.

Il opina comme si j'avais pris la parole.

– Je sais qu'elle te plaît.

– Et elle, elle le sait ?

Je n'ai pas pu m'en empêcher. On est parfois pitoyable, non ? Ce qui est bizarre, et je m'en souviens très bien, c'est que je n'étais pas certain non plus de la réponse que j'aurais voulu entendre.

Damian haussa les épaules et beurra sa tartine.

– Si je suis au courant, je pense qu'elle aussi.

– Et toi ?

Ma question était étrangement formulée et il leva le nez.

– Qu'est-ce que tu veux dire ?

En fait, j'avais envie de le frapper. Là, tout de suite, en plein dans le pif, un uppercut douloureux pour l'envoyer dinguer et qu'il se pète le crâne contre le poêle. Je me suis souvent demandé ce que ça ferait d'évoluer dans un monde plus brutal que celui où j'avais toujours vécu, dans un milieu de type « tape d'abord et discute après ». On se sent toujours obligé d'avouer que la violence, c'est quelque chose de terrible – et c'est vrai, bien sûr –, mais, bon, il doit y avoir des compensations.

– Est-ce que tes intentions sont honorables ?

Cela l'amusa :

– Putain, sois pas aussi pompeux !

– Je veux juste dire que...

– Tu veux juste dire que tu crèves de jalousie. Tu adoptes ton petit ton ronflant comme si t'étais mon grand-oncle pour me prendre de haut, m'humilier et démontrer que je ne suis qu'un intrigant ridicule qui doit être dérangé pour ne pas se rendre compte qu'il ose prétendre à une si haute ambition.

Il remit de la marmelade sur son toast et mordit tranquillement dedans. Je dois admettre que tout ce qu'il venait de formuler était d'une exactitude scientifique. Si lui défoncer la gueule à coups de talon avait pu me faire aimer de Serena, je l'aurais fait sur-le-champ. Vlan, vlan et vlan ! Mais, en l'occurrence, je préférais me livrer à un combat plus subtil.

– Je croyais qu'elle sortait avec Andrew Summersby ?

Damian se braqua.

– Pourquoi tu dis ça ?

– Il avait un air très possessif quand il est venu la chercher après ton départ. Et ils sont partis ensemble.

Damian m'adressa un sourire un peu forcé.

– Andrew était au dîner où Serena devait se rendre et c'est vrai que ses parents pensent qu'ils sortent ensemble. Comme Andrew semble partager cette illusion, elle n'a pas cru bon de le détromper ce soir. Mais ça ne saurait tarder.

Cela me donnait à réfléchir. Ce que je comprenais, c'est que Serena et Andrew formaient un couple – même si cette pensée me répugnait –, et Damian essayait de m'épater en exagérant ses chances alors que tout ce qu'il avait obtenu se résumait en cet unique baiser. Nous étions peut-être plus innocents qu'aujourd'hui, mais un baiser ne voulait tout de même pas dire grand-chose.

– Tu vas à son bal ? demandai-je.

– Tu me le demandes ? Je suis même invité à Gresham à cette occasion.

Je n'ai jamais été quelqu'un qui avait confiance en soi et je ne sais pas pourquoi. Je n'étais pas très beau étant jeune mais j'étais intelligent et je me débrouillais quand même. Mes parents m'aimaient, je n'ai aucun doute à ce sujet, et j'ai toujours été entouré de beaucoup d'amis. Les petites amies n'ont jamais non plus été un problème insurmontable, même si certaines devaient guetter que se libèrent de meilleurs produits sur le marché. Et même avec ma sœur, je m'entendais bien avant son mariage. Malgré cela, je n'ai jamais eu beaucoup de confiance en moi et je ne pouvais qu'admirer cette qualité chez Damian. Aucun rempart d'aucun château ne pouvait visiblement l'empêcher d'entrer et j'enviais cette détermination. Même dans un moment comme celui-là où j'aurais voulu qu'il soit au fond de l'océan, menotté, avec les pieds dans un bloc de béton. Même en imaginant sa belle chevelure flottant au gré des courants et le passage des poissons devant ses yeux morts grands ouverts, d'une certaine manière et *malgré moi**, je ressentais de l'admiration pour lui.

– Lady Claremont t'a invité ?

– Pas encore, mais elle le fera. Candida et Serena y travaillent. Serena va dire à sa mère que je plais à Candida.

Il m'avoua cela en me regardant dans les yeux. C'était un alibi parfaitement plausible et lady Claremont ne manquerait pas d'y croire puisque Candida sautait sur tous les mâles de passage. Mais Damian venait aussi de me confier quelque chose qu'il n'avait pas tout à fait prévu. Et je voyais bien qu'il venait de s'en rendre compte de manière désagréable. Cela signifiait que, si lady Claremont avait vent de l'intérêt que portait ce garçon à sa fille, il ne serait plus le bienvenu du tout chez elle.

– Ça va. Je connais ce genre de femmes. Je sais comment me faire apprécier, dit Damian en réponse à ma réflexion muette.

Visiblement, il ne connaissait certainement pas le type de femmes dont il parlait, et encore moins le type d'hommes qu'était son mari, ni d'ailleurs les gens de ce milieu, en particulier parce que ces personnes-là se moquent éperdument d'être comprises par quelqu'un comme Damian Baxter. En réalité, je crois que lady Claremont aurait beaucoup apprécié Damian Baxter en d'autres circonstances. Elle aurait admiré son humour et son assurance et peut-être même l'aurait-elle admis dans son cercle comme représentant du monde réel que ces familles accueillent volontiers. Mais cela ne serait pas allé plus loin.

12

Je ne fais pas partie des Anglais qui détestent Los Angeles. Je ne suis pas comme ces acteurs et ces réalisateurs qui soulignent à quel point chaque minute passée en Californie est une épreuve, combien leur âme se trouve salie par le caractère superficiel de l'endroit et qui n'attendent qu'une chose, crier de joie quand, enfin, l'avion décolle de l'aéroport de LAX. Certains doivent bien dire la vérité, mais ils ne sont pas si nombreux que ça. Plus typiquement, ils ont simplement honte de leur désir de récompenses que seul Hollywood peut leur apporter et ils ne méprisent tout ce qui se rapporte à la Californie que dans l'espoir de ne pas perdre leur standing une fois de retour à Albion parmi leurs frères qui partagent leurs états d'âme. Je n'y étais allé qu'une fois avant ce voyage, bien des années auparavant, quand je recherchais gloire et fortune de manière assez incohérente, mais j'y suis revenu plus fréquemment ces derniers temps et cela me plaît toujours. C'est une ville résolument enthousiaste, et après de longues périodes de pessimisme britannique ininterrompu, il est parfois plaisant de voir les choses du bon côté. Les autochtones sont parfois excessifs à cet égard, mais il est toujours stimulant de ressentir cet élan qui vous dit *go, go, go!* et fait tant de bien à ceux enclins à la tristesse. Bref, je ne suis jamais chagriné d'y aller.

Durant les quarante ans qui se sont écoulés entre mon amitié de jeunesse avec Terry Vitkov et ces retrouvailles, elle avait connu une carrière qu'on décrit d'ordinaire comme contrastée. Même sa période londonienne ne s'était pas passée comme prévu. Avec sa mère, elles s'étaient bien débrouillées, étant donné les circonstances, mais Terry n'était pas devenue vicomtesse à gérer une demeure ouverte au public avec une vingtaine de chambres, or, c'était bien là la cible de départ et elles avaient dû être déçues. En y repensant, je crois qu'un des obstacles pour les Vitkov avait été de faire l'erreur de confondre fortune et gros salaire. Un salaire peut permettre de vivre très confortablement tant qu'il rentre mais cela ne change rien à votre position sociale et personne ne le sait mieux que la haute société britannique. De la même façon, les stars de la télé peuvent avoir l'impression d'être des stars de cinéma, mais leur célébrité ne survit généralement pas à l'arrêt de la série où elles jouaient. Naturellement, cela n'aurait eu aucune importance si un gentil jeune homme était tombé amoureux de Terry, mais elle possédait une personnalité un peu abrasive et des traits un peu forts, de grandes dents et un rire sonore, peu d'humour et une convoitise sans détour qui était un peu rebutante même pour les plus matérialistes. Bref, elle n'était pas parvenue à capturer sa proie. Elle avait failli à un moment attraper un major de l'armée qui avait des chances d'obtenir le titre de baronet par un oncle vieillissant (mais ce dernier n'était pas marié et on ne sait jamais), mais le jeune officier avait pris peur et avait succombé aux charmes de la fille d'un juge du Rutland. D'une certaine manière, il ne serait pas mal tombé avec Terry, elle aurait au moins rempli la maison avec des convives capables de faire la conversation. Mais combien de temps aurait-elle tenu une fois le titre nobiliaire obtenu, en passant sa vie à se balader sous la pluie et à parler chevaux autour d'une assiette de *summer pudding* ? Si le major a choisi une voie plus morne, c'était peut-être aussi plus simple pour lui sur le long terme.

La dernière fois que j'avais vu Terry, c'était au moment des vacances à Estoril, mais pas parce qu'elle s'y trouvait. En fait, elle avait même été assez ennuyée de ne pas être invitée. Si seulement j'avais eu cette chance... Elle était peut-être déjà enceinte à l'époque, mais si c'était le cas, aucun d'entre nous n'était au courant. Nous savions seulement qu'un millionnaire américain, laid mais fort ardent, la poursuivait de ses assiduités ; il était divorcé mais pas trop vieux et elle avait fini par l'épouser à temps pour la naissance du bébé. Le millionnaire répondait au nom de Greg Quelque Chose et il travaillait en Europe de l'Est à ce moment-là. À leur retour, ils étaient repartis pour la Californie gorgée de soleil où il travailla chez Merrill Lynch, puis nous les avons perdus de vue. Je ne le connaissais pas vraiment mais je l'aimais bien et, à la lumière de nos rares rencontres, je trouvais qu'il était beaucoup mieux assorti à Terry que la plupart de ses amants anglais, et si j'y avais réfléchi, je leur aurais prédit de longues années de bonheur avant que le destin ne les sépare comme Abraham de Loth. Malheureusement, d'après mes informations, Terry avait voulu, dix ans plus tard, réaliser une plus-value en l'échangeant contre un banquier du Connecticut beaucoup plus riche avant que ce dernier n'abandonne Terry pour un mannequin et ne la laisse sur le sable, le premier mari s'étant échappé tant qu'il le pouvait pour s'installer en Virginie du Nord avec sa seconde famille.

Terry et sa fille étaient donc restées à Los Angeles où elle avait poursuivi une carrière comme présentatrice de télévision dans le domaine, je crois, de ce qu'on appelle le téléshopping, où des femmes parlent de cosmétiques pour les cheveux et d'ustensiles de cuisine et de valises, de manière naturelle et spontanée, comme s'il était seulement pensable qu'elle fasse cela si ça n'était pas pour vous vendre quelque chose.

J'avais appelé de Londres, juste pour être sûr qu'elle était encore là-bas, et elle avait beaucoup aimé l'idée de se revoir et de parler du bon vieux temps. Je savais qu'un prétexte caritatif ne marcherait pas du tout avec elle et j'avais donc dit qu'un studio s'intéressait à mon dernier bouquin, ce qui ne manqua pas de parler à son imagination.

– Mais c'est merveilleux ! s'était-elle écriée. Il faut que tu me racontes tout ça !

J'avais un peu préparé le voyage et je suggérai d'aller dîner dans un restaurant sur la côte à Santa Monica le soir après mon arrivée.

Je l'ai reconnue tout de suite quand elle est entrée et qu'elle s'est arrêtée près du maître d'hôtel qui lui montra où j'étais. Je lui adressai un petit signe. Elle se dirigea vers moi avec sa démarche franche et directe. Elle était habillée comme une riche américaine de la côte Est, ce qui est assez différent des jeans et des colifichets qui ont la préférence des travailleurs du show-biz. Elle faisait plus Park Avenue que femme de footballeur, ce que je trouvais intéressant. Elle portait une jolie robe chemisier beige, une veste bien coupée ainsi que des bijoux discrets et de belle qualité. L'ensemble était de meilleur goût et beaucoup moins tapageur que je ne m'y attendais, mais Terry restait indéniablement fidèle à elle-même. Et pourtant, cette femme aux cheveux laqués qui avançait vers moi, je la connaissais sans la connaître. Je retrouvais son menton trop prononcé, ses dents et ses yeux trop grands, mais d'autres éléments de sa physionomie avaient changé de manière alarmante. Ses lèvres semblaient avoir été gonflées avec un rembourrage en plastique, à la façon des Américaines d'aujourd'hui. C'est une pratique qui me fascine parce que je n'ai encore jamais rencontré d'homme qui ne trouve pas cela très rebutant. J'imagine que certains mentent, sinon les spécialistes de chirurgie esthétique n'auraient pas autant de boulot. Peut-être les hommes américains aiment-ils cela davantage que leurs homologues européens.

Heureusement, la bouche de Terry avait beau avoir pris cet aspect bulbeux et légèrement troublant, ce n'était pas au point de me déconcentrer. Mais ce n'était pas là le seul signe révélateur des travaux effectués. Son front était tellement lisse qu'elle aurait pu être morte : aucune expressivité ou mimique ne parvenait à dépasser les sourcils et ses yeux eux-mêmes restaient très figés dans leurs orbites. Ces pratiques, qui convoquent des images repoussantes où l'on agrafe, où l'on tend et recoud les chairs sanguinolentes sans parler de la découpe des os malmenés à la scie, sont devenues courantes durant les dernières décennies, mais je ne dois pas être le seul à trouver que c'est une drôle de contrepartie à la prétendue libération de la femme. Charcuter son visage pour plaire aux hommes ne me semble pas une marque convaincante d'égalitarisme. C'est même un signe de dépendance troublant, comme une sorte de version occidentale de l'excision, de la scarification ou d'autres méthodes venues du fond des âges pour affirmer la propriété de l'homme sur la femme.

La chirurgie esthétique est de meilleure qualité de nos jours qu'il y a quarante ans où elle était essentiellement réservée aux actrices, surtout étrangères. Même aujourd'hui où les résultats peuvent être spectaculaires, le prix à payer n'est pas sans ironie parce que, pour la plupart des hommes, cela constitue un éteignoir absolu. L'idée qu'on a dû faire des découpages de chair sur la femme qu'on a en face de soi réduit considérablement l'envie de la voir à poil. Il faut cependant admettre que le prix est moins élevé pour les femmes que pour les hommes. Les femmes qui font faire des travaux perdent leur pouvoir sexuel sur les hommes. Les hommes qui y ont recours, de leur côté, perdent tout.

Terry était arrivée à ma table.

– Mon Dieu, mais tu es...

Je pense qu'elle allait dire « toujours le même », mais comme elle s'était approchée et qu'elle avait pu me voir plus nettement, il était évident que mon apparence avait si radicalement changé que j'aurais dû avoir des documents pour prouver mon identité à toutes les personnes qui ne m'avaient pas vu depuis les années 1960. D'où son hésitation.

– ... en super forme ! conclut-elle, ce qui passait très bien.

Je lui fis un sourire. Je m'étais levé et je me penchai pour lui faire la bise.

– Toi, tu as *vraiment* l'air en forme !

Après cet échange à l'hypocrisie altruiste, nous avons pu nous installer en toute jovialité.

Un serveur d'apparence agréable et banale surgit pour nous informer qu'il s'appelait Gary et qu'il espérait que nous allions passer une très agréable soirée, ce qui était aussi évidemment mon souhait personnel, même si je ne comprends pas pourquoi les Gary de tous les restaurants du monde en ont quoi que ce soit à faire. Il nous servit deux verres de glaçons avec un peu d'eau dedans et nous expliqua les plats du jour qui étaient des espèces de poissons inconnus et vaguement effrayants. Promettant de nous apporter du chardonnay, il nous laissa tranquilles.

– Alors, la vie en Californie ?

Ce n'était pas une ouverture originale mais, à ce stade de la mission Damian, je tenais à ma tactique progressive car je savais qu'avant la fin de la soirée la paternité de leur rejeton serait de toute manière abordée.

Elle me fit un grand sourire.

– C'est génial !

Je ne m'attendais pas à une autre réponse. Je sais qu'avec les Californiens il faut en passer par là, quelle que soit la conversation : toutes les décisions prises dans leur vie sont obligatoirement les bonnes. Plus tard dans la soirée, le niveau de sincérité s'améliore parfois, mais même pour les gens qui n'attendent que d'exprimer leur souffrance, il faut néanmoins observer ce rituel. On doit d'abord manger sa soupe avant d'avoir droit au dessert, comme disait ma grand-mère.

– Tu n'as jamais voulu retourner à Cincinnati ?

– Non, ce n'est pas ce que je voulais. Pas vraiment. C'est ici que Greg travaillait...

Elle sourit et me désigna la fenêtre par laquelle nous entendions le roulement de la mer malgré le murmure du restaurant.

– ... et il n'y a pas de quoi se plaindre du climat.

J'opinai, parce que, bien sûr, tout le monde est censé être d'accord avec ce genre de remarque. Mais je ne dois pas être le seul Anglais à trouver un peu morne cet interminable ensoleillement. J'aime notre climat. J'aime la lumière subtile des jours de grisaille et le parfum qu'il y a dans l'air après la pluie. Et surtout, j'aime le caractère changeant de notre climat. Vous connaissez le dicton : « Si vous n'aimez pas le climat anglais, attendez juste cinq minutes. » Certes, il est parfois difficile de recevoir en extérieur et aucune maîtresse de maison avec deux sous de jugeote n'organiserait quoi que ce soit qui dépende entièrement de la météo. Mais, même ainsi, cela ne me déplaît pas. Mais bon, je n'allais pas pinailler là-dessus avec Terry.

Le gentil Gary était de retour et nous servit du vin blanc pendant que nous jetions un dernier coup d'œil au menu.

– Est-ce que c'est possible d'avoir la salade de la mer mais sans les crevettes et le calamar ?

Terry entamait la déconstruction des recettes instituées – c'est un rituel normal quand on va au restaurant avec un Californien.

– Et c'est quoi, la sauce dessus ?

Gary fit de son mieux pour l'éclairer mais Terry n'était pas preneuse.

– Et est-ce qu'il y a du fumet de poulet dans la soupe d'artichaut ?

Gary pensait que non, mais Terry voulait qu'il en soit certain et Gary n'en était pas absolument certain, alors il est allé demandé en cuisine et est revenu avec l'excellente nouvelle que le bouillon était végétarien. Mais Terry n'en était plus là.

– Il y a de la farine dans votre tempura ?

Je l'ai regardée et elle m'a souri.

– Je suis allergique au gluten.

Visiblement, c'était quelque chose qui lui faisait plaisir. Gary avait bien sûr l'habitude. Il devait être californien lui-même et avait dû être éduqué en sachant que seuls des gens d'un statut social inférieur commandent ce qu'il y a sur le menu tel quel. Il m'a cependant semblé que, même en prenant en compte les coutumes de Santa Monica, nous approchions du moment où il faudrait bien prendre une décision.

– Je crois que je vais commencer par des asperges, mais sans beurre ni sauce, juste de l'huile d'olive. Ensuite les Saint-Jacques, mais sans la salade mélangée, je prendrai juste des cœurs de laitue, sans rien.

Gary avait réussi à tout prendre en note, soulagé de voir que la fin de son calvaire se profilait à l'horizon. Il se tourna vers moi. Mais il s'était montré trop rapide.

– Et est-ce que je pourrais avoir des épinards ?

Je trouve toujours cette expression irritante – est-ce qu'on demande vraiment d'« avoir » des épinards comme si on voulait en devenir propriétaire ?

– Écrasés mais sans crème. Sans une goutte de crème.

Elle allait ajouter un commentaire mais je l'ai devancée :

– Parce que tu es allergique aux produits laitiers.

Elle en était toute fière.

Gary avait fini de noter chaque détail sur son petit calepin – mais Terry en avait encore en réserve.

– Les épinards sont cuisinés avec du sel ?

Avec une patience infinie que j'ai trouvée admirable, Gary osa préciser que, oui, on mettait un peu de sel pour cuire les épinards. Terry secoua la tête d'un air désolé, considérant sans doute que c'était une barbarie indigne de notre époque.

– Pas de sel pour moi à la cuisson.

Je ne sais même pas comment Gary – la patience incarnée – pouvait garder son calme face à de telles provocations. J'espérais qu'il continuerait à se maîtriser.

– C'est possible, vous savez, de ne pas mettre de sel, ajouta Terry.

Je vis que même Gary, garçon décontracté élevé sous le soleil de Californie, se sentait désormais prêt à enfoncer son crayon dans la gorge de Terry et à la regarder se vider de son sang. Il n'avait pas la force de verbaliser une réponse et se contenta d'un signe d'assentiment.

Il se tourna vers moi et notre échange de regards exprima cette alliance muette que deux inconnus peuvent partager quand ils ont été témoins ensemble d'un comportement inadmissible.

– Je prendrai la soupe d'artichaut, un steak à point et une salade verte.

Il eut l'air décontenancé par la rapidité de la commande.

– C'est tout ?

– C'est tout.

Quand il fit mine de s'en aller, je devinai comme un soupir de soulagement inexprimé. C'est le moment que choisit Terry pour reprendre la parole :

– Il y a de la mayonnaise dans votre *coleslaw* ?

Gary s'arrêta. Quand il prit la parole, c'était avec le ton extrêmement patient que peut prendre un psychiatre aux prises avec un patient dangereux.

– Oui, madame. Il y a de la mayonnaise dans notre *coleslaw*.

– Bon, bah, laissez, alors.

Elle le congédia d'un petit geste de la main insultant et prit son verre. J'étais resté muet depuis si longtemps que, par équité, il me sembla juste d'intervenir :

– Terry, il y a toujours de la mayonnaise dans le *coleslaw*.

Elle se tourna vers moi, surprise que je puisse avoir une opinion sur le sujet.

– Pas chez nous.

Et Gary put enfin partir.

Ce petit épisode me permit de comprendre que, non, la vie de Terry en Californie n'était pas « géniale ! ». Ces façons d'être à tout prix différent, d'insister pour montrer qu'on peut choisir, d'infliger un comportement tyrannique à un serveur captif dans un restaurant sont en fait la seule manière de s'affirmer pour ceux qui sont incapables de changer quoi que ce soit dans leur vie. Los Angeles est une ville où le statut est tout et où il n'est accordé qu'à ceux qui peuvent se vanter d'avoir réussi. Ducs, millionnaires et autres play-boys viennent ici par paquets de douze et on les accueille avec de chaleureuses poignées de main pendant un temps, mais ils se trompent s'ils pensent vivre ici car cette ville, de manière peut-être justifiée, ne reconnaît que la réussite professionnelle comme valeur durable. Les habitants de Los Angeles se voient donc infliger une pénible obligation permanente consistant à se présenter systématiquement comme des gens qui ont réussi. Autrement, dans un tel environnement, ils abandonnent leur droit à être respectés. Comment va la famille ? Super ! Et ton nouveau boulot ? J'ai jamais fait un meilleur choix ! Et la maison ? Génial ! Traduction : le type est au bord de la faillite avec l'huissier à la porte, ses enfants sont drogués et il est à deux doigts du divorce. Un échec « intéressant », ça n'existe pas ici. Quiconque ne voit pas la vie comme une courbe strictement ascendante n'a pas sa place ici.

– Alors, comment va Greg ? J'ai entendu dire que vous étiez séparés ?

– Ah, on parle de moi, alors ? En Angleterre...

Comme ça paraissait la rasséréner, j'ai abondé dans son sens.

– Bien sûr !

En vérité, il s'était bien écoulé trente ans sans que personne m'ait parlé d'elle... jusqu'à Damian.

– J'imagine que tout le monde se souvient de mon bal.

Ce n'était pas le cas, mais ça aurait pu.

– Au fait, finalement, tu as su qui avait trafiqué les brownies ?

– Oui, mais très longtemps après. Quelqu'un m'a dit que c'était le type qui avait épousé ta copine, Lucy je ne sais plus quoi. Il connaissait la fille qui avait préparé les brownies et il a fait le mélange pendant qu'elle regardait ailleurs. Enfin, c'est ce qu'on m'a raconté.

Philip Rawnsley-Price – pour ce que ça lui avait servi...

Terry revint au présent.

– Greg va bien. Je ne le vois plus trop maintenant.

Elle haussa les épaules et se resservit un verre. Nous avions presque vidé la bouteille et on n'en était pas encore aux entrées. Je demandai si elle voulait qu'on passe au rouge, ce qu'elle accepta volontiers. Mon vieux pote Gary est arrivé avec les assiettes et a filé dare-dare chercher du vin avant que Terry n'ait le temps de l'interroger sur la composition des plats. Elle écarta certains ingrédients de sa fourchette d'un air méprisant.

– Ah, là, là, j'espère qu'il n'y a pas de farine de maïs.

– Pourquoi donc ?

– Des fois, ils en mettent. Le lendemain, j'ai l'air d'un raton laveur.

Ce doit être terrible de vivre dans un tel danger permanent. Mais elle se jeta sur la nourriture avec un enthousiasme oublieux des risques.

– Greg s'est pas mal débrouillé. Il a quitté Merrill Lynch quand il a compris le potentiel de développement de la Silicon Valley – avant tout le monde. C'est vrai. J'aurais dû rester avec lui.

Elle eut un rire désabusé, mais avec un vrai fond de sincérité.

– Et pourquoi n'es-tu pas restée ?

J'étais curieux de savoir si elle allait m'avouer le coup du millionnaire volage qui l'avait poussée à briser les liens du mariage.

– Oh, tu sais, j'ai rencontré un type, répondit-elle dans un sourire de complicité immorale.

– Et qu'est-ce qu'il s'est passé ?

– Ça n'a pas marché.

Elle poussa un petit rire sans joie et secoua sa chevelure.

– Qu'est-ce que j'ai été contente d'en être débarrassée !

– C'est vrai ?

Le regard qu'elle me lança en guise de réponse prouvait le contraire. Il me disait qu'elle était tout sauf contente d'avoir été débarrassée d'un type qui représentait sans doute pour elle l'ultime trésor sur lequel elle ne mettrait plus jamais la main.

– Ne parlons plus de lui.

Je n'aurais pas dû évoquer cet épisode de sa vie. C'était un échec et donc un sujet de conversation anti-californien. Je me demandais si elle regrettait souvent d'avoir quitté Greg qui était aujourd'hui riche comme Crésus.

– Comment va ta fille ?

– Susie ? Tu te souviens de Susie ?

Elle parut très intéressée par le fait que j'aie cette information à l'esprit.

– Je me rappelle que tu t'es mariée et que tu as eu un enfant dans la foulée. Et tout ça bien avant tous les gens de notre génération.

À ce stade, elle avait suffisamment bu pour s'autoriser une grimace à l'évocation de ce souvenir.

– Un peu qu'elle est née tout de suite ! J'peux te dire que j'ai joué gros sur ce coup-là ! Et j'ai failli tout perdre.

Voilà qui m'intéressait. Je préférai me taire et voir si elle allait m'en dire plus. Ce qui ne tarda pas à venir.

– Greg, c'était quelqu'un à plusieurs facettes. Quand il était jeune, c'était vraiment les play-boys de l'époque façon Troy Donahue et les films avec Sandra Dee, le bal de la promo, les Beach Boys, ce genre de trucs.

– Je vois.

Ces références américaines de ma jeunesse évoquaient directement un monde plus pur et plus innocent, où chacun voulait ressembler le plus possible aux Américains des films de Hollywood, et où la seule question préoccupante, pas seulement pour Greg, mais pour tous, c'était de savoir qui allait être votre petite amie. C'était un monde limité mais qui avait des côtés charmants dans son inépuisable assurance.

– Ses parents étaient très religieux, très Midwest, et ça se limitait à ça. Mais Greg était aussi un garçon des années 1960, un vrai de vrai, un typique, et il fumait ce qui allait avec. Tu te souviens comment c'était.

Bien sûr que je m'en souvenais. Toute une génération attendait de savoir de quel côté le monde allait basculer. Et la moitié d'entre eux faisait comme si elle se moquait de tout, alors que, bien sûr, ce n'était pas le cas.

– Il n'arrêtait pas de dire qu'il était trop jeune pour se fixer et pourquoi on n'en profiterait pas avant, etc.

– Et cela n'était pas possible ?

Son regard se figea.

– Je voulais une vraie vie. Il fallait que j'avance. J'avais besoin d'avoir de l'argent.

L'alcool la rendait très sincère.

– Ton père avait de l'argent.

– Mon père avait un bon salaire.

La nuance ne m'échappa évidemment pas. Elle continua :

– Et puis j'aimais bien Greg. Je me disais qu'on serait heureux. Et je savais qu'il ne pouvait pas dire à ses parents qu'il avait un enfant illégitime.

– C'est à ça que tu faisais allusion en parlant de jouer gros ?

– Oui. On vivait ensemble depuis quelques mois, ce qui était assez audacieux pour l'époque si tu te rappelles. Et puis la banque de Greg l'a envoyé en Pologne et il m'a demandé de l'accompagner. J'y suis allée et il n'arrivait pas à se décider à m'épouser. Alors je suis tombée enceinte.

– Alors que tu étais là-bas ?

– Bien sûr. Nous nous sommes mariés et Susie est née. À Varsovie.

– C'est romantique...

– À l'époque, pas tant que ça, crois-moi.

Ça, je pouvais le croire.

– Et tes parents, qu'est-ce qu'ils ont dit ?

– Ils étaient contents. Ils aimaient bien Greg. Ils sont séparés maintenant, tu sais.

– Non, je ne savais pas. Je suis désolé.

– Oh, ça s'est bien passé. Ils vont bien tous les deux. Maman s'est remariée.

– Transmets-lui mes amitiés. Et ton père, il s'est remarié ?

– Non. Il a décidé qu'il était homo. Remarque, ça ne l'empêche pas de se marier aujourd'hui. Mais bon, il est célibataire.

– Il est heureux ?

– Je ne suis pas sûre. Il n'a personne. D'un autre côté, il n'a plus non plus ma mère à lui gueuler dessus tout le temps.

Nous avons souri à l'évocation de l'impressionnante Verena. Mais j'étais surpris, pour la énième fois, par les bouleversements intimes requis par notre nouvelle ère. Est-ce qu'il serait jamais venu à l'esprit de Jeff Vitkov, ce sympathique bonhomme un peu ennuyeux, brillant entrepreneur et père de famille, de remettre en question sa sexualité à 50 ans bien tassés sinon à notre époque ? S'il était né vingt ans plus tôt, il se serait juste mis au golf, il aurait été voir ses potes au club plus souvent et il n'y aurait pas pensé plus que ça. En aurait-il été plus malheureux ? Je ne crois pas. Mais ce n'est pas un sujet qui encourage vraiment la nostalgie. Même si je ne suis pas fan du changement pour le changement, ou même du changement tout court, je pense qu'au bout du compte nous finirons par pouvoir vivre une sexualité, quelle qu'elle soit, qui sera compatible avec la double idée d'engagement et de respect. J'aimerais juste que cette question retourne dans l'obscurité intime où on avait coutume de la laisser – alors qu'aujourd'hui il devient socialement obligatoire de porter en permanence sa sexualité en sautoir.

Je ne voyais pas trop ce que je pouvais avoir à dire sur Jeff et ses interrogations personnelles et je me suis contenté d'un sourire.

– L'essentiel, c'est de voir que toi, tu vas bien.

– Oui, fit-elle avec un sourire qui n'arriva pas à monter jusque dans son regard. Ça va avec Donnie.

Donnie était visiblement le nouveau mari, mais je n'étais pas certain que « ça va » ait été un argument renversant d'enthousiasme en sa faveur. C'est vrai que cela faisait quelques années qu'ils étaient ensemble maintenant. Mais, ce qui m'intéressait, c'était de retourner à mon affaire.

– Il s'entend bien avec Susie ?

– Ouais, répondit-elle d'un air indifférent. Susie est adulte, maintenant, mais ouais, ils s'entendent bien, je crois.

Entre « je crois » et « ça va », on se situait à peu près au même niveau d'euphorie extatique. J'avais beau essayer, je n'arrivais pas à déceler les indices d'une famille bercée par un bonheur sans nuage.

– Elle fait quoi ?

– Elle est productrice.

À Los Angeles, il ne s'agit pas à proprement parler d'une information significative, pas plus que de déclarer : « Elle fait partie de l'espèce humaine. » Après cette visite californienne en mission pour Damian, qui devait fort ironiquement m'ouvrir les portes d'une carrière américaine, je devais me familiariser davantage avec les mœurs locales mais j'étais encore un innocent. Si j'avais été moins naïf, je n'aurais pas posé la question d'après :

– C'est intéressant, dis donc. Elle a produit quoi ?

– Elle est sur des projets passionnants. Elle travaille sur un truc pour Warner en ce moment, me dit Terry avec un grand sourire en considérant que cela mettait fin à la conversation sur le sujet.

– Elle est mariée ?

– Divorcée. Et elle est bien dans la merde maintenant.

La remarque lui avait échappé et était sortie un peu plus fort que prévu. Elle essaya d'en atténuer l'effet.

– Pour être franche, on ne se voit pas beaucoup. Tu sais comment c'est, elle est très occupée.

Je ne sais pas si son haussement d'épaules était censé masquer sa douleur, mais peut-être que si.

– Je comprends.

Je sais que mes reparties doivent paraître extraordinairement faibles, mais c'était en rapport avec le volume sonore de Terry qui ne cessait de s'amplifier et je me sentais de plus en plus mal à l'aise en constatant que, de part et d'autre de notre table, les gens étaient très occupés à faire semblant de ne pas écouter notre conversation.

Gary le Diplomate était de retour avec de gigantesques plâtrées californiennes remplies à ras bord qui dissipèrent mon appétit. Terry commanda une nouvelle bouteille. Entre deux gorgées, elle me demanda :

– Tu vois encore des gens ? De notre vieille équipe ?

Je ne suis pas convaincu que Terry ait vraiment fait partie de « notre vieille équipe », si cette équipe avait jamais existé, mais cela me sembla le bon moment pour parler de Damian. Et Terry, pour la première fois, parut sincèrement intéressée par ce que j'avais à lui dire.

– Comment va-t-il ?

En lui expliquant, je me suis rendue compte que son cœur de silex avait tout de même été un peu touché.

– Oh, je suis désolée pour lui...

Mais son esprit passa rapidement sur les sentiments sirupeux pour retrouver ses penchants naturels.

– Il a vraiment fait fortune...

– C'est vrai.

– Tu aurais deviné qu'il gagnerait autant d'argent à l'époque ?

– J'ai toujours su qu'il se débrouillerait très bien, dis-je après réflexion.

– Même si tu le détestais ?

Elle avait quand même des souvenirs précis concernant le bon vieux temps.

– Je ne l'ai pas tout le temps détesté. Pas au début.

Elle eut l'air de comprendre ce que je voulais dire. Tant que j'y étais, autant aborder la question qui m'occupait :

– Il y a eu un truc entre vous deux, non ?

Elle se redressa, l'air choqué par mon impertinence, mais je ne suis pas sûr qu'on puisse être impertinent avec quelqu'un comme Terry.

– Il y a eu « un truc » entre moi et beaucoup de monde, tu sais...

C'était parfaitement vrai, même si c'était inhabituel à l'époque que nous avions vécue. Question galanterie, il valait mieux que ce soit elle qui l'évoque plutôt que moi. Elle accompagna même sa remarque d'un regard en coin, fort justifié d'ailleurs, puisque je figurais parmi les heureux individus en question. C'était l'histoire d'une seule nuit, mais cela avait bel et bien eu lieu. Terry sentit que j'étais en pleine remémoration et elle leva son verre pour y porter un toast.

– À nos folies...

Elle avait prononcé ces mots avec un sourire mystérieux et troublant qui renforça cette sensation curieuse et semi-détachée où l'on parle à une personne avec laquelle on a autrefois couché, mais l'événement est si loin de votre présent qu'il donne l'impression de concerner deux autres personnes. Sauf qu'en l'occurrence, comme je l'ai dit, c'était bel et bien arrivé.

Je devais passer la soirée et la nuit dans le Staffordshire. Le couple chez qui je devais dormir était au beau milieu d'une atroce bagarre pleine de fiel quand j'étais arrivé. C'était pour le bal de Minna Bunting, cette jeune fille avec qui j'avais entretenu un flirt parfaitement vertueux. Ce moment de notre relation était passé, et comme il n'y avait rien à oublier, nous étions restés amis. Cela peut paraître étrange, mais c'était tout à fait possible à cette époque. En 1968, présenter quelqu'un comme « ma petite amie » ne signifiait pas automatiquement « ma maîtresse », comme c'est le cas maintenant. Aujourd'hui, c'est si elle n'était pas effectivement votre maîtresse que vous auriez l'impression de mentir.

J'avais reçu le carton habituel (« Nous serions ravis de vous accueillir pour le bal de Minna ») et, à mon arrivée, je trouvais un grand et beau presbytère en pierre, tout près de Lichfield, je crois. Le carton me précisait que mon hôte se nommait « Mrs. Peter Mainwaring », et elle avait elle-même signé Billie, je possédais donc toutes les informations nécessaires en sortant de la voiture. Seulement il existe certains noms en anglais qui ne se prononcent pas comme ils s'écrivent. Aurait-elle le snobisme d'utiliser la prononciation « Mannering » ou bien aurait-elle la simplicité de le dire selon l'orthographe ? De la même manière qu'il est conseillé d'être trop bien habillé plutôt que pas assez, il me sembla préférable d'utiliser la prononciation « Mannering ». Le fait est que je n'avais pas besoin de me tourmenter à ce sujet car son patronyme était le dernier de ses soucis.

– Oui ? fit-elle en ouvrant violemment la porte et en me regardant méchamment.

Elle était rouge de colère et les veines de son cou étaient gonflées.

– Je crois que je suis invité chez vous pour le bal des Bunting... bredouillai-je.

Un instant, j'ai cru qu'elle allait me frapper.

– Mais c'est pas vrai, bon sang ! aboya-t-elle en retournant dans le vestibule.

Je dois avouer que, même avec mon âge et mon expérience, je trouve toujours ce genre de situation extrêmement inconfortable parce qu'on se retrouve coincé en position d'intrus et on ne peut pas répondre sur le même ton. Et à l'âge que j'avais alors, c'était totalement impossible pour moi. Je me souviens de m'être demandé s'il n'était pas plus poli et, en fait, préférable pour tout le monde, de retourner à la voiture et de me trouver un hôtel pour la soirée. À moins que cela n'aggrave la situation ? Mais Mrs. Peter Mainwaring, alias Billie, n'en avait pas fini avec moi :

– Bon, vous venez ou quoi ?

Je saisis ma valise et avançai maladroitement dans un grand hall lumineux. Il était d'un jaune resplendissant, couleur tournesol, ce qui tranchait avec la noirceur de la scène qui s'y déroulait. Les finitions étaient blanches et un très joli portrait de Reynolds représentant une mère et son enfant était accroché sur le mur du fond. Un grand monsieur, sans doute Mr. Peter Mainwaring, se tenait dans le grand escalier.

– C'est qui ? cria-t-il.

– C'est encore un des invités des Bunting ! Mais combien tu leur as dit, merde ! C'est pas un hôtel, ici, bordel de merde !

– Oh, ferme-la, un peu... Va lui montrer sa chambre.

– Vas-y, toi, lui montrer sa chambre à la con !

Je commençais à me demander si elle maîtrisait un autre registre linguistique que celui-là. Pendant cet échange peu affectueux, alors que je me trouvais immobile au milieu du hall, totalement pétrifié par l'angoisse nerveuse, figé comme l'effigie d'Indien trônant devant les boutiques de cigares, me vint alors l'idée lumineuse d'essayer d'apaiser les tensions.

– Je vais trouver tout seul, affirmai-je.

Cette tactique était une erreur.

La maîtresse de maison se retourna vers moi comme une lionne en furie. L'irritation de Billie à mon arrivée se transforma, je crois, en détestation personnelle.

– Mais il est con ou quoi ! Comment on peut trouver son chemin dans une maison où on n'a jamais mis les pieds !

C'est le moment où, si j'avais eu plus d'assurance et quelques années de plus, je lui aurais répondu de se garder sa mauvaise humeur et, pour parler dans sa langue, d'aller se faire mettre. Et puis, je serais tout simplement parti. Mais, quand on est jeune, on croit souvent être fautif, que tous les problèmes sont peu ou prou liés à votre personne. La plupart des adolescents des années 1930 devaient penser que la Second Guerre mondiale était de leur faute. J'étais là à rougir et à bégayer pendant que nos hôtes se hurlaient dessus quand, par miracle, Terry Vitkov était apparue sur le palier du grand escalier, derrière Peter Mainwaring, et m'avait fait signe. Je n'ai jamais été aussi soulagé de voir quelqu'un apparaître.

– Terry ! criai-je comme si j'avais été amoureux d'elle depuis l'âge de 14 ans.

Je grimpai l'escalier quatre à quatre sans faire attention ni à la furieuse « Billie » ni à « Peter ».

– Je vais lui montrer sa chambre. OK ?

Et avant qu'ils n'aient le temps de dire quoi que ce soit d'autre, j'étais enfin sauvé.

Terry et moi nous sommes apporté un soutien mutuel durant les heures qui devaient suivre. Apparemment, le mari avait acheté une maison, ou une villa, dans le sud de la France sans en parler à sa femme et Billie venait de l'apprendre vingt minutes avant l'arrivée de Terry. Elle était venue en train, je ne sais plus pourquoi je ne l'avais pas prise avec moi. Peut-être arrivais-je d'un autre endroit – ce qui importe, c'est qu'elle était ici depuis une heure. Durant ce laps de temps, le conflit avait connu une escalade : après un démarrage tranquille, la querelle avait abouti à son point culminant et Billie avait fini dans le hall à hurler des insanités qui seraient choquantes encore aujourd'hui et à menacer son mari d'un divorce qui allait lui « coûter la peau des couilles » (fin de citation). Je n'ai jamais compris ce que son crime avait de particulièrement horrible. Je me demande maintenant s'il n'était pas question en fait d'une troisième personne, à moins que Billie n'ait eu des projets que l'achat avait empêchés.

Ma chambre était plutôt pas mal et ressemblait à ce que je m'attendais à trouver après tous ces séjours dans des demeures inconnues chez des hôtes de la petite noblesse britannique. Il y avait le joli papier peint avec un motif léger d'inspiration victorienne, les rideaux doublés en imitation Colefax et des gravures de fleurs dans des cadres dorés avec un passe-partout vert amande. Je bénéficiais de ma propre salle de bains, ce qui n'avait rien d'évident en ce temps-là. Mieux encore, l'endroit ne comportait pas trop de pince-oreilles ni de cloportes et le lit était très correct. Mais quel que soit le confort, rien ne pouvait faire oublier l'engueulade surréaliste qui se déroulait toujours en bas, sans nul doute amplifiée par le fait qu'ils se retrouvaient de nouveau tout seuls et pouvaient s'étriper en toute liberté.

Il y eut deux nouvelles arrivées, tout d'abord un garçon nommé Sam Hoare, que je me rappelle mieux que je n'aurais dû, pour la simple raison qu'il désirait devenir acteur, ambition assez incroyable à l'époque. Dans le groupe social auquel j'appartenais tout du moins, la perspective d'une carrière d'acteur ne paraissait pas tant vouée à l'échec que nécessitant un traitement psychiatrique. Il était grand et beau garçon et je crois me rappeler qu'il a fini par devenir un producteur de renom pour la télévision – il avait donc eu raison de persévérer même si cela avait beaucoup ennuyé ses parents. Le dernier invité à venir pour la nuit et non seulement pour le dîner était une invitée, Carina Fox, que j'avais toujours bien aimée sans réellement la connaître. Nous avons entendu les chiens aboyer et des gens parler en bas et, comme Terry l'avait fait avec moi, nous sommes descendus prudemment jusqu'à l'escalier pour sauver les nouveaux arrivants. Les Mainwaring nous confièrent la garde des nouveaux venus sans y réfléchir à deux fois. Peter et Billie n'avaient pas l'air de se soucier de leurs invités ni de savoir si, peut-être, après la fatigue du voyage, ils voulaient une tasse de thé. Ce genre de situation est créatrice de complicités. De fait, nous sommes restés tous les quatre dans ma chambre à commenter le match et à se demander comment allait se passer la soirée. À la fin de l'après-midi, nous étions devenus de vrais amis et pas les connaissances distantes que nous aurions pu être dans d'autres circonstances.

Le dîner débuta relativement bien. Après tout, ils avaient eu le temps de se remettre les nerfs en place et puis deux autres couples avaient été invités, des gens du coin, plutôt de la génération de nos hôtes. Après un verre de champagne dans le jardin sans incident notable, nous nous sommes tous attablés, vers neuf heures du soir, pour nous consacrer à des conversations banales comme si rien ne s'était passé précédemment. Je suis même à peu près certain que les invités – un général accompagné de son agréable épouse, et des propriétaires voisins – n'auraient jamais deviné que leurs très chers Peter et Billie venaient de finir une représentation privée de *Qui a peur de Virginia Woolf?* juste avant d'aller se rafraîchir pour le soir. La salle à manger ne manquait pas de caractère; la porcelaine et la verrerie étaient de qualité, ainsi que les tableaux. Je suppose que Peter devait venir d'une famille ayant peut-être perdu ses terres mais qui avait conservé le reste du patrimoine, ce qui était alors assez courant. Et aujourd'hui aussi, d'ailleurs. Je ne suis pas sûr que les ressources financières aient été illimitées et Billie avait sans doute dû faire à manger elle-même. Dans ce genre de presbytère sans éclat, même quand les propriétaires appartenaient à l'aristocratie terrienne qu'on appelait autrefois la *gentry*, on ne recourait pas autant aux services de traiteurs qu'aujourd'hui et la plupart des maîtresses de maison se sentaient le devoir – c'était peut-être un reste des obligations morales de la guerre – de cuisiner. J'ai déjà dit que la cuisine était rarement excellente et reposait pour l'essentiel sur des recettes découpées dans des magazines minables et ensuite collées dans des cahiers pour cuisinières. Une fois le repas préparé, on demandait en général à deux dames du village de venir faire le service et la vaisselle. Telle était l'organisation du dîner ce soir-là. La dégustation de l'entrée – la mousse de saumon obligatoire que l'on trouvait sur toutes les tables avec une régularité qui ne pouvait manquer d'émousser les papilles – s'était bien déroulée. Le plat principal était composé d'une sorte d'escalope servie avec une sauce visqueuse saupoudrée de choses et d'autres et décorée avec les inévitables carottes découpées en forme de roses. Nous y avons survécu sans problème. Mais, avant l'arrivée du dessert, apparurent les signes annonciateurs d'orage. Je me trouvais à peu près en milieu de table, dans la position subalterne qui m'était habituelle, quand je vis lady Gregson, la femme du général, se tourner vers Sam Hoare à sa droite et lui dire, au moment où la serveuse retirait son assiette : « C'était délicieux, vous ne trouvez pas ? » – commentaire assez peu polémique, il faut bien le dire.

Sam allait abonder dans son sens quand notre hôte, assis à la gauche de lady Gregson, l'interrompit :

– Déjà que c'est pas très original, il faut au moins que ça soit à peu près comestible.

– Quoi ?!!

La voix de Billie Mainwaring s'était imposée avec force et avait fait taire presque tout le monde, y compris ceux qui n'étaient au courant de rien.

Lady Gregson, qui était une femme charmante, mais pas spécialement fine, venait de prendre la mesure de la situation et précisa avant que Peter ne puisse répliquer :

– Nous disions que le plat était délicieux.

Seulement cela faisait un moment que Peter tapait dans la bouteille de bordeaux et on sentait clairement que la digue intérieure qui le retenait venait de céder.

– C'est vrai. J'adore ce plat. À chaque fois que tu le sers. C'est-à-dire à chaque fois que des invités ont la malchance d'atterrir chez nous pour dîner.

À ce moment-là, qui n'aurait pas pu être plus mal choisi, une des serveuses arriva sur la gauche de lady Gregson, c'est-à-dire à côté de Peter. Elle apportait ce qui ressemblait à un *cheesecake* tout blanc. Peter leva les yeux au ciel.

– Oh, non, chérie, *encore* le *cheesecake* ?

– J'adore ça, fit lady Gregson d'une voix très ferme, comme si, ayant perçu le signe d'une rébellion, elle était prête à imposer à chacun de resserrer les rangs, qu'il le veuille ou non.

C'est le genre de femmes qu'il nous aurait fallu à la bataille de Lucknow.

– Et les fraises ? demanda Peter qui fixait maintenant sa femme droit dans les yeux.

– Le dessert, c'est le *cheesecake*. Cela m'a semblé préférable aux fraises, répondit Billie avec toute l'expressivité glaciale de l'horloge parlante.

– Je les avais achetées pour ce soir.

– Très bien.

La tension ambiante ressemblait beaucoup à celle des films qui étaient à la mode à l'époque où menaçait une guerre nucléaire comme on la craignait beaucoup dans ce temps-là.

– Mrs. Carter, pouvez-vous aller chercher les fraises, s'il vous plaît ?

La pauvre femme ne savait pas ce qu'elle devait faire. Elle dévisagea sa patronne comme s'il s'agissait forcément d'une erreur.

– Mais, euh, elles sont...

Billie l'interrompit d'un geste de la main dont la gravité évoquait la décision de vie ou de mort d'un empereur romain.

– Apportez les fraises, Mrs. Carter, je vous prie.

Il arrive que ce genre d'incident soit le bienvenu. Comme on le sait tous, rien ne permet d'égayer un repas un peu morne comme une bonne engueulade de couple. Mais, en l'occurrence, l'intensité qui se dégageait du conflit était un peu au-dessus du spectacle normal pour invité blasé. La violence mordante des échanges allait un peu trop loin. La scène suivante ne se fit pas attendre. On nous avait servi le *cheesecake* contentieux mais personne n'avait commencé à manger. Je vis Sam faire un clin d'œil à Carina et, à ma gauche, je sentis que la chaise de Terry était animée par les soubresauts de gloussements à peine refoulés. Hormis ces légères diversions, nous restions tranquilles, devinant que, selon la formule célèbre, on n'avait encore rien vu. Mrs. Carter est revenue et s'est présentée avec un saladier de fraises près de lady Gregson qui commença à se servir : tout le monde put alors constater que les fruits complètement congelés sortaient du freezer et avaient la dureté de billes d'acier. La pauvre femme plongea la cuillère et se servit, faisant tomber les fraises dans l'assiette avec le bruit métallique d'une plâtrée de roulements à billes. Mrs. Carter passa ensuite le saladier à Peter qui se servit soigneusement une grande louche retentissante. Il fit un grand tas dans son assiette : ça faisait cling, cling, cling. Mrs. Carter fit le tour des invités et personne n'osa refuser si bien que, tout autour de la table, on entendait l'écho des billes glacées se fracasser dans les assiettes, y compris la mienne. Je ne sais pas pourquoi nous n'avons pas eu le bon sens de refuser. Mrs. Carter retourna dans la cuisine d'un air déconcerté pendant que nous commencions à consommer ces fraises à la consistance granitique. Toute conversation avait cessé, bien sûr. Plus personne n'essayait même de bavarder. Nous étions tous occupés à essayer de grignoter des bouts de cailloux à la fraise. À un moment, le général eut l'air d'en avoir coincé un dans la gorge et il jeta la tête en arrière comme un cheval tirant sur sa longe, mais ce danger était à peine évité que Mrs. Towneley, la femme du propriétaire terrien, émit un craquement impressionnant et s'écria qu'elle venait de se casser une dent. Nos hôtes gardèrent l'impassibilité de Ponce Pilate tandis que nous poursuivions notre mastication, en particulier Peter qui, avec force bruits de succion et un large sourire, faisait tout pour montrer qu'il dégustait là la meilleure friandise de sa vie.

– Vous avez l'air de vous régaler, remarqua lady Gregson qui, décidément, jetait de l'huile sur le feu alors même qu'elle croyait contribuer à l'apaisement.

– C'est un tel plaisir de manger quelque chose qui change. Surtout chez nous.

Il avait parlé fort, en articulant distinctement. Sa voix avait résonné dans la pièce où seul l'écho de nos mâchoires brisait le silence. Naturellement, tout le monde se tourna vers sa femme. Un instant, j'ai cru qu'elle n'allait pas réagir. Sauf que finalement, si.

– Espèce de connard.

Billie retrouvait le vocabulaire qui était le sien dans les moments de colère. Mais, cette fois-ci, elle s'était exprimée très doucement et ses paroles, malgré leur manque d'originalité, avaient retenti de manière très efficace. Ensuite, elle se leva, se pencha et attrapa le saladier. Avec le geste de quelqu'un qui lance un seau d'eau pour éteindre un incendie, elle projeta sur Peter ce qui restait des fruits congelés, arrosant au passage tous les convives, la table et le parquet de ses petits projectiles pointus et douloureux qui rebondissaient partout. Elle lui balança ensuite le saladier à la tête mais le manqua car il s'était baissé pour esquiver et le projectile termina sa course contre une très jolie console George IV se trouvant derrière. Le silence qui suivit ne fut troublé que par la respiration haletante de Billie.

– Je vais chercher les manteaux ? intervint lady Gregson d'un ton joyeux. Il y a combien de voitures pour aller au bal ?

Dans un louable effort pour mettre fin à l'incident, elle recula sa chaise, marcha sur une fraise congelée et se ramassa une gamelle. Le hasard voulut qu'en valdinguant elle se heurte le crâne contre le bord de la table, ce qui permit à sa robe de soirée de se soulever et de dévoiler un jupon plutôt douteux et un bas droit filé, ce qui était peut-être dû à l'accident lui-même. Elle est restée étalée comme un flan, totalement immobile, et je me suis demandé si elle n'était pas morte. Tout le monde devait penser la même chose puisque chacun resta paralysé, sans un mot ni un geste, pétrifié dans un silence préhistorique. Un grognement sourd de sa part nous rassura bientôt sur son éventuel décès.

– Tout le monde n'a pas besoin d'y aller, je crois. N'est-ce pas, chérie ? déclara Peter en se levant.

Cela mit fin à la soirée chez les Mainwaring.

Voilà toutes les raisons qui expliquent que j'ai fini par coucher avec Terry ce soir-là. Arrivés au bal, nous sommes restés ensemble. Il semblait naturel d'être en compagnie de quelqu'un ayant partagé les événements de la soirée. Sam Hoare et Carina paraissaient être dans le même état d'esprit et se mirent bientôt à danser ensemble. En fait, ils commençaient là un flirt qui devait aboutir à un mariage, trois enfants et un célèbre et fort hargneux divorce quand Sam décida de se faire la malle avec la fille d'un constructeur automobile italien en 1985. Bref, il ne restait de notre dîner que Terry avec qui danser et je n'en étais pas désolé. Au fil de la soirée, comme cela arrive parfois, l'issue en devenait inévitable. Nous nous sommes agités tant que la musique restait enlevée mais lorsque la lumière s'est tamisée vers une heure du matin et que le DJ a mis « Honey I Miss You », tube guimauve jusqu'à l'écœurement, une de ces ballades de l'époque parlant d'une petite amie décédée, nous sommes tombés dans les bras l'un de l'autre instantanément et nous avons succombé à cette imbrication vaguement rythmique qui passait pour de la danse lors de la dernière phase de ce genre de situation.

Ces mélodies funèbres et piquantes sont typiques de l'époque même si la mode en est passée il y a bien longtemps. C'était un phénomène assez curieux quand on y pense, toutes ces chansons évoquant maris, épouses, petites amies qui mouraient de cancers ou tués dans des catastrophes ferroviaires, accidents de voiture, et surtout de motos, ce dernier scénario mêlant plusieurs toquades alors au goût du jour. Il devait y avoir dans leur sentimentalisme larmoyant et facile des émotions qui entraient en résonance avec notre intime conviction d'être des aventuriers et avec notre envie de se lâcher. Il y avait « Tell Laura I Love Her », mélodique et consistant, et puis aussi

« Terry » ou « TeenAngel » et, bien sûr, « Honey », d'atroces tubes pleurnicheurs, mais l'exemple suprême, l'exception qui confirme la règle, c'était un morceau qui, comme « Dancing Queen » mais plus ancien, a dû être écouté sur la radio de la salle de bains plus qu'aucun autre succès de l'époque et qui s'appelait « The Leader of the Pack » par les Shangri Las. Dans ce morceau, il y a un passage qui m'a toujours fasciné : « Un jour mon père m'a dit, "trouve-toi quelqu'un d'autre"/J'ai dû dire à Jimmy, que tout était fini/Il m'a demandé pourquoi, l'air tout désemparé/ Et moi je n'arrivais à rien d'autre qu'à pleurer. » Vous aurez compris que le patron dans cette histoire, c'est le papa. Que ce soit le dur de dur, ce *biker* en cuir avec son engin qui brille, ou la jeune fille en proie à la passion, il n'y en a pas un pour discuter quand papa dit non.

– Trouve-toi quelqu'un d'autre. Et tout de suite, j'ai dit !

– OK, papa, c'est toi qui décides.

On changerait sûrement les paroles si on l'enregistrait aujourd'hui. Peut-être qu'on les remplacerait par : « J'ai dit à mon père d'aller se faire foutre » ? Je ne vois pas d'échantillon plus éclairant démontrant aussi nettement et avec autant de concision l'effondrement de notre structure familiale et de la discipline dans notre société. Pas étonnant que tout le monde se moque de nous.

Le fait est que ce soir-là ce petit refrain a bien fait son travail et quand nous avons pris le petit-déjeuner sous le barnum, décoré avec originalité d'outils agricoles et de feuilles de maïs, nous savions comment finirait la soirée et j'en étais assez satisfait. La plupart d'entre nous se souviendront de ce sentiment enchanteur, surtout lors des premières années de chasse, quand on sait qu'on a identifié un partenaire consentant.

Ivre comme j'étais, j'ai quand même conduit pour rejoindre le presbytère des Mainwaring, avec Terry qui me donnait des coups de coude pour que je ne m'endorme pas, et nous sommes rentrés par la porte principale laissée ouverte comme convenu. Comment ferait-on aujourd'hui où l'on peut avoir des craintes légitimes à laisser sa porte ouverte ? Autrement, sans doute. Nous sommes montés à l'étage en faisant le moins de bruit possible. Je ne crois pas que nous ayons eu la moindre hésitation, même pour la forme, quand nous sommes arrivés devant nos chambres respectives. Sans qu'elle formule d'autorisation, sans explication, j'ai suivi directement Terry dans sa chambre, j'ai fermé la porte et je me suis mis au travail.

Un des problèmes masculins – et je crois que c'est une vérité intemporelle – est que les garçons fonctionnent à partir d'un impératif de type missile à tête chercheuse expliquant qu'ils soient toujours en quête de batifolages de plumard. C'était particulièrement vrai à l'époque car nos consœurs étaient rarement partantes pour la bagatelle, si bien que lorsqu'on discernait la moindre possibilité d'un résultat positif, la moindre brèche dans le mur de la vertu, on y allait franchement, sans même se demander si on en avait vraiment envie. Malheureusement, ce questionnement introspectif sur sa véritable motivation intervenait souvent après, quand vous vous trouviez déjà au lit et qu'il était beaucoup trop tard pour changer d'avis. Contrairement à ce que certaines célébrités vieillissantes aiment à raconter, ma génération – même les mâles – n'a pas connu la promiscuité sexuelle qui a été celle de nos successeurs, sans même parler de la totale anarchie sexuelle d'aujourd'hui. C'était tout de même le début de cette période. L'homme d'une vingtaine d'années qui était toujours puceau – ce qui n'avait rien d'exceptionnel pour la génération de mon père – était devenu une rareté et il était assez commun d'avoir pour objectif quotidien de multiplier les conquêtes. Il arrivait ainsi, inévitablement, que, de temps en temps, un homme se retrouve au lit avec une jeune fille que l'on pourrait décrire comme improbable.

En général, quand cela arrivait, on s'envoyait en l'air malgré tout et c'est seulement le matin que le cerveau effaré arrivait à formuler la question : « Mais qu'est-ce qui m'a pris ? » Forcément, dans certains cas, c'est au cœur de l'action que l'impétrant était saisi par la révélation divine. Aussitôt, c'était comme si tombaient de ses yeux des écailles, et il retrouvait la vue : la situation – à poil malgré soi avec le corps de quelqu'un dans les bras – lui apparaissait alors dans toute son indéfendable folie. C'est là exactement ce qui s'est passé avec Terry cette nuit-là. En fait, je n'éprouvais pas la moindre attirance pour elle et, même, je ne l'aimais pas particulièrement en temps normal. Sans la bagarre des Mainwaring et le niveau d'hystérie atteint par la soirée, nous ne nous serions jamais retrouvés dans une situation pareille. Sans les incidents qui nous avaient rapprochés artificiellement, je serais allé me coucher tranquillement tout seul. Mais maintenant que je me retrouvais au lit avec elle, je sentais l'odeur un peu acide de son corps, je touchais ses cheveux filandreux et son ventre spongieux tout en manipulant ses seins tombants, et je compris alors avec une clarté fulgurante que j'aurais voulu être n'importe où ailleurs. Je me suis dégagé de son corps pour m'allonger sur le dos.

– Ça ne va pas ? demanda Terry d'une voix que je trouvais irritante.

– Non, non, il n'y a rien.

– Il y a intérêt, fit-elle sèchement.

Cette remarque me fit comprendre que la messe était dite : si je ne voulais pas devenir la risée de la Saison, être décrit comme « le mec qu'assure pas » et être l'objet de tous les ricanements des jeunes filles dont j'imaginais déjà les gestes sarcastiques brandissant un index tout mou, il fallait agir. Car je savais que Terry était parfaitement capable de répandre cette anecdote.

– Tout va bien. Viens dans mes bras.

Et alors, rassemblant toute la résolution que je pouvais, j'accomplis mon devoir.

Le dîner ne se passait pas particulièrement bien. Gary nous avait quasiment abandonnés et, à ce stade, Terry était saoule comme une barrique. Nous étions face à la carte des desserts, et quand Terry s'est mise à vitupérer au sujet des ingrédients d'une sorte de strudel, l'expression de Gary montra clairement que certaines bornes avaient été dépassées.

– Je prendrai juste un café, dis-je pour tenter désespérément de faire avancer Terry vers la suite.

Mais cela lui donna une idée.

– Viens chez moi pour prendre le café. Tu veux savoir où je vis, non ?

Fort étrangement, son accent traînant traînait de plus en plus. Elle étirait les syllabes comme dans le sud des États-Unis. C'était d'autant plus inexplicable qu'elle venait du Midwest. Cela me rappela la description qu'avait faite Dorothy Parker de sa belle-mère : « C'est la seule personne que je connaisse qui parvient à prononcer le mot *egg* avec trois syllabes. »

– Dois-je apporter l'addition ? proposa Gary avec enthousiasme, se saisissant de l'occasion pour se débarrasser de l'enquiquineuse avant que l'orage n'éclate vraiment.

Très peu de minutes plus tard, nous étions dehors.

Là se posa un vrai dilemme. J'avais bu un petit peu seulement sachant que je devais rentrer en voiture, mais Terry s'était cogné la majeure partie des trois bouteilles de vin.

– Je vais te reconduire. Tu enverras quelqu'un prendre ta voiture demain matin, proposai-je.

– Sois pas si tristounet !

Elle éclata de rire comme si nous étions des adolescents en train de faire un canular et non pas sur le point de violer la loi – avec de fortes probabilités de causer une mort d'homme.

– Allez, suis-moi !

Commença alors un des épisodes les plus terrifiants de mon existence. Nous avons d'abord foncé vers le haut de la colline de Beverly Hills et nous avons pris à toute allure les virages des routes de montagne de Los Angeles. Nous sommes arrivés – je ne sais toujours pas comment – sur Mulholland Drive, cette grande crête qui sert de colonne vertébrale pour séparer Los Angeles de la vallée de San Fernando. Il y a un thriller, *Portrait in Black*, réalisé sur mesure pour Lana Turner, je crois, où une femme qui ne sait pas conduire est contrainte à prendre le volant pour suivre son amant, qui n'est autre que le meurtrier. À force de zigzags, elle est presque au bout quand il se met à pleuvoir et elle ne sait pas du tout comment faire fonctionner les essuie-glaces. Sa voiture fait des embardées incontrôlées de tous les côtés, elle panique, elle pleure (à moins que ce ne soit dans *The Bad and the Beautiful* ?). C'est à peu près ce que j'ai ressenti avec Terry Vitkov au volant pour me conduire chez elle. Sauf que, dans ma version, c'est moi qui suivais la folle incapable de maîtriser son véhicule au lieu du contraire. Je ne sais même pas comment nous sommes arrivés vivants.

La maison était peut-être plus modeste que je ne l'avais imaginé, mais elle était très convenable. Un grand hall ouvert, un bar qui faisait semblant d'être une bibliothèque sur la gauche et un grand salon dont trois côtés étaient vitrés et permettaient de profiter du panorama sensationnel donnant sur la ville en contrebas – un million de lumières de toutes les couleurs, comme une boîte à bijoux géante, scintillaient à nos pieds. On avait l'impression qu'on se trouvait dans un avion en train d'atterrir. L'intérieur avait pourtant quelque chose de très ordinaire, voire de négligé. La moquette grossière était sale et les grands sofas au tissu à armure granitée étaient usés aux accoudoirs. Quelques fausses antiquités et un portrait à la craie représentant Terry (amincie par licence artistique), qui semblait avoir été exécuté par un de ces artistes qu'on trouve sur le trottoir devant la National Portrait Gallery, complétaient la décoration.

– Qu'est-ce que tu prends ? me demanda-t-elle en titubant vers le bar.

– Rien pour moi. Je suis bien comme ça.

– Non, personne n'est vraiment bien s'il n'a pas bu un coup.

– Un whisky, alors, merci. Laisse, je vais m'en occuper.

C'était une meilleure tactique si je ne voulais pas me retrouver avec un verre rempli à ras bord. Terry s'est servi un bourbon et a farfouillé dans une machine à glaçons, un de ces trucs qui font un bruit dingue pour produire des gros blocs sur commande.

– Donnie est là ?

– Je ne crois pas.

Une nouvelle fois, son manque d'élan rendait difficile de les imaginer comme un couple se tenant tout le temps par la main. Je bus une gorgée de whisky tout en me demandant si j'étais vraiment si content que ça de me retrouver seul avec elle – je ressentais une crainte latente, mais je n'aurais su dire si c'était la peur du coma éthylique ou de possibles avances sexuelles. De toute manière, il était grand temps d'essayer de reprendre le fil de l'histoire de Greg et de Susie – avant le retour de Donnie.

– Ça fait combien de temps que tu es mariée cette fois ?

– Environ quatre ans.

– Comment vous êtes-vous rencontrés ?

– Il est producteur. À la télévision.

Cette dernière précision avait sans doute pour but de dire que c'était un vrai producteur, et non pas un simple habitant de Los Angeles.

– Je fais des émissions où nous discutons des produits qui existent...

– Je connais. Le téléshopping, dis-je avec un sourire, histoire de montrer que tout le jargon de la télévision moderne m'était familier.

Sauf qu'elle m'a regardé comme si je venais de la gifler.

– Je déteste ce mot !

Mais la grande bataille contre Gary au restaurant l'avait épuisée et elle ne cherchait plus querelle. Elle se contenta d'une nouvelle gorgée et d'une précision :

– Je préfère me décrire comme l'ambassadrice du produit auprès du public.

Elle s'était exprimée très sérieusement, la voix empreinte d'une grande gravité. Je devais être censé prendre ça au premier degré. Elle reprit après un instant :

– Je suis sortie avec Donnie pendant un moment et, quand il m'a fait sa demande, je me suis dit : « Après tout, pourquoi pas ? »

– Eh bien, à la tienne, dis-je en levant mon verre. J'espère que tu es très heureuse.

Elle prit une nouvelle gorgée et s'affala contre les coussins. Comme je l'imaginais, en se détendant, elle avait baissé sa garde et j'appris bientôt qu'elle n'était pas très heureuse, ni même heureuse du tout. Donnie était beaucoup plus vieux qu'elle et, comme nous avions tous les deux une bonne cinquantaine, il ne devait pas avoir beaucoup moins que 70 ans. Il avait aussi moins d'argent qu'il ne le lui avait laissé croire.

– Cela m'a beaucoup blessée. Et le pire, ce sont ses deux filles qui ne le lâchent pas.

– C'est-à-dire ?

– Elles n'arrêtent pas de l'appeler, de vouloir le voir. Je sais qu'elles en ont après son argent, elles pensent à l'héritage quand il ne sera plus là.

Je ne savais pas comment réagir. Je ne voyais pas où était le problème dans le fait que des filles veuillent voir leur père et s'attendent à en hériter. Cela ne les rendait pas vénales pour autant.

– Au moins, elles ne courent pas après son argent avant son décès, suggérai-je.

– Tu ne comprends pas : j'ai *besoin* de cet argent. Et je l'ai bien gagné.

Elle était complètement murgée maintenant, ce qui était parfaitement naturel après le chardonnay, le merlot et le Jack Daniel's qu'elle avait très généreusement déversés dans son gosier.

– J'imagine qu'il va te laisser une part convenable. Pourquoi tu ne lui demandes pas ?

– Il a l'intention de me laisser l'usufruit de la moitié de sa fortune qui leur revient à ma mort.

Ce qui était déconcertant dans tout cela, c'est qu'elle le décrivait comme un crime contre nature alors que cela me semblait parfaitement sensé et même généreux. Je n'ai pas osé l'expliquer à Terry puisque j'avais beau la connaître, elle, Donnie était un inconnu pour moi et il ne devait pas spécialement compter sur mon aide. Je me contentai de lui demander si ça ne lui convenait pas.

– Et comment qu'ça me plaît pas !

Elle tendit le bras pour attraper la bouteille et se resservit copieusement. Ce faisant, elle aperçut un cadre avec une photo, parmi d'autres, sur l'étagère derrière le bar. On voyait un vieux monsieur aux cheveux blancs entouré de deux jeunes filles. Ils souriaient tous les trois.

– Ces salopes... fit Terry sans crier mais sur un ton mauvais.

Elle abaissa le cadre violemment. Il heurta le bois de l'étagère avec un grand bruit mais je n'ai pas su dire si le verre avait cassé.

– Et ça fait quatre ans que tu es mariée ? osai-je timidement.

J'espérai rejoindre des eaux plus calmes mais en même temps, vu ma mission, je ne pouvais pas aborder un autre sujet que sa vie privée.

– Ouais.

Elle éclusa encore une partie de la production de Jack Daniel's grâce à son gosier toujours disponible.

– Alors peut-être qu'il changera quelque chose avec le temps.

– Quatre ans avec Donnie, c'est déjà interminable, crois-moi.

Ce que je trouve fascinant avec des gens comme Terry – et j'en ai connu un certain nombre –, c'est leur suprématie absolue en matière de rectitude morale. Vous savez comme moi qu'elle se trouvait au bord du désespoir au point d'en être réduite à faire son téléshopping en se demandant si sa vie redémarrerait jamais. Arrive ce gentil bonhomme solitaire et vieillissant qu'elle décide d'épouser afin de capter un héritage sur lequel elle n'avait aucun droit – et le plus vite possible encore. Elle découvre ensuite qu'il entend laisser sa fortune à ses filles qu'il aime et qui se trouvent être les deux personnes à qui il devrait effectivement léguer un tel héritage. Elles sont proches de Donnie et pleines d'affection et, hormis le fait qu'elles détestent sans aucun doute leur belle-mère, ce sont j'en suis sûr des femmes normales et sensées. Et pourtant, Terry, et d'autres comme elle, est capable de partir de ces simples faits, de les retourner dans tous les sens et, avec une poutre dans l'œil et une logique cul par-dessus tête, de parvenir à recomposer l'univers afin de considérer que c'est elle qui a le droit de se plaindre. Des gens comme elle sont forcément les victimes d'un système cruel et injuste – ce sont eux qui devraient recevoir toute la compassion. Je me dis parfois que ces personnes-là doivent savoir qu'elles vivent dans le mensonge, mais elles n'en montrent aucun signe et, en définitive, leurs amis et relations finissent par abandonner, tout d'abord en faisant semblant d'être de leur côté et puis, à la fin, en croyant sincèrement qu'ils ont raison. Mon propre système de valeurs était cependant resté intact malgré la pression de Terry et j'aurais aimé pouvoir écrire directement à Donnie pour lui exprimer tout mon soutien.

Mes ruminations furent interrompues par la voix suraiguë de Terry qui me ramena à la réalité :

– Non, mais, attends, tu vas comprendre... cria-t-elle en guise d'introduction.

À tous les coups, j'allais avoir droit à un exemple de traitements scandaleux de la part de Donnie et j'allais sûrement être d'accord avec lui.

– Il a même l'intention de laisser une somme d'argent à Susie.

Elle ponctua d'un silence cette flagrante injustice.

– Pour moi, c'est un usufruit, pour elle, c'est une somme directe.

Elle avait lancé sa remarque comme un crachat, avec une hauteur presque triomphante. On aurait dit qu'elle venait de raconter la chute d'une anecdote hilarante. Moi, j'appréciais de plus en plus ce brave Donnie. Beaucoup plus que sa femme.

– C'est sa belle-fille quand même...

– Ah, c'est la meilleure, celle-là ! s'écria-t-elle avec un rire artificiel.

– Et Susie, elle est à Los Angeles en ce moment ?

J'étais allé un peu trop loin avec cette question. Il était tard, je souffrais encore du décalage horaire, et peut-être avais-je aussi un peu trop bu. Bref, j'avais envie d'avancer. Mais mes paroles retentirent dans la pièce et en changèrent totalement l'atmosphère.

On pouvait dire beaucoup de choses de Terry mais pas qu'elle était stupide.

– Pourquoi es-tu venu me voir ? me demanda-t-elle sur un ton soudain totalement sobre et parfaitement réfléchi.

Il faut comprendre que j'étais presque au bout de mes recherches. Il ne restait que Terry et Candida, j'avais donc une chance sur deux que Susie soit le Graal que je cherchais. D'une certaine façon, j'espérais pour Damian que ce serait l'enfant de Candida Finch, mais il n'y avait pas de raison que ce ne soit pas l'inverse. Si loin de l'Angleterre, je ne voyais pas pourquoi ne pas lui poser la question directement et, après tout, si Terry voulait faire toute une histoire de son infidélité avec son premier mari – et il y avait peu de chance –, Damian n'était pas spécialement connu en Californie.

– Tu m'as raconté que tu étais avec Greg depuis un moment quand tu es tombée enceinte ?

– Oui.

– Damian se rappelle avoir eu une histoire avec toi à ce moment-là.

Elle fit un sourire, ne voyant pas encore très bien le rapport.

– Nous n'avons jamais eu « une histoire » ni à ce moment-là ni jamais. Ça n'était pas ce qu'on appellerait une histoire.

Elle s'était de nouveau détendue et parlait en allongeant les mots. D'une certaine façon, je crois que tout cela lui plaisait.

– Nous avons eu un truc pendant des années. Nous n'avons jamais vraiment été ensemble et nous n'avons jamais cassé non plus. Si tu me demandes si j'ai été infidèle, je te dirais que ça ne comptait pas avec Damian.

– En fait, pour dire la vérité, Damian se demande si Susie est vraiment la fille de Greg.

Je m'attendais au moins à une indignation de façade, je fus surpris de voir Terry lancer la tête en arrière et partir d'un grand rire qui, cette fois-ci, était complètement sincère. Pendant un moment, elle ne pouvait plus s'arrêter et elle dut s'essuyer les yeux avant d'être capable de répondre.

– Non. Susie n'est pas la fille de Greg. Tu as raison. Je couchais avec Greg depuis un moment et, comme j'avais décidé de tomber enceinte, je ne prenais pas de précautions, et j'ai commencé à me demander si Greg pouvait avoir des enfants, s'il était fécond.

– Alors tu t'es remise avec Damian, pour voir si tu pouvais tomber enceinte comme ça.

Je voyais très bien comment cela avait pu se produire. Elle voulait mettre Greg au pied du mur et les questions de paternité ne se réglaient pas aussi facilement qu'aujourd'hui. C'était un plan qui pouvait très bien fonctionner. Qui *a* très bien fonctionné, d'ailleurs. C'est juste que cela ne cadrait pas tout à fait avec la lettre qui avait démarré toute cette histoire puisque, à ce moment-là, c'est elle qui avait tout planifié. On pouvait difficilement accuser Damian de l'avoir séduite ou « trahie ». C'était plutôt l'inverse. C'était un point à clarifier ultérieurement.

– Voilà. C'est ce que j'ai fait.

Elle me défiait, rendue courageuse et même audacieuse par l'alcool. Elle pencha la tête comme pour exiger une réaction.

– Je ne suis pas là pour juger. Juste pour découvrir la vérité.

– Et qu'est-ce que Damian compte faire par rapport à la vérité ?

Ça y était, j'avais atteint mon but. C'était la fin. À ce stade, je me suis dit qu'une petite dose de sincérité ne serait pas hors de propos. Je me suis contenté du minimum :

– Il est en train de mourir, comme je te l'ai dit. Je suppose qu'il veut que l'enfant ne manque de rien.

– Est-ce que Susie devrait être mise au courant ?

C'était une question intéressante. J'aurais imaginé que Susie voudrait savoir mais cela pouvait-il être une condition restrictive ? Et, par ailleurs, est-ce que c'est la mère qui devait en décider ? Susie approchait de la quarantaine après tout.

– C'est quelque chose à voir avec Damian. Il y aura un test ADN mais j'imagine qu'on trouvera un prétexte ou un autre si nécessaire. Et puis cela pourrait se faire sans qu'elle le sache.

– Je vois.

J'entendis à sa voix que mes paroles avaient provoqué un changement, mais je ne comprenais pas pourquoi car les conditions que je venais de formuler n'avaient rien de très exigeant. Elle se leva et se dirigea vers la baie vitrée. Elle saisit ce qui se révéla être la poignée d'un des panneaux et ouvrit pour laisser entrer l'air nocturne. Elle respira profondément pendant un moment.

– Damian n'est pas le père de Susie.

J'espère pouvoir faire comprendre à quel point ce tournant me parut inexplicable. J'avais passé la soirée à écouter une femme dont la rapacité ne connaissait pas de bornes, une femme déçue par la vie et ses aléas, une femme prise au piège d'une existence qu'elle détestait avec un mari dont elle se moquait et, là, à deux doigts d'un coup de chance comme on n'en rencontre jamais, avec la possibilité de faire de sa fille une des femmes les plus riches d'Europe, elle abandonnait le combat sans opposer la moindre résistance.

– Tu n'en sais rien. Tu as dit toi-même que Greg n'était pas le père. Il faut bien qu'il y ait un père.

– C'est vrai. Mais ce n'est ni Greg ni Damian...

Elle s'arrêta et je me rends compte qu'elle se demandait en fait si elle devait continuer. Je suis heureux qu'elle ait décidé de poursuivre.

– ... et je ne suis pas la mère non plus.

Le choc m'empêcha de formuler la moindre exclamation de rigueur, ni un « Quoi ? » ni un « Ah ! ». Je ne pouvais que la regarder.

Elle soupira avec un frisson dû au courant d'air, retourna dans la pièce et se dirigea vers le sofa vétuste.

– Tu avais tout à fait raison. Concernant mes objectifs. Je voulais tomber enceinte parce que je savais que Greg m'épouserait. Je couchais avec Damian de temps en temps depuis deux ans, donc je savais que, de son côté, cela ne le dérangeait pas. Et de fait, Damian s'en fichait. C'était juste après vos vacances de dingues au Portugal.

– Je croyais que c'était avant, d'après lui.

– Non. Je l'ai appelé et son colocataire m'a dit où il était, donc j'ai laissé un message. Il m'a contactée dès qu'il est rentré et je suis allée le voir. C'est marrant. Quand nous nous sommes vus pour la dernière fois...

Elle était devenue songeuse, plus sympathique tout à coup, perdue dans les souvenirs de ses rêves de jeunesse.

– ... je me suis dit qu'on pourrait continuer. Il était différent depuis son retour, moins... je ne sais pas, moins lointain et, pendant un jour ou deux, je me suis dit que c'était peut-être avec Damian que j'allais poursuivre et pas avec Greg.

– Et puis finalement, non.

– Non. Au Portugal, il était tombé sur cette fille superbe et il l'a revue à son retour à Londres.

– Une seule fois, il me semble.

– Vraiment ? Je pensais que c'était plus que ça. Comment s'appelait-elle, déjà ?

– Joanna Langley.

– C'est ça. Qu'est-ce qu'elle est devenue ?

– Elle est morte.

– Ah.

Elle soupira, attristée par le processus inexorable de la vie.

– En tout cas, quand il est rentré, Damian était dans un drôle d'état d'esprit. J'ai su ce qui s'était passé. Je crois qu'il en avait marre de nous tous. J'ai perdu le contact avec lui après ça.

– Pareil pour nous tous.

– Joanna Langley, morte. Wow. J'étais tellement jalouse d'elle.

Je voyais bien que cette nouvelle lui avait fichu un coup. Pour tout le monde, apprendre le décès d'une personne dont on pensait qu'elle se portait comme un charme, c'est un peu comme la tuer devant eux : au lieu d'être vivante dans votre esprit, elle change soudain de statut pour mourir une nouvelle fois. Mais, pour la génération des *sixties*, c'est pire. Après avoir célébré les vertus de la jeunesse avec autant de véhémence et de persévérance, ils ne comprennent pas qu'un dieu méchant puisse les laisser vieillir. Et ils ont encore plus de mal à accepter qu'ils doivent mourir. Comme si l'obstination à s'habiller comme des gens ayant trente, quarante, cinquante ans de moins qu'eux pouvait agir comme un élixir repoussant à jamais les griffes de la Camarde. Dans les médias, on prend toujours un air ébahi quand un vieux rocker casse sa pipe. Mais ils croyaient quoi ? Qu'il était immortel ?

Terry reprit finalement son histoire avec un air fataliste.

– J'ai encore couché deux ou trois fois avec Damian avant que ça ne se termine. Nous n'étions pas fâchés.

Elle s'arrêta pour que je vérifie que cela correspondait avec mes informations.

– Je te crois. Mais il ne s'est rien passé ?

– Rien du tout. Greg est parti en Pologne, je l'ai suivi et j'ai couché avec lui, mais ça n'a rien donné, malgré mes tentatives. Alors, finalement, je suis allée voir un médecin tant que j'étais là-bas et devine quoi...

– Ce n'était pas lui, c'était toi qui ne pouvais pas avoir d'enfant.

Elle arbora le sourire d'un instituteur satisfait de l'attention de son élève.

– Eh oui. C'était de mon côté, le problème. Il y avait quelque chose au niveau des trompes...

Elle essayait de contrôler le débit de son récit.

– Tu sais le premier truc qui m'a traversé l'esprit ? Je me suis dit, mais pourquoi je me suis autant inquiétée de tomber enceinte quand j'étais toute jeune ? J'aurais dû m'éclater !

– Tu ne t'es pas mal débrouillée...

Ça l'a fait rire.

– Enfin, bref, je savais que si Greg apprenait que je ne pouvais pas avoir d'enfant, sa mère le saurait, alors tout serait fini, et je me retrouverais à la case départ. Donc, j'ai acheté un bébé.

Cela peut paraître bizarre aujourd'hui, mais cette dernière phrase m'a pris complètement par surprise. Je ne sais pas pourquoi. Les mères porteuses n'existaient pas à l'époque ou, en tout cas, c'était un secret. Elle m'avait dit qu'elle avait eu un enfant pour forcer Greg à l'épouser et qu'elle ne pouvait pas en avoir, qu'aurait-elle bien pu faire d'autre ? Mais, bon, j'étais quand même stupéfié. Je parvins à sortir une question :

– Mais, comment ?

– Pourquoi, t'as des projets ? demanda-t-elle en souriant.

Elle était allée trop loin pour ne pas tout me dire, maintenant.

– Je faisais de l'aide sociale, avec une association subventionnée par l'ambassade. C'était en 1971, longtemps avant la fin du communisme. Il n'y avait pas de Solidarność, pas d'espoir. La Pologne était un pays occupé et le peuple était désespéré. Je suis tombée sur une mère de famille qui avait déjà quatre enfants et qui venait de découvrir qu'elle était de nouveau enceinte. J'ai proposé de prendre l'enfant à venir, quel que soit son état de santé.

– Tu l'aurais pris s'il y avait eu un problème ?

– J'espère, répondit-elle après un temps de réflexion.

J'appréciai sa sincérité.

– Mais comment tu t'es débrouillée, pratiquement ?

– Ça n'a pas été très difficile. J'ai trouvé un médecin qui voulait bien toucher de l'argent.

J'ai dû avoir l'air choqué parce qu'elle s'est un peu emportée :

– Bon sang, il passait son temps à prescrire de la drogue à des ados ! C'était pire, ça ?

– Bien sûr que non.

– Je n'ai parlé de ma « grossesse » qu'au cinquième mois. J'ai expliqué à Greg que je préférais éviter les rapports sexuels et, avec son éducation puritaine, il n'a pas insisté. Après, je lui ai demandé si ça le dérangeait de ne pas être présent à la naissance parce que je ne me sentais pas à l'aise avec ça. T'aurais dû voir sa tête, le soulagement ! Aujourd'hui, si le père n'est pas en train de loucher sur ta fente quand il y a le lardon qui sort, c'est quelqu'un d'immoral, mais en 1971, c'était pas encore devenu obligatoire.

– Et pour la naissance, tu t'es débrouillée comment ?

– J'ai eu un coup de chance : Greg a dû se rendre à New York juste avant l'accouchement. Je lui avais donné une date avec trois semaines de retard pour laisser une marge de manœuvre. J'avais un plan pour aller dans une autre chambre à l'hôpital, ça aurait marché, mais je n'en ai pas eu besoin. Quand la mère a eu les contractions, je l'ai emmenée à la clinique où, grâce au docteur, elle a pu donner mon nom à la place. Le bébé est né et la paperasse n'a pas été un problème. Quand Greg est rentré, j'étais à la maison avec la petite Susie. On a pleuré tant qu'on a pu, on était heureux.

– Et personne n'a jamais rien découvert ?

– Je ne vois pas comment. J'ai dit à Greg que je l'aimais mais que je ne pouvais pas avoir de relations tant que je n'avais pas retrouvé ma silhouette. Il n'a rien soupçonné. Personne n'a été lésé dans l'histoire. Et surtout pas Susie. C'est vrai.

Elle y tenait, visiblement, et elle avait sans doute raison, même si on ne peut jamais vraiment savoir. Ce qui ne veut pas dire que je sois d'accord avec la tendance à laisser la garde de leur enfant à des mères qui sont incapables de s'en occuper plutôt que de leur trouver un foyer convenable. Terry avait presque terminé son histoire.

– Pendant un moment, j'ai cru que le docteur allait me faire chanter, mais ça n'a pas été le cas. Il devait avoir peur que ce soit moi qui le fasse chanter.

– Aucun examen n'a jamais révélé la vérité ?

– Quels examens ? Personne ne fait de test ADN sur ses enfants... En plus, ils ont tous les deux le même groupe sanguin, ce qui a été un soulagement, je dois dire.

– Greg n'a pas eu d'autres enfants de son côté ?

– Non, juste deux belles-filles. Il adore Susie et c'est réciproque. Elle s'entend beaucoup mieux avec lui qu'avec moi, ajouta-t-elle avec un soupir un peu las.

– Donc, il s'occupera toujours d'elle.

Je ne sais pas pourquoi, mais cela me faisait plaisir. Susie venait de passer à côté d'une fortune considérable que mon esprit enfiévré lui avait attribuée pendant deux ou trois minutes. Au moins, elle ne serait jamais dans le besoin.

– Oh, oui, elle est plus en sécurité que je ne le serai jamais.

Il fallait que je lui demande quelque chose d'important.

– Si je n'avais pas mentionné de test ADN, est-ce que tu aurais continué à me faire croire que Damian était le père ?

Elle réfléchit.

– Sans doute. La tentation était trop forte. Mais il y aurait eu des problèmes au final, donc heureusement que tu m'as tout dit. Avant que je ne m'emballe.

De nouveau, il était temps de prendre congé. Et cette fois-ci, je savais pertinemment que nous ne nous reverrions pas. Même si je revenais dans les parages, je ne ferais pas l'effort de la contacter. Pourtant, son histoire m'avait touché. Elle m'a rappelé les paroles obsédantes de lady Caroline Lamb : « Malgré tout ce qu'on a pu écrire sur la brièveté de la vie, pour la plupart d'entre nous, cela dure très très longtemps. » La vie de Terry avait été très longue et très frustrante et, à la fin, elle n'avait pas grand-chose de concret. C'était en grande partie de sa faute mais cela n'était pas une consolation, je le savais bien. Avec Greg, elle avait laissé échapper sa seule chance d'un bel avenir et n'avait pas trouvé de remplaçant équivalent. Et maintenant, elle avait même perdu l'enfant qu'elle avait inventé pour être avec lui. Nous nous sommes fait la bise à la porte. J'avais quelque chose à ajouter :

– Tu n'en parles à personne...

Elle fit signe que non.

– ... et surtout pas aux personnes concernées.

– Pourquoi est-ce que je ferais une chose pareille ?

– Je ne sais pas. Un soir de colère et d'ivresse...

Elle ne se formalisa pas, ce qui était fort honorable, et resta ferme :

– J'ai déjà ressenti de la colère. J'ai déjà été ivre. Et je ne leur ai jamais dit.

Je savais que ça devait être vrai.

– Parfait.

Il fallait vraiment que je parte, mais j'avais encore un dernier souhait à exprimer.

– Sois gentille avec Donnie. Il n'a pas l'air méchant.

La soirée m'avait rendu sentimental et j'avais fini par trouver Terry touchante. J'aurais dû être plus lucide. En fait, hormis ses sentiments envers sa presque fille, Terry Vitkov restait semblable à elle-même.

– C'est un salaud, dit-elle en fermant la porte.

Candida

13

Il ne restait donc plus que Candida Finch.

J'ai séjourné quelques jours à Los Angeles, à Beverly Hills, pour être précis, au très confortable Peninsular Hotel, véritable havre pour les Anglais puisque c'est l'un des rares où l'on peut se rendre tout seul à pied à la poste ou aller manger quelque part sans avoir besoin d'attendre qu'un « voiturier » en uniforme tout neuf aille chercher votre véhicule. J'avais beaucoup apprécié de rencontrer mon agent, un homme charmant, et si je n'ai pas suivi les instructions de Damian à la lettre, nous nous sommes quand même très bien entendus et il m'a donné les coordonnées de gens à contacter tant que j'étais sur place. Comme j'ai eu l'incroyable luxe d'un voyage en première classe pour rentrer à Londres, j'étais en pleine forme et très détendu à mon retour. C'est étrange de constater que quelques bonnes heures de sommeil et l'énergie qui en résulte vous donnent une image de votre vie parfaite alors que le manque de repos a l'effet inverse.

Quand je suis enfin retourné à mon appartement, si je m'attendais à trouver une série de messages de la part de Candida en réponse à tous les miens, je pouvais être déçu. Il n'y avait rien. J'ai donc laissé un nouveau message car elle ne répondait toujours pas et je me suis remis à travailler sur mon dernier roman, un récit sur le malaise bourgeois dans une ville de bord de mer, qui approchait ce que je n'ose appeler son apogée, et que j'avais négligé ces derniers temps comme on le comprendra aisément. Le lendemain matin, alors que j'avais réussi à me remettre dans le rythme de mon triangle amoureux maritime, le téléphone de mon bureau se mit à sonner.

– Tu as appelé Candida Finch hier, fit une voix de femme que je pris, fort illogiquement, pour celle de Candida.

Je ne comprends pas pourquoi d'ailleurs puisque cela ne pouvait pas être elle.

– Oui, j'aurais voulu te voir, même si je sais que c'est un peu étrange.

– C'est très étrange, parce que je ne suis pas Candida. C'est Serena.

La surprise me fit un choc comparable à des petites bulles effervescentes dansant dans mon estomac.

– Serena ?

Mais, bien sûr que c'était Serena, c'était sa voix, bon sang ! Mais pourquoi m'appelait-elle ? Qu'est-ce qui pouvait l'avoir poussée à faire une chose pareille ? Je me posais ces questions, silencieux, le combiné scotché à mon oreille.

– Allô ? insista-t-elle en parlant plus fort.

– Oui.

– Je croyais qu'on avait été coupé, je n'entendais plus rien.

– Non, je suis toujours là.

– Parfait.

Il me sembla, à ma grande inquiétude, entendre comme une défiance dans le ton de sa voix, comme quelqu'un qui se demande s'il a affaire à un cinglé avec lequel il est dangereux de poursuivre la conversation. J'avais peur qu'elle ne suive cette intuition inconsciente – juste pour que vous compreniez le niveau d'excitation enfiévrée de mon imagination.

– J'ai eu Candida ce matin et elle m'a dit que tu lui avais laissé un message, que tu voulais la voir.

– Je lui ai laissé plus d'un message : j'ai cru qu'elle s'était expatriée.

– Elle était à Paris et elle n'est revenue qu'hier soir.

– C'est génial que vous soyez restées en contact.

En prononçant ces paroles, je me rendais compte de leur stupidité profonde. Pourquoi donc ne seraient-elles pas restées en contact, qu'y avait-il de génial à cela ?

– C'est ma cousine, tu sais...

J'aurais dû le savoir. En fait, je le savais. Mieux que personne, même. J'étais au bal qu'elles ont donné en commun, bon Dieu ! Quel genre d'abruti est capable d'oublier un truc comme ça ? J'étais débile ou quoi ?

– Euh, oui, bien sûr. Quelle mémoire lamentable ! fis-je d'un ton léger.

Je ne savais pas du tout où j'allais avec toutes ces âneries. Peut-être au congrès international des idiots du village. Pourquoi est-ce que je n'arrivais à sortir que des phrases d'une balourdise aussi crétine ?

– Bref, je me demandais s'il y avait un rapport avec cette mission que Damian t'a confiée.

J'eus l'impression que mon cœur s'arrêtait. Qu'est-ce que j'avais bien pu lui dire ? Est-ce que la surprise de la retrouver à Gresham m'avait fait lâcher le morceau ? J'aurais fait ça ? Je lui avais tout dit ? J'avais du mal à rassembler mes pensées qui s'envolaient dans tous les sens comme une nuée de corbeaux sans savoir où se poser. Je n'arrivais pas à me rappeler ce que j'avais bien pu lui confier ce soir-là alors que je croyais me souvenir de chaque moment passé avec elle.

– Une mission ? répliquai-je, ce qui me sembla le meilleur moyen d'obtenir des éclaircissements.

– Tu m'as expliqué que Damian cherchait ses amis d'autrefois. C'est ce que tu m'as dit quand on s'est vus dans le Yorkshire. Je me demandais si Candida faisait partie du lot – elle ne voyait pas d'autre raison pour que tu veuilles la retrouver.

– Elle est un peu dure avec elle-même. Il y a plein de raisons.

– Mais c'est bien pour Damian, non ?

– En fait, oui. Je pensais l'inviter à déjeuner et prendre de ses nouvelles. Franchement, il n'attend rien d'autre.

– Eh bien, j'ai une autre idée. Elle sera à la maison le week-end prochain, et je me demandais si tu pourrais venir en même temps. Ça serait super si tu pouvais.

Mon désespoir face à ma propre stupidité fut soudain radicalement remplacé par le chant des anges du paradis.

– C'est très gentil de ta part. Tu veux vraiment ?

– Tout à fait. Viens pour le dîner du vendredi, tu pourras rester jusqu'au dimanche après-midi.

– Ça, au moins, c'est réglé.

– Andrew veut toujours être sûr qu'il n'y aura plus personne le dimanche soir, ajouta-t-elle d'un ton enjoué.

Ça ne m'étonnait pas de ce gougnafier.

– Comment s'habille-t-on ?

– Le samedi, Andrew porte une veste d'intérieur, mais sans nœud papillon. Sinon, on sera tout le temps décontracté.

– Si tu es sûre que je ne dérange pas...

– Bien sûr. Je t'envoie les indications par e-mail. C'est facile à trouver mais il vaut mieux que tu les aies. Tu peux me donner ton adresse ?

Je la lui ai communiquée et tout fut arrangé. Je me demandais s'il fallait que j'appelle Candida, mais elle ne m'a pas recontacté, et je suis parti du principe que Serena l'avait mise au courant.

Après cette conversation, je suis resté à mon bureau pendant quelques minutes, dans l'incapacité totale de savoir exactement ce que je pensais. Naturellement, comme je l'ai précisé, cette invitation venait de déclencher en moi un chœur céleste accompagné de petites clochettes en argent célébrant ma bonne fortune pour les deux journées complètes où j'allais pouvoir contempler tant et plus le visage de Serena. Mais un vieux proverbe dit aussi qu'il vaut mieux voyager rempli d'espoir plutôt que d'arriver. Maintenant que j'avais la perspective de voir la sainte Serena faire son retour dans ma vie, je n'étais pas certain que ce soit forcément une bonne idée. Bien sûr, Damian en était responsable. C'était de sa faute si nous avions perdu contact trente-huit ans auparavant – en tout cas, pour moi, le début de la fin, c'était ce fameux dîner. Et maintenant, c'était aussi à cause de Damian qu'elle était de retour. Qu'elle ait été et soit à jamais l'amour de ma vie était un fait établi, à tout le moins pour moi, et si j'étais sincère avec moi-même, je devais avouer que c'est parce que j'avais recommencé à penser à elle que la pauvre Bridget avait dû prendre la porte, ainsi que je l'avais plus ou moins dit à mon père. Se souvenir de ce qu'est l'amour ou de ce qu'il pourrait être m'avait montré que l'imitation de mauvaise qualité que je vivais n'avait aucun sens.

Mais Serena, de son côté, était satisfaite de son mode de vie et je savais pertinemment qu'elle ne quitterait jamais son mari.

Ou si jamais elle le quittait, cela ne pourrait pas être pour moi. Et si c'était le cas, je n'aurais jamais quoi que ce soit de comparable à lui offrir... J'étais également certain qu'elle n'était pas du genre à s'offrir des activités extra-maritales et, si je me trompais, je ne me voyais pas élu comme partenaire d'adultère. Je savais très bien que la maturité et une certaine réussite avaient fait de moi un bon parti pour un certain nombre de divorcées solitaires qui ne savaient pas trop comment financer l'automne de leur vie, mais je n'étais pas non plus le genre d'homme à représenter une tentation brûlante capable de pousser une jeune fille au péché. Je n'étais pas équipé pour.

Non, ce que j'avais comme perspective, ou du moins comme distante possibilité puisque je n'avais pas eu d'offre concrète, c'était d'être un ami, quelqu'un qui l'écoute, un compagnon. Je pouvais devenir le complice cultivé dont les femmes d'un certain rang mariées à des imbéciles ou des forcenés du travail ont besoin pour les inviter à déjeuner ou pour porter leur manteau au théâtre. Le genre qui fait partie des invités à la villa d'Amalfi pour amuser le reste des convives. Était-ce que je voulais ? Dieu sait que j'avais souvent tenu ce rôle par le passé et j'avais fort souvent gagné ma pitance en faisant le saltimbanque. Mais est-ce que je voulais faire cela avec, en supplément, la douleur de regarder de loin la femme de mes rêves raconter son week-end à Trouville, une pièce à l'Almeida ou ses dernières emplettes ? Non, un homme doit conserver un peu d'orgueil, me dis-je sans beaucoup de conviction. J'irai là-bas pour le week-end. Il fallait de toute manière que je parle à Candida – enfin, c'était mon prétexte pour y aller –, et puis après, ce serait fini. J'arrivais à la fin de la quête qui m'avait ramené sur les traces de mon passé mais, une fois l'enquête terminée, l'enfant de

Candida toucherait l'argent, Damian mourrait, je rentrerai chez moi écrire mes bouquins et je dirai bonjour à Serena quand je la croiserai à la *garden party* estivale de Christie's. Cela serait suffisant pour savoir qu'elle allait bien. En tout cas, voilà ce que j'avais en tête.

Waverly Park possède un nom plus romantique que le lieu ne l'est dans la réalité. Le berceau des comtes de Belton, Mellingburgh Castle, a quitté la famille quand la lignée principale s'est éteinte avec une héritière, au cours des années 1890, et est désormais enfoui sous le parking de la gare de Milton Keynes puisque ses murs ont fourni l'essentiel des fondations. Mais le titre est revenu à une branche cadette qui célébra son accession grâce à un beau mariage avec une riche Américaine et à l'achat de Waverly dans le Dorset, non loin du littoral. La taille du domaine avait diminué, surtout après deux guerres et encore récemment, lors du décès de lord Belton dont les dispositions testamentaires avaient été mal rédigées et n'avaient pu empêcher la moitié du domaine d'être divisé entre les frères et sœurs d'Andrew. J'imagine qu'on s'attendait à ce qu'ils remettent leurs parts dans le pot commun, mais comme cela arrive dans de telles circonstances, ils n'en ont rien fait. Pour couronner le tout, la sœur aînée, Annabella, s'était mise à jouer et elle avait dû revendre ce qui lui revenait à peine trois ans après l'avoir reçu, ce qui avait laissé un trou béant au milieu des fermes du domaine. Quant à l'autre fils, Eustace, il avait épousé une femme au comportement encore plus tyrannique que sa mère et avait divisé son héritage entre ses quatre filles qu'aucune ne comptait garder sur le long terme. On m'a raconté par la suite que toute cette histoire était arrivée parce que lady Belton avait insisté pour que le conseiller juridique soit un cousin de la famille au lieu de quelqu'un qui savait vraiment ce qu'il faisait. Je n'ai pas les éléments pour juger de la véracité de cette histoire, mais cela semble parfaitement possible. Le résultat final, c'est que Andrew s'est retrouvé avec trop peu de terres pour entretenir la demeure, situation aggravée par son absence totale de matière grise, si bien qu'il ne fallait pas compter sur des rentrées d'argent pour lui venir en aide. Serena attendait peut-être une aide du côté de son père mais cela ne devait pas représenter grand-chose car des familles comme les Gresham ne conservent pas leur fortune en la dilapidant par donations à leur nichée.

La demeure elle-même était assez grande mais sans éclat particulier. Elle était habitée depuis les années 1660, mais tout ce qui restait de cette période, c'était un bel escalier en porte-à-faux, de loin le plus joli élément de la maison. L'ensemble du bâtiment avait été refait, une fois très correctement dans les années 1750 et une deuxième fois avec moins de réussite par les Belton tout contents de débarquer vers 1900. Une bouffée d'optimisme à la fin des années 1940 avait saisi le grand-père d'Andrew qui s'était débarrassé des dépendances, avait déplacé les cuisines à l'endroit d'un ancien salon et transformé le hall en bibliothèque. Cela eut pour effet de tirer l'entrée vers le coin de la maison et de l'éloigner du portail principal, si bien que la porte d'entrée existante vous menait par une sorte de tunnel vers l'escalier où l'on arrivait par-derrière en prenant un angle assez singulier. Il ne faut jamais aller contre l'architecture d'une maison et Waverly ne faisait pas exception à la règle. Les pièces avaient été distribuées par-ci, par-là durant le grand réaménagement, échangeant leurs rôles au passage, si bien que des salles à manger se retrouvaient remplies de canapés et des salons bourrés de tables et de chaises. De gigantesques cheminées réchauffaient de minuscules bureaux et les murs des chambrettes avaient les décorations d'une quasi-salle de bal. L'aménagement avait également souffert du timing puisque les matériaux étaient encore rationnés dans l'après-guerre et presque tout avait été réalisé avec du contreplaqué et du plâtre peint. Tout n'était pas mal fait. La perte du hall était très dommageable et déséquilibrait tout le rez-de-chaussée mais la bibliothèque qui l'avait remplacé était une réussite. La pièce pour le petit-déjeuner était également très jolie, même si elle était trop petite. En vérité, la demeure avait un côté hagard et désorienté, comme une maison particulière trop vite transformée en hôtel où l'on n'a pas laissé assez de temps aux pièces pour s'habituer à leurs nouvelles fonctions. Naturellement, Andrew pensait que c'était un vrai palais et que chaque visiteur autorisé à en franchir le seuil avait autant de chance que le paysan chinois à qui l'on permet de goûter quelques précieux instants aux merveilles de la Cité interdite.

Le trajet depuis Londres un vendredi après-midi fut aussi terrible que d'habitude et je ne suis arrivé que vers six heures pour traîner péniblement ma valise dans le couloir de l'entrée. Une porte s'ouvrit pour laisser passer Serena qui venait m'accueillir. En chemisier et en jupe, elle était décontractée et sublime.

– Laisse ça là. Viens prendre le thé.

Je l'ai suivie pour arriver à ce qui se révéla être la bibliothèque et quelques visages se tournèrent vers moi. Il y avait d'autres personnes que Candida et Andrew – qui me parut être déjà de mauvais poil et qui s'appliquait à montrer à quel point la lecture de *Country Life* l'absorbait. Un couple, les Jamieson, que j'avais déjà rencontré plusieurs fois à Londres et les autres – un couple du Norfolk dynamique, Hugh et Melissa Purbrick, dont la vie semblait uniquement consister à gérer la ferme et tuer diverses créatures à la chasse – étaient des parents d'une connaissance de ma mère, donc je ne m'attendais pas à trop de problèmes de ce côté-là.

– Tu veux du thé ? Tu préfères te monter un verre dans ta chambre ? me demanda Serena.

Mais je choisis de m'installer sur le sofa près de Candida.

– Je suis toute honteuse... Quand je suis revenue, mon répondeur clignotait comme le son et lumière de Blackpool. J'ai cru que j'avais gagné au loto – ou que quelqu'un était mort. Mais tous les messages venaient de toi.

Candida n'avait pas bien vieilli, rien à voir avec Serena. Elle avait les cheveux gris, son visage était rugueux, ridé et encore plus rouge que dans le temps, même si je ne désire pas savoir pourquoi. Dans l'ensemble, contrairement à sa cousine, elle avait vraiment l'air d'avoir son âge, mais sa façon d'être s'était en revanche considérablement améliorée. Elle semblait beaucoup plus apaisée et, même, vraiment paisible. Comme on dit en français, elle était *bien dans sa peau**, et je me suis mis à l'apprécier comme jamais cela n'avait été le cas quand nous étions jeunes.

– J'ai été un peu agressif, je crois. Désolé.

– Non, je devrais l'éteindre quand je suis en voyage. Comme ça, les gens sauraient que je n'ai pas eu le message au lieu d'avoir à le déduire.

– Tu faisais quoi, à Paris ?

– Oh, c'était juste du loisir. J'ai une petite-fille qui adore les beaux-arts et j'ai pu persuader ses parents de me la laisser l'emmener au musée d'Orsay. Bien sûr, une fois là-bas, nous avons passé trois minutes dans le musée et le reste du temps à faire du shopping.

Elle sourit, curieuse de savoir le fond de ma démarche.

– Alors, c'est quoi ton histoire ? Serena m'a dit que tu étais l'envoyé du puissant Damian.

– D'une certaine façon. En fait, oui.

– Tu essaies de retrouver ses amis d'autrefois.

– En gros, c'est ça.

– Je suis assez flattée d'en faire partie. Qui as-tu vu jusqu'ici ?

Je lui ai dit qui j'avais vu, ce qui la fit réagir :

– Ah, là, je me sens moins flattée... C'est une liste bizarre... Tout le monde était au Portugal, non ?

– Tout le monde, sauf Terry.

– C'est vrai que cette soirée, c'était encore autre chose.

Elle réfléchit un instant, me jeta un lent regard pour partager ce souvenir.

– Est-ce qu'on en a déjà parlé entre nous ?

– Pas en détail. Nous nous sommes à peine vus quand nous sommes rentrés.

– C'est vrai.

Elle songea de nouveau à ce que je venais de lui dire.

– Terry Vitkov... reprit-elle en faisant la grimace. Je suis surprise qu'elle ait été amie avec Damian, je croyais qu'il avait meilleur goût.

– Ah ça fait mal, ça !

Cela m'amusait parce que beaucoup de personnes de l'époque auraient probablement dit la même chose à son sujet.

– Est-ce qu'elle a changé ?

– Non, elle est toujours pareille, avec juste quarante ans de déceptions en plus.

Candida prit le temps d'y repenser puis me demanda :

– Tu te souviens de son bal ?

– À part si on a eu une opération au cerveau qui s'est mal passée, je crois qu'on ne peut que s'en souvenir.

Elle se mit à rire.

– C'était la première fois que mon nom était dans le journal depuis ma naissance. Ma grand-mère a refusé de me parler pendant des semaines.

J'avais en tête la suite de la carrière de dévergondée de Candida, son fils illégitime et, plus récemment, sa tragédie personnelle lors du 11-Septembre, et je me suis demandé ce que la grand-mère en question aurait pensé de tout ça. La mort a dû l'en préserver.

En esprit, Candida était encore au musée de Madame Tussauds.

– C'est elle qui avait fait ça. Malgré tout ce qu'elle a pu prétendre.

– Elle dit que non. Que c'était Philip Rawnsley-Price.

– C'était peut-être son complice, il était assez bête pour ça. Mais elle devait être au courant. Déjà, choisir des brownies... Comme nous étions innocents !

– Complètement.

Je n'ai pas pris la peine de défendre Terry, mais je ne croyais pas que cette accusation soit vraie. Peu m'importait en réalité.

Candida regardait le feu. Je connaissais bien maintenant le processus que j'infligeais à toutes ces personnes. Je débarquais et, soudain, la femme de la semaine était plongée quatre décennies en arrière, dans un monde auquel elle n'avait pas songé depuis tout ce temps.

– Bon sang, on s'est amusé, cette année-là ! Tu te souviens du bal de Dagmar ?

– Comment oublier ?

– Quand Damian était venu sans être invité et qu'il s'était battu avec...

Elle porta soudain sa main à la bouche. Elle venait de se rappeler l'identité du partenaire de pugilat de Damian. Notre hôte tourna la page de son magazine très sèchement.

– Je m'en souviens très bien.

Nous avons partagé ce souvenir en essayant de ne pas regarder la bosse sur l'arête du nez d'Andrew.

Candida soupira.

– Ce qui me frappe, c'est à quel point nous étions jeunes. À quel point nous étions ignorants de tout ce qui allait arriver.

– Moi, je trouve qu'on était super.

Elle ne m'a pas contredit.

– Que devient ton fils ?

– J'ai deux fils et une fille, en fait, dit-elle avec un sourire un peu sur la défensive, mais je sais que tu parles d'Archie.

Elle sentit probablement que je ne lui voulais pas de mal et elle se détendit.

– Il a sa propre entreprise d'immobilier maintenant. Il a très bien réussi et il est terriblement riche.

Et encore, c'est rien par rapport à ce qui l'attend, pensai-je.

– Il est marié ?

– Absolument. Sa femme s'appelle Agnès et il a deux enfants, la folle du shopping a 10 ans et son fils 6 ans. C'est marrant, la mère d'Agnès est une fille que tu fréquentais, Minna Bunting. Elle a épousé un type nommé Havelock qui est dans l'armée. Tu te souviens d'elle ?

– Parfaitement.

Elle fit une petite grimace.

– Moi, non. Pas du tout. Je ne la connaissais pas à l'époque, mais bien sûr, maintenant, nous faisons comme si nous avions été des super copines et nous avons presque réussi à nous en convaincre nous-mêmes.

J'avais du mal à dire si cet enchevêtrement constant de connexions ancestrales était un soulagement ou avait quelque chose d'étouffant. Les révolutions morales pouvaient bien tonner et la fureur d'un socialisme indigné pouvait bien se faire sentir de temps en temps, c'était toujours les mêmes visages, les mêmes familles, les mêmes relations qui se répétaient sans fin.

– J'aime bien le prénom Agnès, remarquai-je.

– Moi aussi. Beaucoup, ajouta-t-elle en me révélant ainsi plus qu'elle ne le voulait sur ses relations avec sa belle-fille.

– Ça a été dur avec Archie ?

Candida resta silencieuse. Elle eut le tact de ne pas faire semblant de ne pas comprendre ce que je voulais dire.

– D'une certaine façon, ça a été plus facile que pour d'autres. Mes deux parents étaient morts et ma grand-mère aussi. Elle venait tout juste de mourir. Je détestais ma belle-mère et, ce qu'elle pouvait en penser, je m'en moquais comme de ma première culotte. Je n'avais pas un sou, bien sûr. Ma belle-mère refusait de me donner quoi que ce soit et, d'ailleurs, elle n'avait pas grand-chose à me donner en définitive. Mais, au moins, je n'ai déçu personne. En fait, tante Roo a été très bien avec moi, étant donné qu'elle me croyait folle à lier.

– Il y avait des éléments positifs ?

– Même réponse : mes parents étaient morts et je détestais ma belle-mère. Pas de famille proche, pas d'aide à part tante Roo et Serena, et elles me croyaient folle. Mes amies aussi, d'ailleurs, pour être franche, mais elles étaient plus circonspectes dans leur façon de me le montrer.

– Je sais que tu as fini par te marier.

– Oui. Il s'appelait Harry Stanforth. Tu l'as déjà croisé ?

– Son nom me dit quelque chose depuis le début, donc je le connaissais peut-être mais je ne me rappelle pas précisément. J'ai été affreusement peiné quand j'ai appris ce qui s'est passé.

Elle esquissa un de ces petits sourires réflexes qui expriment la résignation.

– Oui. Ce qui est terrible, c'est quand on ne retrouve rien. J'ai toujours eu de la compassion pour les mères dont le fils est tué à la guerre à l'étranger et qui n'ont même pas un corps à enterrer. Maintenant, je peux dire ce que ça fait. Je ne sais pas exactement pourquoi, mais on a besoin d'un vrai enterrement, avec autre chose qu'une photographie, pour qu'on puisse vraiment faire le deuil.

– Pour tourner la page.

– C'est ça.

– Les Américains parlent de *closure*, pour l'idée de tourner la page.

– Ce n'est pas le mot que j'emploierais, mais je vois très bien, oui. On s'imagine sans cesse qu'il est dans le coma, ou amnésique, qu'il a réussi à en réchapper, qu'il a fait une dépression nerveuse et qu'il est parti pour Waikiki. On se dit toujours qu'il faut accepter, de ne pas s'imaginer des choses, mais on ne peut pas s'en empêcher. Dès qu'on frappe à la porte et que je ne m'y attends pas ou que le téléphone sonne tard le soir... Mais on finit par dépasser tout ça.

Elle sourit pour excuser sa naïveté.

– C'est terrible.

– Mais ne va pas croire que je suis devenue triste, surtout pas !

Sa voix avait changé et elle me regardait à présent droit dans les yeux. Elle avait vraiment envie de me convaincre et je suis persuadé qu'elle disait la vérité. J'imagine qu'il s'agissait pour elle d'être fidèle à la mémoire du disparu.

– Je ne suis pas triste. Je l'étais avant de rencontrer Harry, j'étais coincée dans une impasse avec un petit garçon qui mettait la plupart des gens de ma famille mal à l'aise. Tout le monde me trouvait ridicule à cette époque.

– Non, pas du tout.

– Si, j'étais ridicule. Une fille avec les joues toutes rouges qui parle fort et qui couche avec tout le monde, c'est difficile à accepter dans son entourage.

C'était trop vrai pour que je continue à la contredire. Mais je me rendais soudain compte, comme avec la plupart des femmes que j'avais rencontrées ces derniers temps, à quel point nous aurions pu bien nous entendre quarante ans plus tôt si nous avions eu conscience de notre nature profonde. Candida fit disparaître ses souvenirs-là avec une note plus positive :

– Quand Harry est arrivé un jour, il m'a sauvée. Il nous a sauvés tous les deux. Je ne sais toujours pas ce qu'il m'a trouvé, mais nous n'avons jamais connu une minute de tristesse.

– Il t'aimait.

C'était la vérité. Je percevais justement ce qu'il avait aimé en elle, c'était assez surprenant. Ses yeux commençaient à s'embuer.

– Je crois, oui. Dieu seul sait pourquoi. Il nous a acceptés tous les deux. Il a adopté Archie, tout à fait légalement, et puis nous avons eu deux autres enfants...

Malgré ses efforts, je voyais bien que ses yeux se remplissaient de larmes. Les miens aussi.

– ... à sa mort, les trois enfants ont reçu de l'argent de manière totalement égale. Il avait divisé en trois, sans faire de différence.

Archie en a été *très* touché. Tu sais que les téléphones portables fonctionnaient quand ils ont été pris au piège de la tour ?

– Oui, j'ai lu ça.

– Et ce qui est extraordinaire, et c'est vraiment merveilleux, c'est que la plupart ne s'en sont pas servis pour appeler à l'aide. Ils ont appelé leurs proches, leurs femmes et leurs enfants pour leur dire qu'ils les aimaient. C'est ce que Harry a fait. Évidemment, j'avais mon portable éteint et, quand j'ai essayé de rappeler, ça ne passait pas, mais il m'a laissé un message pour me dire que m'épouser était ce qu'il avait fait de mieux. Je l'ai gardé. Je l'ai encore. Il me remercie de l'avoir épousé. Tu te rends compte, dans l'horreur et la peur de la catastrophe, il me remercie de l'avoir épousé. Donc, tu vois, en définitive, je ne suis pas triste du tout. J'ai eu de la chance.

Je regardais son visage rugueux et rougeaud, ses yeux humides et je savais qu'elle avait raison.

– C'est vrai. Tu as eu de la chance.

J'étais venu la voir en me préparant à devoir compatir avec elle mais, durant le temps qui s'était écoulé depuis notre dernière conversation, elle avait été plus heureuse que Terry, Lucy ou Dagmar – ou que la pauvre Joanna, évidemment. Objectivement, Candida Stanforth, née Finch, était celle qui s'en était le mieux sortie sur la liste des cinq dressée par Damian. Dans tous les domaines importants de la vie, elle était partie de très loin et avait fini devant tout le monde.

– Est-ce que tu as travaillé dans l'édition ? Tu en parlais à l'époque...

– Oui, pour de vrai. Pas le genre de passe-temps que j'imaginais comme ma seule option. C'est Harry qui m'a poussée. Il a appelé quelqu'un qui m'a trouvé un boulot comme lectrice dans une petite boîte d'édition spécialisée dans les femmes écrivains. Je me suis accrochée et ils m'ont gardée. Finalement, j'ai pu éditer pas mal de bouquins.

– Tu as arrêté ?

– Oui, pour l'instant, avec tout ça, j'ai eu besoin de faire une pause...

J'avais peur qu'elle ne retourne au souvenir de ce jour terrible.

– ... mais je pense m'y remettre, maintenant. J'étais pas mauvaise, en fait.

Cette dernière remarque me fit comprendre ce qu'elle devait à Harry et pourquoi elle faisait tout pour faire comprendre aux gens qu'elle avait eu de la chance de tomber sur lui. Cette Candida-là avait de l'assurance, tout le contraire de celle que j'avais connue et qui avait vécu une jeunesse de mécontentement, d'infortune et de tristesse. À l'époque, son enfance était trop proche pour qu'elle ait pu en dépasser les effets négatifs.

– En fait, j'ai passé vingt-trois ans avec un homme merveilleux, un homme aimant et adorable, un homme bien.

C'était un hommage simple et émouvant qui me suffisait pour beaucoup apprécier Harry sans même l'avoir connu. Elle se pencha vers moi pour chuchoter :

– Je préfère être à ma place qu'à celle de Serena !

Nous avons ri et mis fin à notre conversation. Nous n'avons pas tardé à monter nous changer.

Ma chambre se situait dans un angle de la maison et comportait des panneaux écrus ainsi que deux grandes fenêtres sur deux côtés et un beau panorama sur le parc joliment arboré. Le lit à baldaquin était charmant, tendu d'un chintz un peu ancien mais très beau et des gravures d'oiseaux d'Audubon étaient reproduites sur les murs. Ce n'était pas original, mais c'était très plaisant, même si les couleurs passées du mobilier et le rose pétant des encadrements de gravure faisaient immanquablement songer aux années 1970, comme si personne n'avait dépensé un sou depuis trente ans pour la décoration. Je disposais de ma propre salle de bains, dans les mêmes tons, et un robinet d'eau chaude qui produisait un lointain gargouillis plein de bonne volonté mais qui n'aboutissait finalement qu'à un filet d'eau à peine tiède. Je fis ma toilette comme je pus et sortis des vêtements de ma valise.

Les aristos anglais adorent passer pour décontractés. « Il n'y aura personne, on sera juste entre nous », mais ça n'est jamais le cas. « Vous serez tranquille comme tout », alors qu'il vous faudra faire plein de politesses. Quand ils vous disent : « Inutile de vous changer », ils pensent le contraire. Ils veulent dire que vous n'avez pas besoin de vous mettre en smoking, mais pas de garder les mêmes vêtements. C'est drôle parce que, pour ce genre de dîner « décontracté » à la campagne, vous vous changez pour mettre une déclinaison de ce que vous portiez pour le thé, surtout les hommes. Ce qui compte, c'est que, quand vous descendez, il *faut* que vous ayez sur vous une autre version. La seule chose à éviter lors d'un week-end, c'est le costume sombre. À moins qu'il n'y ait une réception caritative ou un enterrement, ou un autre événement avec ses propres règles, un gentleman n'utilisera pas un costume de ville à la campagne où on a de plus en plus l'impression que n'existent que deux manières de se vêtir pour les soirées, tenue d'apparat ou tenue de loisir, sans rien entre les deux.

Le retour des tenues d'apparat dans ce contexte me paraît intéressant. Contrairement à ce qui était attendu il y a encore quelques années, les smokings, qui avaient connu une période de déclin, et plus encore les vestes d'intérieur en velours font leur retour. Ces vestes d'intérieur sont encore plus étonnantes car les règles gouvernant le port de ce vêtement ont complètement changé sur une très courte période. Il n'y a pas si longtemps, c'était un faux pas colossal d'en porter si l'on n'était pas au moins invité pour la nuit, ou même si c'était plutôt chez soi qu'on la portait. Cela a changé : de plus en plus, lors de dîners à la campagne, on voit une multitude de velours de toutes nuances sur le dos des hommes. Souvent sans nœud papillon, fantaisie malheureuse pour les cinquantenaires dont les gorges rougeaudes et tavelées ne sont pas du meilleur effet. Après avoir résisté à cette nouvelle mode et l'avoir trouvée « parfaitement incorrecte », je me suis laissé séduire, cela permet aux hommes de remettre de la couleur pour la première fois depuis deux siècles. Pour les prétendus haillons décontractés, l'impératif, comme je l'ai dit, est que ceux que vous portez en descendant de votre chambre soient différents de ceux de l'après-midi. L'idée d'enlever sa chemise, son pull et son pantalon en velours côtelé pour en mettre d'autres est un peu comique, mais, bon, c'est comme ça : la loi, c'est la loi. Ce soir-là, j'ai respecté cette tradition, et j'étais prêt à descendre au salon quand j'ai aperçu une photographie encadrée sur une commode, à droite de la cheminée sculptée et peinte. On y voyait Serena et Candida, côte à côte, alignées avec les autres, lors du bal des Gresham en leur honneur. Je distinguais les portraits dans la salle derrière elles et lady Claremont se tournait d'un côté comme si elle avait eu l'attention attirée par l'arrivée d'un invité. Et puis j'ai soudain vu la silhouette d'un jeune homme qui se tenait un peu en arrière, derrière les filles mais avec le regard intensément fixé sur elles, comme s'il ne parvenait pas à regarder ailleurs. Et je savais qu'effectivement il ne pouvait détacher son regard. Car ce garçon, c'était moi.

Si tant est que ce soit possible ici-bas, le bal de Serena Gresham et Candida Finch qui se déroula à Gresham Abbey atteignit à peu près la perfection. Je ne sais pas pourquoi, mais il eut lieu tard dans la Saison, après la pause estivale, à un moment de l'année qui menait à Noël et que l'on avait coutume d'appeler « la petite Saison ». À ce stade, nous étions blasés car nous avions joué à ce jeu-là depuis le printemps et il était désormais difficile pour nos hôtes de nous surprendre. Mais lady Claremont avait décidé, sans doute parce qu'elle était consciente de cela, non pas de causer la surprise mais d'atteindre la perfection. Pour une raison étrange, j'avais gardé toutes mes invitations pendant très longtemps et puis je les ai perdues si bien que je ne me souviens plus si c'était fin octobre ou début novembre. C'était en tout cas un bal d'hiver et nous savions tous que ce serait le dernier bal privé vraiment important avant les petits bals de charité, avant la fin de la comédie, et cela donnait à la soirée une tension romantique particulière.

J'avais déjà séjourné à Gresham un certain nombre de fois à cette période-là et j'avais espéré faire partie des heureux invités de la maison, mais la concurrence était rude et je ne fus pas parmi les élus. Mon hôte était assez falot, mais sans rien de grave, c'était un général à la retraite doté d'une épouse sympathique, la femme de soldat typique, et ils vivaient dans un petit manoir entièrement décoré selon le non-goût qui est la marque de ce genre de personnes. Il n'y avait rien de laid ou d'ordinaire, mais rien non plus de vraiment joli ou séduisant, hormis un tableau ou un meuble par-ci, par-là, dont ils avaient hérité et qu'ils n'avaient donc pas choisis. Parmi les invités, on trouvait des amis, comme Minna Bunting et ce même Sam Hoare, qui avait fait partie des témoins de la fameuse bataille des Mainwaring avant le bal de Minna, et les autres n'étaient pas totalement des inconnus puisque cela faisait environ six mois que nous participions tous à ce rituel. Comme d'habitude, le couple local était venu pour le dîner, composé d'une irréprochable mousse de saumon (*comme toujours**), de poulet en sauce et de crème brûlée. C'était sans doute un menu plus adapté à une maison de retraite aux pensionnaires édentés qu'à de jeunes personnes voraces mais nous en avons profité quand même et avons bavardé tout à fait poliment. C'était un dîner sans problème mais également sans intérêt et qui ne risquait pas de faire de l'ombre à l'événement principal de la soirée : le bal ! Parfois, les dîners et les réceptions chez nos hôtes étaient tellement plaisants qu'on s'y attardait et qu'on arrivait un peu trop tard au bal pour en profiter vraiment. Il n'y avait aucun risque de ce côté-là le soir en question. Après un intervalle approprié, nous avons bu notre café, sommes passés aux toilettes et avons gagné les voitures.

On sentait l'excitation dans l'air quand nous sommes arrivés mais je ne savais pas encore pourquoi. Serena, Candida et les Claremont nous accueillaient dans le hall.

– Je suis ravie que tu aies pu venir, s'exclama Serena en me faisant la bise, ce qui, comme d'habitude, manquait de me couper le souffle.

Elle ajouta dans un murmure, plus par politesse que par conviction :

– C'est dommage que tu n'aies pas pu loger ici.

Depuis quelques mois, j'étais devenu un habitué de Gresham : ils avaient été mes hôtes pour deux bals qui se passaient dans le Nord et j'étais passé chez eux en revenant d'Écosse une fois. Je courais donc le risque de céder au terrible snobisme consistant à vouloir démontrer que l'on est le bienvenu chez des gens importants. Je ne savais pas à l'époque comme je le sais maintenant que, si j'étais le bienvenu, c'était uniquement parce que Serena était flattée de l'amour que je lui portais. Je ne veux pas dire qu'elle s'intéressait à moi sur le plan sentimental, pas du tout : seulement qu'elle voulait que je continue à être amoureux jusqu'à ce que cela ne l'amuse plus. Les jeunes sont comme ça. Je me souviens maintenant du moment où cette photographie a été prise : j'étais encore sous le choc émotionnel de la remarque de Serena et j'étais incapable de m'en aller de la pièce où elle se trouvait, mais comme il fallait que je me pousse, je m'étais mis derrière pour rester un peu plus longtemps. Et puis on avait appuyé sur un bouton, déclenché un flash et j'étais pris pour l'éternité sur cette image comme un insecte dans de l'ambre. Lucy Dalton était venue à ma rescousse et m'avait pris par le bras pour m'emmener.

– C'était comment, chez tes hôtes ?

– Tristounet mais convenable.

– C'est le paradis comparé à chez moi. Il n'y a pas d'eau courante. Mais vraiment ! Tu tournes le robinet et il y a un filet maronnasse qui ressemble à du jus de prune. Serena est magnifique, tu ne trouves pas. Évidemment, c'est pas toi qui vas dire le contraire. Il paraît que la discothèque est super. C'est le petit ami de je-sais-plus-qui qui s'en est occupé. Allez, viens.

Tout ça balancé d'une seule traite sans respirer. Je n'avais pas vraiment de possibilité de faire le moindre commentaire.

La discothèque était effectivement incroyable. Elle avait été installée dans ce qui devait être une salle pour les domestiques au sous-sol, ou le prolongement des caves pour le vin que j'imaginais gigantesques. Sous l'escalier principal, une porte était décorée de flammes et un panneau annonçait : « Bienvenue en enfer ! » De l'autre côté de la porte, sur tout le mur, y compris dans l'escalier qui menait à la cave, tout était recouvert d'aluminium et de flammes en tissu de satin et en lamé que des ventilateurs agitaient, et éclairé par une roue qui tournait. Leur mouvement incessant scintillait et paraissait très réaliste. Au pied de l'escalier, le thème infernal s'étendait à toute la pièce avec, accrochées aux murs, des reproductions des tableaux les plus horribles de Jérôme Bosch représentant divers supplices tandis que le feu et les flammes dansaient au-dessus des participants. Ultime détail, le DJ et deux des serveuses étaient déguisés en diablotins, afin de s'occuper des invités tout en renforçant l'atmosphère diabolique. La seule note discordante provenait de la musique car elle semblait très déplacée pour un lieu comme l'Hadès. Quand nous sommes descendus, on entendait « Eleonore », un tube des Turtles, ballade dont les paroles *(« I really think you're groovy, let's go out to a movie »)* ne s'accordaient guère aux tortures subies par les damnés.

Nous avons dansé, bavardé et salué plein de gens quand, vers onze heures et demi-minuit, nous avons perçu un remue-ménage dans l'escalier signifiant qu'un événement immanquable se préparait.

Lucy et moi sommes remontés, portés par le flot des invités, et sommes arrivés à la grande salle à manger, transformée en salle de bal pour la soirée. On avait enlevé les meubles et, bizarrement, au contraire de toutes les autres demeures que j'avais visitées, la scène érigée au fond pour le groupe et plus encore les éclairages donnaient à l'ensemble un côté très professionnel. Cela eut pour effet de galvaniser tout le monde avant même de savoir ce qui allait se passer. Je ne sais pas pourquoi, mais il était toujours plus gratifiant d'être admis dans une grande demeure et pas seulement sous un barnum avec des fibres de coco recouvrant une piste de danse démontable. Et Gresham Abbey était le prototype de la grande demeure. Des portraits grandeur nature des grands hommes de la famille Gresham décoraient les murs des pièces gigantesques. Sévères, vêtus d'armures, de brocarts ou de futaines à l'époque victorienne, affublés d'une mèche décorative, de perruques ou de postiches, ils dévoilaient leurs jambes en bas blancs pour y découvrir leurs jarretières. Au-dessus de la cheminée en marbre, un grand portrait équestre du premier comte de Claremont exécuté par Kneller dominait la pièce. C'était une monumentale affirmation de leur statut, synonyme de hauts faits, impressionnante démonstration d'orgueil et de splendeur rigide, contrastant étonnament avec la foule de jeunes adultes qui se trémoussaient à ses pieds.

À ce moment précis, la porte, ouvrant d'ordinaire sur l'office et donnant ensuite sur les cuisines, laissa passer un groupe de jeunes qui montèrent sur scène avec animation et commencèrent à jouer et chanter. Avec un soupir d'ébahissement collectif, nous nous sommes alors rendu compte qu'il s'agissait de Steve Winwood, chanteur du groupe qui portait le nom de son complice arrivé sur scène après lui, Spencer Davis. Nous avions devant nous le véritable Spencer Davis Group. Cette information venait seulement de parvenir à nos cerveaux quand ils commencèrent à jouer un de leurs tubes sorti deux ans auparavant, « Keep On Running ». Il est difficile d'expliquer l'effet produit sur nous. Nous sommes un peu blasés aujourd'hui. On croise partout des stars de cinéma, des chanteurs et tout ce qui ressemble à une célébrité – au point de se demander, à en croire les magazines, s'il n'y aurait pas davantage de célébrités que de personnes normales. Cela n'était pas comme ça en 1968 et se trouver dans la même pièce qu'un vrai groupe jouant pour de vrai un morceau célèbre que tout le monde avait acheté et écouté depuis deux ans, c'était se retrouver au milieu d'une hallucination. C'était tellement ahurissant et renversant qu'on avait du mal à vraiment y croire. Même Lucy en est restée bouche bée, quoique brièvement :

– Tu vois ce que je vois ?!

Je n'y croyais pas non plus. Nous étions vraiment adorables...

C'est alors que j'aperçus Damian. Il se tenait dans l'embrasure d'une fenêtre, à moitié dans l'ombre, et observait ce spectacle époustouflant mais sans aucun signe d'excitation ou de plaisir. Il restait juste là à écouter et à regarder, mais visiblement sans intérêt pour ce qui se passait. J'ai tourné de nouveau mon attention vers le groupe et, franchement, je n'ai plus fait attention à lui, sauf beaucoup plus tard, mais j'ai gardé cette image du garçon mélancolique lors du carnaval. Je suis retourné à la fête, j'ai dansé, bavardé, bu pendant des heures et puis, vers deux heures et demie du matin, je suis parti à la recherche du petit-déjeuner qui se trouvait dans le jardin d'hiver. C'était un endroit considérable, avec une structure en fonte et en verre, construit pour l'une des comtesses vers 1880. Ce soir-là, il avait été aménagé avec plein de petites tables rondes, chacune décorée d'une pyramide de fleurs. Un long buffet était disposé sur un côté et les plantes grimpantes exotiques qui poussaient sur le mur faisaient comme un papier peint vivant. Ce qui était encore plus prodigieux, c'est qu'on avait installé une moquette rouge dans tout l'espace de la serre où trônait au milieu la fontaine. Quant au trajet pour y accéder – qui consistait habituellement à longer l'un des salons par la terrasse –, il avait été recouvert pour cette seule soirée et formait un passage qui était une copie exacte du salon, depuis les plinthes jusqu'aux corniches en passant par les panneaux et les poignées de fenêtres qui étaient des reproductions parfaites de l'original. Comme en toute chose, j'imagine, il existe un niveau d'excellence tellement raffiné que cette quête de perfection devient un art en soi. Ce passage recouvert en était pour moi un exemple frappant. Comme tout ce qui avait été préparé pour cette soirée, il était tout simplement extraordinaire.

Je me suis servi parmi les délices proposées au buffet, j'ai déambulé d'une table à l'autre pour bavarder avec différents groupes d'invités. J'ai échangé quelques mots avec Joanna, ainsi que Dagmar, avant d'atterrir à une table où se trouvait Candida, ce qui en soi était anormal puisqu'à ce stade de la soirée elle aurait dû être occupée à se bidonner en produisant le son d'un malade atteint de la coqueluche. Je m'appliquais en général à l'éviter mais ce soir-là, pour son propre bal, elle était étrangement tranquille, je me suis alors décidé à venir m'asseoir à sa table. Lucy n'était plus à mes côtés et je me souviens que je ne m'étais pas cherché de partenaire pour la soirée, comme on le faisait souvent dans ces occasions, mais je ne sais plus pourquoi. En tout cas, cela ne diminuait en rien le plaisir que j'avais à profiter de ce bal. Je pense maintenant que je me serais sans doute senti mal à l'aise et malhonnête si j'avais dû flirter et me consacrer à une fille en lui faisant croire qu'elle était au centre de mon attention alors que j'étais chez Serena, pour le bal de Serena.

– Tu sais où est passé ton copain Damian ? me demanda Candida.

On aurait dit qu'elle n'était pas elle-même tant elle paraissait songeuse, adjectif que personne n'aurait imaginé lui appliquer après deux heures du matin.

Sa question était surprenante et je dus me concentrer un instant.

– Ça fait un moment que je l'ai pas vu. Il était dans la salle quand on écoutait le groupe. Pourquoi ?

– Comme ça.

Elle se tourna vers l'un des frères Tremayne qui était arrivé à la table avec des amis et une assiette de saucisses.

J'avais terminé de manger et Carla Wakefield voulait ma place, je quittai donc le jardin d'hiver pour retourner dans la maison qui commençait à se vider. Sans qu'il y ait de raison particulière, je passai par la petite antichambre ovale, devant la salle à manger où la musique résonnait encore dans les poutres. Un petit regroupement de tableaux représentant les cinq sens et que je trouvai intéressant et, en m'approchant pour les regarder en détail, je ressentis un frisson glacé : c'était la porte-fenêtre donnant sur la terrasse qui était ouverte et Serena venait de rentrer. Elle était seule, et même si elle restait pour moi plus splendide que quiconque, on aurait dit qu'elle était saisie par le froid.

– Qu'est-ce que tu fabriquais dehors ? Tu dois être gelée !

Visiblement, elle dut retrouver ses esprits pour comprendre qui j'étais et ce que je racontais.

– Oui, il fait frisquet, dit-elle quand elle se fut reprise.

– Mais qu'est-ce que tu faisais ?

– Oh, je réfléchissais, répondit-elle avec légèreté.

– J'imagine que tu n'es pas d'humeur à danser, répliquai-je d'un ton enjoué mais sans m'attendre à une réponse positive.

J'ai bien conscience qu'en décrivant mes relations avec Serena Gresham je dois paraître pessimiste et négatif, et peut-être même agaçant, mais il faut savoir qu'à cette époque j'étais jeune et laid. Il faut avoir été laid dans sa jeunesse pour comprendre ce que cela signifie. On peut toujours dire que les apparences sont superficielles et parler de « beauté intérieure » ou autres niaiseries que les adolescents moches doivent supporter quand leur mère leur soutient que « c'est merveilleux d'être différent ». La réalité, c'est que la beauté est la seule unité monétaire qui vaille question séduction, et dans ce domaine, votre compte en banque est à zéro. Vous pouvez avoir des amis à foison, mais quand on entre dans les relations sentimentales, vous n'avez aucune monnaie d'échange, vous n'avez rien à vendre. On n'est pas fier d'être à votre bras et de vous montrer partout : vous êtes le dernier recours quand il n'y a plus personne avec qui danser. Quand on vous embrasse, vous ne vous transformez pas en prince. Vous êtes juste un crapaud qu'on a embrassé et celle qui l'a fait le regrette dès le lendemain matin. La meilleure réputation que vous puissiez avoir repose sur la discrétion. Si vous êtes agréable et que vous savez tenir votre langue, vous aurez quelques bonnes fortunes, mais malheur à l'amant disgracieux qui a l'audace de se vanter. Bien sûr, rien n'est figé. Avec le temps, certaines personnes arrivent à négliger votre apparence pour percevoir vos qualités et, entre 30 et 40 ans, d'autres facteurs entrent en jeu. La réussite améliore votre physique, ainsi que l'argent, et pas parce que les femmes en question sont nécessairement mercenaires. C'est parce que, avec la réussite et l'argent, votre parfum a changé, vous n'êtes plus tout à fait le même. Mais vous n'oubliez jamais ces quelques très rares femmes de qualité qui vous ont aimé quand ce n'était le cas de personne d'autre. Comme on dit dans les mauvais films : « Je sais qui tu es et tu auras toujours une place dans mon cœur. » Mais, même ce type de femmes, je ne l'ai croisé que vers 25 ans. Quand j'avais 18 ans, que j'étais moche et amoureux, je savais que j'étais seul.

– Oui, allons danser, répondit Serena.

Je me rappelle encore l'étrange mélange de frémissement euphorique et de nausée que provoqua sa proposition.

Le Spencer Davis Group était parti, sans doute déjà à fond sur l'autoroute, avec de l'argent bien gagné et à leur crédit une soirée devenue légendaire. Que Dieu les bénisse ! J'espère qu'ils ont conscience du bonheur qu'ils nous ont apporté. Il était trois heures du matin, c'était presque la fin du bal. Un DJ avait pris le relais mais on entendait à sa voix que c'était la fin. Il avait mis une ballade que j'aimais bien, « A Single Girl », qui avait fait un tabac un an ou deux avant, et nous nous sommes rapprochés. C'est très particulier, la danse. On vous permet de passer le bras autour de la taille d'une femme, de la tenir près de vous, de sentir ses seins contre votre poitrine à travers votre chemise et la soie douce et mince d'une robe de soirée. Ses cheveux frottent votre joue, son parfum vous enivre, et pourtant, il n'existe aucune intimité entre vous et il n'est question que de politesse et de sociabilité. Inutile de préciser que j'étais au septième ciel à me balancer doucement dans les bras de Serena, à parler du Spencer Davis Group, de la fête et de la réussite totale de la soirée. Mais Serena avait beau être contente d'entendre tout cela, elle paraissait songeuse et certainement pas aussi exaltée qu'elle aurait pu l'être, à bon droit d'ailleurs.

– Tu as vu Damian ? Il te cherchait, me dit-elle.

– Pourquoi ?

– Je crois qu'il voulait te demander de l'emmener en voiture demain.

– Je pars assez tôt.

– Oui, il est au courant. Il doit partir très tôt lui aussi.

J'étais tellement émerveillé par le fait de danser avec elle que je n'ai pas trop fait attention à tout ça, même si je me souviens de m'être dit que si j'avais la chance de loger à Gresham, je trouverais plutôt une excuse pour rester le plus longtemps possible.

– Tu t'es amusée ?

Après un moment de réflexion, elle me répondit :

– Ces événements sont des jalons tellement importants.

Je ne m'attendais pas à une telle réponse – même si c'était vrai. Il s'agissait bien de rites de passage pour ma génération et nous ne remettions pas en question leur validité. Cela paraîtra étrange à notre époque anti-formaliste mais nous connaissions la valeur des rituels. Les jeunes filles faisaient leur présentation, les jeunes hommes passaient à l'âge adulte. Pour les filles, c'était à 18 ans, pour les hommes à 21. Pendant des années, la haute société ne prit absolument pas en compte la modification de l'âge de la majorité faite par le gouvernement et je me demande si elle le reconnaît même maintenant. Ces événements étaient donc des points de passage vers l'âge adulte. Une fois le rite observé, vous faisiez partie du club et, régulièrement, on vous rappelait votre appartenance lors de diverses cérémonies : mariages et baptêmes, des fêtes pour les enfants, de nouveaux mariages et puis des enterrements. C'était les grands moments qui balisaient notre cheminement dans la vie. Tout cela a disparu. On dirait que ces événements obligatoires n'existent plus. La seule différence entre une éducation aristocratique et un mode de vie petit-bourgeois, c'est que la haute société continue de pratiquer le mariage avant d'avoir des enfants. Toute dérogation est exceptionnelle. À part cela, on dirait que la plupart des traditions qui les distinguaient et en faisaient une tribu à part se sont totalement évaporées dans la nature.

Le morceau se termina et Serena dut aller saluer les invités qui partaient pendant que je me baladais dans la maison, encore fort peu désireux, même à cette heure tardive, de plier bagage. Je quittai le bal pour traverser l'antichambre où une jeune fille en rose dormait sur un assez joli sofa et gagner le grand salon à tapisserie par la porte entrouverte. J'ai cru qu'il était vide ; seules quelques lampes étaient allumées et la pièce était plongée dans la pénombre. L'horloge de l'impératrice Catherine attira mon regard car l'une des lampes se reflétait sur son cadran, mais on sentait que cette pièce en avait fini pour la journée et qu'il ne s'y passerait plus rien. Et puis je me suis aperçu qu'elle n'était pas tout à fait vide et qu'un des fauteuils près de la grande tapisserie qui allait jusqu'à la corniche était occupé par nul autre que Damian Baxter.

– Ah, salut. Serena m'a dit que tu avais quelque chose à me demander.

– Oui. Je voulais savoir si tu pouvais m'emmener chez moi en voiture demain – si jamais tu descends directement. Je sais que tu pars tôt.

Cela m'intéressait parce que je n'avais jamais entendu Damian parler de « chez lui ».

– C'est où, chez toi ?

– Northampton. Je pense que tu passes devant. Sauf si tu ne rentres pas du tout à Londres ?

– Bien sûr que je peux t'emmener. Je passe te prendre vers neuf heures ?

Et voilà, c'était la fin de la discussion. Mission accomplie. Il se leva.

– Je vais me coucher.

Son attitude était curieusement dépouillée alors que j'avais fini par considérer son comportement comme perpétuellement calculateur. Il n'était pas comme ça ce soir-là.

– Comment tu as trouvé la fête ? lui demandai-je.

– Incroyable.

– Tu t'es amusé ?

– Bof.

Comme promis, j'arrivais vers neuf heures chez les Gresham pour le prendre. La porte était ouverte, alors je suis entré, tout simplement. Comme je m'y attendais, les invités étaient encore dans leurs chambres mais l'activité battait son plein. Une grande maison le lendemain d'une réception est toujours très animée. Les domestiques ramassaient les verres dispersés et tout ce qui traînait, et remettaient les meubles en place. On remontait la table d'un côté de la salle à manger et l'on déroulait l'immense tapis. Quand j'ai demandé où se déroulait le petit-déjeuner, on m'a indiqué la petite salle à manger située un peu plus loin. C'était une pièce très simple, même si elle n'était pas si petite que ça, décorée par des tableaux représentant des courses de chevaux avec des cavaliers aux couleurs des Gresham. Lady Claremont avait brisé sa propre règle et il y avait de quoi accueillir vingt-quatre personnes sur trois tables, ce qui créait un léger encombrement. Damian était tout seul et il finissait un toast. Il se leva à mon arrivée.

– Ma valise est déjà dans l'entrée.

– Tu veux dire au revoir... ?

– Ils dorment encore et j'ai dit au revoir hier soir.

Et c'est ainsi, sans plus nous attarder, que nous avons chargé son sac et que nous sommes partis. Damian ne m'a pas dit grand-chose pendant le trajet, à part quelques indications jusqu'à ce que nous arrivions sur la A1 vers le sud. C'est là qu'il a pris la parole :

– Je vais arrêter tout ça.

– On va tous arrêter bientôt. Je crois qu'il me reste encore deux bals, deux ou trois événements caritatifs et puis c'est fini.

– Je ne vais même pas aller jusqu'au bout. J'en ai assez. Il faut que je travaille un peu de toute manière, avant d'oublier totalement que je suis censé être étudiant.

Il avait une forme de résolution sinistre inhabituelle chez lui et même inédite.

– Il s'est passé quelque chose la nuit dernière ?

– Qu'est-ce que tu veux dire ?

– Tu m'as l'air bien désenchanté.

– Si je suis désenchanté, cela n'a rien à voir avec la nuit dernière. C'est toutes ces simagrées – c'est chiant, c'est prétentieux... J'en ai ma claque.

– Tu fais ce que bon te semble, tu sais.

Le reste du trajet s'est déroulé plus ou moins en silence jusqu'à Northampton. Je ne connaissais pas cette ville mais Damian m'a guidé vers une rue composée de maisons mitoyennes des années 1930 tout à fait respectables. Elles étaient tout en brique avec des carreaux de céramique décoratifs à mi-hauteur, chacune portait un nom sur la grille. Nous nous sommes arrêtés devant celle qui s'appelait Mon Soleil. Nous étions en train de décharger quand un couple de quarantenaires en est sorti. L'homme portait un pull assez criard et un pantalon en flanelle, la femme une jupe grise et un gilet sur les épaules tenu par une chaînette brillante. L'homme s'est avancé pour prendre la valise.

– Voici mon père, dit Damian qui me présenta.

J'ai serré la main du monsieur et lui ai dit bonjour.

– Enchanté ! fit Mr. Baxter.

– Je suis ravi de vous rencontrer, cher monsieur, répondis-je.

J'avais délibérément cassé l'enthousiasme de son salut en ne répondant pas sur le même ton. Avec la fatuité de la jeunesse, je m'imaginais faire preuve de bonne éducation.

– Entrez donc ! proposa Mrs. Baxter. Vous voulez un café ?

Mais je ne suis pas entré et je n'ai pas pris de café. Je le regrette maintenant, d'avoir refusé leur hospitalité. J'avais l'excuse d'un rendez-vous à Londres à trois heures et j'étais un peu juste. Je m'étais convaincu de l'importance de ce rendez-vous, c'était peut-être vrai, mais je le regrette quand même. Et même si je n'arrivais pas à me l'avouer, j'étais content de les rencontrer. C'étaient des gens sympathiques, des gens bien. La mère se mettait en quatre pour être polie et le père était, je crois, quelqu'un d'intelligent. Il dirigeait une usine de chaussures, aimait l'opéra et, en fait, j'étais attristé de ne pas les avoir rencontrés plus tôt. Ils n'avaient participé à aucune des réjouissances de l'année, même à l'université. Je me rends compte avec le recul que c'était un moment clé pour moi, même si je ne l'ai pas compris sur le coup, car j'ai pu pour la première fois constater les effets insidieux et tyranniques du snobisme et des valeurs idiotes et hautaines, qui me conduisaient à rejeter leurs propositions amicales et qui avaient poussé Damian à cacher deux personnes agréables et intelligentes parce qu'il en avait honte.

Ce matin-là, je le vois aujourd'hui, Damian s'excusait et montrait qu'il n'était pas gêné en m'emmenant chez eux.

Il les avait dissimulés derrière un rideau parce qu'il ne voulait pas que je le juge et que je le méprise à cause de ses parents – qui n'avaient d'ailleurs aucun défaut particulier – et il avait raison. Nous l'aurions sans doute méprisé. Je rougis de l'écrire aujourd'hui, j'avais apprécié de les rencontrer, mais le fait est que nous aurions été méprisants, et sans aucune bonne raison. Damian avait voulu évoluer dans un monde différent et, pour lui, cela signifiait se débarrasser d'une partie de ses origines. Il avait réussi à sauter le pas mais, ce matin-là, il avait eu honte de son ambition, honte de rejeter son propre passé. En vérité, c'est nous tous qui aurions dû avoir honte de jouer à ce jeu-là sans le remettre en cause.

En promettant de se revoir le lundi suivant à Cambridge, nous nous sommes séparés et je suis retourné à la voiture.

Nous nous sommes revus, bien sûr, plusieurs fois, durant le reste de ma scolarité à l'université, mais plus jamais seuls. Fondamentalement, mon amitié avec Damian Baxter est morte ce jour-là, le lendemain du bal de Serena Gresham. Je ne peux pas faire comme si j'en étais désolé, mais mes sentiments étaient bien moins violents qu'ils n'allaient l'être la fois suivante où nous serions sous le même toit. Mais c'était deux ans plus tard, une fois lancés dans le monde adulte. Et c'est une tout autre histoire.

14

Le week-end fut assez agréable – repas, conversations, repos, excursions... je découvris que Sophie Jamieson partageait mon intérêt pour l'histoire de France et que les Purbrick étaient d'excellents amis de cousins à moi qui habitaient près de chez eux. Les échanges se déroulèrent donc avec beaucoup de facilité, comme souvent dans ce genre de situation. Je dois dire qu'Andrew ne s'était pas bonifié avec les années. Depuis qu'il avait hérité du titre de comte et des résidus du domaine ravagé par les déprédations causées par le notaire de la famille, c'est comme si les derniers vestiges de clairvoyance et d'humilité qui lui restaient avaient été jetés aux quatre vents. Il était devenu souverain de son royaume et c'était un souverain colérique qui s'en prenait aux jardiniers, à la cuisinière, à son épouse, pour tout et n'importe quoi. Serena endurait tout cela vaillamment, mais, alors que je descendais pour le dîner le vendredi soir, je suis tombé sur eux, et il la prenait à partie pour une question de cadre qui aurait dû être réparé, ou quelque autre sujet insignifiant. Mon regard accrocha celui de Serena au moment où je me dirigeais vers la bibliothèque : elle ne détourna pas les yeux et choisit de lever les sourcils sans qu'Andrew puisse le voir. C'est l'un des plus grands compliments qu'un aristocrate anglais puisse vous adresser : vous faire participer à leurs petits drames familiaux.

Après le déjeuner du samedi, nous avons bu le café dans le grand salon et Serena proposa une promenade le long de la rivière. Presque tout le monde leva la main pour l'accompagner.

– Il vous faudra des bottes.

Il y avait ce qu'il fallait pour tous ceux qui avaient oublié les leurs, nous n'avons donc pas tardé à être équipés et à partir en promenade. Les jardins de Waverly étaient charmants et très prévisibles. C'était le parcours victorien typique, dont l'ampleur était atténuée par les restrictions – deux jardiniers au lieu de douze –, et nous avons flâné dans le jardin en faisant des commentaires admiratifs, mais cela n'était pas l'attraction principale du parc. Serena nous fit passer par une barrière qui menait à une allée conduisant à un enclos au bout duquel se trouvait un petit bois que nous avons traversé pour nous retrouver sur une berge moussue, parfaitement adaptée pour que nous puissions la suivre le long de la rivière dont j'ai oublié le nom. J'étais admiratif face aux merveilles naturelles de ce paysage.

– Tout est artificiel, précisa Serena. Ils ont détourné le cours de la rivière dans les années 1850 et aménagé les berges pour qu'on puisse longer la rivière.

Je ne pouvais que constater que c'était une génération !

Nous étions seuls, confortablement séparés des autres qui traînassaient loin derrière. J'admirais la vue et Serena passa son bras sous le mien. De l'autre côté du cours d'eau, un énorme saule se penchait et faisait frôler la surface à ses branches qui ressemblaient à des lianes, provoquant des rides dans l'eau qui s'écoulait. Soudain un grand mouvement : un héron apparut au-dessus des arbres, battant des ailes lentement et régulièrement pour traverser le ciel.

– Quels voleurs, ces hérons. Andrew dit qu'il faut tous les abattre avant qu'ils n'aient vidé la rivière.

Tout en parlant, elle laissait son regard poursuivre le grand oiseau gris en partance pour un voyage mystérieux.

– Je suis tellement privilégiée de vivre ici...

– J'espère bien.

– C'est vrai.

Elle me regardait droit dans les yeux, je pense donc qu'elle voulait faire preuve de sincérité.

– Il est très différent quand nous sommes seuls.

Voilà qui était très flatteur de sa part, car l'absence de nom et de précisions signifiait qu'il existait entre nous une part d'implicite dont la seule existence m'enthousiasmait – sans parler du simple fait qu'elle l'admettait elle-même. D'un autre côté, elle exprimait aussi sa culpabilité d'avoir souligné le comportement ridicule d'Andrew dans le hall le soir précédent. Elle se défendait avec le même argument que toutes les femmes se retrouvant mariées, ou coincées, avec un homme que tous leurs amis trouvent épouvantable. C'est souvent le fruit d'une révélation, après une période où elles ont longtemps cru que tout le monde aimait bien leur mari. C'est une grande déception quand on découvre que c'est plutôt l'inverse, mais je ne crois pas que cela ait été le cas de Serena : personne n'avait jamais aimé Andrew. Bien sûr, c'est un bon argument de prétendre que votre moitié possède des qualités cachées puisque, par définition, on ne peut apporter de preuves du contraire. La logique voudrait que cela soit parfois la vérité, mais j'ai beaucoup de mal à imaginer qu'Andrew Belton soit, en privé, un homme sensible, charmant et plein d'humour, notamment parce qu'il n'existe pas d'antidote à la bêtise. Je priais tout de même pour que ce soit un peu vrai malgré tout.

– Si tu le dis, je te crois, répliquai-je.

Nous avons marché en silence un moment avant que Serena ne reprenne la parole :

– J'aimerais que tu me dises quel est vraiment le travail que tu fais pour Damian.

– Je te l'ai dit.

– Tu ne te plies pas en quatre comme ça juste pour dénicher des anecdotes d'il y a quarante ans. Candida m'a dit que tu étais même allé jusqu'à Los Angeles pour retrouver la terrible Terry Vitkov...

Je ne trouvai pas le cœur de mentir, si près de la fin.

– Je ne peux pas tout te raconter pour l'instant – ce n'est pas mon secret à moi. Mais je t'en parlerai bientôt si cela t'intéresse.

– Bien sûr.

Elle réfléchit un moment à ma réponse.

– Je ne l'ai plus jamais revu après cette terrible soirée.

– Non. Comme la plupart des autres invités d'ailleurs.

– Et pourtant, je pense souvent à lui.

C'est elle qui avait soulevé le sujet, ce qui me donna l'idée d'essayer de satisfaire ma curiosité sur un point qui m'intriguait depuis longtemps.

– Quand tu as tout manigancé avec Candida, le fait d'arriver à l'improviste au Portugal, tu espérais quoi ? Je me souviens maintenant, tu étais habillée tout en noir, avec les vêtements que vous aviez dû emprunter, tu étais sur cette grande place cuite par le soleil...

Elle eut un petit rire dérisoire.

– C'était dingue.

– Mais tu pensais arriver à quoi ?

C'était une question terriblement sérieuse et, quelques années plus tôt, je n'aurais même pas pu la formuler, mais elle n'eut pas l'air de le prendre mal, ni même de m'en vouloir de la mettre ainsi au pied du mur.

– À rien, à partir du moment où mes parents se sont incrustés. J'aurais dû tout laisser tomber dès l'instant où ils ont dit qu'ils venaient nous rejoindre. Je ne sais pas pourquoi j'ai continué.

– Mais, au début, quand tu as tout combiné ?

Elle secoua la tête d'un air indécis et le soleil se prit dans ses cheveux.

– Franchement, vu comment j'ai géré la suite, je ne sais même pas ce que j'imaginais. Je crois que je me sentais prise au piège. J'étais mariée, j'avais un enfant et tout ce qui va avec, et tout ça alors que je n'avais pas 21 ans. J'avais l'impression qu'on m'avait attirée dans une cage et qu'on avait brutalement refermé la porte. Damian représentait tout ce dont on m'avait privée. C'était idiot quand même ; lui et moi n'avions pas été francs l'un envers l'autre et ça ne peut pas bien finir dans ces cas-là. Ça serait différent si nous étions jeunes aujourd'hui, mais bon, on n'est pas plus avancé...

– Tu te sens encore piégée ?

Cela la fit sourire.

– Je crois qu'il y a une expérience avec des animaux de laboratoire qu'on garde tellement longtemps dans leur cage que, quand on les libère, ils y reviennent toujours parce que c'est devenu leur foyer.

Nous avons continué à marcher en écoutant le chant des oiseaux.

– Est-ce qu'il parle de moi, des fois ?

Malgré une irritation pavlovienne, sa question m'intéressait. À peu près chacune des femmes avec qui j'avais parlé lors de ma mission m'avait posé la même question et Serena ne faisait même pas partie des candidates de la liste. Inutile de s'acharner à nier que Damian avait visiblement des qualités que j'avais ignorées à l'époque.

– Bien sûr qu'on parle de toi. Tu es notre seul point commun !

J'avais lancé cela comme une boutade mais c'était beaucoup plus vrai que je ne m'en étais rendu compte. Je ne sais pas exactement comment elle l'a pris car elle s'est contentée de sourire. Nous avons poursuivi notre chemin.

– Tu as vu la photo dans ta chambre ?

– Oui.

– Un document d'époque... Je l'ai mise exprès pour toi. Qu'est-ce qu'on était jeunes, hein ?

– Jeune et belle, en ce qui te concerne.

Elle poussa un soupir.

– Je n'ai jamais compris pourquoi on n'est pas sortis ensemble à cette période.

Sa remarque m'arrêta net. Inutile de tourner autour du pot.

– Vraiment ? Je peux te dire pourquoi. Je ne te plaisais pas.

Elle sembla un peu vexée, peut-être parce que j'avais l'air de lui faire un reproche, ce qui n'était pas mon intention.

– Tu n'as jamais beaucoup insisté, répondit-elle finalement.

Elle voulait visiblement que les torts soient partagés dans notre non-liaison.

– Parce que je savais que, si j'insistais, notre amitié deviendrait intenable et que je serais évincé. Cela devait t'amuser de m'avoir comme soupirant tant que cela ne devenait pas embarrassant et que je ne te mettais pas au pied du mur. Tu pouvais m'avoir quand tu voulais. Un claquement de doigts aurait suffi et tu le savais très bien. Mais tu n'as jamais voulu de moi que comme adorateur à tes pieds. Et j'en étais heureux. Si c'était ce que j'avais de mieux à espérer, cela m'allait très bien.

Elle prit une expression horrifiée en entendant cette explication qui était parfaitement franche.

– Tu étais conscient de tout ça ?

– Non, instinctivement peut-être. Mais aujourd'hui, oui.

– Eh bien... Tu me fais passer pour une vraie salope.

Je voulais à tout prix qu'elle sache que cela n'était pas du tout ce que je pensais d'elle.

– Non. Ça a marché comme ça pendant un moment et c'était très bien. J'étais ton parfait chevalier servant et toi ma belle dame sans merci[1]. C'est un genre d'accommodement qui a très bien fonctionné pendant des siècles, après tout. La seule anicroche, ça a été le Portugal, et tu n'y es pour rien. C'est devenu très embarrassant après cette soirée et nous nous sommes éloignés l'un de l'autre. Ça serait juste arrivé plus tôt si j'avais tenté ma chance.

Elle resta pensive et nous avons continué à marcher en silence. Il y eut un mouvement dans les buissons et la robe orange d'un renard perça les nuances de vert et de brun de la végétation. Comme si elle venait de le reconnaître, Serena remarqua :

– Damian a une grosse responsabilité.

– Ce qui est intéressant, c'est qu'il serait d'accord avec toi, je crois.

---

1. « *He was a veray parfit gentil knight* » : la phrase est tirée du « Conte du chevalier », premier chapitre des *Contes de Canterbury* de Geoffrey Chaucer (fin du XIVe siècle), qui porte notamment sur l'amour courtois. *La Belle Dame sans merci* (1819) est une ballade du poète John Keats sur le même thème.

Les autres nous rattrapaient presque et la conversation n'allait pas tarder à reprendre un tour moins personnel. Avant d'être rejoints, Serena me souffla :

– J'espère que tu ne me détestes pas.

Sa voix était douce et je crois qu'elle était sincère. Quand je me suis tourné vers elle, elle me souriait. Je ne pense pas que c'était vraiment une question, c'était plutôt une façon de s'excuser de m'avoir tant blessé, à cet âge désormais lointain où les peines de cœur pouvaient se montrer si acérées et où il était si facile de les infliger. Je l'ai regardée et, pour la millionième fois, je n'ai pu m'empêcher de m'émerveiller de chacun de ses traits. Elle avait au coin de la bouche une minuscule miette et je me suis imaginé dans une autre vie où j'aurais eu le droit de passer ma langue sur sa bouche pour la lui enlever.

– À ton avis ? lui répondis-je.

Le repas du soir était la grande affaire du week-end. Consciencieusement, j'ai pris un bain et j'ai revêtu un pantalon de soirée, une chemise (sans nœud papillon, à mon grand regret) et une veste d'intérieur. Je suis descendu plutôt de bonne humeur mais, arrivé au grand salon, j'ai trouvé l'atmosphère un peu lourde, notamment du fait de la présence de la mère d'Andrew, la désormais comtesse douairière, qui ne vivait d'ailleurs pas dans la demeure douairière, cette élégante villa georgienne sur les bords du parc qu'on avait louée à un banquier américain, mais dans un cottage du village autrefois réservé au garde-chasse. Lady Belton se tenait près de la cheminée, raide comme un coup de trique. Elle était beaucoup plus âgée que la dernière fois où je l'avais vue, bien sûr, mais l'âge n'avait en rien atténué sa folie latente. Elle avait toujours ce regard bleu pâle de poupée hollandaise et ses cheveux étaient teints pour ressembler à ce qu'ils étaient autrefois, d'un noir italien. Ses goûts vestimentaires n'avaient pas non plus vraiment fait de progrès. Elle portait un ensemble curieux, une sorte de longue chemise de nuit kaki avec un corsage en biais. Je ne suis pas sûr de l'effet qu'elle essayait de donner, mais le résultat ne devait pas être le bon. Inutile de souligner que ses bijoux, en revanche, étaient magnifiques.

Serena me présenta en précisant à sa belle-mère qu'elle devait se souvenir de moi, même si c'était il y a longtemps. Elle ne prêta même pas attention.

– Je suis ravie de vous rencontrer, déclara-t-elle en me tendant sa vieille main osseuse.

Je ne sais pas s'il existe quelque chose de plus irritant que des gens qui vous sortent le fameux: « Je suis ravi de vous rencontrer » alors qu'on vous a déjà présenté des centaines de fois. Si ça existe, je suis preneur, par curiosité. Pour prendre un exemple relativement récent, une dame que je connais depuis mon enfance, mais qui entre-temps est devenue un peu célèbre, s'est mise à me saluer comme si j'étais un étranger. À chaque fois que je la croisais, pendant des années, elle s'inclinait légèrement vers moi poliment sans jamais donner le moindre signe de reconnaissance. Finalement, j'avais décidé que, si elle me refaisait ce coup-là, j'allais lui voler dans les plumes. Des traces de ma détermination devaient être visibles sur mon visage et les emmerdeurs doivent être équipés d'antennes qui les préviennent quand ils vont un peu trop loin parce qu'elle m'a regardé et m'a tendu la main en me disant: « Je suis ravie de vous revoir ! »

Serena était partie me chercher à boire et je me suis retrouvé seul avec la vieille rombière.

– C'est très agréable de retrouver Serena et Andrew après toutes ces années, dis-je sans trop d'assurance, histoire d'entamer la conversation.

– Vous connaissez lord Belton ? fit-elle sans la moindre trace d'humour dans la voix.

Il s'agissait de me montrer que j'aurais dû le désigner par son titre. Un bol de guacamole se trouvait tout près de nous sur une petite table et, pendant une seconde, j'ai été pris d'une envie quasiment irrésistible de l'attraper et de le lui écraser sur la figure. À la place, j'ai ouvert la bouche dans l'intention de lui dire : « Bien sûr que je le connais et toi aussi, je te connais vieille pie. »

Mais à quoi bon ? Si j'avais dit ça, elle se serait réfugiée derrière ma terrible grossièreté sans pouvoir reconnaître la sienne. Je ne suis pas tombé à côté d'elle à table – alléluia ! – et j'ai observé de loin le pauvre Hugh Purbrick se débattre avec les silences agressifs de cette vieille bique pendant qu'il tentait d'évoquer des connaissances communes dont elle feignait ne jamais avoir entendu parler ou de sujets dont elle soulignait le peu d'intérêt qu'ils avaient pour elle. Bref, elle s'est montrée sans pitié pour lui.

On dit souvent aux jeunes – en tout cas, c'est ce qu'on me répétait quand j'étais petit – que les parvenus et autres intrus peuvent parfois se montrer grossiers mais que les vraies *ladies* et les vrais *gentlemen* sont toujours forcément d'une politesse impeccable. Ce sont bien sûr des sottises. On trouve des gens grossiers et des gens polis à tous les niveaux de la société, mais il existe un type particulier de grossièreté reposant sur le snobisme vide, sur le principe d'une supériorité innée chez des personnes qui ne sont supérieures en rien à qui que ce soit. Ce type de comportement est très spécifique à la haute société et reste assez difficile à avaler. Cette lady Belton en était un exemple typique, elle résumait à elle seule dans chacun de ses gestes la vacuité de ces valeurs – cette vieille gourde vide était à elle seule un motif pour entreprendre une révolution. Je l'avais détestée dans ma jeunesse mais, avec quarante ans de recul, je la trouvais pire que simplement stupide et désagréable. En fait, n'était sa profonde bêtise, elle aurait été presque l'incarnation de la méchanceté, et je la considérais comme la source même de la vie stérile de ses enfants. Je ressens souvent beaucoup de nostalgie pour l'Angleterre de ma jeunesse et je trouve que nous avons beaucoup perdu, mais il faut aussi savoir reconnaître ce qui n'allait pas et pourquoi certains changements devaient absolument avoir lieu. Concernant la haute société, lady Belton était l'incarnation de ces problèmes. Elle était l'emblème des défauts de l'ancien système et ne représentait aucune de ses vertus. La haine n'est pas un sentiment que j'aime, mais rien que de la voir de nouveau, j'étais à deux doigts de l'éprouver. Pour ce qu'elle représentait mais aussi comme cause de la médiocrité d'Andrew. Si je devais trouver une excuse à Andrew – et cela n'est pas facile en ce qui me concerne –, je dois dire qu'avec une mère pareille il n'avait aucune chance de s'en sortir. À eux deux, ils avaient gâché la vie de Serena, ma Serena. Andrew était l'autre voisin de table de lady Belton ce soir-là car elle avait été placée, en accord avec le protocole, à sa droite. De l'entrée au digestif, ils n'ont pas échangé le moindre mot. Je ne crois pas qu'aucun des deux y ait beaucoup perdu.

Ensuite certains sont allés jouer au bridge, d'autres sont partis regarder un film à la télévision dans un coin un peu chaotique réservé aux enfants, où Andrew avait banni la « machine infernale ». Quand les invités locaux sont partis et la plupart des autres sont allés se coucher, je me suis retrouvé avec Candida dans un coin de la bibliothèque, un verre de whisky calé dans la main, à bavarder en regardant le feu mourir. Serena était venue nous voir et nous avait laissé les boissons mais elle était retournée s'occuper des autres. Je me contentais de la voir évoluer dans son environnement, naviguant entre les obligations qui donnaient de la substance à son quotidien. Et puis j'étais content de me retrouver seul avec Candida car cela signifiait que je pouvais continuer mon enquête. Je lui avais parlé de la photographie dans ma chambre la veille mais, maintenant que nous étions seuls, nous nous sommes mis à parler de cette fameuse soirée d'il y a si longtemps, comment cela s'était passé et comment cela avait fini. Je lui ai rappelé que j'avais ramené Damian en voiture chez lui, que cela avait été plutôt sinistre et que cela avait marqué la fin de sa carrière de chéri des Débutantes.

– Pauvre Damian, j'étais vraiment triste pour lui.

Je ne m'attendais pas à une telle remarque et je n'avais aucune idée de ce qu'elle évoquait.

– Pourquoi donc ?

Ma question lui fit le même effet que sa remarque avait produit sur moi.

– Bah, avec tout le drame qu'il y a eu !

– De quoi tu parles ?

Elle me jeta un regard soupçonneux, comme si je la faisais marcher, mais j'avais l'expression innocente du bébé qui vient de naître.

– Incroyable ! Alors il ne t'a jamais raconté ce qui s'est passé ?

Je lui ai demandé de m'en faire le récit et je l'ai écoutée.

Candida avait bien connu Damian, longtemps avant cette soirée-là. Elle avait dansé, flirté avec lui dans le style un peu effrayant qui était le sien et même – je me suis fait la réflexion pendant qu'elle parlait – avait dû coucher avec lui assez tôt dans le déroulement de la Saison tout en devenant une amie. Et elle s'était débrouillée pour qu'il fasse partie des invités à Gresham sans attirer l'attention sur Serena...

– Mais pourquoi ? Je croyais que c'était toi qui avais le béguin pour lui.

J'avais en tête cette autre Candida qui roulait des yeux au bal de la reine Charlotte – cette seule pensée me donnait des frissons d'horreur.

– Non, c'était fini depuis longtemps entre nous. À ce moment-là, Damian et Serena étaient amoureux l'un de l'autre.

Là encore, elle me parlait comme si j'étais censé avoir au moins eu l'intuition qu'il s'était passé quelque chose entre eux, et que c'était pure affectation de ma part de ne pas l'admettre.

– Ou plutôt, je pensais qu'ils étaient amoureux l'un de l'autre. C'est Serena qui était amoureuse.

– Je n'en crois pas un mot.

C'est surtout que je ne voulais pas en croire un mot. De fait, je n'avais pas de preuves tangibles. Certes, je les avais vus s'embrasser, mais si on était censé être amoureux de chaque personne qu'on embrasse... Candida haussa les épaules comme pour me dire : « Crois ce que tu veux, moi, je dis la vérité. »

– Aussi absurde que cela paraisse, elle voulait l'épouser. Et, bien sûr, elle avait 18 ans et Damian 19, et il était encore à l'université, donc il leur fallait le consentement des parents.

– Pourquoi ? Quand est-ce que la loi a changé ?

– Début 1970. En 1968, la majorité était encore à 21 ans.

– Mais jamais les Claremont n'auraient donné leur consentement, même s'il avait été le duc de Gloucester !

– Bien sûr que si. C'est bien ce qu'ils ont fait en la poussant à épouser Andrew l'année d'après, et elle n'avait que 19 ans. En tout cas, Serena s'était mis dans la tête que, s'ils apprenaient à connaître Damian, ils l'apprécieraient énormément et, à terme, donneraient leur permission – bien sûr, je vois avec le recul que c'était une idée ridicule.

– Pire que ridicule. Complètement dingue.

Ce n'était pas une remarque susceptible de l'apaiser.

– Oui, j'en suis bien consciente aujourd'hui, mais sur le moment, je m'étais convaincue ou Serena m'avait convaincue que cela pouvait marcher. Elle n'avait pas l'intention de disparaître à tout jamais avec lui, elle imaginait bien que Damian se débrouillerait formidablement dans sa carrière professionnelle, et l'histoire a montré qu'elle avait raison, plutôt cent fois qu'une.

Ce n'était pas faux.

Cette conversation me mettait mal à l'aise. Je me sentais tout paralysé avec des picotements, comme si j'étais en train d'attraper une grippe. Je ne vais pas faire comme si je ne savais pas qu'ils étaient attirés l'un par l'autre : ils étaient tous les deux très beaux, ils fréquentaient le même cercle et, comme je l'ai déjà admis, j'avais été témoin du baiser au bal de Terry. Cela suffisait à me rendre jaloux, furieux, indigné – mais là, c'était encore autre chose. C'est alors que j'ai appris une leçon que je n'oublierai pas, même s'il est un peu tard pour qu'elle serve à grand-chose : ce n'est pas parce que vous provoquez la rencontre entre deux personnes que vous détenez le moindre contrôle sur elles par la suite et vous n'avez d'ailleurs aucun droit à le faire. Peu importe que Damian ait commencé la Saison sous mon aile, peu importe la façon dont il avait rencontré tous ces gens, il pouvait maintenant prétendre à une place dans ce monde qui n'était pas moins légitime que la mienne. Je l'avais fait sortir de son trou, mais c'était lui qui, au bout du compte, tenait dans les mains toutes les promesses qui m'auraient rendu moi heureux. J'étais tellement fou de jalousie que j'aurais pu tuer le premier passant venu.

– Bref, je ne sais pas comment, mais ses parents ont eu vent du plan. Par la suite, j'ai pensé que c'était peut-être Andrew qui avait averti sa mère, la terrible lady B. Elle était affreuse, ce soir, hein ?

– Ignoble.

– En tout cas, elle voulait à tout prix Serena pour Andrew et c'est peut-être elle qui leur a mis des bâtons dans les roues – on ne saura jamais la vérité. Le jour dit, Damian et Serena sont venus en voiture de Londres. J'étais ailleurs et je suis arrivée après tout le monde, vers cinq heures, et ils étaient tous déjà en train de prendre le thé dans le grand salon. Bien sûr, tante Roo était charmante...

– Pourquoi l'appelle-t-on Roo au fait ?

– Je ne suis pas certaine, je crois que ça vient de *Winnie l'Ourson*. La maman kangourou s'appelait Kanga et le bébé, Roo. Ça devait être un jeu d'enfant quand elle était petite à Barrymount, en Irlande, où elle a grandi. Son prénom, c'est Rosemary, mais tout le monde l'a toujours appelée Roo dans la famille.

Le surnom de lady Claremont rendait encore un peu plus épais les murs d'acier de la culture familiale auxquels Damian, dans son ignorance juvénile, avait décidé de s'attaquer.

– Bref, quand je suis arrivée, Damian faisait tout son possible. Il en faisait trop, même. Il était souriant, enjoué, il était brillant, il papillonnait, et tante Roo répondait sur le même ton et lui posait des questions sur Cambridge. Mais je me rappelle qu'oncle Pel était très silencieux – et, à l'époque, c'était pas son style d'être silencieux. Serena savait que ça ne se passait pas aussi bien que Damian le croyait. Elle me l'avait fait comprendre d'un regard. Les autres invités avaient adopté cette tactique muette, tu sais : ils ne riaient pas complètement, ils gardaient leurs distances. Mon autre tante était là, et pendant que Damian faisait le beau, tante Sheila et tante Roo échangeaient des petits regards éloquents entre sœurs. Je trouvais ça méchant et déloyal. Je sais que ça n'a rien de très logique, mais j'étais furieuse qu'on fasse ça à Serena, et à lui aussi d'ailleurs...

Elle s'arrêta pour reprendre son souffle après avoir ravivé ce souvenir.

– ... et je crois que c'est là que je me suis rendu compte que ça ne pourrait pas marcher.

Elle réfléchit un instant, comme si c'était la première fois que cet épisode prenait vraiment tout son sens pour elle.

– Au bout d'un moment, nous sommes tous montés pour nous changer et j'étais à ma coiffeuse, en faisant de mon mieux pour me rendre présentable. Je me souviens que j'avais oublié d'aller chez le coiffeur – c'est un peu étonnant pour son propre bal. Et puis on a frappé et oncle Pel et tante Roo sont entrés. Ils s'étaient déjà changés et Roo avait tous ses diamants sur elle. Ça aurait dû donner une ambiance gaie et joyeuse, mais bizarrement, je sentais que ça n'allait pas. Et puis oncle Pel a demandé : « Ça fait combien de temps que ça dure ? » Un grand silence, comme si on attendait que quelqu'un demande de quoi il parlait, sauf qu'on savait très bien de quoi il était question. J'ai commencé à prendre la défense de Serena et Damian, mais je m'entendais et je savais que mes arguments paraissaient très puérils et ridicules. C'était comme si, tout d'un coup, je considérais la question de leur point de vue à eux. Je n'avais jamais vu oncle Pel si en colère, en fait, je crois que je ne l'avais jamais vu en colère du tout. Mais, ce soir-là, c'était un ouragan, il était en pleine fureur. « Ah, elle veut se barrer avec ce petit con tout onctueux ? Ce petit voyou avec de la gomina plein les cheveux, avec son accent hypocrite, son "cher monsieur", ses fringues de chez Marks & Spencer ? » Je n'ai jamais oublié sa remarque horrifiée *« ses fringues de chez Marks & Spencer »*. J'ai regardé Roo et elle m'a expliqué que c'était leur valet de chambre Watson qui avait déballé ses affaires. C'est elle qui a pris la parole après ça. Elle m'a sorti son couplet : « Nous voulons que Serena soit heureuse. C'est tout ce que nous désirons et rien d'autre. Mais tu comprends, nous voulons qu'elle soit heureuse d'une manière que nous comprenons, d'une manière durable. » J'ai répondu que leur relation était durable, mais rien qu'en le disant je savais que je devais donner l'impression d'une gamine comme en interprétait Sandra Dee et qui demande qu'on la laisse sortir tard le soir.

Candida soupira :

– Je crois que je n'ai pas été d'une grande aide.

– Damian a vraiment dit « cher monsieur » au lieu de « sir » ?

– Apparemment – ça montre qu'il devait être nerveux.

– Pauvre gars. C'était tout ce qu'ils lui voulaient ?

– Non, c'était pas fini. Oncle Pel n'avait pas fini du tout. Il était dans un état de rage !... Il agitait son index sous mon nez, on aurait dit un instituteur dans un mauvais film, comme si c'était de ma faute – et je crois que c'est ce qu'il pensait puisqu'il savait que j'avais intrigué pour faire venir Damian. Et il m'a dit : « Demande à Serena de se débarrasser de ce petit salopard d'arriviste, qu'elle quitte ce parasite de merde ! Sinon, c'est moi qui vais m'en occuper. Ce genre d'individu entre chez nous par la porte des domestiques ou pas du tout. »

Je n'ai pas pu me retenir d'intervenir :

– C'est un peu vulgaire pour le lord Claremont de mes souvenirs...

– Tu as raison. Il était hors de lui, il ne se ressemblait pas. C'était comme si son cerveau ne censurait plus rien. Pour être honnête avec Roo, elle trouvait aussi que ça allait trop loin et elle l'a remis à sa place. Elle lui a dit : « Franchement, Pel, arrête ton cinéma. On dirait une reconstitution historique à la télévision. Dans deux secondes, tu vas le provoquer en duel ! » Quand elle a dit ça, je n'ai pas pu m'empêcher de sourire et Roo a dû sentir qu'il y avait une ouverture et elle s'est mise à me parler de manière très apaisante : « Nous n'avons rien contre ce jeune homme, Candida. » Elle était très calme, mais je sentais que ce calme-là devait être encore plus irrémédiable pour Serena parce que, contrairement à la frénésie d'oncle Pel, ça n'allait pas disparaître après une bonne nuit de repos. Roo a continué : « Honnêtement, il fait des efforts pour être gentil et il n'y a aucun problème à l'avoir comme invité. Mais tu dois comprendre que Serena et lui, c'est hors de question. C'est ridicule et ça s'arrête là. » Elle s'est interrompue, j'imagine pour me laisser le temps de lui répondre que j'étais d'accord, mais comme je n'ai pas ouvert la bouche, elle a repris : « Trouve un moyen de dire à Serena que nous ne voyons pas cela d'un bon œil. Elle le prendra beaucoup mieux venant de toi. Si nous lui en parlons brutalement, elle va en faire tout un cinéma. Elle est très raisonnable et je suis sûre que, quand elle aura un peu de recul, elle comprendra que c'est nous qui avions raison. » Je leur ai demandé s'ils voulaient que j'en parle à Serena dès ce soir mais elle m'a dit de ne pas gâcher la fête : « Dis-lui demain, ou le jour d'après, quand vous aurez un moment tranquille. » Elle a attendu ma réaction et, d'une certaine façon, comme je ne disais rien, c'était comme si j'acceptais.

– Tu étais d'accord pour faire ça ?

– Je n'ai pas eu besoin. C'est justement ça, l'histoire. À la fin de cette prise de bec, on a entendu les premiers invités qui arrivaient pour le dîner, alors Pel et Roo sont allés les accueillir. Moi, j'étais encore devant mon miroir, un peu assommée, je dois dire, et puis j'ai entendu une voix : « Bon, bah, je sais à quoi m'en tenir... » Damian se tenait derrière moi.

– Dans ta chambre ?

Elle opina et fronça les sourcils pour se remémorer la scène.

– Oui. Il occupait la chambre à côté de la mienne, je l'avais oublié ou peut-être que je ne le savais même pas. Et entre nos deux chambres, c'étaient des portes communicantes, tu sais celles qui étaient si utiles aux gens de la période edwardienne, avec un espace entre les deux, juste un mètre, peut-être. Ça faisait une bonne insonorisation, et comme Pel et Roo n'avaient pas crié, je n'avais pas à m'inquiéter. La porte était fermée, et comme il y avait un fauteuil devant, j'ai dû me dire qu'elle était fermée à clé, que les deux portes devaient être verrouillées – sauf que non. J'imagine qu'il était resté entre les deux portes et maintenant il venait d'entrer dans ma chambre. J'étais tellement estomaquée que j'ai du mal à trouver les mots pour le décrire. J'y repense avec quarante ans de distance et ça reste un des moments les plus horribles de toute ma vie, et c'est pas rien, crois-moi. On est juste restés à se regarder et puis j'ai dû balbutier quelque chose sur le fait qu'ils ne comprenaient pas ses sentiments, que j'espérais qu'il ne les détesterait pas pour autant, etc. Damian a eu un petit rire sarcastique et puis il m'a dit : « Les détester ? Mais pourquoi ? Ils ont découvert qui j'étais ! » Je n'ai pas compris au début parce que Serena m'avait tellement convaincue qu'il l'aimait vraiment. Je n'arrivais pas à intégrer ce qu'il me racontait, que cela n'était pas vrai, qu'il avait toujours été après elle pour sa fortune et le reste. Je ne voulais pas le croire mais c'est ce qu'il me disait. Il a parlé à Serena plus tard ce soir-là, donc je n'ai pas eu à le faire. J'ai évoqué ça avec elle, mais seulement une fois. Et je ne crois pas qu'ils se soient revus, à part cette terrible soirée au Portugal, bien sûr. Ils se sont peut-être croisés à une mondanité ou une autre, mais si c'est le cas, elle ne l'a jamais mentionné. Il n'est plus venu à aucun bal. Il a tout laissé tomber après cet incident et ça ne m'a pas surprise.

– Moi non plus. Quand lui en a-t-il parlé ?

– Tout à la fin. Il n'allait pas gâcher sa soirée mais il ne voulait pas non plus qu'elle l'apprenne par qui que ce soit d'autre. Et puis, il avait déjà dû décider de partir le plus tôt possible le lendemain matin. Je crois me rappeler qu'il l'a prise à part dans le salon à tapisserie un peu avant la fin du bal, mais c'est peut-être moi qui invente.

– Et il lui a dit que toute leur histoire, c'était en fait une tactique personnelle et qu'il ne l'avait jamais aimée ?

– J'imagine. Enfin, oui. Encore que, même aujourd'hui, je ne crois pas que ce soit là toute la vérité. Il l'a peut-être considérée comme utile à sa carrière mais je suis certaine qu'il l'aimait.

– Je ne crois pas qu'il n'y avait pas un mot de vrai dans son discours. S'il a dit qu'il l'aimait, c'est que c'était vrai.

Candida me regarda d'un air surpris.

– Je croyais que tu ne l'aimais pas.

– Je le détestais. Je le déteste encore, même si c'est un peu moins qu'avant. Cela ne signifie pas que c'est forcément un menteur. Sauf sous la pression et dans un cas particulier.

– Je vois à quoi tu fais allusion, répondit-elle avec une moue.

Mais je ne voulais pas aborder cette autre épouvantable scène. Je voulais continuer d'explorer les événements de cette soirée.

– Il mentait pour sauver la face. C'est marrant que tu ne l'aies pas compris. Et puis Serena n'avait pas un héritage formidable non plus. Si c'était ce qu'il cherchait, il aurait plutôt choisi Joanna Langley.

Face à son erreur, Candida se mit à rougir.

– Tu ne crois pas qu'il aurait préféré une épouse qui fasse chic, avec un titre ?

– Ça lui était indifférent, en tout cas à cet instant-là. Peut-être au début, mais plus à ce moment-là. Il a dit non à Dagmar de Moravie. Il aurait pu avoir une princesse comme épouse s'il avait voulu.

Candida réfléchit un instant.

– J'ai dû penser comme toi, sinon je n'aurais jamais été d'accord pour échafauder toute l'aventure portugaise. Je suppose que c'est l'âge qui m'a rendue cynique.

– Pauvre Serena. Elle avait pris la décision d'affronter ses parents et d'épouser son véritable grand amour et, en une soirée, tout était terminé. Tout ce qui lui restait à faire, c'était d'aller prendre un bol d'air sur la terrasse et à se trouver un autre projet de vie.

– Comment ça ? Tu as l'air d'en savoir plus que moi...

– Oui. Parce que, quand elle est rentrée de la terrasse par l'antichambre, elle est tombée sur moi et nous avons dansé ensemble juste avant mon départ.

J'ai repensé au regard vide de Serena et à ce qu'elle avait murmuré : « Ces événements sont des jalons tellement importants. » Elle n'avait pas tort, mais cela avait plusieurs sens.

– Je vois, peut-être que tu as raison pour Damian. Je l'espère. Mais il s'est vengé, à sa manière. Aujourd'hui, il a gagné une place dans la société dix fois plus importante que n'importe lequel d'entre nous. Je me demande si Pel et Roo y songent parfois.

– Tu avais un faible pour lui, alors ?

– Pour Damian ? Un peu ! Je l'adorais. Comme je te l'ai dit, il s'est passé un truc entre nous, mais c'était plus tôt pendant la saison. Une fois que Damian s'est mis avec Serena, je ne me souviens pas qu'il ait fréquenté qui que ce soit dans notre cercle.

– Alors qu'après...

Elle rougit un peu.

– Ah, oui. Tu sais ce que c'est, quand on est seul. Avant qu'on se fixe vraiment.

– Est-ce que je peux te poser une question impertinente ?

– Après tout ce qu'on s'est dit, je ne vois pas comment je pourrais l'éviter, dit-elle avec un sourire.

– Qui était le père d'Archie ? Est-ce que je le connaissais ? Il faisait partie des gens avec qui on traînait ? Ou est-ce quelqu'un que tu as rencontré après ?

– C'est difficile à dire.

C'était une réponse un peu étrange.

– Tu le vois encore ?

– Je ne sais pas.

Je l'ai regardée avec sans doute un air un peu déconcerté, ce qui l'a fait rire.

– Aujourd'hui, je suis la respectable veuve d'un banquier, mais il n'en a pas toujours été ainsi. Tu dois savoir que tout le monde a des périodes de sa vie qui sont parfois difficiles à réconcilier avec le présent.

– Mieux que personne.

De fait, je savais déjà que c'était vrai pour elle aussi.

– La vérité, c'est que je ne suis pas sûre de savoir qui est le père d'Archie. J'allais un peu à droite à gauche à cette époque. Comme excuse, je dirais que je ne savais plus où j'en étais, ou que j'essayais de « me trouver » – enfin, un de ces clichés des *sixties* qui permettaient de faire ce qu'on voulait sans ressentir de culpabilité. C'est une philosophie dont j'ai bien profité. Et puis, un jour, je suis tombée enceinte. Dans mon carnet d'adresses, je n'ai pas trouvé une seule personne qui me dise de le garder, bien sûr, qu'il s'agisse de la famille ou des amis – mais je l'ai gardé et j'en suis extrêmement heureuse aujourd'hui.

– Tu n'as jamais essayé de connaître la vérité ?

– Je ne voyais pas l'intérêt. Qu'est-ce que j'y aurais gagné ? Quelqu'un qui mette son nez dans mes affaires ? Un type instable qui vienne me pleurer sur le gilet parce que j'avais porté son enfant ? À un moment, j'ai cru que c'était George Tremayne. Ensuite, j'ai été convaincue que ça ne pouvait pas être lui, mais t'imagines la vie avec George Tremayne complètement bourré chaque jour que Dieu fait ?

J'ai fait une grimace douloureuse.

– Donc, non. J'ai décidé de me débrouiller toute seule.

– Comment est-ce que tu as pu être sûre ? Pour George ?

– J'ai entendu dire qu'il avait du mal à avoir un bébé avec sa femme, tu sais, cette fille un peu forte, dont le père est constructeur automobile. Elle avait deux enfants d'un mariage précédent, donc ça ne pouvait pas venir d'elle.

Elle semblait satisfaite de ses conclusions.

– Bref, quand j'ai eu Archie, ça m'a remise dans le droit chemin. Le chemin avait beau être droit, il a été accidenté, et pas qu'un peu. Mais, au bout du compte, j'ai trouvé Harry.

– Donc, une fin heureuse.

Elle eut un beau sourire.

– C'est gentil de décrire Harry comme une fin heureuse. Aujourd'hui, quand quelqu'un le mentionne, c'est pour éclater en sanglots. Mais c'est toi qui as raison. Harry a été mon *happy ending*. Bon. Faut vraiment que j'aille me coucher, je n'en peux plus.

Je me trouvais au plus profond d'un rêve avec le dirigeant travailliste Neil Kinnock, l'actrice Joan Crawford et une femme de ménage que ma mère avait employée, Mrs. Pointer. Nous faisions un pique-nique à Beachy Head, mais le plaid n'arrêtait pas de se soulever et de tout envoyer balader, et bizarrement personne n'arrivait à le maintenir en place. Alors nous nous sommes tous allongés dessus, et puis la nourriture avait disparu. Mais ça n'était pas le plus important, vu que Joan Crawford se blottissait dans mon dos et passait le bras sur mon torse et faisait glisser sa main vers le bas et c'est là où je me suis réveillé. Sauf que je n'étais pas réveillé, parce que même s'il faisait noir et que je n'étais plus à un pique-nique, je sentais encore le corps de Joan contre le mien et sa main qui enserrait mon pénis en érection. Une voix m'a demandé : « Tu es réveillé ? » et ça n'était pas Joan Crawford. Mais alors, pas du tout. D'ailleurs, elle n'était pas américaine. Je réfléchissais, parce que je connaissais cette voix, mais je ne l'ai reconnue que quand elle a articulé mon nom, et j'ai alors compris, sans l'ombre d'un doute possible qu'il s'agissait... de Serena ! C'était la voix de Serena Belton, son corps contre le mien et sa main sur mon pénis. J'avais toujours du mal à me convaincre que je n'étais pas dans un rêve puisque après tout cette scène représentait le rêve de ma vie, et je commençais à me demander s'il ne s'agissait pas d'un rêve emboîté dans un autre. L'illusion aurait pu se prolonger si ses lèvres ne s'étaient pas posées contre ma joue. Je me suis retourné et elle était bel et bien là.

En vrai. Dans mes bras. Dans mon lit.

– Je ne rêve pas, alors ? ai-je murmuré.

J'avais peur que, si je parlais trop fort, le mirage allait s'estomper et s'évanouir. C'était le tout début de l'aube et la douce et tendre lumière grisâtre avait commencé à s'insinuer dans les interstices des rideaux, apportant juste assez de clarté pour que je puisse discerner le visage adoré et lumineux qui reposait sur l'oreiller à mes côtés.

– Si tu es d'accord, ce n'est pas un rêve.

Je lui ai souri.

– C'est souvent que tu te glisses dans la chambre des hommes la nuit ?

– Seulement quand ils sont amoureux de moi.

Je n'arrivais toujours pas à accepter ce don du ciel.

– Mais pourquoi ? Je sais que tu ne m'aimes pas. Nous en avons longuement parlé cet après-midi même.

Je ne voulais pas l'effaroucher et qu'elle s'en aille, mais je souhaitais comprendre.

– J'aime que tu m'aimes. Je ne prétends pas ressentir la même chose et, quand j'étais jeune, cela ne dépassait pas un certain amusement. Mais, au fil des années, avec tout ce qui se passait de négatif, je savais qu'il y avait au moins un homme qui m'aimait. Et c'était toi. De te revoir, ça me l'a rappelé.

– C'est pour ça que tu m'as fait venir ?

– Avec toi, je me sens en sécurité. Quand on s'est revus dans le Yorkshire, j'ai été heureuse de te revoir, pour tout ça. Ton amour m'apporte quelque chose. J'aimerais qu'on se voie plus. Je ne sais pas pourquoi nous nous sommes perdus de vue.

– Je croyais que c'était pour tout ce que Damian avait dit.

– Je savais que c'était n'importe quoi. Même sur le coup, mais encore plus avec le temps. Il était mal, c'est tout.

– Moi aussi à la fin de la soirée.

Pour la première fois de ma vie, je voyais comment envisager cette soirée sous un angle plus drôle.

Elle m'a caressé les cheveux, enfin, ce qui en restait.

– Tu aurais dû rester. Vous auriez dû rester tous les deux et prendre ça avec humour.

– Ça aurait été difficile pour moi.

Elle n'a pas discuté davantage. Nous avons laissé ce souvenir s'évanouir, passant de l'amertume du passé au plaisir du présent. Je ressentis soudain la liberté de la toucher, comme un enfant qui prend conscience que c'est bel et bien le matin de Noël. Je passai mon doigt sur le contour de ses lèvres. Elle m'embrassa doucement le doigt.

– Tu ne le sais pas, mais tu m'as beaucoup aidée à des moments très durs dans ma vie. C'est ta récompense.

Elle se rapprocha de moi, sa bouche rejoignit la mienne, et nous nous sommes mis alors à faire ce qu'il est convenu d'appeler l'amour. Souvent, dans mon existence, « faire l'amour » n'a pas été la bonne expression pour décrire l'activité qu'elle désigne. Mais là, cette expression prenait une clarté d'Évangile. Là, dans ce lit, ce matin-là, nous avons véritablement *fait l'amour*. L'amour le plus pur. Et la passion n'était en rien diminuée par le fait que la femme qui était dans mes bras n'était plus la svelte jeune fille que j'avais tant désirée mais une mère de famille d'une cinquantaine d'années. C'était, enfin, Serena et je la tenais dans mes bras comme elle me prenait elle aussi dans les siens. J'étais enfin arrivé à destination. Sa présence m'excitait au plus haut point et j'avais l'impression qu'un frôlement suffirait à me faire exploser, mais quand je l'ai pénétrée, la sensation qui m'a envahi avec le rougeoiement brûlant de la lave fondue n'était pas seulement due à l'excitation sexuelle, mais tout simplement à la plénitude du bonheur. Je sais que je vais paraître sentimental, alors que cela n'est pas mon habitude, mais ce moment où j'ai été dans Serena, où je me suis senti enveloppé par son corps, pour la première et sans doute l'unique fois de ma vie, après avoir attendu pendant quarante années, ce moment a été le plus heureux que j'aie jamais connu. C'est le sommet, l'apogée de mon existence, et je ne crois pas pouvoir atteindre de bonheur comparable avant la fin de ma vie.

Je ne cherche pas à me vanter de mes prouesses sexuelles. J'imagine que je ne suis ni pire ni meilleur que la moyenne des hommes, mais s'il est un jour dans ma vie où j'ai su me débrouiller, ce fut à cette occasion. Je crois que j'aurais dû me sentir coupable, mais c'était loin d'être le cas. Son mari avait eu le privilège de l'avoir pour lui tout seul toute sa vie et il était incapable de réaliser de ce que cela représentait. Moi, je m'en rendais compte et je crois que j'avais droit à mon heure de gloire sans que cela désoblige trop les dieux. Je suis heureux et soulagé de pouvoir affirmer que mon gros corps fatigué et replet s'est montré à la hauteur de cette occasion d'atteindre les cieux et je n'ai jamais été aussi absorbé dans ce que je faisais, à l'exclusion de tout le reste. Pendant ces minutes de plaisir, je n'avais ni passé ni avenir, il n'y avait qu'elle. Nous avons fait l'amour trois fois avant qu'elle ne s'évanouisse, et quand je suis resté à regarder le plafond en soie de mon lit à baldaquin, j'ai su que j'étais un homme différent de celui qui était allé se coucher ce soir-là. J'avais fait l'amour à une femme dont j'étais absolument et intégralement amoureux. La femme qui détenait les clés de mon cœur m'avait ouvert son corps. Il ne peut y avoir de joie plus entière. Pas ici-bas. Et, comme Candida, je savais que, grâce à ce seul événement, grâce à cette seule heure noyée dans une vie de plusieurs décennies, parce que j'avais connu l'extase, je ne serais plus jamais triste. C'est ce que j'ai pensé sur le moment, c'est ce que je pense encore et je lui en suis extrêmement reconnaissant. Si la mission confiée par Damian avait pu conduire à cela, alors j'étais largement payé de ma tâche et même bien plus que ne le mérite aucun homme.

Du Portugal à nos jours

15

En fait, l'invitation pour ce terrible séjour au Portugal me tomba dessus complètement par surprise. Un jour, le téléphone sonna dans l'appartement de mes parents où je vivais encore étant donné que je n'avais pas d'autre choix, et quand j'ai répondu, une voix que je connaissais a demandé à me parler.

– C'est moi-même.

– Ah, ça a été facile, j'ai cru que j'allais devoir essayer cinquante adresses. C'est Candida, Candida Finch.

– Bonjour, répondis-je sans pouvoir retenir une certaine surprise car nous n'avions jamais été si proches que ça.

– Je sais : pourquoi est-ce que j'appelle ? Eh bien, c'est pour une invitation, en fait. Est-ce que tu crois que tu pourrais venir avec nous à Estoril pour deux semaines, fin juillet ? J'ai un ami à Lisbonne qui travaille dans une banque ou un truc comme ça et ils lui ont donné cette villa énorme et il est tout seul. Il m'a proposé de venir, on peut rester tant qu'on veut, gratos. Alors j'ai pensé que ça serait sympa de faire une petite réunion des anciens de 1968 avant d'oublier à quoi on ressemble... Ça te dit ?

Son explication n'avait pas amoindri ma surprise car il ne m'avait jamais semblé avoir fait partie des personnes qu'elle préférait pendant la Saison et je ne voyais pas pourquoi, moi en particulier, j'avais été choisi pour cette réunion d'anciens.

Je n'avais pas beaucoup vu Candida après la fin de la Saison, et quand elle m'a appelé, il s'était quasiment écoulé deux ans. On était au début de l'été 1970 et ma période de cavalier de bal était derrière moi depuis longtemps. J'avais quitté Cambridge en juin avec un diplôme tout à fait respectable même s'il n'était pas non plus extraordinaire et la carrière périlleuse d'écrivain me tendait les bras. Enfin, façon de parler, parce que j'avais plutôt l'impression de faire face à un mur, et du genre épais. Mon père n'était pas hostile à mon projet, car il avait compris que je n'allais pas faire de choix très rationnels, et il avait passé le cap de la déception. Il déclinait cependant de me soutenir financièrement.

– Écoute, mon vieux, si ça doit ne pas marcher, autant le savoir tout de suite.

C'était bien sûr un véritable défi. J'ai fini par obtenir un boulot de garçon de bureau amélioré chez un éditeur de magazines pour enfants et je devais débuter en septembre, ce qui allait m'apporter un salaire astronomique me permettant largement de faire vivre une famille de souris blanches. Je suis finalement resté trois ans dans cette boîte et je suis parvenu à me hisser à un petit poste éditorial et à me débrouiller tant bien que mal. Ma mère trichait un peu, comme toutes les mères. Elle me donnait un billet de temps en temps, m'achetait des vêtements et payait pour l'essence ou l'entretien de la voiture, mais elle ne me donnait pas une somme régulière car elle aurait considéré cela comme une trahison envers mon père. Disons que, durant cette période de ma vie terrestre, je vivais ou je survivais mais sans la moindre fantaisie et sans rien de superflu. Je savais que c'était cette dure réalité qui m'attendait à la fin de l'été et cela rendait la proposition de Candida d'autant plus alléchante.

– C'est très gentil à toi. Qui d'autre vient ?

En prononçant ces mots, je me rendis compte que je ne pouvais plus qu'accepter – on ne peut pas demander l'identité des autres invités puis décliner. Cela donne toujours l'impression que vous auriez dit oui si les invités avaient été mieux.

Candida en était bien consciente.

– On devrait s'amuser. Il y aura Dagmar, Lucy, les frères Tremayne...

Les Tremayne n'étaient pas vraiment ma tasse de thé mais je n'avais rien non plus contre eux et, en revanche, j'avais de vrais liens d'amitié avec Lucy et Dagmar, et la perspective de ce séjour me séduisait de plus en plus. Je savais que je n'aurais pas la moindre chance d'avoir de vraies vacances cette année avant de commencer ce que j'aimais appeler « ma carrière ».

– J'ai trouvé une compagnie aérienne, des vols charter, où c'est pratiquement eux qui te paient pour voyager, donc les frais de transport, ça sera rien du tout. Je t'ajoute sur la liste ?

À ma grande honte, je dois avouer que cette dernière information eut raison de mes hésitations. Je savais que je pourrais me débrouiller pour demander à ma chère mère de financer un billet d'avion pas trop cher. J'aurais besoin d'un tout petit peu d'argent de poche, de deux chemises propres pour pouvoir passer dix jours de grand luxe au soleil. Cela me faisait plaisir de revoir Lucy et Dagmar, et même Candida d'ailleurs, que je n'avais pas vues depuis longtemps.

– OK, je viens.

– Parfait. Je vais faire les réservations et je t'enverrai les détails. Juste un truc...

Elle baissa la voix, comme pour bien chercher ses mots avant de poursuivre :

– On est un peu juste en hommes. Il y en a beaucoup qui ont déjà commencé à travailler et c'est un peu difficile pour eux de partir comme ça. J'ai dû racler les fonds de tiroir.

– D'où l'invitation des Tremayne.

– Sois pas méchant. George est sympa.

Je me demandai fugitivement si cette remarque n'indiquait pas que lord George avait des projets concernant Candida mais je ne voyais rien de précis.

– Mais, si je viens, ça fera trois de chaque.

Elle n'avait pas bien dû faire ses calculs et elle en fut un instant décontenancée.

– Euh, oui, c'est vrai...

Elle hésita et j'aurais presque pu la voir faire ses grimaces d'incertitude. Je décidai de l'aider.

– En fait, tu voudrais quelqu'un en plus, au cas où il y ait un désistement ?

– C'est ça, je déteste quand il y a moins d'hommes que de femmes.

– Et Sam Hoare ?

– Il travaille.

– Philip Rawnsley-Price ?

– Beurk.

Elle rigola et reprit :

– En fait, je me demandais si tu pouvais demander à, comment il s'appelle déjà, Damian Baxter. Tu sais, ton pote de Cambridge qui venait à tous les bals...

La décontraction très travaillée de sa demande me fit comprendre que c'était en réalité la vraie raison de son appel.

– Bien sûr, si ça t'embête...

– Non, non.

Je n'avais rien de précis contre Damian à ce moment-là. Il avait eu plus de chance que moi avec Serena, ce qui m'irritait, mais je n'en savais pas plus, et c'était bien le pire que j'aurais pu lui reprocher, d'avoir eu un flirt avec elle. Mais, de toute façon, en définitive, elle n'avait été ni pour lui ni pour moi. À ma grande horreur, que j'imaginais partagée par Damian, elle avait épousé Andrew Summersby en avril de l'année d'avant et, en mars dernier, elle avait donné naissance à une fille. Bref, elle était désormais très très loin de nous.

– OK, je vais essayer.

– Tu penses qu'il ne voudra pas ?

– Je n'en sais rien. Il a arrêté de participer à la Saison si brutalement qu'il y a peut-être une question de principe.

– Vous n'en avez pas parlé ?

– Nous n'avons parlé de rien. Je ne l'ai guère revu après ton bal.

– Mais vous ne vous êtes pas disputés ?

– Oh, non. C'est juste qu'on ne se voit plus.

– Moi non plus, tu ne me vois plus, ce n'est pas pour autant qu'on s'est disputés...

Je ne sais pas pourquoi je me montrais si réticent.

– OK, t'as gagné. Je vais essayer de le convaincre. Je ne sais pas si les numéros de téléphone que j'ai sont encore bons, mais je ferai de mon mieux.

– Parfait, merci. Tiens-moi au courant et on verra comment on fait.

Elle me parut déjà un peu soulagée.

Avant les téléphones mobiles, tout était plus compliqué. Dès que quelqu'un déménageait, on perdait sa trace, même si on espérait que ce soit temporaire. Et nous n'avions pas de répondeur non plus, donc si les gens n'étaient pas là, c'était tant pis.

Mais, bon, on se débrouillait quand même. En regardant dans mon vieux carnet d'adresses, je suis tombé sur le numéro des parents de Damian et ils n'ont pas fait de problème pour me donner ses coordonnées, à son appartement de Londres, où il venait apparemment d'emménager.

– Je suis impressionné, dis-je en le pensant vraiment.

– Nous aussi, il va bien réussir, notre Damian.

Je pouvais imaginer le grand sourire de sa mère au téléphone. J'ai appelé Damian et lui ai rapporté cet échange.

– Je suis colocataire d'un appartement du mauvais côté de Vauxhall et je ne suis même pas sûr qu'il y ait un bon côté. Je suis encore assez loin d'être élu homme d'affaires de l'année.

– Tu m'as l'air d'être sur la bonne voie. Tu as déjà trouvé un boulot ?

– Je m'en étais occupé avant de partir de Cambridge...

Il m'a parlé d'une banque américaine dont le nom en mettait plein la vue.

– ... ils recrutaient et, bah, voilà, ils m'ont embauché, moi. Je commence fin août.

Comme il se doit, j'étais fasciné. S'il y a une chose que j'ai apprise dans la vie, c'est que ceux qui atteignent des sommets ont tendance à démarrer comme il faut.

– Moi aussi, je commence fin août, mais pas au même niveau.

Je lui ai parlé de mon médiocre boulot de subalterne dans les bureaux du magazine. Après cela, il y eut un blanc. Notre conversation n'avait fait que souligner à quel point nous nous étions perdus de vue, même à l'université. Damian n'avait pas seulement cessé de participer à la Saison, il était sorti de ma vie, et je crois que je ne m'en étais pas aperçu avant ce moment-là.

Je lui ai expliqué la raison de mon appel, mais il n'avait pas l'air emballé.

– Je sais pas...

– J'ai dit à Candida que tu en avais peut-être assez de nous tous.

– J'ai toujours apprécié Candida.

Voilà qui me surprenait : je n'avais jamais particulièrement noté d'amitié entre eux. En même temps, qu'est-ce que j'avais remarqué ? Je ne pouvais pas m'empêcher de penser que, si Candida avait su que Damian avait gardé un si bon souvenir d'elle, elle l'aurait appelé directement sans passer par moi.

– Bon, OK, pourquoi pas. Entre ma caution et les fringues achetées pour mon travail, je n'ai plus un sou en poche, donc peu de chances pour moi de prendre des vacances cette année.

– Je suis exactement dans la même situation.

J'étais un peu surpris qu'il accepte, peut-être, mais assez content finalement. Cela semblait promettre une occasion de dépasser la froideur qui avait accompagné la fin de notre amitié et nous donner une chance d'aller chacun de son côté à la fin de l'été de manière plus paisible.

– Es-tu allé au mariage ?

Je me demandais combien de temps il lui faudrait pour me poser la question.

– Oui.

– Moi, non.

– Je sais.

– J'étais invité.

Il voulait me faire comprendre que son absence au mariage était un choix délibéré de sa part.

– Tu as vu le bébé ?

– Une fois. Le portrait craché d'Andrew.

– Elle en a de la chance, dis donc.

Il eut un ricanement de dérision, sans doute pour transformer le chagrin que nous partagions et en faire quelque chose de drôle.

– Bon, envoie-moi les détails quand tu les auras et puis on se revoit au soleil.

Fin de la conversation.

À notre arrivée, nous avons pu admirer la villa, sur la côte, coincée entre Estoril et Cascais. Je crois qu'on a beaucoup construit depuis mais, il y a trente-huit ans, il n'y avait que des rochers sous notre terrasse et ils menaient directement à la mer, par une grande et magnifique plage de sable. Ça n'aurait pas pu être mieux. Comme deux ou trois autres qui s'étendaient le long de la côte en ces temps où les permis de construire n'existaient guère, la maison avait été bâtie dans les années 1950. Elle était composée d'une grande pièce à vivre – on ne pouvait pas vraiment appeler cela un salon avec tous ces meubles en rotin – et d'un grand hall-salle à manger qui prenait tout le devant de la maison tandis que l'arrière était constitué de diverses cuisines. Nous n'y avons guère mis les pieds car elles étaient remplies de femmes portugaises très occupées qui nous jetaient des regards noirs dès que nous entrions. Les chambres étaient situées sur deux étages, au rez-de-chaussée et au premier, dans une aile tout en longueur qui partait du corps principal vers l'arrière à angle droit. Chaque chambre possédait sa propre salle de bains et de grandes portes-fenêtres qui donnaient sur un balcon avec un escalier menant directement au rez-de-chaussée sur une immense terrasse avec une balustrade surplombant la mer.

John Dalrymple, notre hôte, était un homme chaleureux, une grosse tête qui devait plus tard participer au gouvernement de

Mrs. Thatcher, à quel titre, je n'ai jamais su. Paradoxalement, cet homme très sérieux avait pour petite amie une blonde américaine névrosée qui respirait fort et se plaignait tout le temps de son mal de gorge. Elle s'appelait Alicky, surnom d'Alexandra j'imagine, même si je n'en ai jamais eu la confirmation. Je me souviens d'elle mieux que je ne le devrais parce que c'est la première personne que j'ai connue qui parlait constamment du poison que le gouvernement mettait dans notre nourriture et qui était persuadée que le monde allait exploser. À l'époque, on la considérait comme une cinglée de première classe mais, d'une certaine façon, elle était en avance sur son temps. C'est elle qui avait décidé que, par un principe de précaution que personne ne partageait alors, les filles dormiraient à l'étage et les garçons en bas, ce qui nous donna l'avantage de la terrasse et de la vue sur la mer. Ma chambre se trouvait tout au bout de l'aile du bâtiment; elle avait ce parfum de propre sentant la mer et disposait de tomettes dans les tons clairs, avec des meubles en osier, des tissus blancs qui vous font sentir que c'est une maison de vacances. Je me demande parfois pourquoi les tentatives pour reproduire ce genre de pièce en Angleterre sont invariablement des échecs. Sans doute parce que cela ne marche pas avec la luminosité du nord de l'Europe.

J'étais venu par le même avion que Candida, Dagmar et Lucy, mais Damian n'avait pas voyagé avec nous. Il était déjà là et se changeait dans sa chambre quand nous sommes arrivés et nous l'avons tout de suite imité. Les Tremayne venaient de Paris et étaient descendus en voiture par l'Espagne pour continuer leurs vacances aux frais de la princesse. Eux aussi s'étaient retirés, ce n'est donc qu'une heure ou deux plus tard, quand nous avons été réunis sur la terrasse, que nous nous sommes enfin vus tous ensemble. Les jeunes filles étaient splendides avec leurs vêtements d'été. Moi, j'étais habillé comme un Anglais typique, façon « tenue d'été décontractée » qui donne toujours l'impression (réelle la plupart du temps) que nous n'avons qu'une hâte, celle de retrouver nos costumes de ville. C'était une jolie façon de commencer la soirée. John avait servi à chacun un verre de champagne et nous expliquait ce qu'il avait prévu : nous devions prendre les voitures pour nous rendre aux ruines maures à Cintra, un peu plus loin sur la côte, et faire un pique-nique pour le dîner. C'était une petite aventure tout à fait appropriée pour un début de séjour.

Cintra est un endroit magique, ou l'était à cette époque car je n'y suis jamais retourné. Quelque part au XIXe siècle, un roi de Bragance sans doute un peu déséquilibré avait décidé de construire un grand château avec tourelles sur le sommet de la colline. Cela convenait mieux au comte Dracula qu'à une monarchie constitutionnelle, mais un peu plus loin, ce qui ajoutait à l'étrangeté et à la singularité de ce palais aux splendeurs dignes de Disney World, c'est qu'il y avait les ruines d'une place forte mauresque qui s'étendaient de colline en colline et qui avaient été abandonnées par les hordes en déroute au Moyen Âge. Ce soir d'été, ces deux monuments appartenant à des empires oubliés offraient un panorama en cinémascope avec à l'horizon le soleil qui sombrait vers l'ouest.

Ce que j'avais compris depuis notre arrivée, c'est que John Dalrymple s'ennuyait beaucoup ici, mais je ne savais pas si c'était à cause de son poste à la banque ou plus probablement du fait de son choix de compagne de cœur. Dans tous les cas, il était ravi d'avoir des invités et semblait connaître Candida depuis longtemps, comme ami et non comme amant. Bref, dès les premiers instants de notre séjour, on voyait clairement que tout allait bien. On avait dressé une table au pied du château, parmi les arbres, des oliviers j'imagine. Dans mon souvenir, ils sont tordus et malingres et, plantés dans le sol poussiéreux, ils semblent s'accrocher à la vie. On avait accroché des lanternes avec des bougies dans les branches rabougries et disposé couvertures et coussins un peu partout, faisant ressembler le décor à celui du festin d'un émir arabe. Nous avons pris nos verres pour déambuler en contrebas des ruines, là où au fil des siècles des blocs de pierre avaient roulé. Les Tremayne étaient présents, et je les trouvais légèrement améliorés par rapport à mes souvenirs, sans doute parce qu'ils étaient à l'aube de carrières à la City que des relations de leur papa leur avaient préparées sur mesure. Ils papillonnaient autour de Dagmar tandis que Lucy parlait avec Alicky et John.

Un peu plus loin, Damian marchait bras dessus, bras dessous avec Candida. En jetant un œil vers eux, je fus affligé de constater que Candida était en train de retrouver son terrible style « flirt de Gorgone ». Damian fit une remarque sans nul doute innocente qu'elle accueillit d'un éclat de rire léonin qui fit sursauter tout le monde et en roulant des yeux d'une manière qu'elle jugeait sans doute mystérieuse et séduisante. Comme d'habitude, dans ce domaine, le bon goût n'était pas son fort. Damian commençait à donner des signes de détresse évidents pour qui voulait les voir et cherchait à se dépêtrer de la situation. Mais tout cela restait bien paisible et nous avions tous le sentiment de participer à un moment parfait, ce qui ne manque pas d'ironie étant donné les événements qui ont suivi. À ce moment-là, une cloche on a sonné signifiant que l'entrée était prête. Nous avons donc les uns et les autres rejoint la table pour nous servir et, chargés d'assiettes, de verres et de tout notre attirail, nous sommes partis nous installer sur les coussins. Lucy s'affala à côté de moi.

Je n'avais pas eu beaucoup de nouvelles des filles et aucune la concernant.

– Alors tu vas faire quoi maintenant ? lui demandai-je.

Elle grimaça légèrement tout en s'arrêtant de manger pour me répondre :

– J'aide une amie qui tient une galerie à Fulham.

– Vous exposez quoi ?

– Oh, des trucs.

Cette réponse n'évoquait guère le lyrisme de l'engagement le plus total.

– On va lancer un type, un Polonais. Ses tableaux, franchement, on dirait qu'il a mis une toile à un bout de son garage et qu'il a balancé des pots de peinture dessus. Mais Corinne affirme que c'est plus compliqué que ça et que c'est l'expression de la colère contre le communisme.

Lucy ne semblait pas convaincue. Je remarquais qu'elle avait davantage l'air hippie que la dernière fois : elle portait une chemise indienne sous un gilet brodé et usé et différentes couches de châles et d'étoles qui débordaient sur son jean et, à la fin, on ne savait pas trop si elle portait un pantalon ou une jupe. Peut-être les deux.

Elle me demanda ce que j'avais l'intention de faire et je lui expliquai les lugubres perspectives qui étaient les miennes.

– Tu as de la chance : tu sais ce que tu veux faire.

– Je ne suis pas sûr que mon père serait d'accord.

– Non, mais c'est vrai. J'aimerais savoir ce que je veux faire. Je voulais voyager, et puis, je ne sais plus trop. Ça ne mène à rien.

Elle s'étira et bâilla.

– Ça dépend de ce qu'on cherche dans la vie...

– Justement. Je ne suis sûre de rien. Je n'ai pas envie d'un mari barbant qui passe son temps à la City pendant que j'organise des dîners mondains et que je vais tous les vendredis matin à la campagne pour aérer le manoir.

Comme beaucoup de gens proclamant ce genre d'opinion, elle faisait comme si le mépris qu'elle éprouvait pour ce mode de vie était un *donné** absolu que partageaient toutes les personnes bien-pensantes alors qu'en réalité il était très difficile à des femmes comme Lucy de vivre autrement. Elles pouvaient certes en faire une version hippie, avec des tresses d'herbes aromatiques pendant du plafond de la cuisine, des lits défaits et des amis artistes qui débarquent à l'improviste pour le week-end, mais la différence entre ce mode de vie et celui de leurs sœurs plus empreintes de formalisme qui vont chercher les invités à la descente du train, décident d'une tenue précise et les font venir à la messe paraît assez mince quand on y réfléchit. Déjà, des deux côtés, les invités possèdent toujours un lien familial plus ou moins éloigné. Mais Lucy n'avait pas terminé :

– J'ai envie de faire quelque chose de différent, de vivre différemment et que ça ne s'arrête jamais. Je crois que je suis une disciple du Grand Timonier Mao. Je voudrais vivre dans un état de révolution permanente.

– Très peu pour moi, intervint Dagmar qui venait de nous rejoindre.

Elle s'installa à côté de nous sur un coussin aux motifs Paisley et posa une couverture sur ses genoux avant d'attaquer son assiette. La nuit ne promettait pas de rester chaude bien longtemps.

– En fait, je ne suis pas d'accord avec la définition de Lucy du destin qu'il faudrait à tout prix éviter. Moi, ça ne me dérangerait pas d'aller à la campagne pour aérer la maison le vendredi. Mais je veux aussi faire quelque chose de ma vie, quelque chose d'utile. Je ne veux pas seulement être une épouse mais aussi une personne autonome.

C'est à ce genre de remarque que l'on constate à quel point la philosophie des années 1960 avait fait son chemin, fût-ce à la fin de la décennie, et qu'elle avait fini par toucher la princesse des Balkans. Elle avait attrapé une maladie fort commune à l'époque, celle consistant à vivre en se sentant toujours systématiquement obligée de se construire une supériorité morale. C'est une philosophie qui pouvait se montrer éprouvante et qui allait se faire sentir. Bientôt, qu'on soit star de série télé ou présentateur de JT, il faudrait montrer que l'on n'avait pour seul souci que le bien-être des autres. Mais, ce soir-là, au Portugal, je n'y voyais aucun mal.

Je m'exclamai avec un faux ébahissement :

– Quoi, une princesse de la maison de Ludinghausen-Anhalt-Zerbst avec un vrai boulot ?!

– Justement, répondit-elle en soupirant. Ma mère ne veut pas que j'aie un emploi, alors j'ai commencé à travailler auprès de diverses œuvres caritatives, et même ma mère ne peut pas dire non à ça. Et j'espère que ça va me servir de tremplin. Et puis quand le prince charmant arrivera, si l'on accepte l'idée qu'il doive forcément se présenter un jour, je sais qu'il ne m'en voudra pas de vouloir m'affirmer – parce que sinon je ne l'épouserai pas. Je ne veux pas devenir une épouse réduite au silence.

Elle avait pourtant été une Débutante des plus silencieuse, ce qui rendait touchante sa profession de foi.

– J'ai envie de me sentir – je me répète – utile.

Je me suis alors rendu compte, non sans stupéfaction, que tout en développant son scénario composé des croyances de la modernité, elle ne quittait pas Damian des yeux. J'avais vu qu'il s'était débrouillé pour refiler Candida à nos hôtes, John et Alicky, et Candida, piégée par ses propres bonnes manières, n'avait pas pu s'échapper. Damian se servait au buffet installé sous les arbres. Il avait terminé de remplir son assiette et s'était retourné, jetant un œil alentour : Lucy et Dagmar agitèrent la main pour lui faire signe en même temps. Il nous aperçut et vint se joindre à notre trio.

– On était en train de parler de notre avenir, expliquai-je, Lucy veut être une hippie et Dagmar une missionnaire. Et toi ?

– J'aimerais que ma vie soit parfaite, répondit-il en toute sincérité.

– Et il te faudrait quoi pour que tout soit parfait ? demanda Dagmar timidement.

– Voyons, que je réfléchisse. D'abord, de l'argent. Donc, il faut que j'en gagne énormément.

– Très bien, avons-nous répondu en chœur – et ce n'était pas par complaisance.

– Ensuite, une femme parfaite qui m'aime autant que je l'aime. Ensemble nous ferons un enfant parfait, nous vivrons la belle vie et personne ne pourra s'empêcher de nous envier.

– Ça va, t'es pas exigeant, remarquai-je.

– Je veux juste ce qui me revient.

Je me rappelle très nettement cette phrase parce que beaucoup de gens disent cela en plaisantant, mais il est rare de trouver des personnes qui en soient vraiment convaincues. Dans ce cas précis, l'avenir allait lui donner raison.

– Et elle serait comment, la femme parfaite pour toi ? reprit Dagmar.

– Belle et intelligente, bien sûr, répondit Damian après un temps de réflexion.

– Et bien née ?

C'était Lucy qui venait de poser la question, ce qui me surprit quelque peu et fit réfléchir Damian.

– Bien née, oui – dans la mesure où elle aura la grâce, la classe, le raffinement et où elle sera à l'aise dans le monde. Mais elle ne sera pas soumise à ses origines, elle n'en sera pas esclave. Elle ne laissera pas ses parents ou ses ancêtres morts depuis longtemps décider de ce qu'elle doit faire ou dire. Elle sera libre et, s'il le faut, elle rompra avec tous ceux qu'elle a pu aimer avant pour se rallier à mon panache.

– Je sais jamais trop ce que signifie exactement « panache » dans ce contexte...

Mais personne ne prêta attention à ma remarque. Les deux jeunes filles réfléchissaient à sa profession de foi. Visiblement, elles étaient en concurrence pour prendre la place vacante dans l'esprit de Damian, au moins le temps de cette conversation.

– C'est ce qu'elle devrait faire, si elle a un peu de bon sens, fit Lucy, qui prit l'avantage.

Dagmar contra :

– C'est difficile d'abandonner ce qui a de la valeur. Enfin, si l'on pense que cela a de la valeur...

Damian parut lui donner la permission de continuer.

– Et puis, abandonner ceux que l'on aime, c'est pas facile. Ta femme parfaite serait-elle fidèle à elle-même si elle se coupait de ses racines ?

– C'est vrai que j'exige beaucoup, fit Damian d'un air songeur.

En considérant sérieusement la réponse qu'il devait à Dagmar, il la traitait avec respect et Lucy avait perdu l'initiative. Damian reprit :

– Mais je ne veux pas dire que j'ai raison. J'exige peut-être beaucoup trop. C'est juste que je décris ce qu'une femme parfaite serait prête à faire pour moi.

– Je crois qu'elle pourrait aller très loin s'il le fallait. Mais cela ne veut pas dire que cela serait facile, précisa Dagmar.

– Je n'ai jamais dit que ça serait facile.

Sur le coup, je suis passé à côté de la signification profonde de cet échange parce que, comme je l'ai indiqué, je n'étais pas au courant de tout ce qui s'était passé durant la Saison, deux ans auparavant. J'ai depuis appris que cette conversation était le préambule à la dernière nuit où Dagmar avait pu nourrir l'illusion qu'elle était la femme idéale pour Damian. J'espère qu'elle en a profité.

Les deux jours suivants, nous nous sommes fait plaisir. On se levait tard, on allait nager, on mangeait à de grandes tables installées sur la terrasse sous une rangée de parasols, on allait se promener au village. Bref, nous faisions ce que les gens comme nous savent faire le mieux : profiter de l'argent des autres. Mais, un matin, le lundi 27 juillet pour être précis, nous avons eu la surprise d'apprendre qu'António de Oliveira Salazar, ancien Premier ministre du Portugal, créateur de l'Estado Novo – ce qui avait été rien moins que le dernier État fasciste d'Europe avec l'Espagne – était mort dans la nuit à l'âge de 81 ans.

– C'est incroyable ! déclarai-je devant le groupe qui commençait à s'installer sur la terrasse.

Tout le monde se servait dans les immenses paniers de fruits préparés pour notre plus grand plaisir, se servait du café et tartinait ses toasts. Je croyais qu'une telle annonce aurait stupéfié toute la tablée. Mais pas vraiment.

– Et pourquoi ? demanda George Tremayne.

– C'était le dernier des dictateurs... Il faisait partie de ceux qui ont joué un rôle dans la Seconde Guerre mondiale, qui ont construit l'après-guerre, qui ont changé le monde. Hitler, Staline, Mussolini, Primo de Rivera... Et il vient de mourir !

– Il reste Franco, remarqua Richard Tremayne, ça sera lui, le dernier de la clique.

Certes, il avait raison, mais je tenais à préciser :

– Enfin, c'est quand même une sacrée coïncidence qu'on soit là, à côté de Lisbonne, pile au moment où il meurt. Les journaux annoncent que sa dépouille va rester exposée quelques jours à la cathédrale de Lisbonne, faut y aller !

– Faire quoi ?

– Pour passer devant sa dépouille. C'est un moment historique !

Je me suis tourné vers Damian pour qu'il me soutienne mais il s'est juste resservi du lait pour ses corn flakes.

Je ne suis pas certain de ce que cela peut nous apprendre de la bataille entre les sexes mais, en l'occurrence, il n'y a que les filles qui sont venues avec moi. Évidemment, elles n'avaient rien d'adapté à se mettre et elles ont emprunté des jupes noires, des châles et des mantilles aux femmes acariâtres qui travaillaient en cuisine. Elles sont toutes venues, même Alicky, bien qu'elle ait continué à se plaindre pendant tout notre pèlerinage de sa gorge gonflée qui l'irritait, ce qui commençait à nous agacer un petit peu.

Cela dit, l'avantage d'avoir Alicky avec nous, c'est qu'elle s'est montrée très ferme avec le chauffeur – un des bénéfices en nature du poste de John à la banque – qui nous a déposés pile au coin de la grande place devant la cathédrale et auquel elle a précisé exactement où nous attendre et que, non, elle ne pouvait pas savoir pour combien de temps on en avait. Les ombres de la fin d'après-midi s'allongeaient et nous avons pris place dans la longue et lente file d'attente où les femmes pleuraient tandis que les hommes restaient simplement moroses. J'étais assez étonné, ou intrigué, je ne sais pas, de constater le chagrin ambiant. Je me représentais Salazar comme le dernier de la clique des salopards qui avaient plongé l'Europe dans le sang et le tumulte et je voyais tous ces Portugais de milieux différents, des nobles aux paysans (et ces derniers auraient eu toutes les raisons du monde de se plaindre de son régime), qui versaient des larmes à son départ. J'imagine qu'on a toujours du mal à dire adieu à ce qu'on connaît.

– Candida ?

La voix que je venais d'entendre me traversa comme la lame du boucher tranche la chair de la viande. Je la connaissais aussi bien que ma propre voix. Je n'arrivais pas à croire que je l'entendais, dans cette capitale maritime, si loin de chez nous.

– Candida, mais qu'est-ce que tu fais là ?!

Nous nous sommes alors retournés pour saluer Serena qui traversait la place pour nous rejoindre, avec dans son sillage une lady Claremont plutôt échauffée et la redoutable lady Belton. Chez elles non plus, les hommes ne s'intéressaient pas à la politique. En nous reconnaissant à notre tour, Serena poussa un petit cri :

– Bon sang, mais c'est incroyable ! Vous êtes tous là ? Mais comment ça se fait !

Nous nous sommes lancés dans nos explications réciproques et nous avons appris ainsi que, par une coïncidence incroyable, ses parents avaient loué une des villas dans la même zone que la nôtre et qu'ils avaient invité les parents d'Andrew qui venaient d'arriver la veille et devaient rester une semaine, et n'était-ce pas tout simplement inouï ?

Je n'ai guère besoin de préciser qu'en réalité cela n'avait rien d'inouï. Mais alors rien du tout. Ce n'était même pas une coïncidence. Ce n'est que trois ou quatre ans plus tard, et encore parce que j'étais tombé par hasard sur George Tremayne à une rencontre hippique, que j'ai pu avoir connaissance du plan qui avait été ourdi par Serena qui voulait à tout prix revoir Damian. Même en apprenant la vérité de la bouche de George, je n'avais pas tout à fait saisi pourquoi (même si j'ai tout compris aujourd'hui), je voyais juste que cela avait l'air important pour elle. Cela faisait un moment que John avait proposé à Candida de venir avec des amis – cela, au moins, n'avait rien d'arrangé. Elles avaient décidé que, si Candida parvenait à amener Damian dans le groupe, Serena et Andrew prendraient une villa non loin de chez John – de manière parfaitement fortuite, bien sûr. De toute évidence, si Serena avait fait partie du groupe, Damian aurait refusé de venir, et Andrew n'aurait pas voulu s'il avait appris que Damian était du voyage. Donc, à partir de telles prémisses, ce subterfuge était nécessaire. Là où la manœuvre est partie en vrille, c'est quand les parents de Serena, qui avaient peut-être des soupçons, avaient proposé de payer le voyage et de partir avec eux. Il était certain qu'Andrew ne refuserait pas parce que cela représentait une économie substantielle. La cerise sur le gâteau, c'est quand lady Belton proposa aussi de venir avec son cher et tendre afin, selon ses termes, « d'apprendre à mieux connaître les Claremont ». Je ne sais pas ce qui se serait passé si je n'étais pas parvenu à convaincre Damian de venir. Tout aurait sans doute été annulé. Sur le moment, en tout cas, je n'avais rien soupçonné. J'avais cru que la rencontre était le fruit du hasard, un vrai cadeau de la providence qui m'envoyait Serena Gresham (pardon, Serena *Summersby*) sur cette place lusitanienne baignée par le soleil, elle aussi vêtue de vêtements noirs qu'elle avait empruntés et qui ne lui allaient pas, et m'accompagnant pour aller saluer un tyran mort. Je me suis permis de m'enquérir de ses nouvelles :

– Comment vas-tu, Serena ?

– Je suis exténuée et un peu sur les nerfs. Franchement, se taper le voyage avec ses parents, sa belle-famille et un bébé de 2 mois, je ne te le recommande pas.

– Je tâcherai de retenir ce sage conseil.

Je l'admirais, constatant qu'elle n'avait pas du tout changé. J'avais un peu de mal à me persuader que la fille de mes rêves était désormais une épouse et une mère.

– Sinon, ça se passe bien pour toi ?

Elle regarda rapidement en direction de lady Belton, mais la vieille bourrique était occupée à snober un touriste qui tentait de bavarder avec elle, et cela l'absorbait trop pour qu'elle s'intéresse à nous.

– Ça va à peu près.

Elle avait dû se rendre compte que sa réponse n'était pas celle que l'on attend d'une jeune mariée passionnée et fit un petit sourire avant de reprendre :

– Ma vie est devenue très sérieuse. Tu ne me reconnaîtrais pas. Je passe mon temps à parler au plombier, à faire tapisser des meubles et à demander à Andrew s'il s'est occupé des impôts.

– Mais tu es heureuse, dis-moi ?

Pas besoin d'échanger de regards pour savoir que j'allais un peu loin.

– Bien sûr que je suis heureuse.

– Andrew n'est pas venu ?

– Il est à la villa. Il dit que l'histoire ne l'intéresse pas.

– Ce n'est pas de l'histoire, c'est l'histoire en marche !

– Qu'est-ce que tu veux... ça ne l'intéresse pas.

Au grand déplaisir des gens derrière nous, nous avons fait passer Serena, sa mère et sa belle-mère dans notre groupe et ensemble nous avons commencé à gravir laborieusement les marches de la cathédrale. Ensuite, nous avons pénétré dans l'ombre rafraîchissante de cette immense église où l'on entendait plus nettement les pleurs qui se réverbéraient dans les bas-côtés et les cloîtres avec une ampleur mystérieuse. Le chagrin reste le chagrin, que le défunt le mérite ou pas. Nous sommes enfin arrivés au cercueil. La tête était recouverte d'une sorte de foulard mais les mains, à l'immobilité cireuse, étaient jointes, comme en prière, et reposaient sur le torse du cadavre, un peu relevées.

– Je me demande comment ils font ça, fit Serena. Tu crois qu'ils ont un produit spécial ?

J'ai regardé le corps. Comme tous les dictateurs défunts, semble-t-il, il était vêtu d'un costume léger fait dans un tissu de mauvaise qualité qu'on aurait cru sorti de chez Burton.

– Ce qui me fascine toujours, c'est que dès que les gens sont morts, on dirait qu'ils le sont depuis des milliers d'années. Comme s'ils n'avaient jamais été vivants.

Serena opina :

– Ça suffit à te faire croire en Dieu.

Quand nous sommes sortis, nous avons décidé l'organisation suivante : les Claremont, les Belton et les Summersby allaient rentrer maintenant pour se changer et ils nous rejoindraient pour le dîner d'ici deux heures à la villa. Tout contents des perspectives de la soirée, nous sommes repartis dans les voitures qui nous attendaient.

Je pense aujourd'hui que j'ai une petite part de responsabilité dans les événements qui ont suivi car, pour des raisons qui semblent avec le recul parfaitement inexplicables, je n'ai jamais dit à Damian que nous étions tombés sur Serena. Pour ma défense, je précise que je ne savais pas grand-chose, voire rien, de ce qui s'était passé entre eux et dont j'ai maintenant connaissance. Je savais qu'ils s'étaient embrassés une fois et je pensais sincèrement que c'était tout ce qu'il y avait entre eux. Mais, même ainsi, c'est très étrange ; je n'ai pas consciemment dissimulé la présence de Serena à Damian pour la bonne raison qu'il n'était nulle part quand nous sommes rentrés. Lucy nous a précisé qu'ayant mal dormi la nuit précédente il s'était retiré pour faire une sieste et être en forme pour le dîner.

– Ne le réveillons pas, dit Dagmar fermement.

Nous lui avons obéi.

J'aurais dû aller le retrouver dans sa chambre, le secouer et lui expliquer ce que je savais, mais je n'étais pas conscient de l'urgence de la situation et je devais penser que je pourrais toujours lui en parler plus tard, avant que les autres n'arrivent. Peu après, Lucy s'est proposée pour aller le mettre au courant et, avant de pouvoir en discuter, elle s'était déjà évaporée laissant Dagmar bouder toute seule. Sur le moment, en la voyant aller retrouver Damian dans sa chambre, j'avais bien une idée des projets de Lucy, mais je ne pensais pas qu'elle ne mentionnerait pas la rencontre de la cathédrale, ni le repas qui était prévu, ni la présence de Serena. Telle fut pourtant son omission.

Cette journée étant décidément placée sous le signe des surprises, une autre nous attendait – enfin avant la grosse surprise du soir, bien sûr – dont John nous mit au courant.

– Une amie à vous a appelé, nous informa-t-il tandis que nous sortions sur la terrasse.

Naturellement, nous avons tous pensé qu'il s'agissait de Serena et qu'elle désirait modifier le rendez-vous du soir, mais John nous détrompa tout de suite :

– Joanna de Yong ? C'est bien son nom ?

Candida était estomaquée.

– Joanna de Yong ? Elle appelait d'où ?

– Oh, elle est ici, dans une villa, pas loin, avec son mari et ses parents. Ils sont arrivés aujourd'hui.

John souriait en prononçant ces mots et s'attendait à ce que nous le prenions comme une bonne nouvelle. Mais notre réaction n'a pas été celle qu'il attendait.

Nous nous sommes dévisagés en silence. Est-ce que tout cela ne devenait-il pas un peu *trop* dingue ? Est-ce qu'Estoril était vraiment la seule destination estivale possible ? On se serait cru dans une pièce de théâtre russe. Je me rappelle très bien le sentiment d'étrangeté que nous avons ressenti face à cette situation, avant que la sensation d'horreur ne l'emporte plus tard. Dagmar a fait une remarque comme quoi nous avions organisé un petit événement amical et que le destin avait choisi de s'en mêler en réunissant tous les acteurs de cette période sur la même scène. Pour le dire autrement, elle partageait avec moi la même naïveté concernant les manœuvres qui se tramaient en coulisse.

Lucy, qui n'avait jamais été particulièrement fascinée par Joanna, contrairement à d'autres, ainsi que je me le rappelais fort bien, s'exprima enfin :

– Qu'est-ce qu'elle voulait ?

John était visiblement perturbé par notre réaction.

– Elle voulait vous voir, c'est tout. Je l'ai invitée pour le dîner avec son mari. J'espère que cela ne pose pas de problème. Elle a demandé qui était invité et elle connaissait tout le monde, j'ai cru que cela vous ferait plaisir...

Il s'interrompit, avec l'indécision de quelqu'un qui vient de commettre une bourde.

– Mais bien sûr que ça nous fait plaisir, répondit Candida.

Je savais que cela n'était pas vrai et j'ai compris maintenant pourquoi. Le plan initial, moralement douteux, prévoyait que le dîner soit l'occasion des retrouvailles de Serena et Damian, mais il avait fallu y inclure les parents et la belle-famille, ce qui n'était pas idéal, et le repas promettait maintenant de se transformer en véritable banquet national.

– Elle viendra avec ses parents, ajouta John.

Là, c'était le pompon.

– C'est pas vrai... fit Lucy qui s'exprima en l'occurrence au nom de tous.

Naturellement, comme tout le monde l'aura deviné, l'arrivée des de Yong ne devait rien non plus au hasard, ce que j'appris bien avant les détails de la tactique de Serena. J'étais encore en train de me changer quand on frappa à la porte. Sans attendre que je dise d'entrer, Joanna pénétra dans ma chambre. Sans un bonjour, en fait sans un mot, elle s'allongea sur le lit en poussant un grand soupir.

– Je me demande ce qu'on fabrique tous là, dit-elle.

– Des petites vacances sympas ?

Je n'avais pas revu Joanna depuis la fin des festivités de 1968 mais elle était toujours aussi fabuleuse à regarder.

– Tu parles.

Elle leva les yeux au ciel puis me fixa pendant que j'attendais ses explications.

– C'est ma mère qui a tout arrangé et sans me demander mon avis, tu sais.

– Comment ça, « je sais » ? De quoi tu parles ?

– J'avais appelé Serena...

– Vous êtes encore en contact ?

Elle nota ma surprise et s'en amusa.

– Tout le monde ne m'a pas lâchée.

– Je m'en doute.

Elle eut une expression étrange, sans doute celle que l'on réserve aux gens un peu lents d'esprit.

– Bref, elle m'a dit qu'elle partait pour le Portugal avec ses parents et que Candida serait là, ainsi que quelques amis, dont toi et Damian.

– Vraiment ?

Cette explication ne s'accordait pas avec la scène que nous venions de jouer sur le parvis de la cathédrale de Lisbonne, mais avant que je puisse m'en étonner, Joanna avait repris la parole. Ce qu'il y a de bête, c'est que je me rappelle parfaitement sa remarque maintenant mais, sur le coup, je n'y avais pas prêté attention, ce qui m'empêcha de comprendre ce qui se passait.

– Je ne sais pas pourquoi, mais c'était en tout cas stupide de ma part, j'en ai parlé à ma mère et, ô stupeur, il y a une semaine, elle m'apprend qu'elle voulait me faire une surprise et qu'elle avait loué une villa à Estoril. Je l'ai prévenue que c'était inenvisageable.

– Mais ?

– Mais elle a pleuré et poussé des soupirs et a piqué sa crise, et pourquoi je ne l'aime pas, alors qu'elle avait tout fait pour m'aider avec le mariage et qu'ils avaient payé une fortune pour louer la villa en passant devant les autres et, au final, j'ai cédé.

Elle tenait une bouteille de Coca-Cola à la main, l'ancienne version, assez jolie, en verre, et en but une longue gorgée langoureuse.

– Tant mieux, je suis content de te revoir.

Elle haussa les épaules.

– Ma mère croit que j'en ai assez de Kieran. Elle pense qu'elle peut m'en détacher en se servant de vous comme d'appâts. Elle veut que je voie mes amis pour que je me rende compte de tout ce que je manque. C'est pour ça qu'elle nous a fait venir.

Elle éclata de rire.

– Damian... il y a deux ans, elle se serait jetée du haut d'un pont tellement elle avait peur que je finisse avec lui !

Je n'avais toujours pas compris ce que cela signifiait : Serena savait que Damian allait venir depuis le début. J'étais vraiment à l'ouest.

– Pauvre Kieran, répondis-je.

À ce moment-là, j'avais rencontré Kieran de Yong car, quelques semaines après avoir fait sensation en s'enfuyant tous les deux, un cocktail avait été organisé au Dorchester pour les nouveaux mariés. C'était une tentative de Valerie Langley pour normaliser la situation. J'avoue que je ne voyais pas ce que Kieran pouvait avoir de spécial à l'époque, mais j'étais jeune, et malgré ce choix je n'en estimais pas moins Joanna. Après tout, chacun ses goûts.

– Ça se passe bien la vie de couple ?

– Ça va, répondit-elle.

Mais elle fit une pause avant d'ajouter :

– Mais, bon, des fois, ça pèse un peu.

C'était assez éloquent, un peu trop même. Je n'ai rien voulu ajouter sur le sujet.

– Tu as vu Damian ?

– Non, il est toujours dans sa chambre. On est arrivés beaucoup trop tôt. Ma mère était tellement impatiente qu'on a dû suivre le mouvement. Elle a toujours voulu que j'appartienne à votre milieu et elle pense que c'est à cause de Kieran que je n'en fais plus partie. Pour elle, je suis en plein naufrage – socialement, s'entend. Et elle veut me ramener sur la terre ferme. Elle aimerait un divorce le plus rapidement possible.

– Tu rigoles ?

Il est difficile d'expliquer que en 1970, cette situation paraissait complètement aberrante. Moins de dix ans après, elle aurait semblé parfaitement normale.

– Pas du tout. Elle pense que, si je largue Kieran maintenant, tout le monde l'oubliera très vite, surtout que nous n'avons pas d'enfants – pourtant qu'est-ce qu'on baise.

Elle s'arrêta, histoire de vérifier que j'étais choqué. Eh, oui, quand cela venait d'une femme, nous étions facilement scandalisés par ce genre de réflexion à l'époque. Ayant constaté que je venais de rougir, elle en fit autant et reprit :

– De son point de vue, si elle parvient à me libérer de cette situation, elle pense qu'il n'y aura aucune conséquence et que tout cela sera recouvert par l'identité que me procurera mon nouveau mari, quel qu'il soit.

– Et Damian lui conviendrait ?

– Après Kieran, elle prendrait le premier teinturier asiatique qui passe.

J'ai souri même si, pour être honnête, j'étais assez impressionné par l'opiniâtreté de Valerie Langley. Je sais que, dans des circonstances équivalentes, mes propres parents se seraient contentés d'un long soupir et d'un haussement d'épaules, et auraient peut-être accepté les remarques apitoyées venant vraiment de très vieux amis, mais il ne leur serait jamais venu à l'esprit d'*agir* pour empêcher quoi que ce soit. Ce qui ne signifie pas que j'étais d'accord avec le stratagème de Valerie Langley. Après tout, Joanna avait approuvé les liens sacrés du mariage et cela avait un sens à l'époque que cela n'a plus aujourd'hui. Ce n'est pas pour autant non plus que je me mis à détester ses parents.

– Et ton père, il en pense quoi ?

– Il aime beaucoup Kieran mais il n'a pas été consulté en la matière.

– Et Kieran est ici ?

– Et il est parfaitement au courant de ce que ma mère essaie de faire.

– Wow.

Tout cela ne me disait rien sur l'essentiel du problème.

– Et vas-tu te laisser faire et abandonner Kieran ?

Elle fit mine de réfléchir mais je crois qu'il n'y avait aucun doute pour elle.

– Non, je n'ai pas envie de faire ce plaisir à ma mère.

Quand je suis enfin descendu pour me joindre à la sauterie, Kieran de Yong fut la première personne que j'ai vue. Certes, il était difficile de ne pas le remarquer. La teinture de ses cheveux était d'une nuance particulièrement agressive de blond rose et il portait un jean moulant avec une veste militaire qu'on imaginait avoir été portée par un officier de la garde royale, mais dont les manchettes étaient retournées, ce qui laissait apercevoir une doublure en satin rose. Sa chemise, aux motifs assez abondamment colorés, s'ouvrait très largement pour qu'on puisse admirer les grosses chaînes qu'il avait autour du cou. L'effet global n'était pas tant hideux que pitoyable, et étant donné ce que je venais d'apprendre, il me fit de la peine.

– Tu connais un peu le Portugal ? lui demandai-je comme si je m'intéressais vraiment à la réponse.

– Non.

Lucy venait de nous rejoindre et elle tenta aussi d'engager la conversation :

– Vous vivez où avec Joanna maintenant ?

– Pimlico.

Nous étions tous les deux un peu déroutés. Franchement, on n'allait pas rester là toute la soirée à lui poser des questions et à enregistrer des réponses qui tenaient en un seul mot. Mais il prit la parole et montra qu'il n'était pas aussi idiot que nous ne le pensions.

– Je sais pourquoi nous sommes ici. Elle croit que je ne m'en doute pas, mais je le sais très bien. Et je ne céderai pas ma place.

Naturellement, Lucy ne comprenait rien à ce qu'il racontait, mais moi si, et je trouvais ça assez courageux de sa part d'avoir accepté de venir malgré tout. C'était la décision de quelqu'un de résolu. Je ne pouvais pas vraiment faire de commentaire sans me mettre dans l'embarras, mais je lui ai souri. J'ai rempli son verre et j'ai essayé de lui montrer que je ne faisais pas partie de ses ennemis.

Il n'y avait toujours aucun signe de Damian. J'avais remarqué que ses volets étaient restés fermés, et puis j'ai entendu toutes les voitures qui arrivaient, les portières qu'on ouvrait et qu'on claquait, les conversations et puis la troupe des Claremont-Belton a fait son entrée sur la terrasse. Serena avait amené sa petite fille et, évidemment, cela a créé une certaine effervescence autour d'elle. J'ai suggéré qu'on mette le couffin dans ma chambre puisqu'elle donnait directement sur la terrasse où aurait lieu le dîner, et tout le monde trouva que c'était une bonne idée. J'étais attristé de constater que la petite Mary était le portrait craché de son père. Non seulement, cela voulait dire qu'elle n'avait pas de chance, mais cela faisait également naître des images pénibles dans la demi-conscience de mon esprit.

Pour se distancier de tous ces « trucs de femmes », lord Claremont me salua, toujours avec une gaieté un peu molle. Je crois qu'il était content de voir quelqu'un qu'il connaissait et d'échapper à la seule compagnie de la belle-famille de sa fille car je devinais qu'ils ne lui plaisaient pas du tout, même s'il avait lui-même tout fait pour que ce mariage se conclue. Il se dirigeait vers moi mais, en chemin, il fut détourné par la tentation que représentaient Joanna et Lucy et préféra flirter avec elles autour d'une sangria, ou l'équivalent portugais en tout cas. Les Belton restaient entre eux et admiraient la mer; elle était trop exigeante et lui trop fatigué pour parler à qui que ce soit d'autre. Lady Claremont vint me voir, le sourire aux lèvres.

– Alors il paraît que vous vous orientez vers une carrière artistique. C'est passionnant.

– Je sais, mes parents non plus n'approuvent pas ce choix.

Cela la fit rire.

– Non, j'aime bien l'idée, mais cela semble terriblement aléatoire. Je suis certaine que, si vous supportez l'idée de vivre quelques années dans une mansarde avec l'estomac vide, vous avez raison de faire ce qui vous plaît. Il faut toujours suivre ses élans.

– Absolument. Et il y a pire que de vivre dans une mansarde avec l'estomac vide.

Le hasard a voulu que mon regard se porte à ce moment-là sur Serena qui bavardait avec Candida, accoudées à la balustrade. C'était uniquement parce que je ne voyais rien d'autre d'intéressant à regarder, mais lady Claremont a pris ma remarque comme une critique envers les choix de Serena, dont elle devait par ailleurs se sentir également responsable, ce qui était bel et bien le cas. Son expression se raidit et, quand elle tourna le regard vers moi, son sourire était imperceptiblement moins amical.

– Il faut que vous rendiez visite à Serena et Andrew. Ils sont magnifiquement installés, c'est un merveilleux cottage sur les pourtours du domaine. Serena a terriblement envie de se mettre à tout redécorer et le village est à cinq minutes à pied. C'est vraiment l'idéal. Vous connaissez le Dorset ?

– Seulement Lulworth où j'allais quand j'étais petit.

– C'est vraiment superbe, un vrai enchantement et, pour l'instant, cela reste très tranquille, personne ne connaît. Serena a une chance incroyable.

– Je suis content pour elle...

Il me semblait important que lady Claremont sache que je ne voulais pas du tout créer le moindre conflit.

– ... J'aime beaucoup Serena.

Elle se mit à rire, heureuse d'avoir dépassé le petit moment de malaise.

– Ah mais ça, mon cher, nous sommes tous au courant...

C'est à ce moment que j'ai entendu les portes-fenêtres s'ouvrir derrière moi et qu'en me retournant j'ai vu Damian apparaître. C'était comme s'il avait été mis en relief par l'obscurité de la pièce derrière lui. Il se tenait parfaitement immobile, mais je n'avais pas besoin qu'on m'explique sur qui son regard s'était fixé. D'autres membres de l'assemblée s'étaient rendu compte de sa présence. Notamment lord Claremont, dont l'expression venait nettement de s'assombrir. S'il avait eu le moindre soupçon sur les objectifs de la soirée, ses pires craintes venaient de se confirmer. Il lança un regard à sa femme et je vis qu'elle répondit par un petit mouvement de la tête, presque imperceptible. L'immobilité et le mutisme de Damian commençaient à devenir légèrement gênants. Je me suis donc dirigé vers lui.

– C'est incroyable, non ? Les parents de Serena ont loué la villa quasiment à côté. On s'est croisés cet après-midi devant la cathédrale. C'est fou, hein ? Tu aurais dû venir.

– J'aurais dû, visiblement.

Il restait complètement figé.

Je lui ai montré Joanna et lui ai expliqué cette deuxième coïncidence qui n'en était pas une, ce qui le fit sourire.

– Ô glorieux nouveau monde, qui contient de pareils habitants[1] !

Mais il ne bougeait toujours pas, n'avançait pas en direction des autres. Pendant tout ce temps, Serena était restée spectatrice, attendant sans doute qu'il fasse le premier pas. À cet égard, elle ne pouvait qu'être déçue et elle décida qu'il était temps pour elle de se rendre officiellement compte de sa présence. J'ai trouvé admirable sa façon de s'y prendre. Il faut bien que cela serve à quelque chose d'avoir passé sa vie à contrôler ses émotions. Elle se dirigea prestement vers Damian avec un grand sourire.

– Damian, c'est merveilleux de te retrouver. Comment vas-tu ?

Andrew avait suivi Serena au moment où elle avait traversé la terrasse et il se tenait à ses côtés. Sa présence avait quelque chose de menaçant quand il planta son regard dans celui de l'homme

---

1. Citation de Shakespeare : « *How beauteous mankind is ! O brave new world, Thas has such people in it !* » (*The Tempest*, v, 1).

qui, après tout, lui avait balancé son poing à la figure devant tout le monde lors du bal de Dagmar. Cette dernière, qui venait peut-être de se rappeler l'incident avec une certaine honte, abandonna sa conversation pour s'approcher.

– Tu te souviens d'Andrew, fit Serena.

Elle se comportait comme si nous nous trouvions dans les circonstances les plus banales du monde.

– Oui, je me souviens d'Andrew, répondit Damian.

– Et moi aussi, ajouta Andrew.

À cet instant-là, je crois que je n'étais pas tout seul à craindre qu'ils n'organisent un match retour. Candida avait senti le danger et elle s'approcha en frappant dans ses mains.

– Allez, allez on va tous faire une petite promenade avant le dîner ! On prend le sentier qui descend sur la plage, à travers les rochers. Tout le monde est d'accord ?

Serena n'eut même pas le temps de protester.

– Ta belle-mère s'est proposée de rester pour surveiller le bébé.

Lady Belton s'était installée dans un fauteuil, avec à peu près la même expression joyeuse que les accusés au tribunal de Nuremberg attendant qu'on leur lise la sentence.

Tout cela paraissait en effet être une relativement bonne solution et personne n'avait d'objection. Par petits groupes nous avons donc suivi Candida qui avait attrapé son oncle, lord Claremont, pour en faire son guide personnel. Il se laissa faire sans trop de résistance et partit à ses côtés, non sans avoir rempli un verre qu'il emporta avec lui. Nous sommes tous tranquillement descendus vers le sable, et je dois dire que le paysage était magnifique, avec le bleu de la mer à perte de vue qui scintillait dans la lumière du soir diaphane. Nous sommes restés un instant à écouter les vagues. Au moment d'amorcer la descente vers la plage, je m'étais aperçu – avec un pincement au cœur d'autant plus incongru que Serena était une femme mariée et que ce qu'elle faisait ne me concernait pas – qu'elle et Damian s'étaient retrouvés en queue de peloton, seuls tous les deux. Lady Claremont, qui possédait une sorte d'instinct pour éviter les ennuis, s'en était également aperçue et elle s'était précipitée vers son gendre, lui avait pris le bras pour l'emmener vers la plage et s'était mise à lui débiter un flot de paroles d'une intensité d'autant plus remarquable qu'on se demande quel sujet pouvait bien parvenir à intéresser Andrew Summersby. Je voyais quand même son mari jeter des regards en arrière vers sa fille et Damian et il n'était pas difficile de comprendre qu'il s'agissait là d'un spectacle qui lui plaisait de moins en moins.

Joanna m'avait rejoint et me parla dans un murmure :

– Tu crois qu'on va avoir droit à un feu d'artifice ?

– J'espère que non.

– Ma mère est furieuse. Elle pensait que j'aurais Damian pour moi toute seule mais, clairement, il n'en a rien à faire de moi. En tout cas, pas quand Serena est dans les parages.

Sur le moment, j'ai trouvé qu'elle exagérait – j'étais un peu lent d'esprit.

Andrew décida alors de se dégager de sa belle-mère. Il lança un regard furibond vers Serena et Damian qui étaient maintenant très loin derrière tout le monde sur la plage. Lucy vint à la rescousse. On aurait dit que, par accord tacite, tout le monde mettait la main à la pâte pour éviter une collision frontale. Comme Andrew avait abandonné lady Claremont, je vis Pel Claremont prendre sa place à ses côtés et intervenir :

– Tu as vu qui est là ?

– Bien sûr que j'ai vu.

– Tu savais qu'il serait là ?

– Évidemment non.

– Qu'est-ce qu'il lui raconte ?

– Comment est-ce que je pourrais savoir ?

– Bon sang, si jamais il fait la moindre tentative pour...

– Si tu dis quoi que ce soit, ça ne fera qu'empirer les choses. Promets-moi que tu ne feras rien qui prête à déclencher des hostilités. Tu ne diras plus rien jusqu'à ce que tu te couches. Plus rien du tout !

Lady Claremont avait prononcé ces derniers mots dans un sifflement exaspéré – on aurait dit un serpent géant en pleine crise de colère. Visiblement, elle y tenait farouchement. Je ne sais pas si elle obtint l'assentiment qu'elle espérait car j'avais été obligé de me pencher pour entendre la fin de cette conversation murmurée et la réponse de son mari fut recouverte par le ressac. Comme je n'étais pas en possession de tous les faits, je ne comprenais pas bien leur hostilité envers Damian. Je me retournai vers Joanna sur ma gauche.

– Tu as entendu ? De quoi ils parlent ?

– Je n'ai pas entendu, je n'écoutais pas.

Nous venions d'être rejoints par Dagmar qui prit place à mon autre côté.

– Et toi, tu as entendu ?

Mais elle aussi avait laissé passer leur conversation. En fait, Dagmar semblait particulièrement placide ce soir-là et plus songeuse qu'à l'habitude. Je la regardai en levant un sourcil pour lui signifier mon interrogation. Elle se contenta de faire non de la tête avec un sourire triste.

– Il n'y a rien. Je réfléchis juste au reste de ma vie.

– Rien que ça.

Elle attendit que Joanna se soit décalée et marche aux côtés de George Tremayne pour poursuivre.

– C'est toi qui as déclenché ça hier soir. Toi et Damian.

Avec sa petite bouche humide, prise de crispations, elle était très émouvante.

– Tout ce que je veux, c'est un homme bien et qui m'aime. Je sais, ça a l'air pathétique, mais c'est tout. Je me fiche de mon niveau de vie, du moment que ce n'est pas dans la misère totale. Je veux juste un homme bien qui m'aime et me respecte.

– T'inquiète pas, il viendra.

Comme quoi, on est lamentablement optimiste quand on est jeune, mais je ne pouvais pas savoir à quel point la vie lui refuserait même un avenir simplement tolérable.

Dagmar hocha la tête avec un petit soupir. Je ne comprenais pas pourquoi elle était prise d'une pareille mélancolie, mais je le sais maintenant. La nuit précédente, lors de leur dernier rendez-vous romantique, Damian lui avait déclaré qu'ils ne pourraient jamais être ensemble, elle avait appris qu'elle n'aurait jamais celui qu'elle aimait et convoitait plus que tout autre. Quiconque s'est trouvé rejeté de cette manière ressentira sûrement de la sympathie pour elle. Elle finit par sourire, un sourire plein de vague à l'âme.

– Peut-être. *Que sera sera*.

– Je suis sûr que tout ira bien.

– J'ai des doutes.

Supposant que le danger avait été écarté – ou priant pour que ce soit le cas, Candida nous invita à faire demi-tour et nous sommes lentement retournés à la villa. La luminosité avait beaucoup baissé et les domestiques avaient disposé des chandelles sur les tables et allumé les lampes qui projetaient leur lueur sur la maison. En grimpant le sentier rocheux, nous avions l'impression de nous diriger vers un palais enchanté fait de joyaux.

Tout commença fort paisiblement. L'entrée était une version portugaise de l'*insalata tricolore* à laquelle on avait évidemment ajouté des olives. Je ne sais plus le nom du plat, mais c'était excellent et nous nous sommes servis abondamment – heureusement d'ailleurs car nous allions devoir tenir jusqu'au lendemain matin en nous contentant de ça. Les problèmes commencèrent avec le plat principal, une sorte de ragoût de poisson apporté par les dames colériques qui sévissaient en cuisine. Cela avait l'air délicieux et sentait très bon, même si, au bout du compte, je n'eus jamais l'occasion d'y goûter. Au lieu de nous servir, elles disposèrent le poisson dans trois grandes soupières en porcelaine blanche placées à intervalles réguliers le long de la table pour que nous nous passions nous-mêmes le plat fumant. Entre-temps, et c'était peut-être inévitable, lord Claremont avait un peu biberonné depuis son arrivée. Il faut dire pour sa défense qu'il avait été extrêmement irrité – là encore, je n'étais au courant de rien – de découvrir Damian dans cette demeure où il avait eu le sentiment que sa femme et lui avaient été attirés par la ruse. Non seulement il se retrouvait face à un importun mais, comme si cela ne suffisait pas, il était installé à côté d'une femme des plus communes, qu'il ne connaissait pas et qui voulait à tout prix engager la conversation en parlant de gens et de choses dont il n'avait jamais entendu parler. De son côté, Valerie Langley était ravie d'être assise à côté de lui car l'un des objectifs de son voyage consistait à se rapprocher de la famille Claremont et elle ne se rendait absolument pas compte qu'elle n'allait vraiment pas dans la bonne direction.

Pour bien comprendre les sources de l'explosion, il faut se souvenir que Pel Claremont était persuadé que Damian Baxter était un menteur et un butor qui tentait d'attirer Serena dans ses filets et menaçait d'anéantir la vie de sa fille dans le seul intérêt de sa répugnante personne. Ce n'est pas ainsi que j'analysais la situation, mais lui oui, et il ne voyait pas du tout pourquoi il était censé être le convive d'un personnage qui lui causait tant de problèmes. Le plan initial de Candida et Serena était voué à l'échec, au moins autant que leur précédente tentative de montrer Damian sous un bon jour aux parents de Serena à Gresham. À partir du moment où les Claremont s'étaient joints à l'expédition, Candida aurait dû tout annuler ou au moins trouver un autre stratagème pour que Damian et Serena se rencontrent car je comprends à présent que Serena était incapable de résister à la perspective de revoir Damian. Pour le plus grand malheur de tout le monde.

Quand nous sommes revenus de la promenade, Damian n'avait pas prononcé un mot et était resté par la suite assez monosyllabique pendant la soirée. Je vis Serena tenter de s'asseoir à côté de lui mais il prit soin d'aller s'installer plus loin, entre Candida et lady Claremont, qui dut être surprise de constater qu'il l'avait choisie elle comme voisine de table, mais elle n'en montra rien. Damian parla exclusivement à Candida et tout le monde en aurait été très heureux si le repas avait continué ainsi, mais lady Claremont vivait selon certaines règles et l'une d'entre elles voulait que, quand on passe au plat suivant, on est censé changer d'interlocuteur et se tourner vers son autre voisin de table. C'est ainsi qu'elle laissa Dagmar s'occuper de George Tremayne et se tourna vers Damian.

– Alors, que faites-vous en ce moment ? demanda-t-elle d'un ton dégagé. Avez-vous des projets d'avenir précis ?

Damian la regarda fixement, suffisamment longtemps pour que la plupart d'entre nous s'aperçoivent de son insolence délibérée.

– Vous voulez vraiment le savoir ?

Je suis content de pouvoir témoigner de l'injustice qui était faite à lady Claremont. Sur le moment, tout le monde était désarçonné car personne n'imaginait ce que la mère de Serena avait bien pu lui faire pour mériter d'être traitée ainsi. Mais, même si j'admets qu'elle ait pu être complice du naufrage de la vie amoureuse de Damian, je pense que cela reste injuste. En l'occurrence, elle essayait juste d'arriver au bout du dîner, de faire en sorte que Candida, John ou Alicky aient l'impression que tout s'était bien passé. Qu'y avait-il de mal à cela ?

Elle finit par pousser une sorte de soupir tout en disant :

– Oui, bien sûr, cela m'intéresse de connaître les projets des vieux amis de Serena.

Honnêtement, elle avait dit cela de manière amicale. Elle ne voulait pas que Damian épouse sa fille, certes, mais je ne crois pas qu'elle lui ait souhaité quoi que ce soit de mal. Son mari avait peut-être d'autres sentiments, mais pas elle. L'espace d'un instant, Damian eut l'air presque gêné. Il sembla se reprendre et ouvrit la bouche, sans doute pour parler de ses projets professionnels à la banque.

Mais, avant qu'il ne puisse prononcer un mot, lord Claremont se mêla à la conversation. Il se pencha et tendit le bras pour attraper une bouteille de vin rouge et dit ce qu'il pensait pour de bon :

– C'est vrai, ça nous intéresse, enfin, juste pour être sûrs que vos projets vous emmèneront loin de nous.

L'effet fut instantané. En une seconde, toutes les conversations s'arrêtèrent net. Lady Claremont ferma lentement les paupières, comme si elle voulait se prémunir contre la déferlante inévitable qu'elle sentait venir. John et Alicky se demandèrent pourquoi leurs invités avaient soudain décidé de se montrer aussi impolis. Les Langley paraissaient choqués, tout comme les jeunes dont je faisais partie, tandis que lady Belton prenait son air habituel de mépris dédaigneux. Dans ce grand silence, lord Belton avala une grande gorgée de vin.

– Ne vous faites pas de souci, dit Damian d'un ton léger. Je ne ferai certainement pas une pareille erreur une deuxième fois.

– Arrêtez ça ! Arrêtez ça tout de suite ! cria Serena.

Je ne l'avais jamais vue en colère comme ça. Ses yeux lançaient des éclairs mais il était bien sûr trop tard.

Lord Claremont la calma d'un brusque geste de la main, puis il regarda son adversaire dans les yeux avant de prendre une nouvelle gorgée. Lentement et avec une certaine élégance, il posa son verre et lui adressa un sourire avant de poursuivre. En fait, sa nonchalance ne suffisait pas à faire oublier qu'il était très éméché.

– Écoute-moi, petit merdeux...

Ces mots firent sursauter une bonne partie des invités, comme des souris affolées tressaillant le long de la table les unes après les autres. Lady Claremont se pencha et leva la main en produisant une sorte de gémissement dans les graves, une sorte de « Oh, non » qui aurait aussi pu être une lamentation endeuillée. Valerie Langley lança un « Quoi ? » perçant qui ne s'adressait à personne en particulier.

Mais Damian était debout maintenant.

– Non, c'est à vous d'écouter. Vous n'êtes qu'un crétin pompeux, un emmerdeur ridicule et ennuyeux, un pauvre bouffon risible.

Cela faisait beaucoup de qualificatifs en une seule phrase et il était assez fascinant de constater que quelques mots pouvaient changer une vie. Au moment où Damian s'était levé, on n'en était encore qu'au stade d'un incident mineur que des excuses, une tape sur l'épaule et un « Allez, on va boire un coup pour oublier ça » auraient pu réparer. Moins d'une minute après, il avait scellé son destin pour de bon et sans espoir de retour. Les portes des beaux salons de l'Angleterre des années 1970 venaient de lui claquer au nez. Les ponts étaient désormais coupés, comme s'ils venaient de s'effondrer dans un fracas fumant.

Lord Claremont était comme assommé. On aurait dit qu'il venait de se faire renverser par une voiture et qu'il n'était pas certain de la gravité de ses blessures. Il tenta de répondre mais Damian avait dépassé les bornes.

– Comment osez-vous...

– Comment j'ose ? Comment *moi*, j'ose ? Mais vous vous prenez pour *qui*, vous ? Par quel égarement croyez-vous avoir le droit de me parler sur ce ton, pauvre vieil abruti ?

C'était un moment assez singulier parce que, pour nous tous ce jour-là, c'était exactement le genre de tirade qu'on aurait imaginé entendre lord Claremont prononcer, à l'exception de l'insulte finale, et le renversement créait une sensation indéfinissable. Nous pouvions être absolument certains que, jamais en cinquante-huit ans, personne ne s'était adressé à lord Claremont de cette manière. Comme tous les riches aristocrates dans le monde, il n'avait aucune idée réelle de sa propre valeur puisque, depuis sa naissance, il recevait des compliments sur des qualités imaginaires et il n'était pas vraiment surprenant qu'il n'ait jamais remis en question les flatteries qu'une armée de lèche-bottes lui avait servies depuis un demi-siècle. Il n'avait pas l'intelligence de se dire qu'on lui racontait n'importe quoi et qu'il n'avait rien de concret à offrir sur le marché du monde réel. C'était un choc, un horrible choc de découvrir qu'il n'était pas la personnalité digne, élégante et admirable qu'il croyait être, mais un pauvre imbécile.

C'est ce moment entre tous que lady Belton, décidément mal inspirée, choisit pour intervenir :

– Espèce de garçon mal élevé ! Arrêtez tout de suite et présentez vos excuses à lord Claremont.

Elle avait élevé la voix, s'adressant à Damian, mais en fait à tout le monde pour bien montrer son désaccord. Elle avait malheureusement employé un ton impérieux et assez aigu plus adapté pour une comédie de boulevard que pour une véritable dispute. Elle devait penser que cela lui donnait une autorité majestueuse, alors qu'en fait on aurait dit Marie Dressler dans *Les Invités de huit heures*.

Damian se retourna d'un coup et, à notre plus grande terreur, s'empara d'un couteau qui traînait sur la planche à pain, un grand couteau de cuisine dont un boucher aurait pu se servir et qui avait l'aspect d'une arme mortelle. L'altercation avait viré au cauchemar grandeur nature et plus personne ne savait comment intervenir. Ne vous méprenez pas, j'étais absolument certain que Damian n'utiliserait pas son arme contre qui que ce soit, ce n'était pas dans son caractère, et nous ne courions aucun danger. Mais il savait en jouer et ponctuer son discours de mouvements de lame qui donnaient une résonance particulière à ses phrases. Il avait eu le nez creux : si nous étions auparavant immobiles, nous étions à présent totalement paralysés.

Avec une lenteur terriblement décontractée, Damian fit le tour de la table en regardant lady Belton. En le voyant s'approcher, elle s'agrippa aux bras de sa chaise et se plaqua contre le dossier. C'est la seule fois où j'aie jamais éprouvé un peu de peine pour elle.

– Et vous, la vieille mégère, l'épouvantail à moineaux... Mais en quoi ça vous regarde, espèce de pitoyable monstruosité ?

Il attendait, comme si c'était une question susceptible de recevoir une réponse raisonnable. Elle regarda le couteau et continua à se taire.

– Espèce de vieille peau ridée, pauvre snob cinglée, avec vos robes hideuses et votre pseudo-moralité – qui est encore plus hideuse.

Il posa la pointe du couteau sur ses lèvres comme s'il réfléchissait à un problème épineux.

– C'était pas votre père qui était un peu limite ? Ou votre mère, peut-être ?

Il s'arrêta de nouveau comme si elle allait lui apporter une confirmation à son diagnostic. Mais elle se contenta de se taire : on voyait la peur luire au fond de ses yeux derrière toute sa morgue. Je dois dire que c'était un coup de maître, un coup d'estoc qui avait dû porter pile entre les côtes. À la vérité, la mère de lady Belton avait été une *pas grand-chose** mais elle était persuadée que personne ne le savait. Comme beaucoup de gens de son rang, elle croyait que, parce que personne ne lui disait ses quatre vérités, cela effaçait ce qu'elle croyait cacher. Mais nous étions au courant. Nous savions tous que sa mère s'était mariée avec quelqu'un au-dessus de sa condition et s'était retrouvée toute seule avec une fille encore nourrisson quand son noble époux l'avait abandonnée pour de plus vertes prairies et pour ne plus jamais revenir. Cela expliquait sans nul doute une bonne partie du snobisme extrémiste de lady Belton.

– Ne vous inquiétez pas, continua Damian, on ne se rend pas compte que vous n'êtes pas une pure race. Quand on vous voit, on constate juste que vous êtes un tyran débile et ridicule.

Elle l'écoutait mais sans réagir du tout. Elle haletait légèrement, comme après une longue course, ses joues palpitaient et paraissaient plus fripées et d'une teinte plus rougeaude qu'en début de soirée. Je me demandais si elle n'allait pas avoir une attaque.

Je ne pouvais pas laisser cela continuer. Lord Claremont était peut-être vaniteux et lady Belton un peu folle, mais cela allait trop loin.

– Bon, allez, Damian, c'est bon, dis-je en me levant.

Je sentis comme un soulagement dans l'assistance, comme si j'avais posé des limites nous permettant un retour à la normale. Sauf que le programme allait se révéler un peu différent.

Damian se retourna vers moi. Face à lui, je compris alors que sa colère l'avait fait dérailler. Temporairement, peut-être, mais il était complètement barré. Mon sentiment ne devait pas être très différent de celui que ressent un promeneur dans une forêt qui voit soudain un loup s'avancer lentement vers lui. En apercevant sa main qui enserrait le manche du couteau, j'ai ressenti de l'effroi, je l'avoue. J'avais peur, tout simplement.

– Qu'est-ce t'as, toi ? C'est ton tour de vouloir me gronder ? T'es qu'une larve, un néant pitoyable. Une pauvre merde. Un lâche.

– Damian, enfin, c'est ton ami !

Cette intervention de Dagmar me mit du baume au cœur. Elle seule essayait de me soutenir face à cette agression. J'aurais aimé que ce soit Serena qui intervienne, mais je compris en un regard qu'elle était occupée à subir son supplice personnel.

Damian fixa Dagmar, puis tous les autres.

– Quoi ? Mon *ami* ? Et tu crois qu'il est ton ami aussi, peut-être ? Il n'est l'ami de personne ici.

Il continuait à longer la table avec la démarche d'une panthère prête à bondir. Je distinguai deux domestiques aux aguets dans l'ombre, mais parmi nous, personne ne bougeait. Tout le monde avait vu ce que cela avait coûté à lady Belton et personne n'avait envie de se retrouver sous le feu de sa fureur.

– Mais il vous méprise ! Vous croyez qu'il vous trouve drôle, lord Claremont ? Que vous avez une classe innée, lady Claremont ? Ou que vous êtes intéressants, vous tous ? Il vous trouve lamentablement bêtes et ennuyeux... mais il aime votre mode de vie ! Vos belles demeures ! Vos titres ! Il aime qu'on sache qu'il fait partie de vos relations – quel égocentrisme dérisoire...

Chaque sentence était prononcée avec une telle énergie rythmique qu'on aurait dit une chanson plus qu'un discours.

– Il aime rester accroché à vos basques, vous lécher le cul et s'en vanter quand il rentre chez lui. C'est ça qu'il aime, pas vous !

Serena était restée totalement immobile, la tête baissée, et je voyais maintenant qu'elle pleurait. Un ruissellement continu coulait de ses yeux et marquait ses joues de longues traînées de mascara. Damian s'était approché d'elle, ce qui lui fit lever le regard, mais pas sortir de son mutisme.

– Et tu crois qu'il est amoureux de toi, peut-être ? Ton petit soupirant toujours là pour te protéger pendant que tu te moques de lui...

Serena fit mine de protester mais Damian la fit taire d'un geste de la main.

– Oui, tu te moques de lui. Rappelle-toi t'en être moqué avec moi... Mais tu le tolères parce qu'il t'aime et que tu trouves ça mignon.

Serena regardait vers moi maintenant et je crois qu'elle secouait la tête pour exprimer à quel point elle voulait marquer sa désapprobation, mais j'étais ailleurs, dans une sorte de coma éveillé où j'étais seul, dans le vide, et où je ne parvenais pas à me cacher.

– Mais il ne t'aime pas non plus. Il aime ce que tu es, ton nom, ton titre, il aime se vanter de te fréquenter.

Damian fit une pause, respira un bon coup avant de porter le coup fatal :

– Vous devriez entendre ce qu'il dit de vous dans votre dos. Ce n'est qu'un minable hypocrite, un ver de terre répugnant, un arriviste aux dents longues qui est prêt à se mettre à plat ventre, le cul en l'air pour avoir le droit de vous fréquenter.

– Mon Dieu !

L'interjection sonore que lord Claremont venait de lancer d'un air dégoûté exprimait sans doute le sentiment général. Damian avait bien choisi les arguments pour me salir : c'était le genre de taches qui ne partent pas au lavage.

Mais il n'en avait pas encore fini avec Serena à laquelle il s'adressa avec un dédain absolu qui faisait froid dans le dos.

– Pauvre idiote. Pauvre imbécile. Tu aurais pu t'échapper. Tu aurais pu vivre pour de vrai. Et, à la place, tu as choisi de passer ta vie avec... avec un gros abruti !...

Il balança une tape sur l'épaule d'Andrew en passant devant lui.

– Une grande andouille ! Un crétin chiant comme la pluie ! Et tout ça pour quoi ? Pour avoir une grande maison et recevoir des gens qu'on n'aime pas mais qui viendront faire la révérence et ramper devant vous !

Dagmar pleurait à chaudes larmes et Damian s'arrêta devant elle au passage. Bizarrement, sa voix redevint gentille quand il s'adressa à elle.

– Toi, tu es quelqu'un de bien. Tu mérites mieux que tout ce qui peut t'attendre.

Mais il avançait encore, tout près de Joanna qui le regardait avec la fascination du lapin face à l'hermine qui va le dévorer.

– Toi, tu aurais pu t'en sortir sans ta salope de mère. Il faut que tu persévères pour te libérer de cette emmerdeuse.

Ce qui rendait cette scène surréaliste, c'est que tous les gens qu'il visait étaient là devant lui sans rien rétorquer. Mrs. Langley poussa bien un petit cri, mais son mari lui posa la main sur le bras pour lui dire de se taire.

Damian commençait à fléchir. Cela se voyait : Richard Tremayne se leva et même Andrew avait l'air prêt à bouger. L'emprise de Damian faiblissait.

– Je vous déteste tous. J'exècre vos fausses valeurs, je vous souhaite le pire. Et pourtant, en même temps, je vous plains.

Chacun sentait que sa tirade touchait à sa fin et, même de manière infime, la crispation se relâchait. Peut-être Damian s'en aperçut-il, à moins qu'il n'ait tout prévu dès le début, en tout cas, il n'avait pas terminé.

– Je vais m'en aller, mais avant cela, je me dois de vous laisser un souvenir inoubliable, dit-il avec un sourire.

Candida jugea bon d'intervenir :

– Je crois que c'est déjà le cas.

– Non, il faut quelque chose de plus coloré.

Et d'un seul mouvement, avec une rapidité d'une précision stupéfiante, il lança le couteau à terre, attrapa la première soupière de poisson à sa portée et la fracassa sur la table où toute une brassée de faune marine fumante aspergea lady Claremont et Lucy, Kieran et Richard Tremayne. Arrosés par le liquide bouillant, envahis par une frayeur furieuse, ils laissèrent échapper des cris de douleur, mais le choc était tel que personne ne réagit vraiment, et avant que quiconque n'intervienne, Damian s'était emparé de la soupière en milieu de tablée. En la projetant sur la table, il réussit à atteindre Candida, lord Claremont, Dagmar, George et Joanna. C'est au moment où il se précipita vers la troisième que les autres finirent par se réveiller et réagir en tentant de l'attraper en premier. Alfred Langley avait déjà les mains posées sur le rebord de la soupière. Malheureusement pour lui, Damian était comme un tigre déchaîné et il la lui arracha des mains d'un seul coup. Il leva le récipient au-dessus de sa tête comme un prêtre païen pour un sacrifice en l'honneur d'un dieu d'une sauvagerie impitoyable. Pendant un instant, tout s'arrêta. Puis il abattit la soupière sur un coin, de sorte que la masse de liquide inonde lady Belton qui poussa un cri déchirant sous l'aspersion. Je ne connais pas la recette exacte de cette soupe de poisson, mais elle était préparée avec beaucoup de sauce tomate et la tablée ressemblait à présent à la conclusion de la bataille de Borodino. Tout le monde était recouvert de résidus gluants de poiscaille brûlante et puait la marée descendante. Des éclats de porcelaine avaient volé et Lucy avait été touchée au front tandis que George saignait abondamment de la joue droite. C'est un miracle que personne n'ait rien reçu dans l'œil.

– Bon, eh bien, bonne nuit à tous, conclut Damian.

Et, sans rien ajouter d'autre, il traversa la terrasse, ouvrit la porte-fenêtre pour retourner dans sa chambre et referma derrière lui. Il était sorti de leur vie à tout jamais.

Après son départ, nous sommes tous restés prostrés, totalement figés par le choc, comme les survivants d'une catastrophe aérienne qui ne sont pas encore certains d'être en vie. Et puis Serena et Dagmar se sont mises à pleurer bruyamment. Lady Belton, qui ressemblait à un clown du Cirque du soleil avec ses pinces de homard et de crabe dans les cheveux, se mit à hurler des ordres à son mari, complètement tétanisé, qui était également décoré de guirlandes poissonneuses.

– Je veux partir d'ici ! Emmène-moi tout de suite !

Valerie Langley cria qu'il fallait appeler la police, mais Alfred n'eut pas besoin du regard immédiatement affolé que lancèrent tous les autres pour comprendre que cela n'aurait pas lieu. Il était hors de question de finir la soirée en apportant à la presse la meilleure histoire people depuis des années. D'un regard éloquent et d'un rapide mouvement de tête, Alfred fit comprendre à sa femme qu'elle pouvait oublier cette idée.

Dire que ce fut ensuite la fin de la soirée serait un colossal euphémisme. La soirée avait été pulvérisée, elle avait explosé en vol, elle était partie en fumée, il n'en restait que les décombres. Les Claremont et les Langley se carapatèrent vers leurs voitures comme si un sniper était en train de s'entraîner dans le jardin. Ceux qui restaient attendaient de voir ce qui allait se passer. George Tremayne se servit un verre et m'en apporta un, ce que je trouvai délicat de sa part, même si son geste confirmait le terrible sentiment de pitié qu'il devait éprouver envers moi. Un sentiment de pitié et de mépris, sans aucun doute. Il devait exister des nuances selon ce que chacun prenait pour argent comptant des paroles de Damian, mais ils y croyaient tous plus ou moins, et je savais que j'en paierais les conséquences. Tout le monde en entendrait parler, l'histoire serait magnifiée à l'infini et je serais à jamais marqué dans la société londonienne comme un opportuniste sournois, un faux-jeton arriviste, un moins-que-rien perfide et méprisable. Telle était ma rétribution pour avoir pris Damian sous mon aile et l'avoir introduit auprès d'eux. Les portes du monde où j'avais grandi venaient de se refermer sur moi. J'étais désormais un vrai lépreux. Un paria.

Candida s'approcha de moi, sans doute pour témoigner de sa compassion, mais avant qu'elle ne puisse parler, je la pris à part :

– Je pars demain, le plus tôt possible.

Je parlais bas, je n'avais pas envie de devenir une *cause célèbre** et de voir les autres se sentir obligés de me soutenir, ce qui aurait été pire que tout.

– Ne sois pas bête.

– Non, je ne peux pas faire autrement. C'est moi qui l'ai présenté à tout le monde. Je suis responsable. Je ne peux pas rester. Pas après ça.

Je lui étais reconnaissant d'essayer de me soutenir mais telle était la vérité. Je ne pouvais pas rester une minute de plus parmi ces gens. Candida demanda à Andrew Summersby de me persuader de rester, mais il secoua la tête et déclara : « C'est la seule chose qui lui reste à faire » avec la morgue la plus pompeuse et la plus hautaine dont il était capable. Il avait de la chance que les domestiques aient déjà emporté le couteau.

Candida n'insista pas plus.

– Bon, réfléchis quand même d'ici à demain. Tu verras comment tu te sens. Nous savons tous qu'il racontait n'importe quoi.

Je lui ai souri, je l'ai embrassée pour lui souhaiter bonne nuit et suis parti retrouver ma chambre.

Connaissant mieux Candida aujourd'hui, je comprends qu'elle ait pu réellement ne pas m'avoir tenu rigueur des propos de Damian, mais ce n'est pas ce que je pensais à l'époque. Plus tard, alors que j'avais pris mon bain et que je sentais un peu moins comme un vendeur de bulots du marché de Bermondsey, je me suis demandé si Damian avait vraiment raconté n'importe quoi. Certaines choses étaient absurdes, notamment tout ce qu'il avait dit sur Serena. Chacune de ses paroles avait été choisie avec le plus grand soin pour me discréditer à leurs yeux de manière irrémédiable. Pour me démolir. Comme il allait se retirer de leur monde, il avait décidé qu'il ne partirait pas tout seul. C'était une agression cruelle et je suis certain que ce qui lui avait procuré le plus de plaisir, c'était de m'humilier et de m'anéantir aux yeux de Serena. Il voulait que mon amour paraisse mesquin et pathétique, un simple artifice, une ruse me permettant d'être invité aux dîners alors qu'elle était le moteur même de ma vie.

Pourtant, tout n'était pas faux. Ce qu'il y a de drôle, c'est que, par moments, j'avais envié Damian. J'avais envié l'empire qu'il exerçait sur ces hommes et ces femmes. Je connaissais la plupart d'entre eux depuis toujours mais, à peine quelques semaines après les avoir rencontrés, il avait davantage d'ascendant sur eux que je n'en avais jamais eu. Il était bel homme, bien sûr, et charismatique, et moi, je n'étais ni l'un ni l'autre, mais finalement, ça n'était pas seulement ça. Il avait beau débarquer à peine, il ne se laissait pas dicter les règles du jeu alors que moi, eh bien, peut-être que moi, je me laissais faire. Est-ce que je n'avais pas été plus large d'esprit envers les blagues de lord Claremont et autres individus de son acabit que s'il s'était agi de quelqu'un d'inférieur socialement ? En ne protestant jamais, est-ce que je ne faisais pas comme si les fatuités que j'avais pu entendre lors de dîners dans de splendides salles à manger historiques étaient des remarques du plus haut intérêt ? J'avais passé de très longues soirées avec des imbéciles, j'avais ri avec eux, j'avais abondé dans leur sens pour flatter leur égocentrisme sans fond sans jamais révéler la moindre trace de mes sentiments réels. Aurais-je adressé la parole à Dagmar si elle n'avait pas été princesse ? Et ne gardais-je pas une attitude polie envers quelqu'un comme Andrew que je méprisais et que j'aurais activement détesté même si Serena n'était jamais venue au monde ? Lui aurais-je même montré la plus petite marque de respect si je n'avais pas eu un fond de déférence envers sa position sociale ? Je n'en sais rien. Si ma mère était encore vivante et qu'elle lisait cela, elle dirait sûrement que je raconte n'importe quoi, que j'ai juste été bien élevé et que je n'ai pas à subir de critiques à cet égard. D'un côté, je me dis qu'elle a raison, mais en même temps...

Dans tous les cas, après cette soirée, j'étais un homme fini en ce qui concerne cette sphère sociale-là et pour bien des années. Damian avait disparu de leur univers, mais, dans une large mesure, ce fut aussi mon cas. À quelques très très rares exceptions près, je me suis retiré de leur cercle, d'abord par gêne personnelle, et ensuite par dégoût envers moi-même. Même Serena sembla s'éloigner de moi, ou du moins en ai-je eu l'impression. Pendant un temps, j'ai continué à passer chez elle, une ou deux fois par an, pour la voir ou voir les enfants, ou surtout parce que je n'arrivais pas à couper tous les ponts. Mais je sentais l'ombre de cette soirée qui pesait sur nous et j'avais l'impression que quelque chose était mort, et j'ai fini par l'accepter et par cesser toute relation.

Bien sûr, aujourd'hui, je suis plus vieux, plus débonnaire et, avec le recul, je trouve que je me suis traité bien durement. Je ne crois pas que Serena ait été responsable de mon exil. Je ne considère pas non plus les autres comme responsables : je me suis puni moi-même, et injustement. La vérité, c'est que Damian avait parlé sous le coup de la colère ce soir-là et par désir de vengeance mais, même aujourd'hui, je ne sais toujours pas pourquoi j'avais été la cible de ses coups alors que je n'avais rien fait pour les provoquer. Peut-être m'en voulait-il simplement de l'avoir initialement entraîné dans cet incroyable pétrin. Si c'est pour cette raison, avec la sagesse du recul, j'ai tendance à penser qu'il n'avait pas tout à fait tort.

16

J'appelai Damian dès mon retour de Waverly pour lui raconter tout ce que je venais d'apprendre. Mais je posai aussi une question que je n'avais pas aimé découvrir dans un recoin de mon esprit :

– C'est une question idiote, mais ne serait-il pas possible que ce soit Serena ?

– J'en suis certain.

– Parce que je sais beaucoup plus de choses sur votre histoire que ce que je croyais.

– J'en suis heureux. Mais ça n'est pas elle. J'aurais aimé, d'une certaine manière, mais cela n'est pas possible.

Je constatais qu'il était vraiment content que je comprenne mieux ce que cette fameuse année avait pu signifier pour lui.

– La dernière fois que j'ai couché avec Serena, c'était à l'automne 1968. Elle s'est mariée au printemps 1969 et il n'y a pas eu de bébé dans cet intervalle. Je ne l'ai plus vue qu'une seule fois après son bal et c'était pour cette soirée au Portugal alors qu'elle ne logeait même pas dans la même villa et qu'elle se traînait son affreux mari, ces imbéciles de parents, ses horribles beaux-parents et son nourrisson par-dessus le marché. Et puis, même si je m'étais trompé dans les dates, il s'agirait de cet enfant-là, Mary, dont je crois qu'elle est, encore à l'heure actuelle, le portrait craché de son épouvantable père, Andrew.

Tout cela était exact. La mère que nous cherchions ne pouvait pas être Serena Belton.

– Alors il s'agit de Candida. Forcément.

– Tu lui as parlé de moi ?

– Un peu. Elle a mentionné que vous étiez sortis ensemble, mais très tôt durant la Saison.

– Oui, mais nous n'avons jamais vraiment rompu. Nous sommes toujours restés amis et nous avons remis ça, juste une fois ou deux, en souvenir du bon vieux temps. Je sais que vous n'aviez guère d'inclination pour Candida, mais moi, je l'aimais bien.

Cela m'intéressait prodigieusement. Il semblait avoir beaucoup mieux compris toutes ces femmes que moi ; il avait été lucide quant à leur véritable nature.

– Elle a eu l'air de faire allusion à quelques galipettes après la Saison. Est-ce que cela aurait pu être le moment de la conception ?

– Non. Pas à ce moment-là. C'était fini longtemps avant ces vacances.

Il hésita et il y eut un silence au bout du fil avant qu'il ne poursuive :

– Elle est venue me voir après le dîner, quand tout le monde était endormi. Je me suis réveillé en pleine nuit et elle était avec moi, nue dans mon lit. Nous avons fait l'amour. Quand je me suis réveillé le matin, elle avait disparu.

– Est-ce que tu l'as vue le lendemain matin avant ton départ.

– Non, personne n'avait encore émergé quand je suis parti. J'ai appelé un taxi et je me suis éclipsé. Mais elle m'avait laissé un petit mot dans ma chambre. Nous nous sommes donc quittés en bons termes.

– Tu ne l'as jamais revue ? À Londres, par exemple ?

– Je n'ai plus jamais revu aucun d'entre vous, toi y compris.

– C'est vrai.

Moi aussi, j'étais parti à l'aube à l'aéroport mais, étrangement, nous étions parvenus à ne pas nous croiser. De mon côté, c'était volontaire. Et c'est vrai que, comme tous les autres invités de cette soirée, je n'avais plus jamais revu Damian jusqu'à ce qu'il me convoque.

Il interrompit mes pensées.

– J'ai bien revu Joanna, une fois. Mais je sais que ce n'était pas elle.

– Et Terry.

Il hésita un instant mais reprit gaiement :

– Tu as raison. Je croyais que c'était avant notre départ, mais c'est toi qui as raison, c'était à notre retour. Pauvre Terry.

– Que disait le mot que t'a laissé Candida ?

– « Je t'aime encore » et elle a signé avec son petit gribouillis. J'étais très touché. Je ne crois pas avoir été plus malheureux que cette soirée-là.

– Ce qui vaut pour tous ceux qui étaient présents.

– Je priais pour ne plus jamais être aussi malheureux. Vu le temps qu'il me reste, je crois pouvoir dire que je vais être exaucé.

Il émit un petit gloussement en se remémorant cet horrible souvenir. Je parle de gloussement mais, sur le plan sonore, cela ressemblait davantage au bruit de vieux tuyaux dans un immeuble désaffecté.

– J'étais allongé sur mon lit. Je vous entendais parler. J'écoutais les gens s'en aller. J'aurais voulu être mort. Un moment, j'ai cru qu'ils allaient appeler la police.

– Des gens comme eux ? Jamais de la vie. C'est pas leur truc, de figurer dans les magazines. Ça, au moins, ça n'a pas changé.

Nous n'étions plus très loin de notre but. Il ne nous restait plus qu'à nous occuper de la conclusion.

– Veux-tu que j'aille lui apporter la grande nouvelle concernant la bonne fortune de son fils ?

– Pourquoi pas ? Et puis ensuite, tu pourras venir. Je voudrais savoir comment elle aura réagi.

Candida était très contente de répondre à mon appel cette fois-ci et également ravie de me voir chez elle pour prendre une tasse de café le matin même. Elle vivait dans le même genre de vieille demeure comme on en trouve à Fulham et que tant de membres de sa tribu ont fini par occuper depuis ma jeunesse. Harry avait visiblement bien gagné sa vie et elle avait joliment décoré la maison. Elle m'accueillit avec la retenue et l'élégance qui la caractérisaient désormais, même si c'était nouveau pour moi. Elle me conduisit dans un petit salon charmant, tendu de chintz, en portant un plateau avec le café. Sur la table près du sofa se trouvait une grande photo encadrée de celui que je devinais être feu Harry Stanforth. Son visage était souriant, franc et carré. Il avait l'air assez ordinaire, pour parler franchement, mais tel est l'éternel miracle de l'amour... Je lui rendis hommage intérieurement tandis que Candida nous servait le café. Puis elle leva les yeux.

– Alors ?

Je lui expliquai la quête de Damian et mon rôle dans cette histoire.

– Je ne voulais pas, mais j'ai bien vu qu'il n'avait pas d'autre alternative viable.

– Je savais qu'il y avait quelque chose, dit-elle entre deux gorgées de café. Mais je n'avais pas vraiment deviné que ça pouvait être ça. Qu'est-ce que je viens faire là-dedans ?

Et puis elle attendit patiemment que je poursuive. Je ne comprenais pas qu'elle n'arrive pas à saisir le lien.

– Nous pensons qu'il s'agit de toi. Que le fils de Damian, c'est Archie.

Elle resta déconcertée un moment avant de pousser un petit gloussement.

– C'est difficile à imaginer : je ne suis pas un éléphant. Il s'est écoulé deux ans entre la dernière fois où j'ai couché avec Damian et la naissance d'Archie.

– Mais, la dernière fois, tu as eu l'air de me dire que vous vous étiez revus après la fin de votre aventure.

– Mais oui, durant l'été 1969. J'étais assez triste de la façon dont tout s'était terminé entre lui et Serena, et quand elle a envoyé les invitations pour son mariage, je l'ai retrouvé pour savoir comment il allait. Nous nous sommes vus plusieurs fois après ça et puis nous avons perdu contact. C'est pour ça que je suis passée par ton intermédiaire afin de le retrouver un an après, pour le Portugal. Je n'étais pas tout à fait sûre qu'il aurait envie de me revoir, même si je crois aujourd'hui que je n'avais pas de souci à me faire de ce côté-là.

– Mais tu as couché avec lui, cette nuit-là.

– Quelle nuit ?

– Le soir où Damian a piqué une crise et nous a aspergés de soupe de poisson. Tu dois te souvenir de l'épisode, non ?

– T'es dingue ? Bien sûr que je m'en souviens, personne ne peut oublier une chose pareille. Mais je n'ai pas couché avec lui.

– Il s'est réveillé en pleine nuit et tu étais dans son lit.

– Et ce n'est pas une invention tirée d'un roman polisson ?

– Tu as laissé un petit mot dans sa chambre disant que tu l'aimais encore.

Ce détail raviva sa mémoire et elle opina.

– Ça, oui. Je me suis dit qu'il devait vraiment se sentir mal après avoir fait ce qu'il nous avait fait. Alors j'ai griffonné un petit mot, j'ai oublié ce que c'était, « Je te pardonne » ou quelque chose dans le genre...

– « Je t'aime encore. »

– Ah, tu connais le texte ? Quelque chose dans ce goût-là, oui. Je l'ai glissé sous la porte de sa chambre avant d'aller me coucher.

– Tu es certaine de n'avoir pas couché avec lui ?

Là, elle était à deux doigts de se vexer.

– Écoute, je sais que j'ai eu une période dans ma jeunesse où j'étais souvent à l'horizontale, mais je crois que je m'en serais souvenue si j'avais couché avec Damian Baxter ce soir-là. Je ne crois pas pouvoir oublier le moindre détail de cette soirée.

– Non, c'est vrai.

Est-ce que je retournais à la case départ ? Je ne comprenais pas. Elle continuait à essayer d'assimiler mes paroles.

– Il s'est réveillé et a trouvé une femme dans son lit qui lui faisait l'amour ?

– Exactement.

Elle fut prise d'une franche hilarité.

– On peut lui faire confiance : même quand il est au plus bas, il se retrouve dans une scène d'un film de James Bond.

Son rire s'éteignit lentement avec des petits gloussements.

– Mais ça n'était pas toi, la James Bond *girl* ?

– Je me souviendrais d'une chose pareille – même si j'en faisais une habitude.

C'est alors que tout devint clair.

Lady Belton se trouvait à l'étage, apparemment, mais elle serait ravie de me recevoir dans un instant, si cela ne me dérangeait pas d'attendre dans le petit salon qu'on utilisait normalement le matin puisque c'était là, bizarrement, que madame la comtesse prenait le thé l'après-midi. J'en serais enchanté.

Ce petit salon était l'une des pièces les plus ravissantes de Waverly. Plus cosy qu'imposant mais certains de leurs meilleurs tableaux y figuraient ainsi qu'un très joli bureau de dame signé John Linnell qui paraissait servir à Serena puisqu'il était couvert de papiers, de lettres et d'invitations attendant une réponse. La gentille dame qui m'avait fait entrer, et qui devait habiter au village, était occupée à servir le thé quand Serena fit son apparition.

– Merci beaucoup, Mrs. Burnish.

Elle avait déjà acquis ce charme un peu artificiel que les gens bien nés utilisent pour obtenir un service convenable de la part des domestiques, plus que par sincérité. Je voyais à son style, à sa façon de s'habiller et même à sa manière de sourire que Serena ne tarderait pas à être ce qu'on appelle encore parfois une grande dame.

– Je suis ravie qu'on se revoie si vite, dit-elle en me faisant la bise sur les deux joues.

La dernière fois que nous nous étions vus, nous avons fait l'amour, et pas seulement « fait l'amour », mais fait l'amour avec plus de passion que dans toute ma vie. Pourtant, j'avais l'impression indéfinissable que ses bonnes manières et le ton de sa voix reléguaient soudain cet épisode à une distance de sécurité incroyablement lointaine. Elle était chaleureuse et amicale, mais je sus alors que notre aventure ne se répéterait jamais.

– Je n'imagine pas que tu puisses ignorer pourquoi je suis venu.

Elle s'était versé une tasse de thé et elle lissait les plis de sa jupe soigneusement. Elle but une gorgée et me regarda avec un sourire timide.

– Je crois que je sais pourquoi. Candida m'a appelée pour me dire ce que tu lui avais raconté.

Elle semblait mal à l'aise, ce qui était fort rare chez elle.

– Je ne veux pas que tu penses que je passe mon temps à me glisser la nuit dans le lit des hommes endormis.

– Tu avais précisé que c'était réservé à ceux qui étaient amoureux de toi.

– Merci de t'en souvenir.

– Je me souviens de tout, lui dis-je.

Elle reprit la parole, visiblement soulagée de se libérer enfin d'un poids :

– Je n'étais pas sûre, au début, je me disais que si je l'avais intéressé, il aurait fait quelque chose quand j'ai envoyé cette lettre idiote. Mais il n'a rien fait. Rien du tout. Je le sais parce qu'à l'époque, il y a vingt ans, j'étais encore en contact avec un certain nombre de filles qui auraient pu écrire cette lettre. Qu'est-ce qui a changé la donne ?

– Il est en train de mourir.

Ces paroles la ramenèrent à la réalité de manière brutale. Elle regarda le plafond, songeuse.

– Oui, bien sûr. Il faut que je m'explique. Pour cette nuit à Estoril. Je me suis sentie coupable pendant des années. Surtout envers toi.

– Pourquoi moi ?

– Parce que c'est toi qui as tout pris de plein fouet. Tout ce que tu as fait, c'est de l'inviter à deux ou trois soirées, et tout d'un coup, tu te retrouves accusé d'être un misérable parvenu hypocrite – entre autres. Ça a dû être horrible pour toi.

– Ce n'était pas mon heure de gloire, en effet.

– Et puis surtout, c'était faux. Notamment ce qu'il avait raconté sur tes sentiments à mon égard. Je le sais. Même à ce moment-là, je le savais.

Serena se permit un sourire qui rappelait indirectement ce que nous avions partagé récemment et j'en fus touché. Ce n'était pas grand-chose mais c'était mieux que rien.

– Qu'est-ce que tu sais de ce qui s'est passé lors de mon bal ?

– Je crois qu'on m'a à peu près tout dit. Mais je viens seulement de l'apprendre.

– Damian m'a dit qu'il s'était servi de moi, qu'il n'était pas amoureux de moi et que je serais beaucoup mieux sans lui. Je suis restée sans réaction ; je n'arrivais pas à croire ce qu'il me disait. On entendait encore la musique, une fille riait dans l'antichambre juste derrière la porte et je me rappelle m'être dit : « Comment peut-elle rire alors que ma vie est en train de s'effondrer ? » Je l'aimais vraiment de tout mon être, tu sais. Je voulais m'enfuir avec lui, être avec lui, l'aimer jusqu'à la fin de mes jours, et si cela impliquait de rompre avec tous ceux que je connaissais, je l'aurais fait. Mais, quand il a commencé à parler, je suis restée paralysée. Je pense que j'étais sous le choc, comme on dit maintenant, je ne crois pas qu'on parlait de « choc psychologique » à l'époque. On était juste censé aller prendre l'air et s'en remettre tout seul. Bref, il s'est arrêté de parler et il a attendu ma réaction. Après un moment, tout ce que j'ai pu articuler, c'est : « Si tu penses que c'est mieux... » Comme il a vu que je n'ajoutais rien d'autre, il a fait un signe de tête et un drôle de petit salut. J'y ai souvent repensé. Je le revois encore. Il s'est incliné légèrement, comme un serveur ou un employé d'ambassade qu'on a envoyé s'occuper de ton voyage en train, pour être sûr que le changement de gare du Nord à gare d'Austerlitz se passe bien. Et puis, il est parti. Je suis allée sur la terrasse et, après un moment, je suis rentrée et j'ai dansé avec toi.

– J'en avais été très heureux.

Là, elle était impatiente de me raconter toute l'histoire.

– Après ça, je me fichais de tout. J'ai dû faire une sorte de dépression nerveuse. Mais, à l'époque, des gens comme nous ne faisaient pas de dépression, c'était réservé aux actrices ou à des gens ayant détourné de l'argent. Nous nous contentions d'« être en petite forme », ou de « faire une pause » ou de « prendre un peu de recul ». Papa et maman n'arrêtaient pas de me pousser vers Andrew, très enthousiaste à mon égard.

Elle dut se sentir obligée de commenter l'expression que j'affichais.

– Si, si, il était enthousiaste. Je sais que tu ne l'aimes pas mais il n'est pas si terrible...

Je marquai mon assentiment, juste histoire de me couvrir.

– ... et puis je ne savais pas quoi faire. Nous n'avions pas de formation en quoi que ce soit à l'époque.

– Je sais.

– Ça m'a paru être une issue de secours. Je savais que Damian ne voulait pas de moi, et comme je pensais à lui matin, midi et soir, je n'avais pas d'autre solution. Bref, ça s'est passé comme ça pour moi...

Elle haussa les épaules, désabusée. Et puis elle eut un sursaut, comme un frisson, et elle leva les yeux.

– On vient de marcher sur ma tombe.

Quelle expression étrange et troublante. Nous sommes restés sans rien dire et Serena me proposa gaiement de reprendre du thé.

– Je veux bien.

Je lui tendis ma tasse. Elle n'avait pas fini son histoire.

– Je me suis mariée et j'ai été enceinte assez vite. Quand tu es dans l'excitation du moment, tu as plein de choses à faire, des achats, et tout le monde s'occupe de toi, et j'ai oublié pendant un moment que j'étais malheureuse. Et puis quand Mary est née, Candida est venue me voir et nous avons parlé. Elle m'a dit que, de toute manière, ça n'aurait jamais marché avec Damian, surtout avec mes parents qui y étaient opposés. Et ça ne m'avait pas traversé l'esprit qu'ils aient pu avoir quelque chose contre lui. J'avais deviné qu'ils n'étaient pas des grands fans non plus, je l'avais compris au dîner du bal, mais je ne croyais pas qu'ils aient pu avoir un sujet d'animosité explicite à son égard puisqu'il m'avait quittée en confessant sa duplicité avant qu'ils ne le connaissent vraiment. Et c'est là que j'ai appris ce qu'ils avaient dit à Candida. Tu es au courant ?

– Oui.

Serena commençait à s'échauffer. Ça se voyait. Même si toute son éducation l'avait entraînée à mettre la bride à ses émotions, elle ne pouvait empêcher une part de sa fureur de transparaître. Elle posa sa tasse et se leva. Elle jouait nerveusement avec les bibelots et les invitations qui encombraient le manteau de la cheminée.

– Plus je pensais à ce qu'on m'avait fait et plus j'étais folle de rage. Parce que maintenant je comprenais mieux pourquoi on m'avait casée avec Andrew. Et, finalement, j'ai décidé qu'il fallait que je revoie Damian. C'était vital.

Elle haletait presque. Visiblement, cela devait faire un moment qu'elle n'avait pas reparlé de cet épisode en détail.

– Tu connais la suite.

– En effet.

– Bien sûr, une fois que mes parents s'étaient incrustés, et ma belle-mère par-dessus le marché, j'aurais dû tout annuler. Mais je brûlais tellement d'envie de le revoir, de lui toucher la main, de le respirer que j'ai continué. Rétrospectivement, j'imagine qu'ils avaient dû deviner qu'il se passait quelque chose.

– Ça y ressemble.

– Mais, quand j'ai appris que tu avais contacté Damian et qu'il venait, je n'ai plus eu le courage de dire non. Je savais que j'aurais dû résister mais je n'ai pas pu. Donc, ce soir-là, nous sommes arrivés à votre villa et nous sommes allés faire un tour sur la plage. Et je lui ai posé des questions sur ce qu'il m'avait déclaré lors du bal et il a admis qu'il avait menti. Il n'y avait rien de vrai : il m'aimait. Il m'aimerait toujours, disait-il. Et je lui ai dit que s'il ne m'avait pas menti lors de ce bal, s'il m'avait tout raconté, je serais partie avec lui le soir même. J'aurais fait mes bagages pour l'épouser sur-le-champ. J'avais 21 ans et nous aurions vécu ensemble pour le reste de notre vie. Il m'a dit qu'il pensait avoir fait ce qu'il fallait, qu'il avait agi avec droiture.

– C'est vrai.

Elle me lança un regard où brillait la fureur.

– Ah, oui ? Eh bien, je l'emmerde, ta droiture, et la sienne avec. Je me fous de ses raisons. Il m'a menti et il a tout foutu en l'air !

– C'est de cette fourberie que tu évoquais dans la lettre. Je croyais que c'était autre chose.

Elle fronça les sourcils et essaya de comprendre.

– Ah, tu veux dire parler d'amour pour coucher avec moi ?

– Oui.

– C'est plutôt l'inverse. Il a feint l'indifférence. C'était ça, la fourberie.

– Pourquoi n'as-tu pas quitté Andrew ? Une fois que tu savais tout ?

Serena sembla alors se calmer et s'exprima avec davantage de tristesse :

– J'ai été faible. C'est la faiblesse dont je parle dans la lettre.

Elle revint s'asseoir.

– Damian me l'a demandé. Il m'a dit que, si mes sentiments étaient tels que je les décrivais, alors c'était la seule chose à faire. Il m'a suppliée. Mais les circonstances avaient changé. Tu sais ce qu'on dit sur le passé : « Le passé est comme un autre pays avec d'autres coutumes. » J'avais un bébé, j'étais dans la famille jusqu'au cou. Le scandale aurait été terrible, même en 1970, et même si mes parents étaient d'une certaine façon responsables...

– D'une certaine façon seulement ?

– Oui, bon, c'est vrai, ils étaient responsables de la situation. Mais ils avaient cru agir au mieux de mes intérêts. Oui, d'accord, ils pensaient que *leurs* intérêts et les miens, c'était pareil. Et puis, j'en avais assez d'être tiraillée de tous les côtés.

Elle soupira tellement fort qu'on aurait dit un grondement. Je sentis tout l'air qu'elle expirait.

– Bien sûr, si cela arrivait aujourd'hui, je partirais immédiatement avec lui. C'est ce que j'aurais dû faire. J'aurais dû mais je n'en ai pas eu le cran quand l'occasion s'est présentée. Damian est à moitié responsable pour ce ratage de notre vie. Je suis responsable pour moitié aussi.

– Et plus tard, cette nuit-là...

Ce souvenir la fit presque sourire.

– Nous étions revenus dans la maison que nous avions louée, elle ne se situait pas très loin et, bien sûr, on était sous le choc. Tout le monde s'est servi un grand verre, même lady Belton, et chacun a titubé jusqu'à une salle de bains pour se « dépoissonner », moi la première. Après, chacun est allé s'effondrer dans sa chambre. Mais, quand Andrew est allé se coucher, j'ai dit que je n'avais pas sommeil. Je voulais rester debout. J'ai attendu d'être certaine qu'il dorme et je suis retournée à la villa.

– À pied ?

– Je sais. On ne ferait pas comme ça aujourd'hui. Ou peut-être que si. Quand on est jeune et désespérément amoureux... Certaines choses ne changent pas. Je savais quelle était la chambre de Damian – car nous l'avions tous vu y entrer d'un air hautain. Je ne sais pas exactement ce que j'aurais fait si j'avais trouvé la porte fermée. Aujourd'hui on ferme les portes, hein ?

– Tu l'aurais réveillé.

– J'imagine. Mais, comme elle était ouverte, je suis entrée et je me suis glissée dans son lit pour lui faire l'amour dans l'obscurité la plus totale. Je savais que cela serait la toute dernière fois. Il était réveillé au bout d'un moment, mais pas vraiment, il est resté ensommeillé. Peu m'importait. Je disais adieu à la vie que j'aurais dû avoir. C'était pour moi que je faisais ça, d'une certaine façon.

– Mais pourquoi est-ce que cela aurait dû être la dernière fois ? Même si tu n'étais pas prête à divorcer, tu aurais pu avoir une liaison avec lui.

– Non. Je n'aurais pas pu être sa maîtresse – inventer des déjeuners avec des amies et faire semblant de manquer le train, tout ça... Ce n'était pas notre genre, ça ne nous correspondait pas. Nous aurions dû être un vrai couple, affronter le monde et tous ceux qui se seraient mis en travers de notre chemin. Pas question de passer des coups de fil en douce et de raccrocher quand c'est le mari qui répond. Il en était hors de question. Quand j'ai décidé de ne pas quitter Andrew, c'était fini entre Damian et moi.

– J'espère qu'Andrew comprend au moins un peu tout ce qu'il te doit.

– Non. Et si c'était le cas, cela serait une catastrophe pour lui, ça annulerait tout. En tout cas, cette nuit-là, je me suis rhabillée, je suis partie et je n'ai jamais revu Damian. Fin du film.

– Comment as-tu su que Peniston était son fils ? J'imagine qu'Andrew venait te rendre visite de temps en temps quand même.

– La formulation n'est pas très heureuse...

Elle sourit, tendrement, à la pensée de son fils, fruit de l'amour défendu.

– Je savais que c'était son fils parce que, quand il est né, il ressemblait énormément à Damian. Ça s'est estompé par la suite, avant ses 2 ans. Je crois qu'il y a une légende qui veut que les nourrissons ressemblent à leur père pour être sûr qu'on s'occupe d'eux... Son nez, ses yeux... Je priais pour que personne ne s'en rende compte mais, parfois, je trouvais que ma mère le regardait d'un drôle d'air les premiers mois. En tout cas, moi, j'ai toujours su.

– Pourquoi as-tu écrit à Damian ? Pourquoi est-ce que tu n'es pas tout simplement allée le trouver ?

– Je ne sais pas. Je m'apitoyais sur mon sort. Andrew était encore plus pénible que d'habitude et je m'étais rendue à Londres pour finir le shopping de Noël toute seule. J'étais ivre. Je ne sais pas pourquoi j'ai pris la plume. Je n'aurais jamais posté la lettre si j'avais attendu le lendemain, mais quelqu'un l'a prise sur la table de l'entrée et l'a postée. Je me suis levée et c'était trop tard.

– C'est exactement ce que Damian a pensé, ajoutai-je en riant.

Elle se montra soudain sérieuse.

– Et maintenant ?

– Je vais mettre Damian au courant. Il modifiera son testament. Ton fils est désormais très très riche. La maison Belton retrouve toute sa splendeur.

– Quand tout sera fini, oui.

– Je t'assure que Peniston n'aura pas long à attendre.

Je me suis alors rappelé un détail de procédure qu'il fallait respecter.

– Il faudra sans doute faire un test ADN. Cela te dérange ?

Sans un mot, elle se dirigea vers son bureau, ouvrit un tiroir et prit une enveloppe qu'elle me tendit. Sur l'enveloppe était écrit : « Cheveux de Peniston. 3 ans. »

– Est-ce que ça ira ou bien faut-il un échantillon plus récent ?

– Je suis sûr que ça ira.

– N'utilise pas tout.

Je voyais bien que quelque chose la dérangeait.

– Est-ce que Peniston doit forcément être au courant ? Est-ce que c'est une des conditions ?

– Tu ne veux pas qu'il sache ?

Elle regarda autour d'elle. Au-dessus de la cheminée trônait le portrait d'une ancêtre d'Andrew de l'époque victorienne, la troisième comtesse de Belton par Franz Xaver Winterhalter, avec des bouclettes châtaines et pas mal de monde au balcon. Serena soupira.

– Si on le met au courant, il aura le choix entre vivre dans le mensonge ou bien gâcher la vie de son père en se retranchant de la lignée Belton et en passant pour un imbécile auprès de tous ceux qu'il connaît depuis son enfance.

– Un imbécile riche.

– Un imbécile riche mais un imbécile quand même.

Elle prit une grande inspiration.

– Non. Je ne veux pas qu'il apprenne la vérité. Je veux qu'il sache que Damian était quelqu'un de formidable. Je veux bien lui avouer que nous étions amoureux. Je le veux vraiment. Mais je crois que cela suffit.

– Je vais mettre Damian au courant.

– J'aurais une autre requête. Est-ce que je peux lui dire moi-même ? Est-ce qu'il me le permettrait ?

En regardant cette femme, belle et en bonne santé, encore en pleine force de l'âge, j'ai eu une pensée pour Damian, réduit à l'état de cadavre qui respirait encore un peu.

– J'en doute. Tu pourrais lui écrire. Ça ne serait pas la première fois.

Nous avons tous les deux souri mais je voyais ses yeux s'embuer.

– Je ne crois pas qu'il veuille voir qui que ce soit. Et surtout pas quelqu'un qui ne l'a pas vu depuis l'époque où il était encore...

Je n'arrivais pas à trouver le bon mot.

– ... beau, finit-elle, alors que la première larme commençait à parcourir sa joue.

– C'est cela. Depuis l'époque où il était encore beau.

En partant, j'ai appelé Bassett pour lui apprendre les derniers développements et, suivant ses conseils, je suis venu directement du Dorset dans le Surrey. Le temps d'arriver, deux heures et demie plus tard, il y avait déjà un notaire qui m'informa qu'un nouveau testament en faveur du vicomte Summersby venait d'être rédigé et signé. Cela me réjouit, même s'il me fallut un petit moment pour associer la notion de plaisir avec un nom que j'avais si longtemps détesté. Damian avait demandé que je vienne le voir dès mon arrivée et, en pénétrant dans sa chambre, je me suis rendu compte que nous étions en train de jouer contre la montre. Damian était dans son lit avec tout un effrayant dispositif de tubes, de cathéters et de perfusions. Le tout était relié à un endroit ou un autre de sa carcasse émaciée et racornie. Deux infirmières s'agitaient autour de lui mais, quand il m'aperçut, il leur fit signe de s'en aller et elles nous laissèrent seuls.

– Ça y est. J'ai signé le testament.

– Le notaire vient de m'en avertir. Tu ne voulais pas attendre les résultats du test ?

Je sortis la mèche de cheveux de l'enveloppe pour la lui donner. Mais il refusa d'un signe de tête.

– Pas le temps. Ça sera bon, de toute façon.

La mèche en elle-même avait beaucoup plus d'importance pour lui que le test. Il se saisit de quelques cheveux attachés par un filament doré et me fit signe d'emporter le reste.

– Donne-les à Bassett. Maintenant. Ça leur suffira.

J'appelai le majordome qui est aussitôt venu récupérer le précieux duvet. Quand je me retournai, je constatai que Damian portait lentement à ses lèvres le résidu des boucles de son enfant.

– Alors on a réussi...

– C'est vrai, confirmai-je.

– Juste à temps, hein ? Raconte-moi tout.

Ses lèvres avaient tenté une sorte de sourire qui aboutit plutôt à une grimace assez douloureuse à voir.

Je lui racontai tout. Il ne fit aucun commentaire, sauf quand j'arrivai au récit de sa discussion avec Serena au bal. Je lui dis que j'avais trouvé son comportement très digne mais il n'était pas d'accord.

– C'est censé passer pour honorable, mais c'était juste de l'orgueil. Je voulais être désiré. Et en allant là-bas, je pensais réussir à les charmer. Ça n'a pas marché et je ne voulais pas être la *mésalliance** de la famille. Ce n'était rien d'autre que de l'orgueil. J'ai gâché nos deux vies par pur et simple orgueil.

– Et elle est persuadée que c'est elle qui a gâché vos deux vies par pusillanimité, ce soir-là, sur la plage à Estoril.

Cette pensée le rasséréna presque.

– Elle a tort. Mais, même maintenant, cela me fait plaisir de savoir qu'elle pense comme moi. C'est très égoïste, bien sûr. Si je l'aimais de manière moins égoïste, je voudrais qu'elle m'oublie, mais je ne peux m'y résoudre.

– Elle ne souhaite pas que Peniston soit au courant. En fait, elle veut qu'il sache qui tu es mais pas que tu es son père.

Il opina mais sans protester. Je voyais qu'il était prêt à accepter cela.

– Elle a demandé à venir te voir. Pour s'expliquer.

Cette remarque déclencha comme une panique dans les yeux humides qui reposaient sur l'oreiller. Je l'apaisai immédiatement d'un signe de tête.

– Je lui ai expliqué que ça n'était pas possible, mais elle t'envoie un petit mot.

J'étais assis dans un fauteuil près de la tête de lit qui servait aux visiteurs et je sortis l'enveloppe écrue de ma poche de veste. Il me fit signe de l'ouvrir. Sous le gaufrage de l'adresse en bleu foncé, Waverly Park, figurait son écriture oblique épaisse que je me rappelais si bien : « Depuis notre dernière rencontre, j'ai continué de t'aimer. Je t'aimerai jusqu'à la fin de mes jours. » La signature ne comportait qu'un mot, « Serena ». Je lui ai tenu la lettre et il l'a lue et relue. Ses yeux parcouraient inlassablement la page.

– Tu lui diras que tu es arrivé à temps et que je partage exactement les mêmes sentiments, murmura Damian – je ressens la même chose. Est-ce que tu restes ? On te fournira ce dont tu as besoin.

Je ne comprends pas comment j'ai pu hésiter. J'avais soudain la tête remplie de ces pensées idiotes qui semblent tomber des étagères de l'esprit pour encombrer votre entendement aux pires moments – je devais aller à un dîner, j'avais rendez-vous avec des amis qui arrivaient de Munich pour déjeuner le lendemain... Parfois, on est pris d'impulsions idiotes. Avant que je puisse répondre, il me prit la main qui reposait sur le dessus-de-lit.

– S'il te plaît. Je promets de ne pas te retenir plus longtemps cette fois-ci.

Je fis signe que j'étais d'accord, tout honteux de n'avoir pas réagi immédiatement.

– Bien sûr que je reste.

Et c'est ce que j'ai fait. Je dînai en compagnie du notaire, un certain Mr. Slade, qui m'invita à l'appeler Alastair, et nous eûmes une conversation un peu guindée portant sur le réchauffement climatique au XIVe siècle et sur l'étrange cas de Mr. Gordon Brown, tout en chipotant avec notre repas dans le cadre d'une splendide salle à manger d'une tristesse sans vie. On me raccompagna à la chambre que j'avais occupée lors de ma première visite. Cela me parut remonter à une époque lointaine alors que c'était seulement deux mois auparavant, quand Bassett m'avait procuré de quoi me raser et me laver les dents.

– Je viendrai récupérer votre chemise et votre linge. Ils seront prêts et repassés pour demain matin, sir.

Damian avait passé ses dernières années dans un conte de fées, mais un conte de fées bien solitaire, j'en étais bien conscient.

Bassett vint me réveiller aux premières heures du jour.

– Pouvez-vous venir, sir ? Il n'en a plus pour longtemps.

Je vis qu'il avait des larmes dans le regard et je me fis la réflexion que, quand un homme meurt et que son majordome pleure, c'est qu'il a été un homme bien pendant au moins une partie de sa vie. J'attrapai la robe de chambre neuve qu'on m'avait fournie et me dépêchai de traverser les couloirs menant à la chambre désormais mortuaire, laquelle me sembla bien remplie à mon arrivée : deux infirmières, le médecin, Alastair Slade, qu'on avait mandé en cas de modification de dernière minute, mais qui ne se révéla finalement pas utile. L'atmosphère d'angoisse confinée me rappela l'anecdote de Louis XVI qui avait démoli une vitre d'un coup de poing pour donner de l'air à sa femme lors de son *accouchement**. Tout le monde se retourna vers moi quand je fis mon entrée et ils me dégagèrent le passage vers le lit avec une rigueur chorégraphique qui me fit penser qu'il s'agissait là encore d'un ordre donné par Damian – décidément, il n'avait rien laissé au hasard pour son départ.

Damian était tout juste en vie. Quand il m'aperçut, il bougea les lèvres. Je m'agenouillai près de lui et me penchai pour que mon oreille soit le plus près possible de sa bouche. Je pus entendre très clairement ses derniers mots :

– Dis-lui bien que j'ai les mêmes sentiments envers elle.

Et puis ce fut la fin.

Le test se révéla positif, comme Damian et moi l'avions prévu. Il n'y avait donc aucun doute que justice serait faite lors du règlement de la succession. Avant notre départ, Alastair me donna un exemplaire du testament et me demanda de le lire en entier au cas où il puisse m'éclairer sur un point ou un autre, mais tout était très clair, encore que d'une ampleur colossale. Comme je le savais, Damian n'avait pas de famille proche et il n'y avait guère de possibilité que le testament fût contesté malgré des dispositions que certains pouvaient considérer comme excentriques. Le document en lui-même était très simple. Je découvris que j'avais reçu la lourde fonction d'exécuteur testamentaire. La tâche était rendue moins ardue par le fait que je ne partageais ce rôle avec personne d'autre : les administrateurs, banquiers, et autres responsables ou conseillers financiers faisant partie du vaste empire de Damian devaient donc se soumettre à mes décisions. L'autre élément qui aidait à faire passer la pilule face à cette mission peu commode à accomplir était une somme conséquente que Damian me laissait « en gage de gratitude pour l'exécution de cette tâche ennuyeuse ». Je n'avais rien attendu de tel, mais je lui en fus extrêmement reconnaissant et le suis encore. Je dois avouer sans tergiverser que ce don a énormément changé le cours de ma vie, et pas de manière négative.

Il avait également mis à part une somme considérable que je devais distribuer. Je le cite : « L'exécuteur distribuera cet argent aux personnes de la liste. Il comprendra cette désignation. Je ne fais aucune recommandation quant aux modalités de la répartition car il est davantage philanthrope que moi. » Je résolus de me montrer impudemment partisan en donnant à Dagmar la part du lion, ce qui eut pour effet quasi immédiat de la voir quitter William. Je n'avais pas oublié qu'elle avait été la seule à être bien traitée par Damian lors de sa terrible tirade portugaise et j'en avais conclu que le bonheur de Dagmar devait être important pour lui, au moins à certains égards. Candida reçut une somme conséquente et elle m'en fut reconnaissante. Lucy eut également sa part, que Philip gaspilla en moins de trois ans dans des investissements commerciaux peu judicieux. De manière peut-être inattendue, Terry, de son côté, fit de bons placements dont elle profite aujourd'hui. Kieran n'avait pas besoin que je lui lègue d'argent, mais comme il était le légitime récipiendaire de la part qui revenait à Joanna, j'ai racheté le paysage maritime de Turner que j'avais admiré dans la bibliothèque lors de ma première visite et le lui ai offert. Je crois qu'il a apprécié le geste. La seule autre donation dont j'ai été personnellement responsable, mais que j'étais parfaitement habilité à effectuer en tant qu'exécuteur testamentaire, fut une somme importante pour la sœur de Peniston, Mary. C'était en partie parce que je ressentais une légère culpabilité à l'idée que, contrairement à son frère Peniston, le sang des Belton coulait dans ses veines. C'était aussi pour donner corps à l'idée apaisante – étayée par les autres dons faits aux différentes légataires – que Damian avait décidé de partager son héritage entre les femmes qu'il avait aimées et leurs enfants. Sa fortune était tellement monumentale que tous les dons que je viens de mentionner n'entamèrent en rien la part principale et tous ces cadeaux appuyèrent la légende que Serena était heureuse et même très désireuse de nourrir et de propager.

Naturellement, il fallait que Candida et Terry, qui étaient les deux seules à connaître la vérité, promettent de se taire. Mais Candida était la cousine de Serena et ne présentait aucun risque. J'étais plus inquiet de mes indiscrétions du côté de Terry et je fus un moment tenté d'ajouter une clause de confidentialité à la somme qui lui était allouée, mais j'avais peur que cela ne soit contre-productif si jamais elle trouvait cela insultant, et j'avais préféré compter sur ce qui lui restait de droiture. Jusqu'ici je n'ai pas été déçu.

Les obsèques se déroulèrent dans l'intimité et la simplicité. Le corps de Damian fut enterré, fort logiquement, dans le cimetière de l'église Sainte-Thérèse-d'Avila avec laquelle il s'était montré si généreux de son vivant. Quelques mois plus tard eut lieu un service de commémoration de plus grande ampleur à l'église de St George, sur Hanover Square, à Londres. Le testament avait été rendu public à ce moment-là et avait provoqué bon nombre de discussions dans les salons et aux tables de la société londonienne, si bien que l'église était fort remplie, notamment par de nombreux visages du passé, et j'espère que cela n'était pas seulement dû au buffet qui devait se tenir au Claridge. Serena m'aida beaucoup pour l'organisation et suggéra que Peniston lise un texte à cette occasion. C'était assez convenu, une oraison à base de « La mort n'est rien », ce que je trouve toujours un peu irritant mais, apparemment, il s'agissait là d'une mention obligatoire. Il évoqua l'admiration et l'amour de sa mère pour Damian, ce que je trouvai à la fois indiqué et courageux. Je dois avouer avoir été assez impressionné par la présence d'Andrew, qui conserva durant la cérémonie et la réception une gravité pompeuse et solennelle qui, j'imagine, devait être chez lui la manifestation se rapprochant le plus du chagrin. Étant donné les circonstances et même avec le peu qu'il avait été amené à savoir, il était difficile de penser qu'il puisse en ressentir vraiment. Bien sûr, la dimension prodigieuse de l'héritage avait propulsé la dynastie Belton dans le top vingt des familles anglaises, et il aurait été malvenu de le voir manifester de l'ingratitude – mais, bon, on ne peut jamais tout à fait compter sur les bonnes manières, et je fus heureux de voir qu'il était capable de s'y tenir.

Lucy était là également. Elle portait une tenue de deuil étrange, son manteau de soirée en soie noir étant paré d'une gigantesque fleur en plastique mauve sur le revers. Candida arriva en compagnie de Dagmar. Elles étaient toutes deux élégantes et sincèrement éplorées, ce qui me réchauffa le cœur – cela montre à quel point j'avais pu changer d'opinion sur le défunt. Kieran lui-même fit le déplacement, même si c'était peut-être juste pour avoir confirmation du décès de Damian. Terry ne fit pas le voyage depuis la Californie, ce qui aurait été trop demander, mais elle envoya une gerbe de fleurs, de ces arrangements à la mode hideux qu'adorent les fleuristes des grandes villes et qui ont vaguement l'air carnivores. Une femme dans la foule me fit une impression particulière. Elle était grande et imposante, mais très chic dans son genre. Elle portait un tailleur très bien coupé et une broche en diamants comme j'en avais rarement vu. Elle me sourit, ce qui signifiait que je devais la connaître et, au cas où elle vienne me saluer, je pris la précaution de demander l'aide de Serena pour l'identifier, ce qui la surprit quelque peu.

– Tu dois te souvenir de Georgina Waddilove, quand même ?

– Georgina la Dodue ? fis-je, estomaqué. Mais qu'est-ce qui lui est arrivé ?

– Tu as vraiment perdu contact avec le grand monde... Elle a épousé le marquis de Coningsby.

En effet, j'avais perdu contact avec ce monde-là...

– Quand ça ?

– Il y a une quinzaine d'années. C'est incroyable que tu ne sois pas au courant. C'est vrai qu'ils vivent en Irlande, la plupart du temps. C'était son premier mariage et le deuxième pour le marquis. Le miracle, c'est qu'il avait eu deux filles de son premier mariage, et Georgina lui a donné deux garçons, un à 43 ans et le deuxième un an plus tard. Elle est donc la mère de l'héritier *et* du remplaçant.

– Il est sympathique ?

– Adorable. Il ressemble à l'acteur de *Inspecteur Morse* et il est tellement reconnaissant envers Georgina pour avoir été sa planche de salut. Madame Numéro Un l'avait plaqué pour un de ses amis et il était au trente-sixième dessous quand ils se sont rencontrés. Maintenant il est heureux comme tout.

La nouvelle me rendit très euphorique. En regardant la marquise de Coningsby, souriante et presque séduisante, je me rendis compte que l'affliction n'était après tout pas la règle universelle dans cette chronique des destins tragiques. Pour certaines personnes, tout finit bien.

– C'est merveilleux. J'espère que sa mère était encore en vie pour assister à son mariage.

– Oui. Mais, dans le cas contraire, elle serait sûrement sortie de sa tombe pour y assister.

Nous avons ri tous les deux et puis Serena alla s'occuper d'autres invités.

La quête de Damian était terminée et je n'étais pas fâché de sa conclusion, ni de ce que j'avais appris en revenant sur les traces de ma jeunesse perdue. J'avais cru que mon histoire d'amour millésime 1968 était restée secrète et unilatérale pour découvrir que Serena Gresham et celui que je considérais comme un traître avaient formé le couple d'amants romantiques par excellence. Même ainsi, je reste convaincu qu'en redécouvrant et reconnaissant ce qui m'avait animé au plus profond de mon cœur, et après avoir fait l'amour, cette unique fois, avec le véritable objet de ma passion, j'avais enfin vraiment assumé ma vie, rétrospectivement et pour l'avenir aussi. Quoi qu'il puisse m'arriver, bonheur ou malheur, nous verrons bien, je suis en mesure d'affirmer que j'ai connu l'amour dont parlent les poètes et je ne peux qu'en être reconnaissant.

J'étais dans le hall de l'hôtel, au marbre en damier noir et blanc éclatant, quand Peniston Summersby vint me trouver en me touchant le bras. Nous sommes allés dehors, à la lumière encore vive de ce beau jour d'automne, et avons discuté des diverses procédures qui restaient à exécuter – une succession comme celle de Damian prend forcément quelques années à régler. Puis, il sembla hésiter et j'ai compris qu'il voulait me dire quelque chose pour me montrer qu'il était bien conscient de sa chance. Il finit par trouver les mots :

– C'est une chance incroyable. Je vais essayer de m'en montrer digne.

– Je suis sûr que tu seras à la hauteur.

– Et puis j'aimerais qu'il y ait une continuité concernant les domaines qui lui tenaient à cœur. Je pensais à la recherche contre le cancer et puis peut-être créer de nouvelles bourses à son nom.

– Franchement, je ne crois pas qu'il ait forcément eu envie de perpétuer son nom, mais allons-y, je suis d'accord.

C'était le moment de se séparer mais je sentais qu'il n'en avait pas encore fini. Le pauvre, il avait l'air mal à l'aise, et c'est vrai qu'au bout du compte il est presque gênant de recevoir un héritage de la dimension de la dette nationale publique de l'Angleterre parce qu'un type était amoureux de sa mère il y a quarante ans – et il n'était pas question qu'il en sache davantage.

– Maman dit que c'était quelqu'un de merveilleux. Elle regrette que je ne l'aie pas connu.

– C'était quelqu'un de courageux, ajoutai-je après un moment de réflexion. Il n'avait pas peur des règles qui effraient la plupart des gens. Il créait ses propres règles et c'est quelque chose d'admirable en soi. C'était quelqu'un qui avait une personnalité unique. C'est une qualité rare que très peu de personnes parviennent à atteindre.

Là-dessus, nous nous sommes serré la main et je suis parti par Brook Street.

POSTFACE
L'histoire de *Passé imparfait*

Passé imparfait se passe dans le même milieu que *Snobs*, mais avec un arrière-plan plus sombre.

Cela faisait longtemps que je travaillais sur un roman ayant pour thème principal le temps et la façon dont chacun de nous – pour peu que nous atteignions la cinquantaine – doit traverser deux ou trois périodes historiques complètement différentes avant de pouvoir reposer en paix. Des époques dont les mentalités, les vérités, les mœurs sociales et les vêtements sont fort disparates. Non seulement le monde autour de nous change mais nous changeons également. Nous n'avons plus les mêmes pensées qu'à 20 ans et, dans bien des cas, ni les mêmes opinions ni les mêmes croyances. Dans ce roman, le narrateur, qui n'a pas de nom, se plie à la mission de Damian Baxter et fait face à son propre passé en plus de celui de Damian.

En ce qui concerne la structure de l'ouvrage, je dois préciser que, l'année dernière, ayant été interviewé pour un documentaire sur la fin de la présentation à la reine en 1958, je m'étais aperçu que ses auteurs étaient persuadés qu'il s'était agi là de la dernière Saison des Débutantes, alors que cette pratique avait perduré pendant encore au moins trois décennies, ce que je savais pour y avoir participé. J'ai ensuite rencontré par hasard le grand amour de ma jeunesse, désormais femme mûre avec des enfants adultes, et j'ai commencé à réfléchir à ce monde d'il y a quarante ans en me demandant ce qui était arrivé à toutes ces jeunes filles et ces jeunes garçons, qui avaient partagé ces bals avec moi, à une époque qui me semblait – avec le recul – si simple. Je tenais là pour mon roman la structure des allers et retours entre passé et présent. Alors que j'avais déjà bien entamé le travail d'écriture, par une très étrange coïncidence, j'ai appris qu'un camarade de Cambridge qui, comme moi, avait participé à la Saison de 1968, était sur le point de mourir d'un cancer.

C'est dans ces circonstances que s'est construit *Passé imparfait*, un roman qui parle du temps et de ses effets sur chacun d'entre nous.

Julian Fellowes